IAN RANKIN (ur. 1960) — najpopularniejszy współczesny pisarz szkocki. Absolwent uniwersytetu w Edynburgu. Po ukończeniu studiów imał się różnych zawodów — pracował jako zbieracz winogron, poborca podatkowy, świniopas i muzyk punkowy. Jako pisarz zadebiutował w 1986 książką *The Flood*. Wydane rok później SUPEŁKI I KRZYŻYKI, pierwsza ze słynnego cyklu powieści kryminalnych o inspektorze Rebusie, przyniosła mu niesłabnącą do dziś popularność. Kolejne tytuły, m.in. *Hide and Seek* (1991), BLACK & BLUE (1997), WISZĄCY OGRÓD (1998), MARTWE DUSZE (1999), KASKADY (2001), ODRODZENI (2003) i *Fleshmarket Close* (ZAUŁEK SZKIELETÓW, 2005) osiągnęły najwyższe pozycje na listach książkowych bestsellerów w Wielkiej Brytanii i zostały przetłumaczone na kilkanaście języków. Rankin jest dwukrotnym zdobywcą nagrody „Złotego Sztyletu" przyznawanej przez Amerykańskie Stowarzyszenie Autorów Powieści Kryminalnych, był też nominowany do równie prestiżowej Edgar Poe Award. Cykl książek o inspektorze Rebusie stał się podstawą do stworzenia serii spektakli telewizyjnych.

W tym wydaniu m.in.

ROSS MACDONALD
Spotkamy się w kostnicy
Okrutne wybrzeże
Troista droga
Pożegnalne spojrzenie

PHILLIP MARGOLIN
Zagubione jezioro

JAMES PATTERSON, MAXINE PAETRO
Czwarty lipca
Piąta księżniczka

IAN RANKIN
Zaułek szkieletów

IAN RANKIN

Próba krwi

Z angielskiego przełożył
ROBERT PIOTROWSKI

WARSZAWA 2006

Tytuł oryginału:
A QUESTION OF BLOOD

Redakcja: Lucyna Lewandowska
Ilustracja na okładce: Jacek Kopalski
Projekt graficzny okładki: Andrzej Kuryłowicz

ISBN-13: 978-83-7359-222-3
ISBN-10: 83-7359-222-9

Dystrybucja
Firma Księgarska Jacek Olesiejuk
Kolejowa 15/17, 01-217 Warszawa
tel./fax (22)-631-4832, (22)-535-0557/0560
www.olesiejuk.pl

Sprzedaż wysyłkowa – księgarnie internetowe
www.merlin.pl
www.ksiazki.wp.pl
www.empik.com

WYDAWNICTWO ALBATROS
ANDRZEJ KURYŁOWICZ
Wiktorii Wiedeńskiej 7/24, 02-954 Warszawa

Wydanie I
Skład: Laguna
Druk: OpolGraf S.A., Opole

Pamięci
wydziału śledczego St Leonard's

Ita res accendent lumina rebus
Anonim

Brak widoków na zakończenie
James Hutton, uczony, 1785

Dzień pierwszy
Wtorek

1

— Sprawa jest prosta jak drut — powiedziała detektyw sierżant Siobhan Clarke. — Herdmanowi odbiło, i tyle.

Siedziała przy łóżku w nowo otwartej Lecznicy Królewskiej w Edynburgu. Kompleks budynków szpitalnych usytuowany był na południu miasta, w dzielnicy zwanej Małą Francją. Mimo iż zbudowano go na łąkach kosztem niemałych pieniędzy, już teraz utyskiwano na ciasnotę w środku i za mały parking na zewnątrz. Siobhan znalazła w końcu wolne miejsce, po czym przekonała się, że za ten przywilej będzie musiała zapłacić.

Już od progu poinformowała o tym detektywa inspektora Johna Rebusa. Jego dłonie, aż po nadgarstki, spowijały bandaże. Nalała mu letniej wody i patrzyła, jak oburącz unosi plastikowy kubek do ust i popija ostrożnie.

— Widzisz? — odezwał się chełpliwie, kiedy skończył. — Nie uroniłem ani kropli.

Zaraz jednak zepsuł cały efekt, upuszczając naczynie, gdy próbował odstawić je z powrotem na szafkę przy łóżku. Kiedy kubek odbił się denkiem od podłogi, Siobhan złapała go, nim zdążył spaść z powrotem.

— Masz refleks — przyznał Rebus.

— Nic się nie stało. I tak był pusty.

Potem gadała o niczym, starannie unikając pytań, które tak bardzo chciała zadać. Zamiast tego opowiedziała mu o jatce w South Queensferry.

Trzy trupy, jeden ranny. Spokojne miasteczko na wybrzeżu,

11

tuż na północ od Edynburga. Prywatna szkoła, do której chodzili chłopcy i dziewczęta w wieku od pięciu do osiemnastu lat. W sumie sześciuset uczniów, teraz minus dwóch.

Trzecią ofiarą był sprawca, który sam się zastrzelił. Proste jak drut, jak powiedziała Siobhan.

Z wyjątkiem jednego pytania: dlaczego?

— Był taki jak ty — mówiła dalej. — No wiesz, były żołnierz. Uważają, że dlatego to zrobił... miał pretensje do całego świata.

Rebus zwrócił uwagę, że Siobhan uparcie trzyma ręce w kieszeniach kurtki. Domyślał się, że nawet nie zdając sobie z tego sprawy, zaciska pięści.

— W gazetach piszą, że prowadził jakiś interes — powiedział.

— Miał motorówkę, woził narciarzy wodnych.

— Ale miał pretensje do świata?

Wzruszyła ramionami. Wiedział, że chciałaby zająć się tym śledztwem, czymkolwiek, byleby nie myśleć o innym dochodzeniu... tym razem wewnętrznym, w dodatku z nią samą w roli głównej.

Wpatrywała się w ścianę nad jego głową, jakby oprócz farby i końcówki przewodu tlenowego było tam coś interesującego.

— Nie zapytałaś mnie nawet, jak się czuję — poskarżył się.

Spojrzała na niego.

— Jak się czujesz?

— A, dziękuję, wariuję z bezczynności.

— Spędziłeś tu dopiero jedną noc.

— Mam wrażenie, że więcej.

— Co mówią lekarze?

— Nikt jeszcze dzisiaj do mnie nie zajrzał. Ale bez względu na to, co orzekną, i tak się po południu wypisuję.

— I co dalej?

— To znaczy?

— Do pracy wrócić nie możesz. — W końcu spojrzała na jego dłonie. — Jak będziesz prowadził albo pisał raporty? A telefony?

— Dam sobie radę.

Rozejrzał się; tym razem to on unikał jej wzroku. Otaczali go mężczyźni mniej więcej w jego wieku, o równie szarej cerze.

Szkocka dieta im nie służyła, bez dwóch zdań. Jeden z nich zanosił się kaszlem, nie mogąc wytrzymać bez papierosa. Inny najwyraźniej miał kłopoty z oddychaniem. Miejscowa społeczność — nadwaga i spuchnięte wątroby. Rebus uniósł rękę, by podrapać sobie przedramię o lewy policzek, i poczuł twardy zarost na twarzy. Wiedział, że szczecina jest tej samej srebrnej barwy co ściany na jego oddziale.

— Dam sobie radę — powtórzył w panującej ciszy, opuszczając rękę i żałując, że w ogóle ją podniósł. Palce zakłuły go z bólu, gdy krew zaczęła w nich krążyć. — Czy już z tobą gadali? — zapytał.

— Na jaki temat?

— Daj spokój, Siobhan...

Spojrzała mu prosto w oczy. Pochyliła się na krześle, wyciągając dłonie z ukrycia.

— Po południu mam następną nasiadówkę.

— Z kim?

— Z szefową. — Czyli z Gill Templer, w stopniu starszego inspektora. Rebus pokiwał głową, zadowolony, że jak dotąd sprawa nie trafiła wyżej.

— I co jej powiesz? — zapytał.

— A co tu jest do powiedzenia? Nie miałam nic wspólnego ze śmiercią Fairstone'a. — Przerwała i między nimi zawisło kolejne niezadane pytanie: „A ty?". Wyraźnie czekała, aż Rebus się odezwie, on jednak milczał. — Będzie się o ciebie dopytywała — dorzuciła. — Jak to się stało, że tu wylądowałeś.

— Poparzyłem się — odparł. — Głupio to brzmi, ale tak właśnie było.

— Wiem, że taka jest twoja wersja...

— Nie, Siobhan, naprawdę tak było. Spytaj lekarzy, jeśli mi nie wierzysz. — Znów się rozejrzał. — O ile uda ci się jakiegoś znaleźć.

— Pewnie kręcą się na dworze, szukając miejsca do zaparkowania.

Rebus uśmiechnął się, choć dowcip był taki sobie. W ten sposób dawała mu znać, że nie będzie go już naciskała. Uśmiechem wyraził więc swą wdzięczność.

— Kto tym kieruje w South Queensferry? — zapytał, sygnalizując zmianę tematu.

— Zdaje się, że detektyw inspektor Hogan.

— Bobby to równy gość. Szybko się z tym uwinie, o ile to tylko możliwe.

— Media zrobiły z tego cyrk na cztery fajerki. Grant Hood został wydelegowany na łącznika.

— Jakbyśmy mieli za dużo ludzi na St Leonard's. — Rebus zamyślił się. — Wobec tego tym bardziej muszę wracać do roboty.

— Zwłaszcza jeśli mnie zawieszą...

— Nie zawieszą cię, Siobhan. Sama mówiłaś, że nie masz nic wspólnego ze śmiercią Fairstone'a. Na mój rozum to był wypadek. A skoro trafiła się teraz większa sprawa, może ta historia umrze śmiercią naturalną, że tak powiem.

— Wypadek — powtórzyła.

Powoli pokiwał głową.

— Nic się nie martw. No chyba że faktycznie załatwiłaś tego skurwiela.

— John... — W jej głosie zabrzmiała ostrzegawcza nuta.

Uśmiechnął się i, choć z trudem, puścił do niej oko.

— Żartowałem — powiedział. — Już ja dobrze wiem, kogo Gill będzie chciała wrobić w Fairstone'a.

— John, on zginął w pożarze.

— Z czego wynika, że to ja go zabiłem, tak? — Uniósł dłonie i zaczął nimi obracać w lewo i w prawo. — Poparzyłem się, Siobhan. To tylko oparzenia.

Wstała z krzesła.

— Skoro tak mówisz, John.

Kiedy stanęła przed nim, opuścił ręce, zagryzając zęby z bólu. Nadeszła pielęgniarka i powiedziała, że czas zmienić opatrunek.

— Już wychodzę — poinformowała ją Siobhan i zwróciła się do Rebusa: — Nawet nie chcę myśleć, że mógłbyś zrobić coś tak głupiego, w dodatku z mojego powodu.

Gdy zaczął powoli kręcić głową, odwróciła się i odeszła.

— Nie trać wiary, Siobhan! — zawołał za nią.

— To pańska córka? — spytała pielęgniarka, żeby nawiązać rozmowę.

— Tylko przyjaciółka, pracujemy razem.

— Ma pan coś wspólnego z Kościołem?

Skrzywił się, gdy zaczęła odwijać bandaż.

— Skąd pani to przyszło do głowy?

— Bo mówił pan, żeby nie traciła wiary.

— W mało którym fachu wiara jest tak potrzebna jak w moim. — Zamilkł na chwilę. — Ale może to samo dotyczy pani?

— Mnie? — Uśmiechnęła się, nie odrywając oczu od tego, co robiła. Była niska, pospolita i rzeczowa. — Żeby panu pomóc, nie mogę się obijać, czekając na przypływ wiary. Jak do tego doszło? — zapytała, mając na myśli jego pokryte bąblami dłonie.

— Wsadziłem je do wrzątku — wyjaśnił, czując, jak strużka potu zaczyna powolną wędrówkę po jego skroni. Z bólem sobie poradzę, pomyślał w duchu. Tylko co z całą resztą? — Nie dałoby się zastąpić tych bandaży czymś lżejszym?

— Chciałby nas pan opuścić?

— Chciałbym móc podnieść kubek i go nie upuścić. — Albo słuchawkę telefonu, pomyślał. — A zresztą to łóżko na pewno bardziej się przyda komu innemu.

— Z pana jest prawdziwy społecznik, nie ma co. Zobaczymy, co powie lekarz.

— Który z nich?

— Odrobinę cierpliwości, dobrze?

Cierpliwość — jedyne, na co nie miał teraz czasu.

— Może odwiedzą pana jeszcze inni goście — dorzuciła.

Bardzo w to wątpił. Oprócz Siobhan nikt nie wiedział, gdzie jest. Na jego prośbę ktoś z personelu szpitala zadzwonił do niej, żeby mogła zawiadomić Templer, iż poszedł na chorobowe, na dzień, góra dwa. Tyle że po tym telefonie Siobhan zjawiła się w te pędy. Pewnie wiedział, że tak postąpi, pewnie dlatego zadzwonił do niej, a nie na komisariat.

Działo się to wczoraj po południu. Rano tego dnia poddał się i poszedł do przychodni rejonowej. Lekarz, który miał akurat zastępstwo, rzucił tylko okiem na jego dłonie i kazał mu się zgłosić do szpitala. Rebus złapał taksówkę i pojechał na pogotowie; było mu głupio, że taksówkarz sam musiał wygrzebywać drobne za przejazd z jego spodni.

— Słuchał pan wiadomości? — spytał taksiarz. — Ktoś strzelał w szkole.

— Pewnie z wiatrówki.

Facet pokręcił głową.

— Gorzej. W radiu mówili, że...

Na pogotowiu Rebus czekał w kolejce. W końcu opatrzyli mu dłonie i uznali, że obrażenia nie są aż tak ciężkie, żeby trzeba było skierować go na oddział poparzeń w Livingston. Miał jednak wysoką gorączkę, więc postanowili go zatrzymać i przewieźli karetką do Małej Francji. Pomyślał, że wolą go mieć na oku na wypadek, gdyby dostał jakiegoś wstrząsu czy coś w tym rodzaju. A może bali się, że jest jednym z tych, którzy umyślnie się kaleczą? Nikt z nim nie rozmawiał na ten temat. Może więc trzymali go dla psychiatry, który akurat znajdzie wolną chwilę?

Pomyślał o Jean Burchill, jedynej osobie, która mogła zauważyć jego nagłe zniknięcie z domu. Ale ich stosunki nieco ochłodły. Mniej więcej raz na dziesięć dni spędzali ze sobą noc. Przez telefon rozmawiali nieco częściej, czasem też umawiali się po południu na kawę. Czuł, że wpadli w rutynę. Przypomniał sobie, że swego czasu chodził krótko z pielęgniarką. Zastanawiał się, czy nadal pracuje tam, gdzie przedtem. Zawsze mógł to sprawdzić, ale wyleciało mu z pamięci jej nazwisko. To był problem — czasami nie pamiętał nazwisk, zapominał o umówionych spotkaniach. W sumie nic wielkiego, po prostu część bagażu związanego ze starzeniem się. Tyle że zeznając jako świadek przed sądem, coraz częściej sięgał do notatek. Dziesięć lat temu nie potrzebował zapisków, niczego nie trzeba mu było przypominać. Przejawiał większą pewność siebie, co zawsze wywierało wrażenie na przysięgłych... tak w każdym razie twierdzili prawnicy.

— Gotowe. — Pielęgniarka wyprostowała się. Nałożyła mu na dłonie świeżą maść i gazę i owinęła je starymi bandażami. — Wygodniej panu?

Skinął głową. Skóra wydawała się chłodniejsza, wiedział jednak, że nie potrwa to długo.

— Trzeba panu podać coś na ból? — Pytanie było retoryczne, i tak sprawdziła kartę pacjenta w nogach łóżka. Wcześniej, przy okazji wyprawy do toalety, sam ją obejrzał. Zanotowano na niej tylko jego temperaturę i przepisane lekarstwa, nic więcej. Żadnych zaszyfrowanych informacji, zrozumiałych tylko dla wtajemniczonych. Nic na temat wersji wypadków, jaką przedstawił, kiedy go badano.

„Puściłem gorącą wodę na kąpiel... Pośliznąłem się i wpadłem do wanny".

Z gardła lekarza wydobył się dźwięk świadczący o tym, że przyjmuje wyjaśnienie pacjenta, choć niekoniecznie w nie wierzy. Przepracowany, niedospany... nie płacili mu za wściubianie nosa w nie swoje sprawy. Był lekarzem, nie detektywem.

— Dać panu paracetamol? — zaproponowała pielęgniarka.

— A może by tak jeszcze browarek, żeby było czym spłukać?

Znowu posłała mu zawodowy uśmiech. Przez lata pracy w państwowej służbie zdrowia nieczęsto słuchała oryginalnych odzywek.

— Zobaczę, co da się zrobić.

— Jest pani aniołem — odparł, zaskakując samego siebie. Czuł, że tak właśnie powinien odpowiedzieć pacjent, posłużyć się wyświechtanym zwrotem. Ale ona już odchodziła i nie wiedział, czy go usłyszała. Widocznie szpitale mają to do siebie. Nawet jeśli ktoś nie czuje się chory, wywierają na niego wpływ, spowalniają umysł, zmuszają do uległości. Przerabiają człowieka na swoje kopyto. Może to przez te schematyczne barwy, no i dźwięki w tle. Część winy mogło też ponosić ogrzewanie. Na St Leonard's mieli specjalną celę dla „świrów". Pomalowana na jasnoróżowo, miała wpływać na nich uspokajająco. Dlaczego i tutaj nie mieliby zastosować tej samej psychologii? Ostatnie, na czym im zależało, to nabuzowany pacjent, wykrzykujący głupoty i wyskakujący z łóżka co pięć minut. To pewnie stąd ten nadmiar duszącej pościeli, która jeszcze bardziej krępowała ruchy. Leż nieruchomo... oprzyj się na poduszkach... pław się w upale i świetle... Nie rozrabiaj. Jeszcze trochę i zapomnę, jak się nazywam, pomyślał. Świat zewnętrzny przestanie się liczyć. Nie będzie pracy. Fairstone'a. Ani maniaka zasypującego sale wykładowe gradem kul...

Przekręcił się na bok, rozpychając pościel nogami. Była to obustronna walka, zupełnie jakby Harry Houdini próbował uwolnić się z kaftana bezpieczeństwa. Mężczyzna na sąsiednim łóżku otworzył oczy i przyglądał mu się. Rebus puścił do niego oko i wyciągnął stopy na świeże powietrze.

— Kop pan dalej — poradził mu. — A ja się przejdę na spacerniak, wysypać ziemię przez nogawki.

Jego współwięzień nie zrozumiał żartu.

Po powrocie na St Leonard's Siobhan kręciła się koło automatu z napojami. W małej kantynie siedzieli dwaj mundurowi, żując kanapki i pogryzając chrupki. Automat z napojami stał w przylegającym do kantyny korytarzu, skąd widać było parking. Gdyby paliła papierosy, miałaby pretekst, by wyjść na zewnątrz, gdzie Gill Templer trudniej byłoby ją znaleźć. Ale nie paliła. Wiedziała, że mogłaby się schować w dusznej sali gimnastycznej na końcu korytarza albo przejść się do cel. Nic jednak nie mogło powstrzymać Templer przed wywołaniem jej przez głośniki. Zresztą i tak wkrótce się rozejdzie, że jest w komisariacie. Ot i całe St Leonard's — nie było się gdzie ukryć. Zerwała kapsel z puszki coli, doskonale wiedząc, o czym gadają dwaj mundurowi — o tym samym co wszyscy.

O trzech ofiarach szkolnej strzelaniny.

Wcześniej przejrzała poranne gazety. Zamieszczały ziarniste zdjęcia obu młodych ofiar — siedemnastoletnich chłopców. Dziennikarze szermowali takimi słowami jak „tragedia", „strata", „szok" i „rzeź". Po opisie zbrodni kolejne strony zajmowały materiały dodatkowe: Wielką Brytanię zalewa moda na broń palną... niedostateczna ochrona szkół... historia morderców, którzy popełnili samobójstwo. Z uwagą obejrzała zdjęcia zabójcy — wyglądało na to, że gazety dotarły tylko do trzech fotografii. Jedna była tak niewyraźna, jakby przedstawiała ducha, a nie istotę z krwi i kości. Inna ukazywała mężczyznę w kombinezonie, z liną w ręku, próbującego przycumować niewielką łódkę. Uśmiechał się do kamery. Siobhan odniosła wrażenie, że zdjęcie to wykonano do reklamy jego firmy.

Trzecia fotografia, w formacie portretowym, pochodziła z okresu jego służby wojskowej. Facet nazywał się Herdman. Lee Herdman, lat trzydzieści sześć. Zamieszkały w South Queensferry, właściciel motorówki. Zamieszczono też zdjęcia placu, gdzie prowadził swój interes. „Zaledwie pół mili od miejsca tego wstrząsającego wydarzenia", wyrąbała jedna z gazet.

Jako były żołnierz prawdopodobnie nie miał kłopotu ze

zdobyciem broni. Wjechał na teren szkoły i zaparkował obok samochodów personelu. Drzwiczki od strony kierowcy zostawił otwarte, widocznie tak mu się śpieszyło. Świadkowie widzieli, jak wpada do szkoły. Zatrzymał się tylko raz, w świetlicy. W środku przebywały trzy osoby. Teraz dwie z nich nie żyły, jedna była ranna. Potem strzał we własną skroń i po zawodach. Zewsząd nie szczędzono krytyki — jak to możliwe, na litość boską, żeby po Dunblane* można było sobie, ot tak po prostu, wejść do szkoły? Czy Herdman wykazywał wcześniej oznaki nadchodzącego załamania? Czy można mieć pretensje do lekarzy albo pracowników opieki społecznej? Do rządu? Do kogoś, kogokolwiek? Ktoś musiał być winny. Zwalanie wszystkiego na Herdmana nie miało sensu — on już nie żył. Należało znaleźć kozła ofiarnego. Siobhan podejrzewała, że już jutro wezmą się za tradycyjnych podejrzanych — współczesną kulturę... radio i telewizję... stresujący tryb życia. Potem wszystko się uspokoi. Zwróciła uwagę na dane statystyczne — od czasu zaostrzenia przepisów regulujących posiadanie broni palnej, po masakrze w Dunblane, liczba przestępstw popełnionych na terenie Zjednoczonego Królestwa przy użyciu tejże broni wzrosła. Siobhan wiedziała, jak producenci i handlarze broni to wykorzystają...

Jednym z powodów, dla których wszyscy na St Leonard's gadali o tych morderstwach, była osoba ojca rannej ofiary — posła do szkockiego parlamentu, i to nie pierwszego lepszego posła. Przed sześcioma miesiącami Jack Bell wpadł w tarapaty, kiedy policja aresztowała go podczas nalotu na klientów ulicznych prostytutek w Leith. Mieszkańcy dzielnicy organizowali demonstracje, domagając się od policji, by wreszcie coś z tym zrobiła. Policja zareagowała nalotem, w trakcie którego zgarnęli między innymi posła Jacka Bella.

Bell dowodził swej niewinności, twierdząc, że znalazł się tam w celu „zbierania faktów". Poparła go żona, a także większość członków jego partii, i w rezultacie kwatera główna policji postanowiła umorzyć sprawę. Zanim jednak do tego doszło, prasa tak poużywała sobie na Bellu, że w końcu oskarżył

---

* 13 marca 1996 r. w Dunblane Thomas Watt Hamilton zabił 16 uczniów szkoły podstawowej, ich nauczycielkę, a następnie popełnił samobójstwo.

policję o konszachty z „prasą rynsztokową" i o to, że poluje na niego z powodu tego, kim jest.

Uraza zaogniła się do tego stopnia, że Bell wystąpił kilka razy w parlamencie, zwracając uwagę na nieskuteczność policji i konieczność dokonania zmian. Powszechnie uważano, że może to spowodować kłopoty.

A to dlatego, że Bella aresztowali ludzie z Leith, akurat z tego komisariatu, który obecnie zajmował się strzelaniną w Akademii Port Edgar.

Tak się zaś składało, że South Queensferry było jego okręgiem wyborczym.

Jak gdyby tego było mało, żeby puścić języki w ruch, jedną z ofiar mordercy okazał się syn sędziego.

Wszystko to prowadziło do drugiego powodu, dla którego na St Leonard's wszyscy gadali. Czuli się odstawieni na boczny tor. Ponieważ sprawa podlegała Leith, a nie St Leonard's, nie pozostawało im nic innego, jak siedzieć, przyglądać się i liczyć na to, że włączą do tej sprawy paru oficerów. Ale Siobhan wątpiła, żeby do tego doszło. Sprawa była tuzinkowa; ciało mordercy leżało w kostnicy, w pobliżu zwłok obu ofiar. To nie wystarczy, żeby odciągnąć uwagę Gill Templer od...

— Detektyw sierżant Clarke do szefowej! — doleciał skrzekliwy rozkaz z głośników umieszczonych na suficie nad głową Siobhan. Mundurowi w kantynie odwrócili się i popatrzyli na nią. Popijając z puszki, starała się nie okazywać niepokoju. Ale w trzewiach poczuła nagły chłód, który nie miał nic wspólnego z zimnym napojem.

— Detektyw sierżant Clarke do szefowej!

Przed sobą miała szklane drzwi. Jej samochód posłusznie czekał za nimi na parkingu. Jak by postąpił Rebus — uciekłby czy by się ukrył? Odpowiadając sobie na to pytanie, Siobhan uśmiechnęła się. Nie zrobiłby ani tak, ani tak. Prawdopodobnie wbiegłby na górę do szefowej po dwa stopnie naraz, wiedząc, że to on ma rację, ona zaś, cokolwiek miała mu do powiedzenia, jest w błędzie.

Wyrzuciła puszkę i ruszyła ku schodom.

— Wiesz, po co cię wezwałam? — zapytała starsza inspektor Gill Templer. Siedziała za biurkiem w swoim gabinecie, zawa-

Iona robotą papierkową. Jako starsza inspektor Templer kierowała całym wydziałem B, w skład którego wchodziły trzy komisariaty w południowej części miasta; kwaterą główną było St Leonard's. Nie była to może najcięższa praca, co jednak miało się zmienić, kiedy szkocki parlament przeniesie się w końcu do specjalnie wzniesionego kompleksu budynków przy Holyrood Road. Już teraz Templer spędzała za dużo czasu na zebraniach poświęconych potrzebom parlamentu. Siobhan wiedziała, że szefowa tego nie znosi. Nikt nie wstępuje do policji z miłości do roboty papierkowej. Niestety budżet i finanse coraz częściej stawały się tematem dnia. Oficerowie, którzy potrafili poprowadzić sprawę albo pokierować komisariatem bez przekraczania budżetu, byli na wagę złota; ci, którzy potrafili się zmieścić poniżej przyznanych kosztów, uchodzili za najrzadsze, wręcz bezcenne okazy.

Siobhan zauważyła, że wszystko to odbija się na Gill Templer. Zawsze wyglądała na nieco zaszczutą. W jej włosach pojawiły się pasma siwizny. Albo tego nie dostrzegała, albo ostatnio nie miała kiedy ich ufarbować. Przegrywała walkę z czasem. Siobhan zastanawiała się, jaką cenę sama będzie musiała ponieść za wspinanie się po szczeblach kariery. Zakładając oczywiście, że po dzisiejszym dniu ta drabina będzie jeszcze w zasięgu wzroku.

Templer z przejęciem szukała czegoś w szufladzie biurka. W końcu poddała się, zamknęła ją i przeniosła uwagę na podwładną, opuszczając brodę. Powodowało to, że jej wzrok wydawał się twardszy, lecz także — czego Siobhan nie mogła nie zauważyć — podkreślało zmarszczki wokół szyi i ust. Gdy Templer przesunęła się w fotelu, jej marynarka wybrzuszyła się pod piersiami, pokazując, że przybrała na wadze. Za dużo jedzenia z fast foodów albo za dużo kolacyjek z dygnitarzami. Siobhan, która o szóstej rano ćwiczyła już na siłowni, siedziała na krześle bardziej wyprostowana i wyżej trzymała głowę.

— Przypuszczam, że w sprawie Martina Fairstone'a — odparła, łapiąc byka za rogi, nim Templer zdążyła ją ubiec. Widząc, że szefowa milczy, mówiła dalej: — Nie miałam nic wspólnego z...

— Gdzie jest John? — przerwała jej ostro Templer.

Siobhan tylko przełknęła ślinę.

— Nie ma go w mieszkaniu — ciągnęła szefowa. — Wysłałam kogoś, żeby to sprawdził. A według ciebie poszedł na chorobowe. Gdzie on jest, Siobhan?

— Ja...

— Przedwczoraj wieczorem widziano Martina Fairstone'a w barze. Nie byłoby w tym nic dziwnego, gdyby nie to, że towarzyszył mu człowiek zdumiewająco podobny do detektywa inspektora Johna Rebusa. A dwie godziny później Fairstone spłonął żywcem w kuchni w swoim bliźniaku. — Przerwała na chwilę. — Zakładając, że żył jeszcze, kiedy wybuchł pożar.

— Proszę pani, ja naprawdę...

— John lubi się troszczyć o ciebie, prawda, Siobhan? Nie ma w tym nic złego. On ma w sobie coś z błędnego rycerza, przyznasz? Wciąż szuka kolejnego smoka do pokonania.

— Proszę pani, to nie musi mieć żadnego związku z detektywem Rebusem.

— Wobec tego przed czym się ukrywa?

— Nie wiedziałam, że się ukrywa.

— Ale widziałaś się z nim? — Pytanie zabrzmiało niczym stwierdzenie faktu. Templer pozwoliła sobie na zwycięski uśmiech. — Idę o każdy zakład.

— On naprawdę nie czuje się na tyle dobrze, by przyjść do pracy — odparowała Siobhan, zdając sobie sprawę, że jej ciosy straciły siłę.

— Skoro nie może przyjść tutaj, to chętnie pojadę z tobą do niego.

Clarke poczuła, że opadły jej ramiona.

— Musiałabym z nim najpierw porozmawiać.

Templer kręciła głową.

— Ta sprawa nie podlega negocjacjom. Według ciebie Fairstone cię napastował. To on ci podbił oko.

Clarke odruchowo uniosła rękę do lewego policzka. Siniec już znikał, wiedziała, że bardziej przypomina cienie pod oczami. Można by go ukryć pod makijażem albo wytłumaczyć zmęczeniem. Ale przeglądając się w lustrze, nadal go widziała.

— A teraz nie żyje — ciągnęła Templer. — Spłonął w pożarze domu... dość podejrzanym pożarze. Sama więc rozumiesz, że muszę porozmawiać z tym, kto go widział tej nocy. — Kolejna przerwa. — A kiedy ty go ostatnio widziałaś, Siobhan?

— Kogo... Fairstone'a czy inspektora Rebusa?

— Obu, jeśli można.

Siobhan nie odpowiedziała. Miała ochotę zacisnąć dłonie na metalowych poręczach krzesła, lecz uświadomiła sobie, że nie ma poręczy. Nowe krzesło, nie tak wygodne jak stare. Zobaczyła, że fotel Templer także jest nowy i ustawiony kilka centymetrów wyżej niż poprzedni. Taka drobna sztuczka, żeby uzyskać przewagę nad rozmówcą... co świadczyło o tym, że starsza inspektor czuje potrzebę uciekania się do takich rzeczy.

— W tej chwili chyba nie potrafię na to odpowiedzieć, proszę pani. — Siobhan zamilkła. — Z całym szacunkiem. — Wstała, zastanawiając się, czy usiądzie z powrotem, jeśli szefowa jej każe.

— Bardzo mnie rozczarowaliście, sierżant Clarke — oświadczyła Templer zimnym głosem; koniec z mówieniem po imieniu. — Powiecie Johnowi o naszej rozmowie?

— Skoro pani sobie życzy.

— Spodziewam się, że zechcecie uzgodnić zeznania, zanim zostanie wszczęte śledztwo.

Słysząc tę groźbę, Siobhan skinęła głową. Wystarczyłoby jedno słowo szefowej, by Skargi przyfrunęły tu jak na skrzydłach, z teczkami pełnymi pytań i sceptycyzmu. Skargi, czyli Wydział Skarg i Dyscypliny Pracy.

— Dziękuję pani — powiedziała tylko, otwierając drzwi i zamykając je za sobą. Nieco dalej w korytarzu była toaleta; Siobhan weszła tam, wyjęła z kieszeni papierową torbę i siedziała przez jakiś czas, oddychając do torebki. Kiedy po raz pierwszy poczuła napad paniki, miała wrażenie, że to zawał. Serce waliło jej młotem, płuca odmawiały posłuszeństwa, a całe ciało dygotało jak pod prądem. Lekarz powiedział, że powinna wziąć sobie wolne. Wchodząc do niego, myślała, że skieruje ją na badania do szpitala, tymczasem on kazał jej kupić książkę na ten temat. Znalazła ją w aptece. W pierwszym rozdziale wymieniano wszystkie objawy i proponowano to i owo. Rzucić kofeinę i alkohol. Jeść mniej soli i tłuszczu. Oddychać do papierowej torby, kiedy poczuje, że zbliża się atak.

Lekarz stwierdził u niej nieco podwyższone ciśnienie i zaproponował gimnastykę. Zaczęła więc przychodzić do pracy godzinę wcześniej i spędzała ten czas w siłowni. Niedaleko, przy tej samej ulicy, znajdowały się baseny Wspólnoty Brytyjskiej i obiecywała sobie, że zacznie tam pływać.

— Odżywiam się prawidłowo — powiedziała lekarzowi.

— Przez tydzień proszę zapisywać, co pani je — polecił. Jak dotąd nie zawracała sobie tym głowy. O kostiumie kąpielowym też wciąż zapominała.

Najłatwiej było zwalić winę na Martina Fairstone'a. Fairstone... Oskarżony przed sądem o dwa przestępstwa — włamanie do domu i napaść. Sąsiadka wzywa go do zatrzymania się, kiedy opuszcza mieszkanie, które właśnie obrobił. Fairstone tłucze głową kobiety o ścianę i przydeptuje jej twarz z taką siłą, że zostawia na policzku odcisk adidasa. Siobhan jako świadek stara się jak może, ale but przepadł bez śladu, a w domu Fairstone'a nie znaleziono nic ze zrabowanych rzeczy. Sąsiadka podała rysopis przestępcy, który ją zaatakował, spośród wielu zdjęć wybrała fotografię Fairstone'a, następnie zaś rozpoznała go jeszcze raz podczas okazania.

Prokuratura czym prędzej wytknęła, na czym polega problem. Brak dowodów na miejscu przestępstwa. Fairstone'a nie łączyło z tą sprawą nic poza rozpoznaniem przez świadka oraz faktem, że był znanym włamywaczem, kilkakrotnie skazanym za napady.

— But bardzo by się przydał. — Przedstawiciel prokuratury podrapał się po brodzie i zapytał, czy nie mogliby odpuścić któregoś z zarzutów, a może pójść na układ.

— A potem zaobrączkujemy mu ucho i puścimy go do domu? — odparowała Siobhan.

Podczas rozprawy obrona wykazała, że pierwszy podany przez sąsiadkę opis człowieka, który ją zaatakował, niezbyt przypomina postać siedzącą na ławie oskarżonych. Sama ofiara napaści nie spisała się wiele lepiej, przyznając, że istnieje pewien margines błędu, co obrona skrzętnie wykorzystała. Składając zeznania, Siobhan przy każdej okazji dawała do zrozumienia, że oskarżony ma kryminalną przeszłość. W końcu sędzia nie mógł dłużej ignorować protestów obrońcy.

— Ostrzegam panią po raz ostatni, detektyw sierżant Clarke — upomniał ją. — Jeżeli nie chce pani pogrzebać szans oskarżenia w tej sprawie, od tej pory proszę staranniej dobierać słowa.

Fairstone tylko przeszywał ją wściekłym wzrokiem, doskonale wiedząc, o co jej chodzi. Potem, kiedy zapadł wyrok uniewinniający, wyrwał z gmachu sądu, jakby jego nowe adidasy były na sprężynach. Złapał Siobhan za ramię i przytrzymał.

— To napaść — oświadczyła, próbując nie pokazać po sobie wściekłości i frustracji.

— Dzięki, że mi pomogłaś wyjść z tego cało — powiedział. — Może ci się kiedyś zrewanżuję. Spadam do pubu, żeby to oblać. Czym się trujesz?

— A żebyś tak wpadł do najbliższego kanału!

— Chyba się zakochałem. — Szeroki uśmiech wykrzywił jego wąską twarz. Ktoś go zawołał: jego dziewczyna. Tlenione blond włosy, czarny strój gimnastyczny. W ręku paczka papierosów, przy uchu komórka. To ona dostarczyła mu alibi na czas napadu. Ona i dwaj jego przyjaciele.

— Ktoś się chyba za tobą stęsknił.

— Ja tęsknię za tobą, Shiv.

— Tęsknisz za mną? — Poczekała, aż przytaknie ruchem głowy. — To zaproś mnie, jak następnym razem będziesz chciał kogoś pobić.

— Daj mi swój telefon.

— Numer jest w książce... pod „Policja".

— Marty! — Warknięcie jego dziewczyny.

— Do zobaczyska, Shiv. — Wciąż szczerząc zęby, cofnął się tyłem o kilka kroków i dopiero potem się odwrócił. Siobhan poszła prosto na St Leonard's, by na nowo zapoznać się z jego kartoteką. Godzinę później centrala przełączyła do niej rozmowę. To on dzwonił, z jakiegoś baru. Odłożyła słuchawkę. Dziesięć minut później zadzwonił znowu... i jeszcze raz po kolejnych dziesięciu minutach.

Następnego dnia tak samo.

I przez cały kolejny tydzień.

Na początku nie była pewna, jak to rozegrać. Nie wiedziała, czy jej milczenie odnosi skutek. Zdawało się, że to go tylko bawi i zachęca do dalszych prób. Modliła się, żeby wreszcie się zmęczył, żeby znalazł sobie coś innego do roboty. A potem pojawił się na St Leonard's i próbował śledzić ją w drodze do domu. Zauważyła go i pozwoliła mu kręcić się za sobą, a jednocześnie przez komórkę wezwała pomoc. Zgarnął go wóz patrolowy. Następnego dnia znów stał przy krawężniku, na skraju parkingu na tyłach komisariatu. Zostawiła go tam, nie skorzystała z frontowych drzwi i pojechała do domu autobusem.

On jednak nie rezygnował, aż wreszcie uświadomiła sobie, że coś, co zaczęło się — prawdopodobnie — jako żart, zmieniło się w poważną rozgrywkę. Postanowiła więc sięgnąć po jedną z najmocniejszych kart. Zresztą Rebus i tak sam się zorientował — telefony, których nie odbierała; wystawanie przy oknie; sposób, w jaki się rozglądała, kiedy jechali na wezwanie. Tak że w końcu powiedziała mu i razem złożyli wizytę Fairstone'owi w jego komunalnym bliźniaku w Gracemount.

Od razu źle się zaczęło. Siobhan szybko zdała sobie sprawę, że jej „karta" postępuje według własnych, a nie cudzych zasad. Szamotanina, wyrwana ze stolika do kawy noga, odpryskujący sosnowy fornir odsłania sztuczne tworzywo pod spodem... Po wszystkim Siobhan czuła się jeszcze gorzej — okazała się słaba, bo zamiast załatwić to sama, ściągnęła Rebusa, i była roztrzęsiona, bo w głębi duszy wiedziała przecież, co się stanie, i chciała, żeby do tego doszło. Tchórzliwa podżegaczka.

Wracając do miasta, wstąpili na drinka.

— Myślisz, że coś z tym zrobi? — zapytała.

— To on zaczął — powiedział jej Rebus. — Gdyby nadal cię chciał napastować, wie, co go czeka.

— Wpierdol, tak?

— Siobhan, ja się tylko broniłem. Byłaś tam przecież. Widziałaś. — Patrzył jej prosto w oczy, dopóki nie skinęła głową. Miał zresztą rację. To Fairstone rzucił się na niego. Rebus cisnął nim o stolik do kawy i chciał go przytrzymać. Noga stolika złamała się i obaj upadli na podłogę, turlając się i szamocząc. Wszystko trwało raptem kilka sekund. Głos Fairstone'a dygotał z wściekłości, kiedy kazał im się wynosić. Rebus pogroził mu palcem, przypominając, że „ma się odczepić od śledczej Clarke".

— Zjeżdżajcie stąd, oboje!

Dotknęła ramienia Rebusa.

— Już po wszystkim. Chodźmy.

— Po wszystkim? Tylko ci się zdaje! — Z kącików ust Fairstone'a prysnęły strużki białej śliny.

26

I ostatnie słowa Rebusa:

— Lepiej, chłopie, żeby to już był koniec, chyba że masz ochotę na prawdziwe fajerwerki.

Chciała go spytać, co miał na myśli, lecz tylko postawiła ostatnią kolejkę. W nocy, leżąc w łóżku, gapiła się na ciemny sufit, aż w końcu zapadła w drzemkę; obudziła się nagle, przerażona, i zerwała na nogi, czując, jak buzuje w niej adrenalina. Wyszła z sypialni na czworakach, przekonana, że gdyby się podniosła, umarłaby. W końcu atak paniki minął i wstała, czepiając się rękami ściany w korytarzu. Powoli wróciła do sypialni, położyła się na łóżku i zwinęła na boku w kulkę.

„To częstsze zjawisko, niż pani przypuszcza", powiedział jej lekarz po tym drugim ataku.

Tymczasem Martin Fairstone złożył zażalenie, że policja go nęka, ale wkrótce je wycofał. Wydzwaniał jednak nadal. Próbowała ukrywać to przed Rebusem, nie chciała wiedzieć, co miał na myśli, mówiąc o „fajerwerkach"...

Biura wydziału śledczego były wymarłe. Ludzie albo wyjechali w teren, albo siedzieli w sądzie. Zdawało się, że można spędzić pół życia w oczekiwaniu na złożenie zeznań, tylko po to, by sprawę umorzono albo by oskarżony zmienił zeznanie. Bywało, że któryś z sędziów urywał się na wagary albo zachorował ważny świadek. Czas przeciekał między palcami, ostatecznie zaś werdykt i tak brzmiał: niewinny. A nawet gdy zapadał wyrok skazujący, przeważnie kończyło się na grzywnie albo na zawieszeniu kary. Więzienia były przepełnione i coraz częściej traktowano je jako ostateczność. Siobhan nie uważała, że staje się cyniczna, raczej że jest realistką. Ostatnio pojawiły się głosy krytyki, że w Edynburgu więcej jest drogówki niż prawdziwych gliniarzy. Kiedy dochodziło do czegoś takiego jak w South Queensferry, brakowało rąk do pracy. Urlopy, chorobowe, robota papierkowa i sąd... dzień zawsze był za krótki. Siobhan zdawała sobie sprawę, że na biurku czeka na nią masa zaległości. Przez Fairstone'a opuściła się w pracy. Wciąż czuła jego obecność. Na dźwięk dzwonka telefonu zamierała, a kilka razy przyłapała się na tym, że idzie do okna, by sprawdzić, czy jego samochód nie stoi przed komisariatem.

27

Wiedziała, że zachowuje się irracjonalnie, ale nic nie mogła na to poradzić. Wiedziała także, że z nikim nie może o tym pogadać... jeśli nie chciała wyjść na słabeusza.

Zadzwonił telefon. Nie na jej biurku, lecz Rebusa. Gdyby nikt nie odebrał, telefonistka mogłaby przełączyć rozmowę na inny wewnętrzny. Przeszła przez pokój, z nadzieją, że dzwonek zamilknie. Ale ucichł dopiero wtedy, gdy podniosła słuchawkę.

— Halo?

— Kto mówi? — Głos mężczyzny. Energiczny, rzeczowy.

— Detektyw sierżant Clarke.

— Sie masz, Shiv. Tu Bobby Hogan. — Detektyw inspektor Bobby Hogan. Swego czasu prosiła go, żeby nie nazywał jej Shiv*. Wielu tak się do niej zwracało. Siobhan, wymawiane jako Szi-woun, w skrócie Shiv. Kiedy ktoś zapisywał jej imię, zawsze dochodziło do pomyłek. Przypomniała sobie, że Fairstone także kilkakrotnie nazwał ją w ten sposób, próbując nawiązać bliższe stosunki. Nie znosiła tego, ale nie poprawiła Hogana, choć wiedziała, że powinna to zrobić.

— Dużo roboty? — zapytała.

— Wiesz, że prowadzę tę sprawę w Port Edgar? — Przerwał. — Głupie pytanie, jasne, że wiesz.

— Dobrze wypadasz w telewizji, Bobby.

— Zawsze jestem łasy na pochlebstwa, Shiv, a odpowiedź na twoje pytanie brzmi: nie.

Nie mogła powstrzymać uśmiechu.

— Ja też nie jestem zawalona robotą — skłamała, rzucając okiem na stertę teczek na swoim biurku.

— Jeśli będę potrzebował dodatkowej pary rąk, dam ci znać. Jest tam gdzieś John?

— Pan Popularny? Urwał się na chorobowe. A po co ci on?

— Siedzi w domu?

— Chyba mogłabym mu przekazać wiadomość. — Teraz już była zaintrygowana. W głosie Hogana brzmiało napięcie.

— Wiesz, gdzie on jest?

— Tak.

---

* Shiv — slangowe określenie noża bądź żyletki używanych jako broń. Dlatego zdrobnienie imienia Siobhan można by odczytywać jako „Żyleta".

— Gdzie?

— Nie odpowiedziałeś mi na pytanie. Do czego on ci jest potrzebny?

Hogan wydał długie westchnienie.

— Bo przyda mi się druga para rąk — odparł.

— I to muszą być akurat jego ręce?

— Raczej tak.

— Jestem zdruzgotana.

Zignorował jej ton.

— Jak szybko możesz mu to przekazać?

— Jest w takim stanie, że nie wiem, czy da radę pomóc.

— Biorę go, jeśli tylko nie leży pod respiratorem.

Oparła się o biurko Rebusa.

— Co jest grane?

— Powiedz mu, żeby się do mnie odezwał, okej?

— Jesteś w szkole?

— Lepiej niech dzwoni na komórkę. Trzymaj się, Shiv.

— Poczekaj chwilkę! — Siobhan patrzyła na drzwi.

— Co jest? — warknął Hogan ze źle skrywaną irytacją.

— Właśnie przyszedł. Zaraz ci go dam. — Wyciągnęła słuchawkę do Rebusa. Ubranie jakoś dziwnie na nim wisiało. Najpierw pomyślała, że się upił, potem jednak zrozumiała. Trudno mu było się ubrać. Koszulę wetknął za pasek, ale nie całkiem. Niezawiązany krawat wisiał mu luźno na szyi. Nie wziął od niej słuchawki, lecz podszedł i nachylił się, nadstawiając ucho. — To Bobby Hogan — wyjaśniła.

— Cześć, Bobby!

— John? Coś chyba połączenie szwankuje...

Rebus podniósł wzrok na Siobhan.

— Trochę bliżej — wyszeptał.

Przesunęła słuchawkę tak, by mikrofon znalazł się pod jego brodą, a przy okazji zauważyła, że powinien umyć włosy. Z przodu były przylepione do głowy, za to z tyłu sterczały.

— Teraz lepiej, Bobby?

— Tak, świetnie. John, muszę cię prosić o przysługę.

Kiedy słuchawka nieco opadła, Rebus podniósł wzrok na Siobhan. Znowu patrzyła na drzwi. Obejrzał się i ujrzał stojącą w progu Gill Templer.

— Do mojego gabinetu! — warknęła. — Ale już!

Rebus przesunął czubkiem języka po wargach.

— Zdaje się, że będę musiał do ciebie oddzwonić, Bobby. Szefowa prosi mnie na słówko.

Wyprostował się, słysząc zamierający mechaniczny głos Hogana. Templer przywoływała go ruchem ręki. Wzruszył ramionami, patrząc na Siobhan, i z powrotem skierował się do drzwi.

— Poszedł — rzuciła do słuchawki.

— No to go ściągnij!

— To raczej niemożliwe. Słuchaj... może gdybyś mi dał cynk, o co tu chodzi, mogłabym...

— Nie masz nic przeciwko temu, że zostawię drzwi otwarte? — spytał Rebus.

— Jeśli chcesz, żeby cały komisariat nas słyszał, to proszę bardzo.

Rebus klapnął na krzesło dla gości.

— Rzecz w tym, że trudno mi się posługiwać klamkami. — Podniósł ręce, żeby Templer mogła im się przyjrzeć. Wyraz jej twarzy zmienił się natychmiast.

— Chryste, John, co ci się stało?

— Poparzyłem się. Wygląda paskudnie, ale nie jest aż tak źle.

— Poparzyłeś się? — Odchyliła się w fotelu, ściskając palcami krawędź biurka.

Skinął głową.

— I to by było na tyle.

— Mimo tego, co myślę?

— Mimo tego. Puściłem wodę do zlewu, żeby pozmywać naczynia, zapomniałem dolać zimnej i wsadziłem ręce.

— Na długo?

— Jak widać, na dość długo, żeby się poparzyć. — Próbował się uśmiechnąć, wiedząc, że historię z naczyniami łatwiej przełknąć niż wannę, ale Templer nie wydawała się przekonana. Zadzwonił jej telefon. Podniosła słuchawkę i odłożyła ją, przerywając połączenie.

— Nie ty jeden masz pecha. Martin Fairstone zginął w pożarze.

— Słyszałem od Siobhan.

— No i...?

— Wypadek z patelnią do frytek. — Wzruszył ramionami. — Zdarza się.

— Spotkałeś się z nim w niedzielę wieczorem.

— Naprawdę?

— Świadek widział was w barze.

Wzruszył ramionami.

— Wpadłem na niego przypadkiem.

— I wyszedłeś razem z nim?

— Nie.

— Poszedłeś z nim do domu?

— Kto tak twierdzi?

— John...

Podniósł głos.

— Kto twierdzi, że to nie był wypadek?

— Inspekcja pożarowa wciąż to bada.

— Powodzenia. — Rebus próbował spleść ramiona na piersi, uświadomił sobie, co robi, i opuścił ręce.

— Boli, co? — mruknęła Templer.

— Da się wytrzymać.

— I nabawiłeś się tego w niedzielę wieczorem?

Potwierdził ruchem głowy.

— Posłuchaj, John... — Nachyliła się i oparła łokcie na biurku. — Sam wiesz, co ludzie powiedzą. Siobhan twierdziła, że Fairstone ją napastuje. On najpierw zaprzeczał, a potem złożył na ciebie skargę, że mu groziłeś.

— Skargę, którą następnie wycofał.

— Teraz jednak dowiaduję się od Siobhan, że Fairstone ją zaatakował. Wiedziałeś o tym?

Pokręcił głową.

— Ten pożar to po prostu głupia zbieżność w czasie.

Opuściła wzrok.

— Ale nie wyglądasz dobrze, przyznasz?

Rebus odstawił cyrk, przyglądając się sobie po kawałku.

— A od kiedy to staram się dobrze wyglądać?

Mimo woli omal się nie uśmiechnęła.

— Chcę tylko wiedzieć, czy w tej sprawie jesteśmy czyści.

— Zaufaj mi, Gill.

— A więc nie masz nic przeciwko temu, żeby załatwić to

oficjalnie? Złożyć zeznania na piśmie? — Jej telefon znowu zadzwonił.

— Tym razem bym odebrała — rozległ się czyjś głos. W korytarzu stała Siobhan, z rękami splecionymi na piersi. Templer spojrzała na nią i podniosła słuchawkę.

— Starsza inspektor Templer.

Siobhan podchwyciła spojrzenie Rebusa i puściła do niego oko. Gill Templer słuchała tego, co rozmówca miał jej do powiedzenia.

— Tak... rozumiem... Przypuszczam, że to się da... Można wiedzieć, dlaczego akurat on?

Nagle Rebus zrozumiał. To Bobby Hogan. Może nie dzwonił osobiście, mógł pójść wyżej i poprosić zastępcę komendanta, żeby załatwił to za niego. Potrzebował pomocy Rebusa. Hogan miał teraz sporo władzy, sprezentowanej mu wraz z nową sprawą. Rebus był ciekaw, do czego jest mu potrzebny.

Templer odłożyła słuchawkę.

— Masz się zgłosić w South Queensferry. Zdaje się, że Hogana trzeba poprowadzić za rączkę. — Wpatrywała się w blat biurka.

— Dziękuję pani — rzekł Rebus.

— Pamiętaj, John, Fairstone nigdzie już się nie wybiera. Jak tylko Hogan z tobą skończy, znów będziesz mój.

— Rozumiem.

Templer przeniosła wzrok za niego, na stojącą dalej Siobhan.

— A tymczasem może detektyw sierżant Clarke rzuci nieco światła na...

Rebus odchrząknął.

— Z tym może być kłopot, proszę pani.

— A to jaki?

Powoli uniósł ręce i pokręcił dłońmi.

— Dam radę poprowadzić Bobby'ego Hogana za rączkę, ale we wszystkim innym będę potrzebował pomocy. — Odwrócił się bokiem na krześle. — Dlatego gdybym mógł pożyczyć sierżant Clarke na jakiś czas...

— Załatwię ci kierowcę — warknęła Templer.

— Ale pisanie notatek... dzwonienie i odbieranie telefonów... to musi być ktoś z dochodzeniówki. A z tego, co widziałem w biurze, wybór jest niewielki. — Przerwał. — Jeśli pani pozwoli.

— Wynoście się stąd, oboje. — Templer udała, że sięga po jakieś papiery. — Dam wam znać, co wykryła inspekcja pożarowa.

— To bardzo przyzwoicie z pani strony, szefowo — odparł Rebus, wstając.

Kiedy wrócili do sali operacyjnej, kazał Siobhan sięgnąć do kieszeni swej marynarki i wyjąć małą plastikową fiolkę z pigułkami.

— Dranie wydzielają je, jakby były ze złota — poskarżył się. — Możesz mi przynieść trochę wody?

Wzięła butelkę ze swojego biurka i pomogła mu popić dwie tabletki. Kiedy poprosił o trzecią, sprawdziła dawkowanie na nalepce.

— Podają, żeby brać po dwie co cztery godziny.

— Jedna więcej nie zaszkodzi.

— W tym tempie na długo ci nie starczą.

— W drugiej kieszeni mam receptę. Po drodze zajrzymy do apteki.

Zakręciła wieczko fiolki.

— Dziękuję, że wziąłeś mnie ze sobą.

— Nie ma sprawy. — Umilkł na chwilę. — Chcesz pogadać o Fairstonie?

— Niekoniecznie.

— No i dobrze.

— Zakładam, że nikt z nas nie jest winny. — Spojrzała mu głęboko w oczy.

— I słusznie. Co oznacza, że możemy się skoncentrować na pomaganiu Hoganowi. Ale zanim wyruszymy, jedna prośba...

— O co chodzi?

— Dałabyś radę zawiązać mi krawat? Pielęgniarka nie potrafiła.

Uśmiechnęła się.

— Od dawna chciałam ci się dobrać do gardła.

— Jeszcze słowo, a rzucę cię na pożarcie szefowej.

Ale nie zrobił tego, nawet kiedy okazało się, że nie potrafi zawiązać krawata zgodnie z jego instrukcjami. W końcu zawiązała mu go kobieta w aptece, kiedy czekali na zrealizowanie recepty.

— Zawsze wiązałam krawaty mężowi — wyjaśniła. — Niech spoczywa w pokoju.

Na chodniku Rebus rozejrzał się po ulicy.

— Muszę kupić papierosy — powiedział.

— Tylko sobie nie myśl, że będę ci przypalać — oświadczyła Siobhan i splotła ręce na piersi. Spojrzał na nią ostro. — Nie żartuję — dodała. — Masz teraz życiową szansę, żeby rzucić palenie.

Jego oczy zwęziły się.

— Dobrze się bawisz, co?

— Nie najgorzej — przyznała, otwierając drzwiczki wozu i zamaszystym gestem zapraszając go do środka.

2

Do South Queensferry nie było drogi szybkiego ruchu. Przejechali przez centrum miasta, potem Queensferry Road i dopiero na autostradzie A90 nabrali prędkości. Miasteczko, do którego się zbliżali, gnieździło się między dwoma mostami — dla samochodów i kolejowym — przerzuconymi nad zatoką Forth.

— Nie byłam tu od lat — powiedziała Siobhan, żeby przerwać panującą ciszę.

Rebus nie fatygował się z odpowiedzią. Miał wrażenie, że cały świat jest spowity bandażami, wytłumiony. Przypuszczał, że to wina tabletek. Parę miesięcy temu zabrał Jean do South Queensferry na weekend. Zjedli lunch w barze i przespacerowali się promenadą. Patrzyli, jak spuszcza się szalupy ratunkowe... nikt się nie śpieszył, pewnie to były ćwiczenia. Potem pojechali do Hopetoun House i wybrali się na wycieczkę z przewodnikiem po ozdobnych wnętrzach majestatycznego domostwa. W wiadomościach usłyszał, że Akademia Port Edgar mieści się w pobliżu Hopetoun House, i przypomniał sobie, jak mijał jej bramę; z drogi nie było widać budynków szkoły. Powiedział Siobhan, którędy ma jechać, i w rezultacie wylądowali w ślepym zaułku. Zawróciła „na trzy" i bez dalszych rad z fotela dla pasażera sama znalazła drogę do Hopetoun House. Podjeżdżając do bramy szkoły, musieli się przeciskać koło furgonetek telewizyjnych i samochodów reporterów.

— Stuknij, ilu tylko się da — mruknął Rebus.

Mundurowy sprawdził ich dokumenty i otworzył bramę z kutego żelaza. Siobhan przejechała dalej.

— Myślałam, że będzie nad samym brzegiem, skoro nazywa się Port Edgar — powiedziała.

— Jest tu gdzieś przystań o nazwie Port Edgar. Pewnie niedaleko.

Kiedy samochód wjeżdżał krętą drogą na wzgórze, Rebus odwrócił się i wyjrzał przez tylną szybę. Zobaczył wodę i maszty, sterczące z niej niczym kolce. Potem jednak widok zasłoniły mu drzewa; odwrócił się z powrotem i w jego polu widzenia pojawiła się szkoła. Zbudowana była w stylu siedzib szkockiej magnaterii — ciemne kamienne płyty, zwieńczone szczytami dachów i wieżyczkami. Na maszcie powiewała opuszczona do połowy flaga. Parking zajęły pojazdy służbowe, wokół przenośnego biura marki Portakabin dreptali ludzie. W miasteczku był tylko jeden mikroskopijny posterunek policji, za mały w stosunku do potrzeb. Kiedy opony samochodu zatrzeszczały na żwirze, zwróciły się na nich badawcze oczy. Rebus zobaczył kilka znajomych twarzy; te twarze jego też znały. Nikt się nie uśmiechnął, nie pomachał ręką na powitanie. Gdy się zatrzymali, spróbował sięgnąć do klamki, musiał jednak zaczekać, aż Siobhan wysiądzie, przejdzie na drugą stronę wozu i otworzy mu drzwiczki.

— Dzięki — rzucił, gramoląc się z wozu. Podszedł do nich posterunkowy w mundurze. Rebus znał go z Leith. Nazywał się Brendan Innes i był Australijczykiem. Rebus nigdy jakoś nie zdobył się na to, żeby go spytać, jakim cudem wylądował w Szkocji.

— Detektyw inspektor Rebus? — pytał Innes. — Inspektor Hogan kazał mi panu przekazać, że jest w szkole.

Rebus kiwnął głową.

— Masz papierosa?

— Nie palę.

Rebus rozejrzał się w poszukiwaniu odpowiedniego kandydata.

— Powiedział, żeby pan zaraz tam przyszedł — naciskał Innes.

Obaj odwrócili się, słysząc hałas dobiegający z wnętrza przenośnego biura. Drzwi otworzyły się z trzaskiem i jakiś mężczyzna zszedł po trzech stopniach na ziemię. Ubrany był jak na pogrzeb — ciemny garnitur, biała koszula, czarny krawat. Rebus poznał go po dumnej grzywie zaczesanych do tyłu siwiejących włosów — Jack Bell, poseł do szkockiego parlamentu. Bell miał czterdzieści kilka lat, kwadratową szczękę i wieczną opaleniznę. Wysoki i szeroki, wyglądał na człowieka, któremu zawsze wszystko układa się po jego myśli.

— Mam wszelkie prawa! — ryczał. — Wszelkie pieprzone prawa! Ale powinienem się spodziewać, że z waszej strony mogę oczekiwać tylko cholernej jawnej obstrukcji!

W drzwiach stanął Grant Hood, oficer łącznikowy przydzielony do tej sprawy.

— Ma pan prawo mieć swoje zdanie, panie pośle — protestował słabo.

— To nie moje zdanie, to absolutny, niepodważalny fakt! Zbłaźniliście się sześć miesięcy temu, a czegoś takiego nie zapomnicie ani nie puścicie płazem, może nie?

Rebus postąpił do przodu.

— Przepraszam pana...

Bell okręcił się na pięcie, stając twarzą do niego.

— Tak? O co chodzi?

— Pomyślałem, że pewnie wolałby pan mówić ciszej... przez szacunek.

Bell wyciągnął palec w kierunku Rebusa, jakby chciał go dźgnąć.

— Nie waż się pan lecieć w te klocki! Dowiedz się pan, że mój syn omal nie zginął z rąk tego maniaka!

— Wiem o tym, panie pośle.

— Ja reprezentuję tutaj moich wyborców i jako ich przedstawiciel domagam się, żeby wpuszczono mnie do środka... — Bell urwał, by zaczerpnąć tchu. — A w ogóle to kim pan jest?

— Detektyw inspektor Rebus.

— No to nic mi po panu. Ja muszę się widzieć z Hoganem.

— Z pewnością rozumie pan, że inspektor Hogan ma w tej chwili pełne ręce roboty. Pan chce obejrzeć świetlicę, tak? — Bell kiwnął głową, rozglądając się za kimś bardziej przydatnym niż Rebus. — A wolno spytać po co?

— Nie pański interes.

Rebus wzruszył ramionami.

— Chodzi o to, że właśnie wybieram się do inspektora Hogana... — Odwrócił się i ruszył przed siebie. — Myślałem, że uda mi się za panem wstawić...

— Zaczekaj pan! — zawołał Bell; jego głos stracił na ostrości. — A pan nie mógłby mi pokazać...

Rebus jednak pokręcił głową.

— Niech pan tu zaczeka, panie pośle. Zobaczę, co powie inspektor Hogan.

Bell skinął głową, ale nie dało się go ułagodzić na dłużej.

— Wie pan co, to po prostu skandal! Jak ktoś może, ot tak, wejść sobie do szkoły z bronią?

— Właśnie próbujemy to wyjaśnić, proszę pana. — Rebus zmierzył posła wzrokiem od stóp do głów. — Nie ma pan czasem papierosa?

— Co takiego?

— Papierosa.

Bell pokręcił głową, Rebus zaś pomaszerował w kierunku szkoły.

— Będę czekał, inspektorze! Nic mnie stąd nie ruszy!

— Nie ma sprawy, panie pośle. Ośmielę się zauważyć, że to dla pana bardzo stosowne miejsce.

Przed szkołą rozciągał się pochyły trawnik, a z boku były boiska. Uwijali się tam mundurowi, odpędzając tych, którzy wdarli się na ogrodzony teren. Być może byli to dziennikarze, lecz raczej zwykli gapie — na miejscu morderstwa zawsze jest ich pełno. Za starą szkołą Rebus dostrzegł nowoczesny budynek. Nad jego głową przeleciał śmigłowiec. Nie zauważył w nim żadnych kamer.

— Pyszna zabawa — powiedziała Siobhan, zrównując się z nim.

— Zawsze to miło spotkać polityka — mruknął. — Zwłaszcza takiego, który traktuje nasz zawód z głębokim szacunkiem.

Główne wejście do szkoły zamykały przeszklone podwójne drzwi z rzeźbionego drewna. Za nimi była poczekalnia, z przesuwanymi szklanymi drzwiami prowadzącymi do gabinetu, prawdopodobnie sekretariatu szkoły. Sekretarka siedziała w środku i składała zeznanie zza wielkiej białej chustki do nosa, należącej zapewne do siedzącego przed nią funkcjonariusza. Jego twarz była Rebusowi znajoma, ale nie mógł jej powiązać z nazwiskiem. Inne drzwi prowadziły w głąb szkoły. Zaklinowano je w pozycji otwartej. Wisząca na nich tabliczka informowała, że ODWIEDZAJĄCY PROSZENI SĄ O ZGŁASZANIE SIĘ DO BIURA. Strzałka kierowała do przesuwanych szklanych drzwi. Siobhan wskazała róg sufitu, gdzie zamontowano małą kamerę. Rebus skinął głową i wszedł w długi korytarz; z boku odchodziły schody, a koniec zamykały wielkie drzwi z matowego szkła. Podłoga z wypolerowanego drewna trzeszczała pod jego ciężarem. Na ścianach wisiały obrazy — odziani w togi nauczyciele z przeszłości, sięgający zza biurek po książki na półce. Dalej następowała lista nazwisk — szkolnych prymusów, wychowawców i tych, którzy polegli w służbie dla kraju.

— Ciekawe, że tak łatwo dostał się do środka — powiedziała cicho Siobhan. Jej słowa odbiły się w ciszy; zza drzwi w połowie korytarza wysunęła się czyjaś głowa.

— Coś wam się nie śpieszyło! — huknął tubalny głos inspektora Bobby'ego Hogana. — Chodźcie, rzućcie na to okiem.

Wrócił z powrotem do świetlicy szóstej klasy. Było to pomieszczenie o wymiarach szesnaście stóp na dwanaście, z oknami umieszczonymi wysoko na zewnętrznej ścianie. Stał tam tuzin krzeseł i biurko z komputerem. W rogu, wokół starego sprzętu hi-fi, walały się płyty kompaktowe i taśmy. Na niektórych krzesłach leżały czasopisma: „FHM", „Heat", „M8", a obok otwarta książka, grzbietem do góry. Pod oknami wisiały na wieszakach plecaki i kurtki.

— Możecie wejść — odezwał się Hogan. — Technicy już wszystko przeczesali.

Weszli do pokoju. Fakt, technicy — ekipa zbierająca ślady na miejscu zbrodni — musieli być w świetlicy wcześniej, bo właśnie tu się to stało. Na jednej ze ścian plamy krwi — ciemnoczerwone, niczym wymalowane aerografem. Na podłodze większe plamy, a także rysy — tam, gdzie stopy poślizgnęły się na kilku deskach. Biała kreda i żółta taśma samoprzylepna zaznaczały miejsca, w których zbierano ślady.

— Do szkoły wszedł przez jedne z bocznych drzwi —

wyjaśniał Hogan. — Trwała przerwa, więc nie były zamknięte na klucz. Korytarzem przeszedł prosto tutaj. Dzień był ładny, słoneczny, więc większość dzieciaków wyszła na dwór. Zastał tylko trzech... — Skinieniem głowy wskazał, gdzie siedziały ofiary. — Słuchali muzyki, przeglądali pisma. — Brzmiało to, jakby mówił sam do siebie, z nadzieją, że jeśli powtórzy te słowa dostatecznie wiele razy, otrzyma odpowiedź.

— Dlaczego tutaj? — spytała Siobhan. Hogan spojrzał na nią, jakby ją widział po raz pierwszy.

— Sie masz, Shiv! — rzucił i uśmiechnął się nieznacznie. — Przywiodła cię ciekawość?

— Pomaga mi — wyjaśnił Rebus, unosząc ręce.

— Chryste, John, co ci się stało?

— To długa historia, Bobby. Siobhan zadała trafne pytanie.

— Chodzi ci o to, dlaczego akurat w tej szkole?

— Nie tylko — odparła. — Sam pan mówił, że większość dzieci była na dworze. Dlaczego nie zaczął od nich?

Hogan odpowiedział wzruszeniem ramion.

— Mam nadzieję, że się tego dowiemy.

— W czym możemy ci pomóc, Bobby? — zapytał Rebus. Nie wszedł w głąb pokoju, zadowalając się miejscem w progu, a tymczasem Siobhan oglądała plakaty na ścianie. Eminem pokazywał całemu światu palec, obok niego zaś jakaś kapela w roboczych fartuchach i gumowych maskach na twarzy wyglądała jak statyści z niskobudżetowego horroru.

— On kiedyś był żołnierzem, John — mówił dalej Hogan. — Mało tego, służył w SAS. Pamiętam, jak swego czasu mówiłeś mi, że ty też trenowałeś do Special Air Service.

— To było ponad trzydzieści lat temu, Bobby. Hogan go nie słuchał.

— Zdaje się, że był typem samotnika.

— Samotnik z pretensjami do świata? — podsunęła Siobhan.

— Kto wie?

— Więc chcesz, żebym się o niego popytał? — domyślił się Rebus.

Hogan spojrzał na niego.

— Jeżeli w ogóle miał kumpli, to pewnie takich samych jak on... odrzuty z sił zbrojnych. Możliwe, że otworzą się przed kimś, kogo spotkało to samo co ich.

— To było ponad trzydzieści lat temu — powtórzył Rebus. — Swoją drogą dzięki, że zaliczasz mnie do „odrzutów".

— Daj spokój, wiesz przecież, o co mi chodzi... Tylko dzień czy dwa, John. O nic więcej nie proszę.

Rebus cofnął się na korytarz i rozejrzał. Na pozór panowała cisza i błogi spokój. A jednak trwające raptem kilka chwil wydarzenia zmieniły wszystko. Miasteczko i szkoła już nigdy nie będą takie jak przedtem. Życie wszystkich związanych z tą sprawą będzie wykoślawione. Sekretarka być może już nigdy nie wyjdzie zza tej pożyczonej chustki do nosa. Rodziny pochowają swoich synów, ale nigdy nie uwolnią się od myślenia o grozie ich ostatnich chwil...

— To jak, John? — pytał Hogan. — Pomożesz?

Ciepła, puszysta wełna... ochroni cię, utuli...

„Sprawa jest prosta jak drut". Słowa Siobhan. „Odbiło mu, i tyle".

— Tylko jedno pytanie, Bobby.

Hogan wydawał się zmęczony i nieco zagubiony. Leith oznaczało narkotyki, nożowników, prostytucję. Z tym Bobby sobie radził. Rebus odniósł wrażenie, że wezwano go, ponieważ Bobby potrzebował u boku przyjaciela.

— Wal — odparł Hogan.

— Masz fajkę?

W przenośnym biurze zbyt wielu ludzi walczyło o miejsce. Hogan obładował Siobhan papierami, wszystkim, co mieli w tej sprawie; kartki wciąż jeszcze były ciepłe po szkolnej kserokopiarce. Na trawniku przed szkołą zebrało się stadko ciekawskich mew. Rzuciły się na niedopałek papierosa, którym Rebus pstryknął w ich stronę.

— Mogłabym cię oskarżyć o znęcanie się — wytknęła mu Siobhan.

— I wzajemnie — odciął się, spoglądając na stos papierzysk. Grant Hood akurat skończył rozmawiać przez telefon i chował komórkę do kieszeni. — I gdzież to się podział nasz przyjaciel? — zapytał go Rebus.

— Mówisz o Brudnym Mac Jacku?

Rebus uśmiechnął się, słysząc przezwisko, jakim pewna

bulwarówka ochrzciła Bella na pierwszej stronie, w dzień po jego aresztowaniu.

— Nie inaczej.

Hood ruchem głowy wskazał w dół wzgórza.

— Któryś z dziennikarzy zadzwonił do niego i zaproponował mu migawkę w telewizji na tle szkolnej bramy. Jack poleciał, jakby go kto gonił.

— A podobno miało go stąd nic nie ruszyć. Jak się sprawują chłopcy z prasy?

— A jak myślisz?

Rebus odpowiedział skrzywieniem ust. Znowu zadzwonił telefon i Hood odwrócił się, by odebrać. Rebus patrzył, jak Siobhan ostrożnie próbuje otworzyć bagażnik i część papierów spada jej na ziemię. Pozbierała je.

— To wszystko? — zapytał.

— Na razie. — Zatrzasnęła klapę bagażnika. — Dokąd z tym pójdziemy?

Spojrzał w górę. Po niebie pędziły gęste chmury. Było chyba zbyt wietrznie jak na deszcz. Zdawało mu się, że słyszy odległy szczęk takielunku uderzającego o maszty jachtów.

— Moglibyśmy zająć stolik w pubie. Koło mostu kolejowego jest takie miejsce, nazywa się Boatman... To stara edynburska tradycja — wyjaśnił ze wzruszeniem ramion, kiedy wlepiła w niego wzrok. — W dawnych czasach ludzie interesu prowadzili biznes z miejscowych knajpek.

— Dajmy sobie może spokój z tradycją.

— Ja tam zawsze wolałem staroświeckie metody.

Nic nie odpowiedziała, przeszła tylko na stronę kierowcy i otworzyła drzwi. Zdążyła je zamknąć za sobą i włożyć kluczyk do stacyjki, zanim sobie przypomniała. Klnąc pod nosem, wyciągnęła rękę, żeby otworzyć mu drzwiczki od środka.

— Jesteś nazbyt uprzejma — powiedział z uśmiechem, wsiadając. Nie za dobrze orientował się w South Queensferry, ale puby znał. Wychowywał się po drugiej stronie ujścia rzeki i pamiętał widok z North Queensferry — wrażenie, że mosty odpływają od siebie, kiedy patrzyło się na południe.

Ten sam funkcjonariusz w mundurze otworzył bramę, żeby ich wypuścić. Jack Bell stał na środku drogi i nadawał do kamery.

— A teraz naciśnij klakson, byle długo i porządnie — polecił Rebus Siobhan.

Wyświadczyła mu tę przysługę. Dziennikarz opuścił mikrofon i przeszył ich wściekłym spojrzeniem. Kamerzysta zsunął słuchawki na szyję. Rebus pomachał Bellowi ręką i posłał mu uśmiech, który od biedy mógł ujść za wyraz skruchy. Gapie blokowali połowę drogi, wlepiając wzrok w samochód.

— Czuję się jak jakiś pieprzony eksponat na wystawie — mruknęła Siobhan. Ruch na szosie odbywał się w żółwim tempie, bo każdy chciał rzucić okiem na szkołę. Nie było to zawodowe zainteresowanie — ot, zwykli obywatele, którzy zabrali ze sobą rodziny i kamery wideo. Kiedy mijali malutki posterunek policji, Rebus powiedział, że wysiądzie i się przejdzie.

— Spotkamy się w pubie.

— Dokąd idziesz?

— Chcę poczuć tutejszą atmosferę. — Przerwał na chwilę. — Dla mnie duże jasne, gdybyś dotarła wcześniej.

Patrzył, jak Siobhan włącza się do powolnej procesji samochodów i odjeżdża. Przystanął, odwrócił się i spojrzał w górę na most Forth Road; odgłos ciągnących nim pojazdów osobowych i ciężarówek przypominał szum fal. Na chodniku stały maleńkie postacie i spoglądały w dół. Wiedział, że więcej ludzi stoi po drugiej stronie mostu, skąd rozciągał się lepszy widok na teren szkoły. Kręcąc głową, ruszył w drogę.

Handel w South Queensferry ograniczał się do jednej ulicy, biegnącej od High Street do Hawes Inn. Ale nadchodziły zmiany. Niedawno, przejeżdżając tamtędy w kierunku mostu, zauważył nowy supermarket i kompleks biurowców. Oraz tablicę, która kusiła: MASZ DOŚĆ DOJEŻDŻANIA DO PRACY? MOŻESZ PRACOWAĆ TUTAJ. Dalej informowano, że Edynburg jest zapchany do granic możliwości i z roku na rok coraz trudniej jest poruszać się samochodem. South Queensferry chciało się wpisać w ruch uciekania z centrum miasta. Nie, żeby miało przypominać High Street — małe lokalne sklepiki, wąskie chodniki, punkty informacji turystycznej. Rebus znał niektóre tutejsze historie: o pożarze w gorzelni VAT 69, kiedy to gorąca whisky popłynęła ulicami, a ludzie chłeptali ją i lądowali w szpitalu; o udomowionej małpie, która rozdrażniona do granic wytrzymałości, rozerwała gardło pomywaczce; o widziadłach takich jak pies Mowbraya* i Kosmaty Człowiek**...

Na cześć Kosmatego Człowieka organizowane są doroczne uroczystości — wywieszanie flag, defilada przez całe miasto. Do kolejnej brakowało jeszcze kilku miesięcy, ale Rebus był ciekaw, czy w tym roku parada w ogóle się odbędzie. Minął wieżę z zegarem, wciąż obwieszoną girlandami z okazji Dnia Pamięci, jakimś cudem nietkniętymi przez wandali. Uliczka była tutaj tak wąska, że samochody mogły się mijać tylko w specjalnie wydzielonych zatokach. Za budynkami po lewej co pewien czas dostrzegał ujście rzeki. Po przeciwnej stronie ulicy rząd parterowych sklepików wieńczył taras, wychodzący na inne budynki. W otwartych drzwiach frontowych stały dwie starsze kobiety, ze splecionymi na piersiach rękami, i wymieniały ostatnie ploteczki; ich oczy biegały ku Rebusowi, rozpoznając obcego. W końcu przestały na niego łypać wilkiem — był po prostu kolejnym gapiem.

Idąc dalej, minął kiosk z gazetami. W środku kilka osób wymieniało się informacjami z pierwszego wydania popołudniówki. Po drugiej stronie ulicy minęła go ekipa telewizyjna, ale nie ta, którą widział przed szkołą. Operator trzymał w ręku kamerę, a na ramieniu miał zawieszony statyw. Koło niego szedł dźwiękowiec ze swoim sprzętem; słuchawki miał opuszczone na szyję, a wysięgnik mikrofonu trzymał jak karabin. Wypuścili się na rekonesans w poszukiwaniu jakiegoś przytulnego miejsca, pod przewodnictwem młodej blondynki, która zaglądała na podwórka, wypatrując idealnego miejsca. Rebusowi zdawało się, że widział ją w telewizji; uznał, że to ekipa z Glasgow. Swój reportaż zacznie pewnie tak: „Wstrząśnięta społeczność usiłuje pogodzić się dziś z tragedią, jaka nawiedziła tę niegdyś spokojną przystań... padają pytania, na które jak dotąd nikt nie potrafi odpowiedzieć...". Ble, ble, ble. Rebus

---

* Chodzi o psa sir Rogera Mowbraya, rycerza poległego w wyprawach krzyżowych. Jak głosi podanie, ów pies do dziś nawiedza rodzinną posiadłość Mowbrayów i wyje pół mili od zamku Barnbougle.
** Kosmaty Człowiek (The Burry Man) — mityczna postać, na cześć której od 1687 roku w South Queensferry w drugi piątek sierpnia odbywają się doroczne uroczystości; przez cały dzień po ulicach i barach krąży człowiek przebrany w strój pokryty owocami łopianu o zakrzywionych kolcach.

sam mógłby napisać jej tekst. Skoro policja nie podsuwała żadnych tropów, mediom nie pozostawało nic innego, jak tylko napastować mieszkańców, szukać okruchów informacji i próbować wycisnąć je choćby z kamienia, gdyby się taki trafił. Widział to w Lockerbie* i nie wątpił, że w Dunblane było tak samo. Teraz przyszła kolej na South Queensferry. Dotarł do zakrętu ulicy, za którym rozciągała się esplanada. Przystanął na chwilę i odwrócił się, by spojrzeć na miasto, lecz w większości było ukryte — przez drzewa, inne budynki, za łukiem ulicy, którym właśnie przeszedł. Z morza wyrastał tu mur; uznał, że to równie dobre miejsce jak inne, by wypalić zapasowego papierosa, którego Bobby Hogan sprezentował mu na drogę. Trzymał go za prawym uchem; sięgnął po niego, nie złapał i papieros pofrunął na ziemię, a podmuch wiatru potoczył go dalej. Nachylony, nie odrywając wzroku od ziemi, Rebus ruszył w pościg i omal nie zderzył się z parą nóg. Papieros zatrzymał się przy czubku ostrego noska czarnego lakierowanego bucika, sięgającego kostki. Nogi nad szpilkami odziane były w podarte czarne siatkowe rajstopy. Dziewczyna mogła mieć równie dobrze trzynaście lat, jak dziewiętnaście. Farbowane czarne włosy sterczały jej na głowie jak słoma, w stylu Siouxsie Sioux. Twarz miała białą jak śmierć, oczy i usta pomalowane na czarno. Na warstwy przezroczystego materiału zarzuciła czarną skórzaną kurtkę.

— Pochlastał się pan? — zapytała, patrząc na jego bandaże.

— Nie, ale zrobię to, jak mi zgnieciesz tego peta.

Podniosła papierosa z ziemi i nachyliwszy się, wsunęła mu go w usta.

— W kieszeni mam zapalniczkę — powiedział.

Wyciągnęła ją i podała mu ogień, fachowo osłaniając płomień przed wiatrem i patrząc mu prosto w oczy, jak gdyby chciała wyczytać z nich, jak reaguje na bliskość jej ciała.

— Przepraszam, ale to mój ostatni — usprawiedliwił się.

Trudno było palić i mówić jednocześnie. Chyba zdała sobie z tego sprawę, bo kiedy zaciągnął się kilka razy, wyjęła mu

* 21 grudnia 1988 roku na Lockerbie spadł wrak boeinga 747 linii Pan Am, wysadzonego przez libijskich terrorystów. Zginęło 259 osób lecących na pokładzie samolotu oraz 11 mieszkańców okolicznych domów.

papierosa z ust i sama się sztachnęła. Paznokcie pod czarnymi koronkowymi rękawiczkami także miała pomalowane na czarno. — Nie znam się na modzie, ale coś mi się zdaje, że ty chyba nie nosisz żałoby, co? — powiedział.

Uśmiechnęła się na tyle, by pokazać rządek drobnych białych ząbków.

— A niby dlaczego miałabym nosić żałobę? — zapytała.

— Przecież chodzisz do Akademii Port Edgar? — Spojrzała na niego, ciekawa, skąd on to wie. — Bo inaczej byłabyś jeszcze w szkole — wyjaśnił. — Tylko dzieciaki z Port Edgar mają dzisiaj wolne.

— Pan jest reporterem? — Z powrotem wetknęła mu papierosa w usta. Zachował smak jej szminki.

— Jestem gliniarzem — odparł. — Ze śledczego.

Nie okazała zainteresowania.

— Znałaś chłopaków, którzy zginęli?

— Tak. — W jej głosie brzmiała uraza, nie chciała być odstawiona na boczny tor.

— Ale nie tęsknisz za nimi?

Zrozumiała, co miał na myśli, i pokiwała głową, przypominając sobie własne słowa: „A niby dlaczego miałabym nosić żałobę?".

— Jeśli już, to raczej im zazdroszczę.

Znowu świdrowała go wzrokiem. Nie mógł się powstrzymać, by nie myśleć o tym, jak też wyglądałaby bez makijażu. Pewnie była ładna, może nawet delikatna. Pomalowana twarz była maską, za którą mogła się schować.

— Zazdrościsz?

— Oni nie żyją, prawda? — Patrzyła na niego, jak potakuje głową, i w odpowiedzi wzruszyła ramionami.

Spojrzał w dół na papierosa; wyjęła mu go z ust i wsadziła między swoje wargi.

— A ty nie chcesz żyć?

— Nie o to chodzi, po prostu jestem ciekawa. Chciałabym wiedzieć, jak to jest. — Złożyła usta w kształt litery O i wydmuchnęła spiralne kółko dymu. — Pan na pewno widział już umarlaków.

— Zbyt wielu.

— To znaczy ilu? Widział pan kiedyś, jak ktoś umiera?

Nie miał ochoty jej odpowiadać.

— Czas na mnie — mruknął. Chciała mu oddać resztkę papierosa, ale pokręcił głową. — A swoją drogą, jak ci na imię?

— Teri.

— Terry?

Przeliterowała.

— Ale może mi pan mówić „panno Teri".

Uśmiechnął się.

— Zakładam, że nie jest to twoje prawdziwe imię. Pewnie się jeszcze zobaczymy, panno Teri.

— Może mnie pan oglądać w każdej chwili, panie śledczy.

Odwróciła się i ruszyła do miasta, energicznie stukając dwuipółcalowymi obcasami; odrzuciła włosy do tyłu i puściła je, a potem lekko pomachała dłonią w koronkowej rękawiczce. Wiedziała, że jest obserwowana, i z przyjemnością odgrywała swoją rolę. Rebus uznał, że należy do subkultury gothów. Widywał ich w mieście, wałęsających się przed sklepami muzycznymi. Przez pewien czas do ogrodów przy Princess Street nie wpuszczano nikogo, kto wyglądał tak jak oni — edykt rady miejskiej, podobno związany z deptaniem trawników i wywracaniem koszy na śmieci. Czytając o tym, Rebus uśmiechnął się. Lista obejmowała wszystkich, od punków po teddy boys* — nastolatków przechodzących okres dojrzewania. Z niego też był niezły numer, zanim wstąpił do wojska. Za młody na pierwszą falę teddy boys, dorósł jednak do skórzanej kurtki z drugiej ręki i naostrzonego metalowego grzebienia w kieszeni. Kurtka była nie taka jak trzeba — nie motocyklowa, lecz trzy czwarte. Skrócił ją więc kuchennym nożem, tak że sterczały z niej nadprute szwy i widać było podszewkę.

To ci dopiero buntownik!

Panna Teri zniknęła za zakrętem, Rebus zaś ruszył do Boatmana, gdzie Siobhan czekała na niego z piwem.

— Już myślałam, że będę musiała wypić za ciebie — powiedziała z wyrzutem w głosie.

— Przepraszam.

---

* *Teddy boys* — subkultura młodzieżowa, której członkowie toczyli uliczne walki z punkami.

Złapał kufel oburącz i uniósł do ust. Siobhan zdobyła dla nich stolik w samym rogu, tak że w pobliżu nie było nikogo. Przed nią, obok soku z limonki z wodą sodową i otwartej paczki orzeszków ziemnych, piętrzyły się dwa stosy papierów.

— Jak dłonie? — zapytała.

— Boję się, że już nigdy nie zagram na fortepianie.

— Muzyka popularna poniesie niepowetowaną stratę.

— Słuchasz czasem heavy metalu, Siobhan?

— Nie, jeśli nie muszę. — Urwała. — Może czasami trochę Motorhead, żeby się rozkręcić.

— Myślę o nowszych kapelach.

Pokręciła głową.

— Naprawdę uważasz, że możemy tu siedzieć?

Rozejrzał się.

— Miejscowi się nami nie interesują. Przecież nie będziemy ludziom podtykać pod nos zdjęć z sekcji ani nic takiego.

— Ale mamy tu zdjęcia z miejsca zbrodni.

— Na razie ich nie wyjmuj. — Przełknął następny haust piwa.

— Na pewno możesz pić, skoro łykasz te tabletki?

Udał, że nie słyszy pytania, i ruchem głowy wskazał stos papierów.

— No to co my tu mamy i jak długo uda nam się przeciągać robotę? — mruknął.

Uśmiechnęła się.

— Nie palisz się do następnego spotkania z szefową?

— A co, ty się nie możesz doczekać?

Zastanowiła się nad odpowiedzią, po czym zbyła go wzruszeniem ramion.

— Cieszysz się, że Fairstone nie żyje? — zapytał.

Przeszyła go wściekłym wzrokiem.

— Po prostu jestem ciekawy — rzekł, znowu myśląc o pannie Teri.

Zaczął udawać, że próbuje przysunąć sobie górną kartkę, aż wreszcie Siobhan załapała i zrobiła to za niego. Potem siedzieli obok siebie, nieświadomi, że światło na dworze gaśnie, w miarę jak popołudnie chyli się ku zachodowi.

Siobhan poszła do baru po następne drinki. Barman próbował

dowiedzieć się, nad czym pracują, ale wymigała się od odpowiedzi i w końcu zaczęli rozmawiać o pisarzach. Nie wiedziała, że Boatman jest związany z takimi autorami jak Walter Scott czy Robert Louis Stevenson.

— Nie pijesz w zwykłym pubie — wyjaśnił barman. — Pijesz w historii.

Wykorzystał ten tekst już pewnie ze sto razy. Poczuła się jak turystka. Dziesięć mil od centrum miasta, a wszystko jakże inne. Nie miało to nic wspólnego z morderstwami — o których, jak sobie nagle uprzytomniła, barman w ogóle nie wspomniał. Mieszkańcy centrum zwykle wrzucali podmiejskie dzielnice do jednego garnka — Portobello, Musselburgh, Currie, South Queensferry... były to po prostu „fragmenty" miasta. A jednak nawet Leith, połączone z centrum brzydką pępowiną Leith Walk, ciężko pracowało nad zachowaniem własnej tożsamości. Siobhan nie widziała powodu, dla którego gdzie indziej miałoby być inaczej.

Coś sprawiło, że osiedlił się tu Lee Herdman. Urodzony w Wishaw, w wieku siedemnastu lat wstąpił do wojska. Służył w Irlandii Północnej, potem za granicą, a wreszcie w SAS. Spędził tam osiem lat, aż w końcu — jak by to pewnie sam określił — „przeszedł do cywila". Porzucił żonę, zostawiając ją z dwojgiem dzieci w Hereford, gdzie stacjonuje SAS, i ruszył na północ. Informacje z przeszłości były dziurawe. Ani słowa o tym, co stało się z jego żoną i dziećmi, ani dlaczego od nich odszedł. Sześć lat temu przeniósł się do South Queensferry. I umarł tutaj, w wieku trzydziestu sześciu lat.

Spojrzała w bok, na Rebusa, który pilnie czytał następną kartkę. On także był w wojsku i często słyszała pogłoski, że również przeszedł trening do SAS. Co ona w ogóle wiedziała o SAS? Tylko tyle, ile przeczytała w raporcie. Special Air Service, z siedzibą w Hereford, motto: *Odważny wygrywa*. Kandydaci wybierani spośród najlepszych ludzi wyznaczonych przez wojsko. SAS utworzono podczas drugiej wojny światowej, jako jednostkę rozpoznania dalekiego zasięgu, lecz zasłynęła akcjami w trakcie oblężenia ambasady USA w Iranie w 1980 roku i wojny o Falklandy w 1982. Odręczny przypis na jednej z kartek informował, że skontaktowano się z poprzednimi pracodawcami Herdmana i poproszono o udostępnienie wszelkich możliwych informacji. Wspomniała o tym Rebusowi, ale tylko prychnął na znak, że według niego zda się to psu na budę.

Jakiś czas po osiedleniu się w South Queensferry Herdman rozkręcił własny interes — wożenie narciarzy wodnych i tak dalej. Siobhan nie wiedziała, ile kosztuje motorówka. Zapisała już to pytanie obok dziesiątków innych, w notesie, który został na stole.

— Nie śpieszy ci się, co? — zagadnął barman.

Nie zauważyła, kiedy wrócił.

— Słucham?

Spojrzał w dół, wskazując wzrokiem stojące przed nią drinki.

— A, tak — bąknęła, siląc się na uśmiech.

— Nic się nie martw. Czasami nie ma to jak się zamroczyć.

Skinęła głową, wiedząc, że nie miał na myśli zamroczenia alkoholowego, lecz zamyślenie. Sama rzadko używała szkockich słów, kłóciły się z jej angielskim akcentem. Akcentem, którego nigdy nie próbowała zmienić, a to z powodu jego przydatności. Niektórych dezorientował, co bywało korzystne podczas przesłuchań. Jeśli zaś ludzie czasami brali ją za turystkę, no cóż, wówczas też zwykle się odsłaniali.

— Wykombinowałem, kim jesteście — mówił barman. Przyjrzała mu się. Dwadzieścia kilka lat, wysoki i barczysty, z czarnymi włosami i twarzą, która zachowa swe rzeźbione rysy jeszcze przez jakiś czas, pomimo gorzały, fatalnej diety i papierosów.

— Zaskocz mnie — rzuciła, opierając się o bar.

— Z początku miałem was za reporterów, ale nie zadajecie żadnych pytań.

— Czyli że dziennikarze już cię nachodzili?

W odpowiedzi wywrócił oczami.

— Tak się w tym grzebiecie — powiedział, wskazując głową ich stolik — że po mojemu jesteście detektywami.

— Bystrzak z ciebie.

— A wiesz, że on tu zaglądał? Znaczy się, Lee.

— Znałeś go?

— Nooo tak, gadaliśmy czasem... normalnie, o piłce i takie tam.

— Pływałeś kiedyś jego łodzią?

Barman kiwnął głową.

— To było coś! Pędziło się pod mostami i zadzierało łeb, żeby je obejrzeć od dołu... — Przekrzywił głowę, pokazując jej, co ma na myśli. — Ech, Lee... ten to lubił dobry odjazd. — Urwał gwałtownie. — Nie chodzi mi o dragi. Po prostu lubił szybką jazdę.

— Jak pan się nazywa, panie barman?

— Rod McAllister.

Uścisnęła jego wyciągniętą rękę. Była wilgotna od zmywania szklanek.

— Miło było cię poznać, Rod. — Cofnęła dłoń, sięgnęła do kieszeni i podała mu swoją wizytówkę. — Gdybyś przypomniał sobie coś, co mogłoby nam pomóc...

Wziął kartonik.

— Jasne — odparł. — Ty jesteś Seb...

— To się wymawia Szi-woun.

— Chryste, naprawdę tak się to mówi?

— Ale możesz się do mnie zwracać „sierżant Clarke".

Kiwnął głową, wsadził wizytówkę do górnej kieszeni koszuli i spojrzał na swoją klientkę z nowym zainteresowaniem.

— Jak długo zostaje pani w mieście?

— Tak długo, jak będzie trzeba. A bo co?

Wzruszył ramionami.

— W porze lunchu podajemy paskudny haggis*, purée z rzepy i płatki owsiane.

— Zastanowię się. — Wzięła szklanki. — Twoje zdrowie, Rod.

— Zdrówko.

Wróciwszy do stolika, postawiła przed Rebusem kufel piwa, obok otwartego notesu.

— Proszę. Przepraszam, że mi się zeszło, ale barman znał Herdmana, może ma...

Mówiąc to, usiadła. Rebus jednak nie zwracał na nią uwagi, w ogóle jej nie słuchał. Gapił się na leżącą przed nim kartkę.

— Co to jest? — spytała. Rzuciła okiem na akta i stwierdziła,

---

*Haggis — szkocka potrawa narodowa, odpowiednik polskiego kindziuka (żołądek barani nadziewany siekaną wątróbką, sercami, płucami, tłuszczem, cebulą i płatkami owsianymi, podawany zwykle z purée z rzepy).

że już je czytała. Szczegóły dotyczące rodziny jednej z ofiar. — John? — ponagliła go.

Powoli podniósł wzrok i spojrzał jej prosto w oczy.

— Chyba ich znam — powiedział spokojnie.

— Kogo? — Zabrała mu kartkę. — Masz na myśli rodziców?

Przytaknął ruchem głowy.

— Skąd ich znasz?

Rebus ukrył twarz w dłoniach.

— To rodzina — odparł, a widząc, że ona nic nie rozumie, dorzucił: — Moja rodzina, Siobhan. To moja rodzina.

3

Był to bliźniak na końcu ślepej uliczki w nowoczesnym osiedlu. Z tej części South Queensferry nie było widać mostów; tutaj nic nie wskazywało na to, że zaledwie ćwierć mili dalej biegną prastare uliczki. Na podjazdach stały samochody — rovery, beemki i audi, modele dla średniego szczebla kierowniczego. Domów nie odgradzały siatki, jedynie trawniki i ścieżki prowadzące do kolejnych trawników. Siobhan zaparkowała przy krawężniku. Stanęła kilka stóp za Rebusem, kiedy próbował nacisnąć dzwonek. Otworzyła im dziewczyna o nieprzytomnym spojrzeniu. Oczy miała przekrwione, a jej włosy domagały się mycia i czesania.

— Jest tata albo mama?

— Z nikim nie gadają — odparła, próbując zamknąć drzwi.

— Nie jesteśmy reporterami. — Rebus niezdarnie próbował wyciągnąć legitymację. — Jestem inspektor Rebus.

Spojrzała na legitymację i wlepiła w niego wzrok.

— Rebus? — powtórzyła.

Skinął głową.

— Znasz to nazwisko?

— Chyba tak... — Nagle za jej plecami pojawił się jakiś mężczyzna i wyciągnął rękę do gościa.

— John! Kopę lat.

Inspektor pokiwał głową Allanowi Renshawowi.

— Będzie ze trzydzieści, Allan.

Obaj przyglądali się sobie, próbując powiązać twarze ze wspomnieniami.

— Zabrałeś mnie kiedyś na mecz — powiedział Renshaw.

— Na Raith Rovers, zgadza się? Nie pamiętam, z kim wtedy grali.

— No dobra, wchodźcie.

— Ja tu jestem służbowo, Allan, rozumiesz...

— Słyszałem, że trafiłeś do policji. Jak to się w życiu śmiesznie układa...

Kiedy Rebus ruszył za kuzynem korytarzem, Siobhan przedstawiła się młodej kobiecie, która z kolei powiedziała, że jest „siostrą Dereka".

Siobhan przypomniała sobie jej imię, zawarte w aktach sprawy.

— Studiujesz na uniwersytecie, Kate?

— Angielski, na St Andrews.

Siobhan nie wiedziała, co by tu jeszcze powiedzieć, żeby nie wydawało się to banalne czy sztuczne. Przeszła więc długim wąskim korytarzem do bawialni, mijając stolik zarzucony nieotwartymi listami.

Wszędzie były zdjęcia. Nie tylko oprawione w ramki, wiszące na ścianach albo ustawione na półkach — wylewały się z pudeł po butach na podłogę i stolik do kawy.

— Może będziesz w stanie pomóc — mówił Allan Renshaw do Rebusa. — Ja mam kłopoty z powiązaniem nazwisk z twarzami.

Podniósł plik czarno-białych fotografii. Były tam też albumy; otwarte na kanapie, przedstawiały etapy dorastania dwojga dzieci, Kate i Dereka. Zaczynały się od zdjęć z chrztu i ciągnęły przez letnie wakacje, Gwiazdkę, wyprawy poza dom i specjalne uroczystości. Siobhan wiedziała, że Kate ma dziewiętnaście lat i była o dwa lata starsza od brata. Wiedziała także, iż jej ojciec pracuje jako sprzedawca samochodów na Seafield Road w Edynburgu. Rebus dwukrotnie — najpierw w pubie, a potem podczas jazdy tutaj — wyjaśniał jej swoje związki z tą rodziną. Jego matka miała siostrę, która wyszła za człowieka nazwiskiem Renshaw. Allan Renshaw był ich synem.

— Nigdy się nie kontaktowaliście? — spytała go wtedy.

— W naszej rodzinie nie było takiego zwyczaju — odparł.

— Przykro mi z powodu Dereka — mówił teraz Rebus. Nie znalazł nic, na czym dałoby się usiąść, więc stał przy kominku.

Allan Renshaw przycupnął na oparciu kanapy. Skinął głową i nagle zauważył, że córka zamierza sprzątnąć zdjęcia, by goście mieli gdzie usiąść.

— Jeszcze ich nie posegregowaliśmy! — warknął.

— Myślałam, że... — Oczy Kate napełniły się łzami.

— A może napilibyśmy się herbaty? — wtrąciła szybko Siobhan. — Moglibyśmy sobie usiąść w kuchni.

Z trudem zmieścili się we czworo za stołem; Siobhan przecisnęła się dalej, by zająć się czajnikiem i kubkami. Kate zaproponowała pomoc, lecz Siobhan przekonała ją, żeby nie wstawała. Z okna nad zlewozmywakiem rozciągał się widok na ogródek wielkości chusteczki do nosa, ogrodzony płotkiem z palików. Na obrotowej suszarce do naczyń wisiała jedna ścierka; na trawniku przystrzyżono dwa pasy, a teraz kosiarka stała nieruchomo, obrastając trawą.

Nagle rozległ się hałas — to zagrzechotały uchylne drzwiczki dla zwierząt domowych i pojawił się biało-czarny kocur; wskoczył Kate na kolana i wlepił ślepia w nowo przybyłych.

— Poznajcie się, oto Boecjusz — przedstawiła zwierzaka Kate.

— Starożytna królowa Brytanii? — zaryzykował Rebus.

— To była Boudika — poprawiła go Siobhan.

— Boecjusz był średniowiecznym filozofem — wyjaśniła Kate, głaszcząc kota po głowie. Rebus nie mógł się powstrzymać od myśli, iż ubarwienie jego pyska upodabnia go do Batmana.

— To pani bohater? — domyśliła się Siobhan.

— Był torturowany z powodu swoich przekonań — ciągnęła dziewczyna. — Potem napisał traktat, w którym próbował wytłumaczyć, dlaczego dobrzy ludzie cierpią... — Urwała i zerknęła na ojca. Wyglądało na to, że jej nie słyszał.

— A źli ludzie mają się dobrze? — podsunęła Siobhan.

Kate pokiwała głową.

— Ciekawe — mruknął Rebus.

Siobhan podała wszystkim herbatę i usiadła. Rebus zignorował stojący przed nim kubek, pewnie dlatego, by nie zwracać ich uwagi na swe obandażowane dłonie. Allan Renshaw chwycił za uszko kubka, ale nie śpieszył się, by go podnieść.

— Dzwoniła do mnie Alice — odezwał się. — Pamiętasz

ją? — Rebus pokręcił głową. — To kuzynka ze strony... na miłość boską, z czyjej strony?

— Nieważne, tato — powiedziała cicho Kate.

— Przeciwnie, to bardzo ważne — zaprotestował. — W takich chwilach jak teraz rodzina jest wszystkim.

— Allan, ty chyba miałeś siostrę? — wtrącił Rebus.

— Ciotkę Elspeth — odparła za ojca Kate. — Mieszka w Nowej Zelandii.

— Czy ktoś ją poinformował?

Dziewczyna przytaknęła.

— A co z twoją matką?

— Była tu wcześniej — wtrącił się Renshaw, nie odrywając wzroku od stołu.

— Zostawiła nas rok temu — wyjaśniła Kate. — Mieszka z... — Urwała. — Mieszka w Fife.

Rebus pokiwał głową, wiedząc, co chciała powiedzieć: „Mieszka z mężczyzną...".

— John, jak się nazywał ten park, do którego mnie zabrałeś? — zapytał Renshaw. — Miałem wtedy zaledwie siedem czy osiem lat. Tata i mama zabrali mnie do Bowhill, a ty powiedziałeś, że weźmiesz mnie na spacer. Pamiętasz?

Rebus pamiętał. Na przepustce z wojska pojechał do domu i rwał się do działania. Był ledwie po dwudziestce, trening do SAS miał jeszcze daleko przed sobą. Dom wydał mu się za mały, a ojciec zbyt pogrążony w rutynie. Zabrał więc młodego Allana na wyprawę po sklepach. Kupili butelkę soku i tanią futbolówkę, a następnie poszli do parku, żeby sobie pokopać. Teraz spojrzał na Renshawa. Skończył już pewnie czterdzieści lat. Włosy mu siwiały, na czubku głowy błyszczała wyraźna łysina. Twarz miał obwisłą, nieogoloną. Jako dzieciak był chudy jak szczapa, teraz jednak nabrał ciała, zwłaszcza w pasie. Rebus usilnie próbował doszukać się w nim śladów tamtego chłopaka, z którym grał w piłkę, chłopaka, którego zabrał do Kirkcaldy na mecz Raith z jakimś zapomnianym przeciwnikiem. Mężczyzna, którego miał przed sobą, starzał się szybko — żona go porzuciła, zabito mu syna. Starzał się szybko i usiłował sobie z tym radzić.

— Czy ktoś do was zagląda? — spytał, patrząc na Kate. Chodziło mu o przyjaciół, sąsiadów. Kiedy pokiwała głową, zwrócił się do Renshawa: — Allan, wiem, że to dla ciebie ciężki wstrząs. Czy czujesz się na siłach odpowiedzieć na kilka pytań?

— Jak to jest być policjantem, John? Codziennie musisz robić takie rzeczy?

— Nie, nie codziennie.

— Ja bym nie mógł. Wystarczająco mnie dobija sprzedawanie samochodów. Najpierw patrzysz, jak goście odjeżdżają doskonałymi maszynami, z szerokim uśmiechem na twarzy, a potem, kiedy wracają na przegląd, naprawy i tak dalej, widzisz, że samochód stracił swój dawny blask... Wtedy już się nie uśmiechają.

Rebus zerknął na Kate, która tylko wzruszyła ramionami. Domyślił się, że często wysłuchuje gderania ojca.

— Ten facet, który zastrzelił Dereka... — powiedział cicho. — Próbujemy wyjaśnić, dlaczego to zrobił.

— To wariat.

— Ale dlaczego w szkole? Dlaczego akurat tego dnia? Rozumiesz, o co mi chodzi?

— Chcesz powiedzieć, że nie odpuścicie. A nam zależy tylko na tym, żeby nas zostawiono w spokoju.

— Musimy to wiedzieć, Allan.

— Po co? — Renshaw podniósł głos. — Czy to coś zmieni? Przywrócicie nam Dereka? Nie sądzę. Bydlak, który to zrobił, nie żyje... Nic więcej nie ma znaczenia.

— Napij się herbaty, tato — powiedziała Kate, wyciągając rękę. Ujął jej dłoń i złożył na niej pocałunek.

— Zostaliśmy sami, Kate. Nikt inny się nie liczy.

— Sam przed chwilą mówiłeś, że liczy się tylko rodzina. Inspektor należy chyba do rodziny, prawda?

Renshaw znów podniósł wzrok na Rebusa; jego oczy zaszły łzami. Nagle wstał i wyszedł z kuchni. Przez chwilę siedzieli, nasłuchując jego kroków na schodach.

— Zostawmy go — powiedziała Kate pewnym siebie głosem; dobrze się czuła w swej roli. Wyprostowała się na krześle i zrobiła daszek z dłoni. — Nie sądzę, żeby Derek znał tego faceta. Chcę powiedzieć, że South Queensferry to wiocha, więc możliwe, że znał go z widzenia, może nawet wiedział, kim jest. Ale nic więcej.

Rebus pokiwał głową, nie odzywał się jednak, licząc na to, że dziewczyna wypełni ciszę. Siobhan też wiedziała, jak to rozegrać.

— On ich nie wybrał, prawda? — podjęła Kate, wracając do głaskania Boecjusza. — Po prostu Derek znalazł się w niewłaściwym miejscu w nieodpowiednim czasie.

— Tego jeszcze nie wiemy — odparł Rebus. — To był pierwszy pokój, do którego wszedł, ale po drodze minął inne.

Spojrzała na niego.

— Tata mówił, że ten drugi chłopak był synem sędziego.

— Znałaś go?

Potrząsnęła głową.

— Nie za dobrze.

— Nie chodziłaś do Port Edgar?

— Chodziłam, ale Derek był dwa lata młodszy ode mnie.

— Kate chyba chodzi o to, że skoro wszyscy chłopcy w klasie Dereka są dwa lata młodsi od niej, to nie miała powodu się nimi interesować — sprecyzowała Siobhan.

— To prawda — przyznała dziewczyna.

— A Lee Herdman? Znałaś go?

Napotkała wzrok Rebusa i powoli skinęła głową.

— Wypuściłam się z nim kiedyś. — Zamilkła. — Znaczy się, na jego łodzi. Pojechaliśmy całą paczką. Myśleliśmy, że narty wodne to coś wspaniałego, ale to ciężka harówka, no i on mnie wystraszył na śmierć.

— W jaki sposób?

— Jak ktoś jechał na nartach, próbował go straszyć, celując łódką w filary mostu albo wyspę Inch Garvie. Znacie ją?

— To ta, która wygląda jak forteca? — domyśliła się Siobhan.

— Przypuszczam, że podczas wojny mieli tam jakąś broń, działa czy coś w tym stylu, żeby zatrzymać kogoś, kto chciałby wpłynąć do zatoki.

— A więc Herdman próbował cię straszyć? — podjął Rebus, kierując rozmowę z powrotem na właściwe tory.

— Myślę, że to było coś w rodzaju próby, sprawdzał cię, czy potrafisz utrzymać nerwy na wodzy. Wszyscy uważaliśmy go za maniaka. — Słysząc własne słowa, urwała nagle. Jej blada twarz jeszcze bardziej zbielała. — Znaczy się, nigdy bym nie sądziła, że...

— Nikt tak nie sądził, Kate — uspokoiła ją Siobhan.

Młoda kobieta przez kilka sekund dochodziła do siebie.

— Mówią, że był wojskowym, może nawet szpiegiem — powiedziała. Rebus nie wiedział, do czego zmierza, lecz przytaknął ruchem głowy. Kate spojrzała na kota, który leżał z zamkniętymi oczami i mruczał głośno. — To zabrzmi dziwnie, ale... Rebus pochylił się.

— Ale co, Kate?

— Chodzi o to... no, kiedy o tym usłyszałam, pierwsze, co mi przyszło do głowy...

— To co?

Przeniosła wzrok z Rebusa na Siobhan i z powrotem.

— Nie, to strasznie głupie.

— Czyli w sam raz dla mnie — rzekł Rebus i uśmiechnął się do niej. Omal nie odpowiedziała uśmiechem, ale tylko odetchnęła głęboko.

— W zeszłym roku Derek uczestniczył w kraksie samochodowej. Nic mu się nie stało, ale drugi chłopak, ten, który prowadził...

— Zginął? — domyśliła się Siobhan.

Kate przytaknęła.

— Żaden z nich nie miał prawa jazdy, no i obaj sobie wypili. Derek czuł się winny z tego powodu. Nie żeby doszło do sprawy sądowej czy czegoś takiego...

— A co to ma wspólnego ze strzelaniną w szkole? — wtrącił Rebus.

Wzruszyła ramionami.

— Nic. Tyle że kiedy o tym usłyszałam... kiedy zadzwonił tata... nagle przypomniałam sobie coś, co Derek powiedział mi kilka miesięcy po wypadku. Powiedział, że rodzina tamtego chłopca go nienawidzi. I dlatego tak sobie pomyślałam. Kiedy mi się to przypomniało, od razu przyszło mi do głowy jedno słowo... zemsta. — Trzymając Boecjusza, wstała i posadziła go na wolnym krześle. — Muszę sprawdzić co z tatą. Zaraz wracam.

Siobhan także wstała.

— Kate, jak ty się trzymasz?

— Dobrze. O mnie się nie martwcie.

— Przykro mi z powodu twojej matki.

— Niepotrzebnie. Ona i ojciec kłócili się na okrągło. Przynajmniej mamy to już z głowy... — Powiedziawszy to, wyszła z kuchni z kolejnym wymuszonym uśmiechem. Rebus spojrzał na Siobhan, lekkim uniesieniem brwi dając znać, że w ciągu ostatnich dziesięciu minut dowiedział się czegoś ciekawego, i ruszył za nią do bawialni. Na dworze było już ciemno, więc zapalił lampę.

— Jak sądzisz, zasunąć zasłony? — spytała Siobhan.

— A twoim zdaniem rano ktoś by je rozsunął?

— Wątpię.

— Wobec tego zostaw rozsunięte. — Rebus zapalił następną lampę. — Tu potrzeba jak najwięcej światła.

Przejrzał niektóre zdjęcia. Zamazane twarze, okruchy pamięci. Siobhan oglądała fotografie rodzinne na ścianach.

— Matkę wymazano z historii — zauważyła.

— To nie wszystko — rzucił Rebus obojętnie.

— Co jeszcze?

Ruchem ręki omiótł półki.

— Może to tylko moja wyobraźnia, ale coś mi się zdaje, że zdjęć Dereka jest o wiele więcej niż fotografii Kate.

Siobhan domyśliła się, o co mu chodzi.

— I co z tego dla nas wynika?

— Nie wiem.

— Może na niektórych zdjęciach Kate była razem z matką?

— Podobno ulubieńcem rodziców jest często najmłodsze z dzieci.

— Mówisz to z własnego doświadczenia?

— Mam młodszego brata, jeśli o to ci chodzi.

Siobhan zastanawiała się przez chwilę.

— Myślisz, że powinieneś mu powiedzieć?

— Komu?

— Bratu.

— Powiedzieć mu, że zawsze był oczkiem w głowie tatusia?

— Nie, powiedzieć mu, co tu się stało.

— Najpierw musiałbym go zlokalizować.

— To nie wiesz, gdzie się podziewa twój brat?

Rebus wzruszył ramionami.

— Takie życie, Siobhan.

Usłyszeli odgłos kroków na schodach. Kate wróciła na dół.

— Zasnął — poinformowała ich. — Ostatnio bardzo dużo sypia.

— To najlepsze, co może zrobić — stwierdziła Siobhan, krzywiąc się w duchu na ten banał.

— Kate, zostawimy cię teraz samą — wtrącił się Rebus. — Ale chciałbym ci zadać jeszcze jedno pytanie, jeśli nie masz nic przeciwko temu.

— Nie wiem, dopóki go nie usłyszę.

— Sprawa jest prosta, ciekaw jestem, czy możesz nam powiedzieć, gdzie i kiedy dokładnie miał miejsce ten wypadek Dereka?

Kwatera główna wydziału D mieściła się w sędziwym gmachu w samym środku Leith. Jazda z South Queensferry nie trwała długo — wieczorny ruch odbywał się w kierunku od miasta, a nie do centrum. Biura dochodzeniówki świeciły pustkami. Rebus uznał, że wszystkich funkcjonariuszy oddelegowano do strzelaniny. Odszukał dziewczynę z administracji i spytał ją, gdzie przechowuje się akta. Siobhan tymczasem stukała już w klawiaturę, w nadziei, że może w ten sposób czegoś się dowie. W końcu wytropiono akta w segregatorze na jednej z półek, obok setek innych. Rebus podziękował urzędniczce.

— Cieszę się, że mogłam pomóc — odparła. — Pusto tu dzisiaj jak na cmentarzu.

— Całe szczęście, że złoczyńcy o tym nie wiedzą — rzekł Rebus i puścił do niej oko.

Prychnęła.

— Z tym u nas zawsze jest kiepsko. — Chciała przez to powiedzieć, że brak im personelu.

— Ma pani u mnie kielicha — obiecał Rebus, kiedy odchodziła.

Siobhan patrzyła, jak dziewczyna macha mu ręką, nie odwracając się.

— Nawet nie zapytałeś, jak się nazywa.

— Kielicha też jej nie postawię. — Rebus położył akta na biurku i usiadł tak, by Siobhan mogła się wcisnąć na sąsiednie krzesło.

— Spotykasz się jeszcze z Jean? — spytała, kiedy otwierał teczkę. Nagle skrzywiła się. Na samym wierzchu akt leżała błyszcząca kolorowa fotografia z miejsca wypadku. Martwego nastolatka wyrzuciło zza kierownicy tak, że jego tułów spoczywał na masce samochodu. Dalej były kolejne zdjęcia, z sekcji zwłok. Rebus wetknął je na spód akt i zabrał się do czytania.

Dwaj przyjaciele — Derek Renshaw, lat szesnaście, i Stuart Cotter, siedemnastolatek. Pożyczyli sobie samochód ojca Stuarta, bajeranckie audi TT. Ojciec wyjechał w interesach — miał przylecieć wieczorem i wrócić z lotniska taksówką. Chłopcy mieli mnóstwo czasu, więc postanowili wyskoczyć do Edynburga. W Leith wpadli na drinka do baru nad morzem i pojechali na Salamander Street. Zamierzali wjechać na autostradę A1, sprawdzić, ile ich autko wyciąga, i wrócić do domu. Ale pomylili Salamander Street z torem wyścigowym. Oceniano, że kiedy Stuart stracił panowanie nad kierownicą, na liczniku mieli jakieś siedemdziesiąt mil na godzinę. Gdy hamowali przed światłami, samochód wpadł w poślizg, przeleciał na drugą stronę ulicy, wjechał na chodnik i uderzył w mur. Czołówka. Derek miał zapięty pas i przeżył. Stuart nie, pomimo poduszki powietrznej.

— Pamiętasz to? — spytał Rebus.

Siobhan pokręciła głową. On także nie pamiętał. Może gdzieś wtedy wyjechał albo prowadził sprawę. Gdyby trafił na ten raport... no cóż, nie było w nim nic takiego, czego by wcześniej wielokrotnie nie widział. Młodzi ludzie, którym dreszcz emocji pomylił się z głupotą, a dorosłość z ryzykanctwem. Być może tknęłoby go nazwisko Renshaw, ale w końcu Renshawów jest co niemiara. Sprawdził, kto się tym zajmował. Sierżant Calum McLeod. Rebus znał go jako tako — dobry gliniarz. A zatem raport powinien być skrupulatny.

— Chciałabym się czegoś dowiedzieć — powiedziała Siobhan.

— Tak?

— Czy naprawdę bierzemy pod uwagę możliwość, że to zabójstwo z zemsty?

— Nie.

— No bo po co czekaliby aż rok? Nawet nie do rocznicy, tylko trzynaście miesięcy. Po co czekać tak długo?

— To nie ma sensu.

— Więc nie uważamy, że...

— Siobhan, zawsze to jest jakiś motyw. Uważam, że Bobby Hogan właśnie tego od nas teraz oczekuje. Chce móc oświadczyć, że Lee Herdman któregoś dnia ześwirował i postanowił skasować paru uczniaków. Natomiast z całą pewnością nie chce, żeby media zwietrzyły jakąś teorię spiskową albo coś, co by wskazywało, że nie zajrzeliśmy w każdy kąt. — Westchnął. — Zemsta to najstarszy motyw na świecie. Jeżeli wyeliminujemy rodzinę Stuarta Cottera, będzie jeden kłopot z głowy.

Kiwnęła głową.

— Ojciec Stuarta jest biznesmenem. Jeździ audi tetetką. Prawdopodobnie stać go na to, żeby opłacić kogoś takiego jak Herdman.

— Świetnie, ale po co Herdman miałby zabijać syna sędziego? Albo siebie, skoro już o tym mowa. Wynajęty zabójca tak nie postępuje.

Wzruszyła ramionami.

— Z pewnością wiesz o tym więcej niż ja. — Przerzuciła kilka kartek. — Nie ma tu nic na temat tego, cóż to za interesy prowadzi pan Cotter... A nie, jest. Przedsiębiorca. Hm, w tym określeniu mieszczą się różne grzeszki.

— Jak ma na imię? — Rebus wyciągnął notes, ale nie mógł utrzymać długopisu. Siobhan wyjęła mu go z ręki.

— William Cotter — odparła, zapisując nazwisko wraz z adresem. — Cała rodzina mieszka w Dalmeny. Gdzie to jest?

— Tuż obok South Queensferry.

— Elegancki adres: Long Rib House, Dalmeny. Żadnej nazwy ulicy czy numeru.

— Widać przedsiębiorczość ma się dobrze. — Rebus popatrzył na kartkę. — Nawet nie wiem, czy potrafiłbym przeliterować to słowo. — Zaczął czytać dalej. — Jego partnerka ma na imię Charlotte, prowadzi dwa solaria w centrum.

— Kiedyś zastanawiałam się, czy z tego nie skorzystać — powiedziała Siobhan.

— No to teraz masz okazję. — Rebus doczytał niemal do końca strony. — Jedna córka, Teri, w chwili wypadku miała czternaście lat. Czyli teraz ma piętnaście. — W skupieniu zmarszczył brwi, próbując przekartkować resztę papierów.

— Czego szukasz?

— Rodzinnego zdjęcia... — Dopisało mu szczęście. Sierżant McLeod rzeczywiście był skrupulatny i dołączył do akt wycinki z artykułów prasowych. Jeden z brukowców zdobył rodzinną fotografię — mama i tata na kanapie, a syn i córka za nimi, tak że widać było tylko ich twarze. Rebus był prawie pewien, że poznaje tę twarz. Teri. Panna Teri. Co to ona mu powiedziała? „Może mnie pan oglądać w każdej chwili...".

Co, u licha, chciała mu przekazać?

Siobhan zwróciła uwagę na wyraz jego twarzy.

— Znowu ktoś znajomy?

— Wpadłem na nią po drodze do Boatmana. Trochę się przez ten czas zmieniła. — Wpatrywał się w błyszczącą, pozbawioną makijażu twarz. Włosy nie były kruczoczarne, raczej mysiobrązowe. — Ufarbowała włosy, upudrowała twarz na biało, do tego wielkie czarne oczy i usta... ubranie też miała czarne.

— Że niby należy do gothów? To dlatego pytałeś mnie o heavy metal?

Przytaknął.

— Myślisz, że ma to coś wspólnego ze śmiercią jej brata?

— Możliwe. Ale to nie wszystko.

— To znaczy...?

— Chodzi o to, co powiedziała... coś w tym duchu, że ich śmierć jej nie martwi...

W ulubionej hinduskiej restauracji Rebusa na Causewayside kupili jedzenie na wynos. Czekając na zamówienie, z pobliskiej budki z licencją na niskoprocentowy alkohol wzięli sześć zimnych butelek lagera.

— Cóż za wstrzemięźliwość! — zadrwiła Siobhan, biorąc sześciopak z lady.

— Chyba nie liczysz na to, że się z tobą podzielę? — odparował Rebus.

— Na pewno dam radę wykręcić ci rękę.

Pojechali z zakupami do niego do Marchmont i zaparkowali na ostatnim wolnym miejscu. Mieszkanie było na drugim piętrze. Rebus niezdarnie próbował wsadzić klucz do zamka.

— Ja to zrobię — powiedziała Siobhan.

W mieszkaniu trąciło stęchlizną. Panujący tu zaduch można by butelkować i sprzedawać jako „wodę kawalerską". Nieświeże jedzenie, alkohol, pot. Na dywanie w bawialni walały się płyty kompaktowe, zaznaczając drogę między aparaturą hi-fi a ulubionym fotelem Rebusa. Siobhan postawiła jedzenie na stole i poszła do kuchni po talerze i sztućce. Nic nie wskazywało na to, by ktoś tam ostatnio gotował. W zlewozmywaku dwa kubki, na suszarce do naczyń napoczęte opakowanie margaryny, ze spleśniałą zawartością. Na drzwiach lodówki wisiała karteczka samoprzylepna z listą zakupów: chleb, mleko, margaryna, bekon, sos barb., alkoh., żarówki. Karteczka zaczęła się już zwijać; Siobhan była ciekawa, jak długo tam wisi.

Zanim wróciła do bawialni, Rebusowi udało się nastawić płytę. Dostał ją od niej w prezencie — Violet Indiana.

— Podoba ci się? — spytała.

Wzruszył ramionami.

— Myślałem, że ty ją lubisz. — Co znaczyło, że jeszcze jej nie przesłuchał.

— Lepsze to niż ten łomot dinozaurów, którego słuchasz w samochodzie.

— Nie zapominaj, że rozmawiasz z dinozaurem.

Uśmiechnęła się i zaczęła wyjmować pojemniki z torby. Rzuciwszy okiem w kierunku sprzętu, zobaczyła, że Rebus szarpie zębami bandaż.

— Czyżbyś był aż tak głodny?

— Łatwiej się je bez tego draństwa. — Zaczął odwijać gazę, najpierw na jednej, potem na drugiej dłoni. Zauważyła, że im bliżej końca, tym wolniej mu idzie. Wreszcie ukazały się obie jego dłonie — czerwone, pokryte pęcherzami i najwyraźniej rozpalone. Spróbował zgiąć i rozprostować palce.

— Czas na kolejne tabletki? — podsunęła.

Kiwnął głową, podszedł do stołu i usiadł. Siobhan otworzyła dwie butelki lagera i zabrali się do jedzenia. Rebus z trudem trzymał widelec, ale się nie poddawał; krople sosu kapały na stół, lecz jakoś udawało mu się nie poplamić koszuli. Jedli w milczeniu, jeśli nie liczyć uwag na temat potraw. Kiedy skończyli, sprzątnęła i wytarła stół.

— Dodaj jeszcze ścierki do tej listy zakupów — poradziła.

— Jakiej listy zakupów? — Rebus rozsiadł się i oparł drugą butelkę piwa na udzie. — Mogłabyś sprawdzić, czy jest trochę kremu?

— A co, mamy deser?

— Nie... chodzi mi o krem odkażający, w łazience.

Posłusznie sprawdziła szafkę, przy okazji zauważając, że wanna jest pełna po brzegi. Woda wydawała się zimna. Wróciła z niebieską tubką w ręku.

— Na użądlenia i infekcje — powiedziała.

— Może być.

Wziął od niej tubkę i posmarował obie dłonie grubą warstwą białej mazi. Siobhan otworzyła sobie drugą butelkę i przysiadła na oparciu kanapy.

— Wypuścić wodę? — zapytała.

— Jaką wodę?

— Z wanny. Nie wyjąłeś zatyczki. Zakładam, że to ta, do której wpadłeś...

Rebus spojrzał na nią.

— Z kim gadałaś?

— Z lekarzem w szpitalu. Podchodził do tego raczej sceptycznie.

— Oto co jest warta tajemnica lekarska — mruknął. — No ale przynajmniej chyba ci wyjaśnił, że się poparzyłem wodą, a nie ogniem — rzekł i zobaczył, że Siobhan marszczy nos. — Dzięki, że mnie sprawdzałaś.

— Wiedziałam tylko, że raczej nie zmywałeś naczyń. To co z tą wanną?

— Sam to zrobię, później. — Odchylił się w fotelu i pociągnął z butelki. — A tymczasem co zrobimy w sprawie Martina Fairstone'a?

Wzruszyła ramionami i usiadła na kanapie jak należy.

— A co mielibyśmy zrobić? Wygląda na to, że żadne z nas go nie zabiło.

— Zapytaj pierwszego lepszego strażaka, a powie ci jedno: jeśli chcesz kogoś załatwić na cacy i nie wpaść, spij go w trupa i włącz gaz pod patelnią do frytek.

— I co z tego?

— Każdy gliniarz też o tym wie.

— Co nie znaczy, że to nie był wypadek.

— Siobhan, jako gliniarze jesteśmy winni, dopóki nie dowiemy swojej niewinności. Kiedy Fairstone podbił ci oko?

— Skąd wiesz, że to on? — Mina Rebusa powiedziała jej, że poczuł się znieważony tym pytaniem. Westchnęła. — We wtorek poprzedzający jego śmierć.

— Jak to było?

— Chyba mnie śledził. Wyładowywałam zakupy z samochodu i zanosiłam na klatkę schodową. Kiedy się odwróciłam, gryzł jabłko. Wziął je z jednej z toreb na chodniku. Szczerzył do mnie zęby. Podeszłam do niego... byłam wściekła. Teraz już wiedział, gdzie mieszkam. Strzeliłam go w pysk. — Uśmiechnęła się na wspomnienie tej chwili. — Jabłko poleciało aż na jezdnię.

— Mógł cię oskarżyć o napaść.

— Ale nie oskarżył. Trafił mnie szybkim prawym w oko. Straciłam równowagę, przewróciłam się na stopniu i wylądowałam na tyłku. A on po prostu odszedł, po drodze podnosząc jabłko z ulicy.

— Nie zgłosiłaś tego?

— Nie.

— Mówiłaś o tym komuś?

Pokręciła głową. Pamiętała, jak pytał ją o to wcześniej; wtedy też zaprzeczyła. Ale wtedy myślała, że nie będzie musiał się tym zajmować.

— Dopiero kiedy się dowiedziałam o jego śmierci — odparła. — Poszłam wtedy do szefowej i jej powiedziałam.

Zapadło milczenie. Butelki wzniosły się do ust, oczy napotkały oczy. Siobhan przełknęła piwo i oblizała wargi.

— Nie zabiłem go — powiedział Rebus spokojnie.

— Złożył na ciebie skargę.

— I czym prędzej wycofał.

— Czyli że to był wypadek.

Przez chwilę nie odpowiadał. W końcu powtórzył:

— Jesteśmy winni, dopóki nie dowiemy swojej niewinności.

Uniosła butelkę.

— No to zdrowie winnych.

Rebus zdobył się na półuśmiech.

— Wtedy widziałaś go po raz ostatni? — zapytał.

Skinęła głową.

— A ty?

— Nie bałaś się, że wróci? — Zrozumiał spojrzenie, jakim
go obrzuciła. — No dobrze, „bałaś" to może złe określenie...
ale chyba myślałaś o tym?

— Podjęłam środki ostrożności.

— Jakie?

— Zwyczajne... pilnowałam się, po ciemku wychodziłam
tylko w towarzystwie.

Rebus odchylił głowę na oparcie fotela. Płyta się skończyła.

— Chcesz wiedzieć coś jeszcze? — zapytał.

— Powiedz mi, że ostatni raz widziałeś Fairstone'a podczas
tej bójki.

— Skłamałbym.

— Więc kiedy go widziałeś po raz ostatni?

Przekręcił głowę, żeby na nią popatrzeć.

— Tej nocy, kiedy zginął. — Przerwał. — Ale o tym już
przecież wiesz, prawda?

Kiwnęła głową.

— Templer mi powiedziała.

— Wyskoczyłem na drinka, i tyle. Wylądowałem obok niego
w pubie. Pogadaliśmy sobie.

— O mnie?

— O podbitym oku. Powiedział, że działał w obronie własnej. — Zamilkł na chwilę. — Z tego, co mówiłaś, może to
i prawda.

— W którym pubie byliście?

Wzruszył ramionami.

— Gdzieś w okolicy Gracemount.

— Od kiedy to pijasz tak daleko od baru Oxford?

Spojrzał na nią.

— Może i chciałem z nim pogadać.

— Więc polowałeś na niego?

— Słuchajcie małej pani prokurator! — Twarz Rebusa na-
brała koloru.

— I bez dwóch zdań połowa ludzi w barze rozpoznała
w tobie tajniaka — stwierdziła. — To dlatego Templer się
dowiedziała.

— Czy nie nazywa się to „sugerowaniem świadka"?

— John, ja sama potrafię walczyć o siebie!

— I za każdym razem on by cię posyłał na deski. Ten drań lubił bić ludzi. Widziałaś jego akta...

— To ci nie dawało prawa, żeby...

— Nie mówimy teraz o prawach. — Zerwał się z fotela i ruszył do stołu po nową butelkę. — Chcesz jeszcze?

— Nie, jeśli mam prowadzić.

— Twoja wola.

— Właśnie, John. Moja wola, nie twoja.

— Nie załatwiłem go, Siobhan. Ja tylko... — Przełknął dalsze słowa.

— Tylko co? — Odwróciła się na kanapie i usiadła twarzą do niego. — Co? — powtórzyła.

— Poszedłem do niego — wyznał. Wlepiła w niego wzrok, otwierając lekko usta. — Zaprosił mnie do siebie.

— On cię zaprosił?!

Kiwnął głową. Otwieracz do butelek zadrżał w jego dłoni. Przekazał zadanie Siobhan, która po chwili oddała mu otwartą butelkę.

— Drań lubił pogrywać w takie klocki, Siobhan. Powiedział, że powinniśmy wpaść do niego, napić się i zakopać topór.

— Zakopać topór?

— Dokładnie tak się wyraził.

— A ty się zgodziłeś?

— Facet chciał pogadać... nie o tobie, o wszystkim innym. O czasach służby wojskowej, o historiach spod celi, o swoim dzieciństwie. Typowa smutna historia... ojciec go bił, matka miała to gdzieś...

— A ty siedziałeś tam i słuchałeś?

— Siedziałem, myśląc o tym, jak strasznie chcę mu przywalić.

— Ale nie zrobiłeś tego?

Pokręcił głową.

— Kiedy wychodziłem, był nieźle wstawiony.

— Ale nie w kuchni?

— W bawialni.

— Widziałeś kuchnię?

Rebus powtórnie pokręcił głową.

— Mówiłeś o tym Templer?

Uniósł rękę, by otrzeć pot z czoła, ale przypomniał sobie, że bolałoby to jak przypiekanie ogniem.

— Wracaj do domu, Siobhan.

— Musiałam was rozdzielać na siłę. A ty potem wpadasz do niego do domu na kielicha i pogaduszki. I ja mam w to uwierzyć?

— Nie proszę cię, żebyś w cokolwiek wierzyła. Po prostu wracaj do domu.

Wstała.

— Mogę...

— Wiem, sama możesz zadbać o siebie. — W jego głosie pojawiło się nagle zmęczenie.

— Chciałam powiedzieć, że mogę pozmywać, jeśli chcesz.

— Dzięki, zrobię to jutro. Złapmy trochę snu, co? — Przeszedł przez pokój do wielkiego okna we wnęce i wyjrzał na spokojną uliczkę.

— O której po ciebie przyjechać?

— O ósmej.

— A więc do ósmej. — Umilkła na chwilę. — Taki typ jak Fairstone musiał mieć wrogów.

— To więcej niż pewne.

— Może ktoś cię z nim widział, poczekał, aż wyjdziesz...

— Do jutra, Siobhan.

— John, z niego był kawał drania. Nie tracę nadziei, że to wreszcie przyznasz. — Jej głos zabrzmiał głębiej. — Bez niego świat jest lepszy.

— Nie pamiętam, żebym powiedział coś takiego.

— Ale chciałeś, jeszcze niedawno. — Ruszyła do drzwi. — Do jutra.

Czekał, spodziewając się, że usłyszy trzask zamka w drzwiach. Tymczasem doleciał go bulgot wody. Pociągnął łyk z butelki, wyglądając przez okno. Nie wyszła na ulicę. Kiedy otworzyły się drzwi bawialni, usłyszał dźwięk wody napuszczanej do wanny.

— Plecki też mi wyszorujesz?

— To nie wchodzi w zakres moich obowiązków. — Przyjrzała mu się. — Ale nie zaszkodziłoby zmienić ubranie. Pomogę ci coś wybrać.

Potrząsnął głową.

— Dam sobie radę, naprawdę.

— Posiedzę tu, dopóki się nie wykąpiesz... wolę sprawdzić, czy uda ci się wyjść z wanny.

— Poradzę sobie.

— Mimo to poczekam. — Podeszła do niego, wyjęła butelkę piwa z jego bezwładnej dłoni i uniosła ją do ust.

— Pamiętaj, żeby woda była letnia — uprzedził ją. Kiwnęła głową i przełknęła piwo.

— Jedno mnie tylko ciekawi.

— Co takiego?

— Co robisz, kiedy musisz skorzystać z toalety? Jego oczy zwęziły się.

— Robię to, co mężczyzna robić powinien.

— Coś mi mówi, że lepiej nie wnikać w szczegóły. — Oddała mu butelkę. — Sprawdzę, czy woda nie jest za gorąca... tym razem.

Później, owinięty ręcznikiem kąpielowym, patrzył, jak Siobhan wychodzi na ulicę; zanim podeszła do swojego wozu, rozejrzała się na wszystkie strony. A więc nadal się pilnowała, mimo że upiór już zniknął.

Rebus wiedział, że nie brakuje innych upiorów. Takich jak Martin Fairstone było pod dostatkiem. Wykpiwany w szkole, przezywany „konusem", prowadzał się potem z gangami, które się z niego nabijały. Zarazem jednak nabierał siły, wspinając się po szczeblach przemocy i drobnych kradzieży — innego życia nie znał. Rebus wysłuchał historii, którą mu Fairstone opowiedział.

„Tak se myślę, że zdałoby się pójść do doktora od głowy i zbadać se łeb, co nie? Wiesz, to, co ci siedzi w głowie, a to, co robisz na zewnątrz, to czasem dwie różne rzeczy. Słyszysz w moich słowach lekceważenie? Pewnie dlatego, że mam to gdzieś. Mam jeszcze whisky, jak chcesz sobie walnąć następnego. Po prostu powiedz, ja tam się nie bawię w pana domu, rozumiesz? Tak se tu tylko gadam, nie zawracaj sobie tym gitary...".

I dalej, i jeszcze... a Rebus tylko siedział i słuchał, popijając whisky ze świadomością, że zaczyna odczuwać jej działanie.

Zanim wytropił Fairstone'a, wstąpił do czterech barów. Kiedy monolog nareszcie dobiegł końca, Rebus pochylił się. Siedzieli w gąbczastych fotelach; między nimi stał stolik do kawy, z kartonowym pudełkiem zastępującym brakującą nogę. Dwie szklanki, butelka, pełna petów popielniczka i Rebus, pochylający się, by przemówić po raz pierwszy od pół godziny.

— Marty, dajmy sobie siana z detektyw Clarke, co? Tak po prawdzie, mam to gdzieś. Ale chciałem cię zapytać o taką jedną rzecz...

— No, o co? — Fairstone w fotelu, nawalony, z papierosem między kciukiem i palcem wskazującym.

— Obiło mi się o uszy, że znasz Pawia Johnsona. Możesz mi coś o nim powiedzieć?

Rebus stoi przy oknie i liczy w pamięci, ile tabletek przeciwbólowych mu jeszcze zostało. Myśli, czyby nie wyskoczyć na porządnego drinka. Odwraca się od okna i przechodzi do sypialni. Wysuwa górną szufladę, wyrzuca krawaty i skarpetki, aż w końcu znajduje to, czego szukał.

Zimowe rękawiczki. Czarna skóra, w środku nylon. Nieużywane, aż do tej pory.

Dzień drugi
Środa

4

Czasami Rebus mógłby przysiąc, że na zimnej poduszce wciąż czuje perfumy żony. Niemożliwe — dwadzieścia lat separacji; nie miał nawet poduszki, na której sypiała lub do której przytulała głowę. Inne perfumy też czuł... innych kobiet. Wiedział, że to urojenia, że tak naprawdę wcale ich nie czuje. Czuł raczej ich nieobecność.

— Grosik za twoje myśli — powiedziała Siobhan, zmieniając pas ruchu z mizerną nadzieją, że ten manewr pomoże im się przedrzeć przez poranny korek.

— Myślałem o poduszkach — odparł. Siobhan kupiła im po kubku kawy i teraz niańczył swój w rękach.

— Swoją drogą, ładne rękawiczki — zauważyła, zresztą nie po raz pierwszy. — W sam raz na tę porę roku.

— Wiesz, że mogę sobie załatwić innego kierowcę?

— Takiego, który ci poda śniadanie? — Wdusiła pedał gazu, gdy na skrzyżowaniu żółte światło zmieniło się na czerwone. Rebus starał się jak mógł nie rozlać kawy.

— Co to za muzyka? — spytał, patrząc na odtwarzacz płyt kompaktowych w samochodzie.

— Fatboy Slim — odrzekła. — Pomyślałam, że cię obudzi.

— Dlaczego on zabrania Jimmy'emu Boyle'owi opuszczania Stanów?

Uśmiechnęła się.

— Chyba źle zrozumiałeś słowa tej zwrotki. Mogę puścić coś spokojniejszego... co powiesz na Tempus?

— Fugit — dopowiedział Rebus. — Czemu nie?

Lee Herdman mieszkał w kawalerce nad barem przy High Street w South Queensferry. Wejście prowadziło przez wąski, pozbawiony słońca prześwit z łukowatym sufitem z kamienia. Przy głównych drzwiach trzymał wartę posterunkowy, porównujący nazwiska wchodzących z listą mieszkańców, którą miał przypiętą do tabliczki. Był to Brendan Innes.

— Co za robotę ci przydzielili? — zdziwił się Rebus.

Innes spojrzał na zegarek.

— Jeszcze godzina i spadam.

— Coś się dzieje?

— Ludzie wychodzą do roboty.

— Ile tu jest mieszkań, oprócz Herdmana?

— Tylko dwa. W jednym urzęduje nauczyciel z przyjaciółką, w drugim mechanik samochodowy.

— Nauczyciel? — powtórzyła Siobhan znacząco.

Innes potrząsnął głową.

— Nie ma nic wspólnego z Port Edgar. Uczy w miejscowej podstawówce. Jego dziewczyna pracuje w sklepie.

Rebus wiedział, że z pewnością przesłuchano sąsiadów. Ich zeznania musiały gdzieś być.

— Rozmawiałeś z nimi w ogóle? — zapytał.

— Tylko jak wchodzili i wychodzili.

— I co mówią?

Innes wzruszył ramionami.

— To, co zwykle... raczej spokojny facet, na pozór miły...

— Raczej spokojny? Nie po prostu spokojny?

Posterunkowy przytaknął.

— Zdaje się, że pan Herdman urządzał dla przyjaciół nocne bibki.

— A sąsiedzi się wkurzali?

Australijczyk znów wzruszył ramionami. Rebus odwrócił się do Siobhan.

— Mamy listę jego znajomych?

Kiwnęła głową.

— Pewnie jeszcze niepełną...

— Przyda wam się — mówił Innes, unosząc rękę z kluczem yale.

Siobhan wzięła go.

— Duży bałagan, tam na górze? — spytał Rebus.

— Technicy wiedzieli, że on już nie wróci — odparł Innes z uśmiechem. Pochylił głowę i zaczął dopisywać ich nazwiska do listy.

Korytarz na dole był zbyt ciasny. Ani śladu ostatniej poczty. Weszli po kamiennych schodach na drugie piętro. Na pierwszym było dwoje drzwi, na drugim tylko jedne. Nic nie wskazywało na to, że ktoś tu mieszka — ani nazwiska na drzwiach, ani numeru. Siobhan przekręciła klucz i weszli do środka.

— Sporo tych zamków — zauważył Rebus. Do tego dochodziły dwa rygle od wewnątrz. — Herdman lubił czuć się bezpiecznie.

Trudno powiedzieć, jak tam wyglądało, zanim chłopcy Hogana wzięli się do przeszukania. Rebus ruszył pomiędzy zalegającymi podłogę ubraniami i gazetami, książkami i bibelotami. Znajdowali się na poddaszu budynku i pomieszczenia przyprawiały o klaustrofobię. Głowę Rebusa dzieliły od sufitu raptem dwie stopy. Okna były małe i brudne. Tylko jedna sypialnia — podwójne łóżko, szafa i komoda. Na gołej podłodze przenośny czarno-biały telewizor, obok na wpół pusta butelka whisky Bell. W kuchni zatłuszczone żółte linoleum na podłodze i składany stół, przy którym ledwie można się było obrócić. Wąska łazienka, przesiąknięta zapachem pleśni. W korytarzu dwie szafki, wyglądające tak, jakby ludzie Hogana opróżnili je, a potem wrzucili do nich wszystko w pośpiechu. Ale bawialni już nie sprzątnęli. Rebus wszedł do niej z powrotem.

— Przytulnie tu, nie sądzisz? — powiedziała Siobhan.

— W języku agentów sprzedaży nieruchomości, owszem. — Rebus podniósł dwie płyty kompaktowe: Linkin Park i Sepultura. — Facet lubił metal — mruknął, rzucając płyty na podłogę.

— SAS też lubił — dodała Siobhan, podnosząc kilka książek, żeby mógł im się przyjrzeć. Była tam historia jednostki, książki o konfliktach, w których brała udział, historie jej członków, którzy przeżyli. Ruchem głowy wskazała pobliskie biurko; Rebus zobaczył, że pokazuje album wycinków z gazet. Także dotyczyły wojskowości. Całe artykuły poświęcone jednemu tematowi — amerykańskim bohaterom wojennym, którzy zamordowali swe żony. Wycinki o samobójcach i osobach zaginionych. Uwagę Rebusa przykuł tekst zatytułowany: „Na cmentarzu SAS zaczyna brakować miejsca". Znał ludzi, których pochowano w grobach wykopanych na zewnątrz dziedzińca kościoła Świętego Marcina, niedaleko pierwotnej kwatery głównej jednostki. Teraz proponowano założenie nowego cmentarza, koło obecnej centrali w Credenhill. W tym samym artykule wspominano o śmierci dwóch żołnierzy SAS. Zginęli podczas „obozu treningowego w Omanie", co mogło oznaczać wszystko, od nieszczęśliwego wypadku po śmierć z rąk morderców w trakcie wykonywania tajnej misji.

Siobhan zaglądała do torby z supermarketu. Rozległ się brzęk pustych butelek.

— Gościnny facet — zauważyła.

— Wino czy wóda?

— Tequila i czerwone wino.

— Sądząc z pustych butelek w sypialni, Herdman gustował w whisky.

— Właśnie mówię, gościnny facet. — Wyjęła z kieszeni kartkę i rozłożyła ją. — Podają, że technicy zabrali stąd liczne niedopałki skrętów, znaleźli też ślady czegoś, co wyglądało na kokainę. Wzięli także jego komputer. Poza tym trochę fotografii przypiętych wewnątrz garderoby.

— Co na nich było?

— Broń palna. To fetyszysta, gdybyś mnie pytał o zdanie. Wiesz... wieszanie czegoś takiego od środka drzwi szafy na ubrania...

— Jakiego rodzaju broń?

— Nie napisali.

— Przypomnij mi, z czego on tam strzelał?

Sprawdziła.

— Brocock. Pneumatyczny. Konkretnie model ME trzydzieści osiem Magnum.

— Czyli wygląda jak rewolwer?

Przytaknęła.

— Można je kupić od ręki za nieco ponad stówkę. Na naboje gazowe.

— Ale egzemplarz Herdmana był przerobiony?

— Stalowa lufa. Tak że mógł strzelać ostrą amunicją, kaliber dwadzieścia dwa. Po przewierceniu można ją dostosować do kalibru trzydzieści osiem.

— On strzelał z dwudziestki dwójki? — zapytał. Znowu skinęła głową. — Czyli że ktoś mu tego brococka przerobił?

— Sam mógł to zrobić. Śmiem twierdzić, że miał dostateczną wiedzę.

— Przede wszystkim czy wiemy, skąd wziął tę broń?

— Myślę, że jako były żołnierz miał swoje kontakty.

— Możliwe. — Rebus wrócił myślami do lat sześćdziesiątych i siedemdziesiątych, kiedy to broń palna i materiały wybuchowe znikały z baz wojskowych jak kraj długi i szeroki, głównie na zamówienie obu stron konfliktu w Irlandii Północnej... Wielu żołnierzy trzymało pochowane „pamiątki"; niektórzy wiedzieli, gdzie można kupić i sprzedać broń bez zbędnych pytań...

— A przy okazji — mówiła Siobhan — miał tego więcej.

— Miał wtedy drugą spluwę?

Pokręciła głową.

— Znaleźli ją podczas przeszukania jego hangaru z łodzią. — Znowu spojrzała na notatki. — Mac dziesięć.

— To już nie zabawka.

— Znasz ją?

— Ingram Mac dziesięć... amerykańska. Wypluwa tysiąc pocisków na minutę. Czegoś takiego nie dostaniesz w pierwszym lepszym sklepie.

— W laboratorium, zdaje się, uważają, że w tym karabinie usunięto kiedyś iglicę, więc mógł trafić do sprzedaży.

— I też go przerobił?

— Albo już kupił przeróbkę.

— Bogu dzięki, że nie wziął jej do szkoły. Dopiero byśmy mieli jatkę!

W pokoju zapadła cisza, gdy zamyślili się nad tą perspektywą. Wrócili do poszukiwań.

— Mam coś ciekawego — oświadczyła Siobhan, machając do Rebusa jedną z książek. — Historia żołnierza, który zwariował i zabił swoją dziewczynę. — Popatrzyła na obwolutę. — Potem wyskoczył z samolotu i się zabił... wygląda to na autentyczną historię. — Spomiędzy kartek coś wypadło. Zdjęcie. Siobhan podniosła je i odwróciła, żeby Rebus mógł mu się przyjrzeć. — Powiedz mi, że to nie ona.

Ale to była ona. Teri Cotter, sfotografowana całkiem niedawno. Zdjęcie zrobiono na dworze, w kadr wpychały się jakieś inne postacie. Scenka uliczna, prawdopodobnie z Edynburga. Teri siedziała na chodniku, ubrana mniej więcej tak samo jak wtedy, kiedy pomogła Rebusowi zapalić papierosa. Pokazywała fotografowi przekłuty ćwiekami język.

— Wydaje się wesolutka — zauważyła Siobhan.

Rebus wpatrywał się w fotografię. Odwrócił ją, lecz druga strona była czysta.

— Powiedziała, że znała chłopców, którzy zginęli. Nie pomyślałem o tym, żeby ją zapytać, czy znała zabójcę.

— A teoria Kate Renshaw, że Herdman może mieć związek z Cotterami?

Wzruszył ramionami.

— Warto by rzucić okiem na konto Herdmana, czy aby nie ma na nim krwawych pieniędzy. — Usłyszał trzask zamykanych na dole drzwi. — Zdaje się, że wrócił któryś z sąsiadów. Idziemy?

Siobhan skinęła głową i wyszli z mieszkania, starannie zamykając je za sobą na klucz. Piętro niżej Rebus przyłożył ucho najpierw do jednych drzwi, potem do drugich; przy drugich kiwnął głową. Siobhan załomotała w nie pięścią. Zanim się otworzyły, zdążyła wyciągnąć legitymację.

Na drzwiach widniały dwa nazwiska: nauczyciela i jego przyjaciółki. To ona otworzyła. Niska i jasnowłosa, byłaby nawet ładna, gdyby nie zbyt wydatna szczęka, przez którą zdaniem Siobhan wyglądała, jakby stale patrzyła spode łba.

— Jestem sierżant Clarke, a to inspektor Rebus — powiedziała Siobhan. — Możemy zadać pani kilka pytań?

Młoda kobieta popatrzyła na nich po kolei.

— Wszystko, co wiemy, powiedzieliśmy już tamtym.

— To bardzo ładnie z pani strony — rzekł Rebus. Zobaczył, że dziewczyna patrzy na jego rękawiczki. — Ale pani mieszka tutaj, prawda?

— Ehe.

— Domyślamy się, że żyliście w zgodzie z panem Herdmanem, chociaż czasami bywało u niego głośno.

— No, tylko jak robił imprezę. Ale to żaden problem... sami też od czasu do czasu dajemy czadu.

— Podziela pani jego upodobanie do heavy metalu?

Zmarszczyła nos.

— Ja tam wolę Robbiego.

— Robbiego Williamsa — poinformowała Rebusa Siobhan.

— Pewnie sam bym do tego doszedł — prychnął.

— Całe szczęście, że puszczał ten rzęch tylko na imprezach.

— A was kiedyś zaprosił?

Pokręciła głową.

— Pokaż pannie... — zwrócił się Rebus do Siobhan, lecz urwał i uśmiechnął się do sąsiadki Herdmana. — Przepraszam, nie wiem, jak pani się nazywa.

— Hazel Sinclair.

Do uśmiechu dorzucił kiwnięcie głową.

— Sierżant Clarke, czy mogłaby pani pokazać pannie Sinclair...

Ale Siobhan wyciągnęła już fotografię i podała ją Hazel.

— To panna Teri — stwierdziła młoda kobieta.

— A więc widywała ją pani?

— Oczywiście. Wygląda, jakby właśnie zeszła z planu *Rodziny Addamsów*. Często widuję ją na High Street.

— A tutaj ją pani widywała?

— Tutaj? — Sinclair zastanowiła się; z wysiłku jej szczęka jeszcze bardziej się uwydatniła. W końcu pokręciła głową. — Zresztą na mój gust on był ciota.

— Miał dzieci — powiedziała Siobhan, zabierając zdjęcie.

— To jeszcze o niczym nie świadczy, no nie? Wielu pedziów ma żony. On był przecież w wojsku, a tam pewnie od ciot aż się roi.

Siobhan usiłowała powstrzymać uśmiech. Rebus przestąpił z nogi na nogę.

— Poza tym — mówiła dalej Hazel Sinclair — po schodach kręcili się sami faceci. — Przerwała dla większego efektu. — Młode chłopaki.

— Czy któryś z nich był tak przystojny jak Robbie?

Sinclair dramatycznie potrząsnęła głową.

— Robbie jest taki, że codziennie mogłabym jadać śniadanie z jego tyłka.

— Postaramy się nie zamieszczać tego w raporcie — obiecał Rebus z niewzruszoną godnością, a obie kobiety wybuchnęły śmiechem.

W samochodzie, po drodze na przystań Port Edgar, Rebus obejrzał kilka fotografii Lee Herdmana. Przeważnie były to kopie z gazet. Herdman sprawiał wrażenie wysokiego i żylastego i miał grzywę kręconych siwiejących włosów. Wokół oczu zmarszczki, twarz pobruźdżona upływem lat. No i opalony, a raczej spalony na wietrze i słońcu. Wyjrzawszy na zewnątrz, Rebus zobaczył, że zebrały się chmury, pokrywając niebo niczym skotłowana pościel. Wszystkie zdjęcia wykonano na dworze — Herdman pracujący na łodzi albo wypływający w stronę ujścia rzeki. Na jednym z nich machał ręką do kogoś, kto został na brzegu. Na jego twarzy widniał szeroki uśmiech, jak gdyby życie nie miało do zaoferowania nic lepszego. Rebus nigdy nie rozumiał radości płynącej z żeglowania. Wystarczało mu, że łodzie wyglądały ładnie z oddali, kiedy obserwowało się je z nadbrzeżnego pubu.

— Pływałaś kiedyś? — zapytał.

— Kilka razy, promem.

— Myślałem o jachtach. Wiesz, stawianie spinakera i tak dalej.

Spojrzała na niego.

— To ze spinakerem robi się takie rzeczy?

— A niby skąd mam wiedzieć? — Rebus spojrzał w górę. Przejeżdżali pod mostem Forth Road; przystań znajdowała się na końcu wąskiej uliczki, tuż za olbrzymimi betonowymi pilarami, które jakby wynosiły most ku niebu. Takie rzeczy zawsze robiły na nim wrażenie — nie przyroda, lecz pomysłowość. Czasami uważał, że wszystkie największe dokonania człowieka były efektem jego walki z przyrodą. Przyroda dostarczała problemów, ludzie znajdowali rozwiązania.

— To tutaj — oznajmiła Siobhan, skręcając w otwartą bramę.

W skład przystani wchodził szereg budynków — mniej lub bardziej zrujnowanych — oraz dwa długie mola, wrzynające się w zatokę Forth. Przy jednym z nich stało na cumach kilkadziesiąt łodzi. Minęli biura przystani, coś, co nazywało się Kabiną Bosmana, i zaparkowali koło baru samoobsługowego.

— Według moich notatek jest tutaj jachtklub, szkutnik i coś, gdzie możesz sobie naprawić radar — oświadczyła Siobhan, wysiadając. Ruszyła na drugą stronę wozu, lecz Rebus sam dał radę otworzyć sobie drzwi.

— Widzisz? — pochwalił się. — Jeszcze nie całkiem nadaję się na złom.

Jednak palce zapiekły go przez materiał rękawiczek. Wyprostował się i rozejrzał. Most wisiał wysoko nad głową; szum samochodów był o wiele cichszy, niż się spodziewał, niemal zagłuszony dochodzącym z łodzi szczękaniem. Może to te spinakery...

— Kto tu jest właścicielem? — zapytał.

— Tablica na bramie wspomina coś o Wypoczynku Edynburskim.

— A więc rada miasta? Czyli technicznie rzecz biorąc, właścicielami jesteśmy ty i ja.

— Technicznie rzecz biorąc — zgodziła się Siobhan. Studiowała ręcznie wyrysowany plan. — Hangar Herdmana jest po prawej, za toaletami. — Wskazała palcem. — Chyba tam.

— Świetnie, więc mnie dogonisz — rzekł i wskazał głową na bar. — Dla mnie kawa, byle nie za gorąca.

— Żeby się nie poparzyć, tak? — Ruszyła do schodków prowadzących do baru. — Na pewno dasz sobie radę sam?

Zniknęła, trzaskając za sobą drzwiami, a Rebus został przy samochodzie. Nie śpieszył się, wyciągając papierosy i zapalniczkę z kieszeni. Otworzył paczkę, wyłuskał papierosa zębami i wciągnął go do ust. Kiedy już znalazł osłonę przed wiatrem, z zapalniczką poszło mu dużo łatwiej niż z zapałkami. Gdy Siobhan wyszła z powrotem na dwór, stał oparty o samochód, delektując się dymem.

— Proszę — powiedziała, podając mu napełniony do połowy kubek. — Mnóstwo mleka.

Wlepił wzrok w bladoszarą powierzchnię.

— Dzięki.

Ruszyli w drogę, skręcając kilkakrotnie, lecz nie napotkali nikogo, mimo iż obok samochodu Siobhan stało kilka innych pojazdów.

— Tam — powiedziała, prowadząc Rebusa do mostu. Zauważył, że drugie molo było właściwie drewnianym pontonem, zapewniającym miejsce do cumowania łodziom odwiedzających. — To musi być to — orzekła, wyrzucając na wpół pusty kubek do mijanego kosza na śmieci. Rebus zrobił to samo, choć ledwie dwa razy siorbnął letnią mleczną lurę. Jeżeli była w niej kofeina, to jakoś się jej nie doszukał. Bogu dzięki za nikotynę!

Hangar był po prostu hangarem, inna sprawa, że dobrze odkarmionym przedstawicielem tego gatunku. Szeroki na jakieś dwadzieścia stóp, został zbity z drewnianych listew i blachy falistej. Połowę jego szerokości zajmowały przesuwane drzwi, teraz zamknięte. Na ziemi leżały dwa łańcuchy — dowód na to, że policja wdarła się do środka za pomocą szczypiec do cięcia stali. Miejsce łańcuchów zajmowała teraz niebiesko-biała taśma, a na drzwiach ktoś przylepił oficjalną notatkę, ostrzegającą, że wstęp jest wzbroniony pod odpowiedzialnością prawną. Powyżej wypisana ręcznie tablica informowała, że hangar to „NARTY I ŁODZIE — właścic. L. Herdman".

— Chwytliwa nazwa — mruknął Rebus, gdy Siobhan rozwiązywała taśmę i otwierała drzwi.

— Oddaje dokładnie to, o co chodzi — odparła tym samym tonem.

Tu właśnie Herdman prowadził swój interes, szkoląc nieopierzonych żeglarzy i strasząc klientów, chcących pojeździć na nartach wodnych. W środku Rebus ujrzał ponton o długości mniej więcej dwudziestu stóp, spoczywający na przyczepie, której koła wymagały dopompowania. Stały tam też dwie motorówki, także na przyczepach; ich zaburtowe silniki błyszczały, podobnie jak na oko nowy osobisty sprzęt wodny. Panował tam niemal przesadny porządek, jak gdyby jakiś maniak wciąż wszystko czyścił i polerował. Pod jedną ze ścian stał warsztat; na półkach ponad nim leżały porządnie ułożone narzędzia. Samotna tłusta szmata wskazywała, że rzeczywiście może tam pracować jakiś mechanik — tak aby nieuświadomieni goście nie pomyśleli, że weszli do portowej przestrzeni wystawowej.

— Gdzie znaleziono broń? — spytał Rebus, wchodząc do środka.

— W szafce pod warsztatem.

Rebus popatrzył w tamtą stronę — na betonowej podłodze leżała starannie przecięta kłódka. Drzwi szafki stały otworem, ukazując jedynie wybór kół zapadkowych i kluczy.

— Nie przypuszczam, żebyśmy tu wiele znaleźli — stwierdziła Siobhan.

— Pewnie nie. — Mimo to Rebus wciąż był ciekawy, ciekawy tego, co ten hangar może mu powiedzieć o Lee Herdmanie. Na razie dowiedział się, że Herdman był sumiennym, sprzątającym po sobie pracownikiem. Jego mieszkanie świadczyło jednak o tym, że w życiu prywatnym nie był tak pedantyczny. Ale zawodowo... zawodowo Herdman dawał z siebie wszystko. Pasowało to do jego przeszłości. W wojsku nikogo nie obchodzi, czy masz popaprane życie osobiste, byleby nie wpływało to negatywnie na twoją pracę. Rebus znał żołnierzy, których małżeństwa się rozpadały, a mimo to utrzymywali rynsztunek w nienagannym porządku, ponieważ, jak ujął to pewien starszy sierżant SAS, „nikt ci tak nie da w dupę jak wojsko...".

— O czym myślisz? — spytała Siobhan.

— Wygląda tu, jakby spodziewał się nalotu sanepidu.

— A ja mam wrażenie, że te łodzie są warte więcej niż jego mieszkanie.

— Racja.

— Wyraźnie dwoista osobowość...

— A to dlaczego?

— Życie domowe w chaosie, w przeciwieństwie do miejsca pracy. Mieszkanie i meble tanie, łódki drogie...

— A to ci psychoanalityczka! — zagrzmiał głos za ich plecami.

Słowa te wypowiedziała tęga kobieta około pięćdziesiątki; włosy miała zebrane do tyłu w kok tak ciasny, że wydawało się, iż wypycha jej twarz do przodu. Miała na sobie czarny dwuczęściowy kostium, proste czarne buty, oliwkową bluzkę i sznur pereł na szyi, a na ramieniu czarny skórzany plecak. Obok stał wysoki, barczysty, dwa razy młodszy od niej mężczyzna, o czarnych, krótko obciętych włosach, ze splecionymi przed sobą dłońmi. Ubrany był w ciemny garnitur, białą koszulę i marynarski krawat.

— Pan pewnie jest detektyw inspektor Rebus — powiedziała kobieta, ruszając żwawo do przodu, jak gdyby chciała uścisnąć

Rebusowi rękę, i zupełnie nie przejmując się tym, że nie wyszedł jej naprzeciw. Zniżyła głos o jeden decybel. — Nazywam się Whiteread, a to jest Simms. — Nie spuszczała małych paciorkowatych oczu z Rebusa. — Domyślam się, że byliście już w mieszkaniu? Inspektor Hogan mówił, że pewnie tak zrobicie... — Jej głos odpłynął, gdy szybko minęła Rebusa i skierowała się w głąb hangaru. Okrążyła ponton, oceniając go okiem zainteresowanego kupca.

Angielski akcent, pomyślał Rebus.

— Detektyw sierżant Clarke — przedstawiła się Siobhan.

Whiteread spojrzała na nią i uśmiechnęła się ledwie dostrzegalnie.

— Tak, oczywiście — odparła.

Tymczasem Simms wszedł do środka, w ramach prezentacji jeszcze raz podając Rebusowi swoje nazwisko, a potem powtórzył tę samą procedurę z Siobhan, tym razem kończąc ją uściskiem ręki. On także miał angielski akcent, beznamiętny głos, a wymianę uprzejmości traktował czysto zdawkowo.

— Gdzie znaleziono broń? — spytała Whiteread. Nagle zauważyła przeciętą kłódkę i skinieniem głowy sama odpowiedziała sobie na swoje pytanie. Podeszła do szafki i przykucnęła przed nią raptownie, przez co jej spódnica zadarła się ponad kolana. — Mac dziesiątka — oświadczyła. — Słynie z tego, że się zacina.

— I tak jest lepsza od większości z tego, co mamy na wyposażeniu — zauważył Simms. Mając prezentację z głowy, stał między Rebusem a Siobhan, wyprostowany, na lekko rozstawionych nogach i z rękami znów splecionymi przed sobą.

— Nie zechcielibyście przypadkiem pokazać nam legitymacji? — spytał Rebus.

— Inspektor Hogan wie, że tu jesteśmy — odrzekła Whiteread, zdawkowo badając powierzchnię warsztatu.

Rebus ruszył za nią powoli.

— Prosiłem panią o legitymację — powtórzył.

— Słyszałam doskonale — powiedziała Whiteread, kierując swą uwagę ku czemuś w rodzaju małego biura na tyłach budynku. Ruszyła w tamtą stronę; Rebus deptał jej po piętach.

— Pani maszeruje — stwierdził. — To panią zdradza natychmiast.

Nie odpowiedziała. Biuro było niegdyś zamknięte na solidną kłódkę, która także została przecięta, a drzwi zabezpieczono kolejną porcją taśmy policyjnej.

— W dodatku pani partner wspomniał o „wyposażeniu" — ciągnął Rebus.

Whiteread zerwała taśmę i zajrzała do środka. Biurko, krzesło, jedna szafka na akta. Na nic więcej nie było miejsca, jeśli nie liczyć radiowego aparatu nadawczo-odbiorczego na półce. Żadnego komputera, kopiarki czy faksu. Szuflady biurka były wyciągnięte, a ich zawartość została przejrzana. Whiteread wzięła plik papierów i zaczęła je przeglądać.

— Jesteście z wojska — oświadczył Rebus w panującej ciszy. — Nawet w cywilnych ubraniach czuć was armią. O ile mi wiadomo, do SAS nie przyjmują kobiet, wobec tego kim jesteś?

Odwróciła ku niemu głowę, jakby go chciała ugryźć.

— Kimś, kto może pomóc.

— W czym?

— W takiej sprawie jak ta. — Wróciła do przeglądania papierów. — Żeby się więcej nie powtórzyła.

Rebus wlepił w nią wzrok. Siobhan i Simms stali tuż za drzwiami.

— Siobhan, bądź tak dobra i zadzwoń do Bobby'ego Hogana. Chciałbym się dowiedzieć, co on wie o tych tutaj.

— Wie, że tu jesteśmy — odrzekła Whiteread, nie podnosząc wzroku znad papierów. — Powiedział mi nawet, że możemy się tu na was natknąć. Inaczej skąd bym wiedziała, jak się nazywacie?

Siobhan miała już komórkę w ręku.

— Dzwoń — polecił jej Rebus.

Whiteread wepchnęła papiery z powrotem do szuflady i zasunęła ją.

— Pan koniec końców nie dostał się do SAS, prawda, inspektorze? — Odwróciła się do niego powoli. — Z tego, co słyszałam, trening pana załamał.

— Dlaczego nie nosi pani munduru? — zapytał.

— Dlatego, że niektórzy się go boją — odparła.

— Czy aby na pewno? A może nie chcecie jeszcze bardziej zszargać sobie opinii? — Rebus uśmiecha się zimno. — Nie wygląda to dobrze, kiedy któremuś z was odbija szajba, co?

Ostatnie, na czym wam zależy, to przypominać ludziom, że on był jednym z was.

— Co się stało, to się nie odstanie. Jeżeli uda nam się zapobiec kolejnej takiej historii, to tym lepiej. — Przerwała. Stała tuż przed nim, niższa o pół stopy, w niczym mu jednak nie ustępowała. — A właściwie co to pana obchodzi? — Zrewanżowała mu się uśmiechem. O ile jego był zimny, o tyle jej był lodowaty. — Oblał pan, nie dostał się pan do SAS. Ale nie ma powodu się tym zadręczać, detektywie inspektorze.

W uszach Rebusa słowo „detektyw" zabrzmiało jak „defektyw". Może to była wina jej angielskiego akcentu, a może specjalnie się o to postarała. Siobhan uzyskała w końcu połączenie, ale podejście do telefonu zajęło Hoganowi trochę czasu.

— Powinniśmy zajrzeć do łodzi — powiedziała Whiteread do swego partnera, przeciskając się obok Rebusa.

— Jest drabina — odparł Simms.

Rebus próbował umiejscowić jego akcent... Lancashire, a może Yorkshire. Co do Whiteread nie był już taki pewny. Okolice Londynu, cokolwiek by to miało znaczyć? Nieokreślona angielszczyzna, jakiej uczą w eleganckich szkołach. Uświadomił sobie także, że Simms nie czuje się dobrze ani w swoim ubraniu, ani w swojej roli. Może chodziło o różnice klasowe, a może i jedno, i drugie było dla niego nowe.

— A swoją drogą, mam na imię John — zwrócił się Rebus do niego. — A ty?

Simms spojrzał na Whiteread.

— No dalej, odpowiedz człowiekowi! — warknęła.

— Gav... Gavin.

— Gav dla przyjaciół, Gavin służbowo? — domyślił się Rebus. Sięgnął po telefon, który podawała mu Siobhan. — Bobby, po jaką cholerę pozwalasz dwóm palantom z sił zbrojnych Jej Królewskiej Mości pakować się w naszą sprawę? — Przerwał, by posłuchać rozmowy, i po chwili odezwał się ponownie: — Użyłem tego słowa celowo, Bobby, bo właśnie mają zamiar wpakować się do łodzi Herdmana. — Kolejna przerwa. — No nie wiem, czy o to chodzi... — A potem: — Dobra, dobra, już jedziemy.

Wcisnął telefon w dłoń Siobhan. Simms przytrzymywał drabinę, na którą gramoliła się Whiteread.

— Już nas nie ma! — zawołał do niej Rebus. — A gdybyśmy się mieli więcej nie spotkać... wierz mi, serce by mi krwawiło. Uśmiechałbym się tylko na pokaz.

Czekał, aż kobieta się odezwie, ona jednak była już w łodzi i najwyraźniej przestała się nim interesować. Simms wchodził po drabinie, zerkając do tyłu na dwójkę policjantów.

— Chodzi mi po głowie, żeby złapać tę drabinę i dać dyla — szepnął Rebus do Siobhan.

— Wątpię, żeby to ją powstrzymało.

— Pewnie masz rację — przyznał, po czym zawołał: — Jeszcze jedno, Whiteread... młody Gav zaglądał ci pod spódnicę!

Odwracając się do drzwi, wzruszeniem ramion przyznał wobec Siobhan, że była to tania zagrywka.

Tania, ale warto było.

— Ja nie żartuję, Bobby, co się z tobą dzieje, do cholery?

Rebus szedł jednym z długich szkolnych korytarzy w kierunku czegoś, co wyglądało na sięgającą do sufitu szafę pancerną — taką staromodną, z wielkim kołem i bębnami. Była otwarta, podobnie jak wewnętrzna stalowa krata. Hogan zaglądał do środka.

— Na miłość boską, człowieku, te sukinsyny nie mają tu nic do roboty!

— John, chyba nie miałeś okazji poznać dyrektora szkoły... — odezwał się Hogan spokojnie, wskazując wnętrze kasy pancernej, gdzie stał jakiś mężczyzna w średnim wieku, w otoczeniu broni w ilości wystarczającej do wszczęcia rewolucji. — Doktor Fogg — przedstawił go Rebusowi.

Mężczyzna przestąpił próg. Niski i krępy, wyglądał na byłego boksera — jedno ucho miał zniekształcone, a nos zajmował połowę jego twarzy. Głęboka blizna przecinała jedną z krzaczastych brwi.

— Eric Fogg — wymamrotał, potrząsając ręką Rebusa.

— Przepraszam pana za moje słownictwo przed chwilą. Jestem detektyw inspektor Rebus.

— Pracując w szkole, słyszy się gorsze rzeczy — oświadczył Fogg takim tonem, jakby powtarzał to po raz setny.

Siobhan dołączyła do nich i właśnie miała się przedstawić, gdy ujrzała zawartość kasy pancernej.

— Jezus Maria! — zawołała.

— Wyjęłaś mi to z ust — przytaknął Rebus.

— Jak już tłumaczyłem inspektorowi Hoganowi — wtrącił się Fogg — większość niezależnych szkół ma coś takiego na stanie.

— To PSK, doktorze Fogg, prawda? — upewnił się Hogan.

Dyrektor pokiwał głową.

— Połączone Siły Kadetów... kadeci z wojsk lądowych, powietrznych i z marynarki. W każdy piątek po południu urządzają paradę. — Przerwał na chwilę. — Moim zdaniem największą zachętą jest dla nich to, że tego dnia mogą zrzucić szkolne mundurki.

— I zamienić je na coś bardziej paramilitarnego? — domyślił się Rebus.

— Broń maszynowa, półautomatyczna i inna — wyliczał Hogan.

— Pewnie do odstraszania niedoszłych włamywaczy.

— Właśnie mówiłem inspektorowi Hoganowi — ciągnął Fogg — że w wypadku uruchomienia szkolnego systemu alarmowego właściwe jednostki policji mają obowiązek w pierwszej kolejności zabezpieczyć arsenał. Tak jest od czasów, kiedy IRA i im podobni poszukiwali broni.

— Nie chce pan chyba powiedzieć, że trzymacie tu też amunicję? — spytała Siobhan.

Fogg pokręcił głową.

— Na terenie szkoły nie ma ostrej amunicji.

— Ale broń jest prawdziwa? Bez usuniętych iglic?

— Och, jak najprawdziwsza. — Dyrektor spojrzał na zawartość kasy pancernej z prawdziwym niesmakiem.

— Nie budzi to pańskiego entuzjazmu? — dodał Rebus.

— Uważam, że ta praktyka... grozi wypaczeniem istoty sprawy.

— Z pana jest prawdziwy dyplomata — rzekł Rebus, wymuszając uśmiech dyrektora.

— Ale broń Herdmana nie pochodziła stąd? — pytała Siobhan.

Hogan potrząsnął głową.

— To kolejna z rzeczy, którą, mam nadzieję, pomogą nam wyjaśnić wojskowi. — Spojrzał na Rebusa. — Oczywiście jeśli wam się nie uda.

— Zejdź z nas, Bobby. Zabraliśmy się do tego pięć minut temu.

— Czy pan zajmuje się również nauczaniem? — spytała Siobhan, by zapobiec ewentualnej kłótni starszych stopniem oficerów, wiszącej w powietrzu.

Fogg pokręcił głową.

— Kiedyś wykładałem R i E... religię i etykę.

— Zaszczepiał pan nastolatkom poczucie moralności? To musiało być ciężkie zadanie.

— Nie słyszałem jeszcze, żeby jakiś nastolatek wywołał wojnę. — W głosie dyrektora zabrzmiała fałszywa nuta; kolejna z góry przygotowana odpowiedź na niewygodne pytanie.

— Tylko dlatego, że staramy się nie dawać im do ręki broni palnej — zauważył Rebus, ponownie przyglądając się arsenałowi broni.

Fogg zamykał żelazną kratę.

— A zatem nic nie brakuje? — spytał Rebus.

Hogan zaprzeczył ruchem głowy.

— Ale obie ofiary były kadetami.

Rebus spojrzał na dyrektora, który potwierdził skinieniem głowy.

— Anthony bardzo się do tego palił... Derek trochę mniej.

Anthony Jarvies, syn sędziego. Jego ojciec, Roland Jarvies, był znaną postacią w szkockich sądach. Rebus z piętnaście, dwadzieścia razy występował jako świadek w sprawach, którym lord Jarvies przewodniczył dowcipnie i, jak to ujął jeden z prawników, „ze świdrującym wzrokiem". Rebus nie bardzo wiedział, co konkretnie ma oznaczać ten świdrujący wzrok, domyślał się jednak, o co chodzi.

— Ciekawi nas — mówiła Siobhan — czy ktoś sprawdził oszczędności Herdmana w banku albo w towarzystwie budowlanym.

Hogan przyjrzał jej się uważnie.

— Jego księgowy był bardzo pomocny. Herdman nie poszedł z torbami ani nic w tym guście.

— Ale nie było żadnych nagłych wpłat? — spytał Rebus.

Hogan zmrużył oczy.

— A bo co?

Rebus wskazał wzrokiem dyrektora. Nie chciał, żeby tamten to zauważył, Fogg jednak to dostrzegł.

— Czy chcieliby panowie, żebym sobie... — zaczął.

— Jeszcze nie skończyliśmy, dyrektorze, jeśli łaska. — Hogan spojrzał Rebusowi prosto w oczy. — Jestem pewien, że cokolwiek inspektor Rebus ma do powiedzenia, pozostanie między nami.

— Ależ oczywiście — przytaknął Fogg z naciskiem. Zamknął drzwi szafy pancernej i zaczął kręcić kołem zamka.

— Ten drugi zabity chłopak w ubiegłym roku miał wypadek samochodowy — powiedział Rebus do Hogana. — Kierowca wozu zginął. Zastanawiamy się, czy po tak długim czasie wchodzi w rachubę motyw zemsty.

— To nie tłumaczy, dlaczego na koniec Herdman miałby palnąć sobie w łeb.

— Może dlatego, że spaprał robotę — podsunęła Siobhan, splatając ręce. — Dwóch innych chłopaków oberwało, Herdman wpadł w panikę i...

— Więc mówiąc o banku Herdmana, macie na myśli jakąś niedawną dużą wpłatę?

Rebus skinął głową.

— Wyślę kogoś, żeby się temu przyjrzał. Na razie z jego księgowości wynika tylko, że zaginął komputer.

— O...

Siobhan spytała, czy może tu chodzić o unikanie podatków.

— Możliwe — przyznał Hogan. — Ale mamy rachunek. Gadaliśmy ze sklepem, w którym kupił komputer... sprzęt najwyższej klasy.

— Myślisz, że go wyrzucił? — spytał Rebus.

— Niby po co?

Rebus wzruszył ramionami.

— Może chciał coś ukryć? — podsunął Fogg. Gdy wszyscy spojrzeli na niego, opuścił wzrok. — Nie jestem wprawdzie upoważniony do...

— Nie ma powodu, żeby się pan usprawiedliwiał — zapewnił go Hogan. — Możliwe, że trafił pan w sedno. — Potarł ręką oczy i znów zwrócił się do kolegi: — Coś jeszcze?

— Te sukinsyny z wojska... — zaczął Rebus, lecz Hogan uniósł dłoń.

— Musisz się pogodzić z ich obecnością.

— Daj spokój, oni nie są tu po to, żeby cokolwiek wyświetlić. Wręcz przeciwnie. Chcą, żeby zapomniano o przeszłości Herdmana w SAS, stąd ich cywilne ubrania. Ta Whiteread ma ich po prostu wybielić.

— Słuchaj, przykro mi, jeżeli nadepnęli wam na odcisk...

— Raczej nas stratowali — wpadł mu w słowo Rebus.

— John, to śledztwo jest większe niż ty i ja, większe niż cokolwiek! — Podniesiony głos Hogana lekko drżał. — Nie trzeba mi tu jeszcze takiego gówna!

— Wyrażaj się, Bobby — przywołał go do porządku Rebus, spoglądając znacząco na Fogga.

Tak jak na to liczył, Hogan przypomniał sobie jego niedawny wybuch i twarz rozciągnęła mu się w uśmiechu.

— Po prostu bierzcie się do roboty, w porządku?

— Jesteśmy z tobą, Bobby.

Siobhan wysunęła się do przodu.

— Chcielibyśmy zrobić jedną rzecz... — Zignorowała spojrzenie Rebusa, świadczące, że on sam pierwsze o tym słyszy. — Mianowicie przesłuchać ofiarę zamachu, która przeżyła.

Hogan zmarszczył brwi.

— Jamesa Bella? Po co? — Spoglądał na Rebusa, ale to Siobhan udzieliła mu odpowiedzi.

— Dlatego że przeżył... jako jedyny z obecnych na sali.

— Gadaliśmy z nim już ładne parę razy. Chłopak jest w szoku i Bóg jeden wie, co jeszcze mu dolega.

— Potraktujemy go łagodnie — obiecała Siobhan.

— Wierzę, ale to nie wy mnie martwicie... — Wciąż nie spuszczał oczu z Rebusa.

— Warto by posłuchać o tym od kogoś, kto był na miejscu — rzekł Rebus. — Jak się Herdman zachowywał, czy coś mówił. Wygląda na to, że tego dnia rano nikt go nie widział, ani sąsiedzi, ani na przystani. Musimy wypełnić luki.

Hogan westchnął.

— Przede wszystkim przesłuchajcie taśmy. — Miał na myśli zapisy rozmów z Jamesem Bellem. — Jeśli potem uznacie, że musicie z nim pogadać osobiście, to... zobaczymy.

— Dziękujemy panu — powiedziała Siobhan, uznawszy, że chwila ta zasługuje na szczyptę formalności.

— Powiedziałem, że się zobaczy. Niczego nie obiecuję. — Hogan ostrzegawczo uniósł palec.

— I spojrzycie jeszcze raz na jego finanse? — dorzucił Rebus. — Tak na wszelki wypadek.

Hogan pokiwał głową ze znużeniem.

— A, tu jesteście! — huknął nagle tubalny głos. Korytarzem maszerował ku nim Jack Bell.

— Chryste Panie... — mruknął Hogan. Ale Bell skierował uwagę na dyrektora szkoły.

— Eric! — odezwał się podniesionym tonem. — Czy ja dobrze słyszę, że nie zamierzasz przyznać publicznie, iż szkoła ma nieodpowiednią ochronę?

— Ochrona szkoły jest taka jak należy, Jack — odparł Fogg z westchnieniem świadczącym, że mieli już sprzeczkę na ten temat.

— Kompletna bzdura, dobrze o tym wiesz. Słuchaj, ja tylko staram się unaocznić, że lekcja w Dunblane nikogo niczego nie nauczyła. — Uniósł palec. — Nasze szkoły wciąż nie są bezpieczne... — Wyciągnął drugi palec. — Ulice są zalane bronią palną. — Przerwał dla zwiększenia efektu. — Zrozum, trzeba z tym coś zrobić. — Jego oczy zwęziły się. — O mało nie straciłem syna!

— Szkoła to nie forteca, Jack — tłumaczył dyrektor błagalnym tonem, ale bez rezultatu.

— W dziewięćdziesiątym siódmym roku, po Dunblane, zabroniono posiadania broni krótkiej o kalibrze większym niż dwudziestkadwójka — perorował dalej poseł. — Legalni właściciele oddali broń i co nam to dało? — Rozejrzał się, ale nikt nie kwapił się z odpowiedzią. — Swoje spluwy zatrzymali tylko ludzie z podziemia, którym coraz łatwiej przychodzi zaopatrywanie się w taką broń, jaka im się zamarzy!

— Kieruje pan swoje kazanie pod niewłaściwy adres — zauważył Rebus.

Bell wlepił w niego wzrok.

— Całkiem możliwe — przyznał, celując w niego palcem. — Dlatego, że wy akurat w najmniejszym stopniu nie potraficie zająć się tym problemem!

— Chwileczkę, panie pośle... — zaczął protestować Hogan, lecz Rebus wpadł mu w słowo:

— Niech sobie tokuje dalej, Bobby. Może ta gorąca atmosfera ogrzeje trochę tę szkołę.

— Jak pan śmie! — warknął Bell. — Jakim prawem pozwala pan sobie mówić do mnie w ten sposób?

— Prawem wyborcy — odparował Rebus, podkreślając ostatnie słowo, by przypomnieć posłowi, iż nie piastuje swojego urzędu dożywotnio.

Zapadła cisza, którą przerwał dzwonek telefonu posła. Bell zdążył obrzucić Rebusa pogardliwym spojrzeniem, zanim odwrócił się i oddalił w głąb korytarza, by odebrać telefon.

— Tak? O co chodzi? — Zerknął na zegarek. — Z radia czy z telewizji? — Przez chwilę słuchał rozmówcy. — Stacja lokalna czy ogólnokrajowa? Ja wystąpię tylko w audycji na cały kraj... — Szedł dalej, a tymczasem jego słuchacze, odprężeni, wymieniali znaczące spojrzenia i gesty.

— No cóż — powiedział dyrektor szkoły. — Chyba najlepiej będzie, jeśli wrócę do...

— Pozwoli pan, że odprowadzę pana do gabinetu? — wtrącił Hogan. — Musimy jeszcze obgadać parę rzeczy. — Kiwnął głową Rebusowi i Siobhan. — Wracajcie do roboty — polecił.

— Tak jest — odparła Siobhan. Nagle korytarz opustoszał, jeśli nie liczyć jej i Rebusa. Wydęła policzki i głośno wypuściła powietrze. — Bell to okaz jakich mało.

Rebus skinął głową.

— Chce z tego wydusić, ile się da.

— Inaczej nie byłby politykiem.

— Naturalny instynkt, co? Jak to się śmiesznie w życiu układa. Po tym, jak go zwinęli w Leith, jego kariera mogła się rozsypać jak domek z kart.

— Myślisz, że chce się zemścić?

— Gdyby mógł, utopiłby nas w łyżce wody. Musimy uważać, żeby się nie dać ustrzelić.

— I ty nie chcesz się dać ustrzelić? Odpowiadając mu w ten sposób?

— Siobhan, człowiek musi się czasem zabawić. — Spojrzał na pusty korytarz. — Myślisz, że z Bobbym wszystko w porządku?

— Szczerze mówiąc, wyglądał na dość wykończonego. A swoją drogą... nie sądzisz, że należałoby mu powiedzieć?

— O czym?

— Że Renshawowie to twoja rodzina.

Rebus przyszpilił ją wzrokiem.

— To by skomplikowało sytuację. Myślę, że Bobby na razie ma dosyć kłopotów.

— Twoja decyzja.

— Owszem, moja. A jak nam obojgu wiadomo, nigdy się nie mylę.

— Zapomniałam — przyznała Siobhan.

— Więc chętnie wam to przypominam, sierżant Clarke. Zawsze do usług...

5

Komisariat policji w South Queensferry mieścił się w przysadzistym parterowym pudełku, usytuowanym przy drodze prowadzącej do kościoła episkopalnego. Tablica na zewnątrz informowała, że posterunek jest czynny dla obywateli od dziewiątej do piątej w dni robocze, a rozmowy prowadzone są przez „cywilnego asystenta". Inna tablica wyjaśniała, że — wbrew lokalnym pogłoskom — policja czuwa przez dwadzieścia cztery godziny na dobę. W tym to bezdusznym miejscu przesłuchano świadków — wszystkich oprócz Jamesa Bella.

— Milutko tu, co? — zadrwiła Siobhan, otwierając drzwi wejściowe. Prowadziły do krótkiej i wąskiej poczekalni; jedyną żywą duszą był tam posterunkowy, który na ich widok odłożył magazyn dla motocyklistów i podniósł się z krzesła.

— Spocznij! — rzucił Rebus, a Siobhan pokazała legitymację. — Musimy przesłuchać taśmy Bella.

Policjant skinął głową, otworzył wewnętrzne drzwi i wprowadził ich do przygnębiającego pokoju bez okien. Biurko i krzesła pamiętały lepsze czasy. Na ścianie zwiał się ubiegłoroczny kalendarz, wychwalający zalety lokalnego sklepu. Na szafce na akta stał magnetofon. Mundurowy zdjął go, podłączył do prądu i postawił na biurku. Potem otworzył szafkę i odszukał właściwą taśmę, opakowaną w przezroczystą plastikową torbę.

— To pierwsza z sześciu — wyjaśnił. — Musicie pokwitować.

Siobhan pokwitowała.

— Macie tu jakąś popielniczkę? — zapytał Rebus.

— Nie, panie inspektorze. Tutaj nie wolno palić.

— Aż tyle informacji nie potrzebuję.

— Tak jest. — Posterunkowy usiłował nie gapić się na rękawiczki Rebusa.

— A znajdzie się chociaż czajnik?

— Nie, proszę pana... Czasami sąsiedzi podrzucają nam flaszkę herbaty albo kawałek ciasta.

— Jest szansa, że zdarzy się to w ciągu najbliższych dziesięciu minut?

— Według mnie mało prawdopodobne.

— To zmykaj i wyszabruj coś. Pomyśl, ile punktów dostaniesz za inicjatywę.

Posterunkowy zawahał się.

— Nie wolno mi się stąd ruszać.

— Będziemy bronić fortu, synu — obiecał Rebus, zrzucając marynarkę i wieszając ją na oparciu krzesła.

Posterunkowy był wyraźnie sceptyczny.

— Dla mnie z mlekiem — powiedział Rebus.

— Dla mnie też, bez cukru — dodała Siobhan.

Posterunkowy stał jeszcze przez dłuższą chwilę, patrząc, jak próbują się rozgościć, na ile to było możliwe w tym pokoju. W końcu wycofał się i powoli zamknął za sobą drzwi.

Rebus i Siobhan spojrzeli po sobie i wymienili uśmieszki, niczym wspólnicy w przestępstwie. Siobhan miała ze sobą notatki dotyczące Jamesa Bella; Rebus zagłębił się w nich ponownie, a ona rozpakowała taśmę i wsadziła ją do magnetofonu.

Osiemnastolatek... syn Jacka Bella, posła do szkockiego parlamentu, oraz jego żony, Felicity, która pracowała w administracji teatru Traverse. Cała rodzina mieszkała w Barnton. James wybierał się na uniwersytet, chciał studiować politykę i ekonomię... „bardzo dobry uczeń", ale „chadza własnymi drogami, nie zawsze prześciga innych, w razie konieczności potrafi jednak korzystać ze swego uroku". Przedkładał szachy nad sport.

— To raczej nie materiał dla PSK — mruknął Rebus. Po chwili słuchał już głosu Jamesa Bella.

Oficerowie prowadzący przesłuchanie przedstawili się: inspektor Hogan i posterunkowy Hood. Włączenie Granta Hooda było sprytnym posunięciem — jako rzecznik prasowy w tej sprawie powinien znać zeznania jedynego świadka, który przeżył. Mogły mu się trafić kąski, które mógłby rzucić pismakom w zamian za przysługi z ich strony. Bardzo istotne było to, by mieć media po swojej stronie; równie ważne było trzymanie ich pod ścisłą kontrolą. Dziennikarze na razie nie mieli dostępu do Jamesa Bella. Musieli przechodzić przez Granta Hooda.

Głos Bobby'ego Hogana podał datę i czas — poniedziałek wieczorem — a także miejsce przesłuchania: izba przyjęć w Lecznicy Królewskiej. Bell został ranny w lewy bark. Czysty strzał — kula rozorała ciało, ominęła kości, wyleciała i utknęła w ścianie świetlicy.

— *Czy czujesz się na siłach rozmawiać, James?*

— *Chyba tak... boli jak skurwysyn.*

— *Wyobrażam sobie. A więc, na użytek nagrania... nazywasz się James Elliott Bell, zgadza się?*

— *Tak.*

— Elliott? — powtórzyła Siobhan.

— Panieńskie nazwisko matki — wyjaśnił Rebus, jeszcze raz zaglądając do notatek.

W tle prawie nie było słychać żadnych dźwięków, widocznie rozmawiano w szpitalnej separatce. Chrząknięcie Granta Hooda. Odgłos trzeszczącego krzesła. Hood prawdopodobnie trzymał mikrofon i siedział bliżej łóżka. Nie zawsze nadążał z przesuwaniem mikrofonu od Hogana do chłopaka, więc głosy były czasami stłumione.

— *Możesz mi opowiedzieć, co się stało, Jamie?*

— *Proszę mi mówić James. Czy mógłbym dostać trochę wody?*

Stuk odkładanego mikrofonu, bulgot nalewanej wody.

— *Dziękuję.* — Przerwa, dopóki nie odstawiono kubka na szafkę przy łóżku. Rebus przypomniał sobie, jak sam upuścił kubek, a Siobhan go złapała. Podobnie jak James Bell, w poniedziałek wieczorem on także leżał w szpitalu... — *To było na dużej przerwie. U nas trwa dwadzieścia minut. Siedziałem w świetlicy.*

— *Zwykle w niej przesiadywałeś?*

— *Lepiej tam niż na dworze.*

— *Ale to był ładny dzień, całkiem ciepły.*

— *Ja tam wolę siedzieć w środku. Myśli pan, że jak stąd wyjdę, będę mógł jeszcze grać na gitarze?*

— *Nie wiem* — odparł Hogan. — *A wcześniej grałeś?*

— *Wstydziłby się pan, tak zepsuć pacjentowi greps.*

— *Przepraszam, James. No więc, ilu was było w tej świetlicy?*

— *Trzech. Tony Jarvies, Derek Renshaw i ja.*

— *I co tam robiliście?*

— *Leciała jakaś muzyka... Zdaje się, że Jarvies odrabiał pracę domową, a Renshaw czytał gazetę.*

— *Czy tak się do siebie zwracacie? Po nazwisku?*

— *Przeważnie.*

— *Przyjaźniliście się?*

— *Niespecjalnie.*

— *Ale często spędzaliście razem czas w świetlicy?*

— *Ze świetlicy korzysta nas kilkunastu.* — Przerwa. — *Próbuje mnie pan spytać, czy moim zdaniem on nas wybrał celowo?*

— *To jedna z hipotez, które bierzemy pod uwagę.*

— *Dlaczego?*

— *Bo była przerwa, większość uczniów przebywała na dworze...*

— *A on wszedł do szkoły, do świetlicy, zanim zaczął strzelać, tak?*

— *Masz zadatki na dobrego detektywa, James.*

— *Ten zawód nie figuruje wysoko na mojej liście perspektyw zrobienia kariery.*

— *Poznałeś, kto strzelał?*

— *Tak.*

— *Znaliście się?*

— *Z Lee Herdmanem? Tak. Wielu z nas go znało. Niektórzy uczyli się jeździć na nartach wodnych. Poza tym to był ciekawy facet.*

— *Ciekawy?*

— *Chodzi o jego przeszłość. W końcu gość był zawodowym zabójcą.*

— *Powiedział ci o tym?*

— *Tak. Służył w siłach specjalnych.*

— *A czy znał Anthony'ego i Dereka?*

— *Całkiem możliwe.*

— Ciebie w każdym razie znał?

— Spotykaliśmy się na gruncie towarzyskim.

— I nie zadawałeś sobie tego samego pytania co my?

— Chodzi panu o to, dlaczego to zrobił?

— Tak.

— Słyszałem, że ludzie z taką przeszłością... oni nie zawsze potrafią wrócić do społeczeństwa, prawda? A potem jakieś zdarzenie powoduje, że przekraczają granicę.

— Masz jakiś pomysł, co mogło sprawić, że Herdman przekroczył tę granicę?

— Nie.

Nastąpiła długa przerwa — najwyraźniej obaj detektywi się naradzali, schowawszy mikrofon w pościeli. Potem znów rozległ się głos Hogana:

— No więc możesz nam to wszystko opowiedzieć, James? Siedziałeś w sali...

— Właśnie nastawiłem płytę. Jedną z rzeczy, która dzieliła naszą trójkę, był gust muzyczny. Kiedy otworzyły się drzwi, nawet się chyba nie obejrzałem. Potem nastąpił ten koszmarny wybuch i Jarvies upadł na podłogę. Ja kucałem przed sprzętem, więc wstałem, odwróciłem się i zobaczyłem tę armatę. To znaczy, nie twierdzę, że ta broń była szczególnie wielka, tylko że taka się wydawała, kiedy celowała w Renshawa... Za bronią stał jakiś facet, ale właściwie go nie widziałem...

— Z powodu dymu?

— Nie... nie pamiętam dymu. Nie mogłem oderwać oczu od lufy... po prostu zmartwiałem. Potem nastąpił drugi wybuch i Renshaw przewrócił się jak szmaciana lalka, po prostu zwalił się na podłogę...

Rebus uświadomił sobie, że ma zamknięte oczy. Nie po raz pierwszy wyobrażał sobie tę scenę.

— Potem skierował broń na mnie...

— Wiedziałeś już wtedy, kim on jest?

— Tak, chyba tak.

— Powiedziałeś coś?

— Nie wiem... być może otworzyłem usta, żeby coś powiedzieć... myślę, że chyba się poruszyłem, bo kiedy padł strzał, to... no, nie zabił mnie, prawda? To było jak mocne pchnięcie, które walnęło mnie i przewróciło.

— A on przez cały ten czas nic nie powiedział?

— Ani słowa. Ale pamiętajcie, że dzwoniło mi w uszach.

— W takim małym pokoju to nic dziwnego. Czy teraz już nie masz kłopotów ze słuchem?

— Trochę mi jeszcze brzęczy w uszach, ale lekarze mówią, że to przejdzie.

— Więc on się wcale nie odezwał?

— Nie słyszałem, żeby coś mówił. Po prostu leżałem i szykowałem się, żeby odstawić trupa. A potem padł czwarty strzał... przez ułamek sekundy myślałem, że do mnie... żeby mnie wykończyć. Ale jak usłyszałem padające ciało, to chyba już wiedziałem...

— I co zrobiłeś?

— Otworzyłem oczy. Leżałem na podłodze, więc widziałem jego ciało między nogami krzesła. Wciąż miał rewolwer w ręku. Zacząłem wstawać. Cały bark miałem zdrętwiały i wiedziałem, że krwawię, ale nie mogłem oderwać wzroku od broni. Wiem, że to brzmi śmiesznie, ale myślałem wtedy o filmowych horrorach, wiecie...

Głos Hooda:

— Tych, co to czarny charakter niby już jest martwy...

— Aż tu nagle wraca do życia, tak. A potem w drzwiach pojawili się ludzie... przypuszczam, że nauczyciele. Pewnie ich zamurowało.

— A jak z tobą, James? Pozbierałeś się już?

— Szczerze mówiąc, tak naprawdę chyba mnie jeszcze nie trafiło... przepraszam za kalambur. Wszystkim nam zaproponowano spotkanie z psychologiem, myślę, że to pomoże.

— Jak on spokojnie o tym mówi — zauważyła Siobhan na co Rebus skinął głową.

— Jesteśmy bardzo wdzięczni, że zgodziłeś się z nami porozmawiać. Czy możemy zostawić ci notes i długopis? Widzisz, James, prawdopodobnie ciągle będziesz wracał do tego myślami, i bardzo dobrze... właśnie w ten sposób należy sobie radzić z takimi rzeczami. Ale może coś ci się przypomni i będziesz chciał to zanotować. Zapisywanie takich rzeczy także pomaga.

— Tak, rozumiem.

— Będziemy chcieli porozmawiać z tobą jeszcze raz.

Głos Hooda:

— *Dziennikarze także. Czy będziesz chciał z nimi rozmawiać, czy nie, zależy tylko od ciebie, ale jeśli chcesz, mogę się tym zająć w twoim imieniu.*

— *Przez parę dni z nikim nie będę rozmawiał. Nie martwcie się, wiem wszystko o dziennikarzach.*

— *A więc jeszcze raz dzięki, James. Zdaje się, że twoi rodzice czekają za drzwiami.*

— *Słuchajcie, po tym wszystkim jestem trochę zmęczony. Moglibyście im powiedzieć, że przysnąłem?*

W tym miejscu nagranie się skończyło. Taśma kręciła się jeszcze przez kilka sekund, po czym Siobhan wyłączyła magnetofon.

— Koniec pierwszego przesłuchania... puścić ci następne? — Ruchem głowy wskazała szafkę. Rebus pokręcił głową.

— Może później, w każdym razie wciąż chciałbym z nim pogadać. Powiedział, że znał Herdmana. A zatem jest ważnym świadkiem.

— Ale mówił też, że nie wie, dlaczego Herdman to zrobił.

— Tak czy inaczej...

— Wydawał się taki spokojny.

— To pewnie rezultat szoku. Hood miał rację, takie rzeczy docierają do człowieka dopiero po jakimś czasie.

Siobhan siedziała zadumana.

— Jak sądzisz, dlaczego nie chciał się widzieć z rodzicami?

— Pamiętaj, kim jest jego ojciec.

— Zgoda, ale mimo wszystko... Po czymś takim chcesz się do kogoś przytulić, bez względu na to, ile masz lat.

Rebus spojrzał na nią.

— Ty byś chciała?

— Większość ludzi by chciała... to znaczy, normalnych ludzi.

Rozległo się pukanie i w uchylonych drzwiach pojawiła się głowa posterunkowego.

— Nici z picia — powiedział.

— I tak już skończyliśmy. Dzięki za dobre chęci.

Zostawili policjanta, by z powrotem zamknął taśmę w szafie, i wyszli na dwór, mrużąc oczy w słońcu.

— James niewiele nam powiedział, nie uważasz? — odezwała się Siobhan.

— Niewiele — przyznał Rebus. W myślach jeszcze raz odtwarzał przesłuchanie, szukając czegoś, co mogliby wykorzystać. Jedyny promyk nadziei: James Bell znał Lee Herdmana. No i co z tego? Wielu ludzi w miasteczku go znało.

— Może przejdziemy się High Street i poszukamy kawiarni?

— Wiem, gdzie możemy się napić — odparł.

— Gdzie?

— Tam gdzie wczoraj.

Allan Renshaw nie golił się od poprzedniego dnia. Wysłał Kate do przyjaciół, więc był w domu sam.

— Nie ma sensu, żeby tu ze mną tkwiła — powiedział, prowadząc ich do kuchni. W salonie nic się nie zmieniło — zdjęcia wciąż czekały na to, by się nad nimi zadumać, posegregować je i pochować do pudełek. Rebus zauważył, że nad kominkiem pojawiła się karteczka z listą spraw do załatwienia. Renshaw wziął pilota z oparcia kanapy i wyłączył telewizor, na którym leciało domowe nagranie wideo z rodzinnych wakacji. Rebus powstrzymał się od komentarza. Włosy Renshawa sterczały na wszystkie strony i inspektor zastanawiał się, czy jego kuzyn spał w ubraniu. Pan domu opadł ciężko na krzesło w kuchni, pozostawiając Siobhan nastawienie czajnika. Boecjusz leżał na blacie kuchennym, kiedy jednak Siobhan chciała go pogłaskać, zeskoczył i powlókł się do bawialni.

Rebus usiadł naprzeciwko kuzyna.

— Byłem ciekaw, co u ciebie.

— Przepraszam, że zostawiłem was wtedy z Kate.

— Nie masz za co przepraszać. Dobrze sypiasz?

— Aż za dużo. — Posępny uśmiech. — Pewnie po to, żeby uciec od tego wszystkiego.

— Jak przygotowania do pogrzebu?

— Na razie nie chcą nam jeszcze wydać ciała.

— Już niedługo, Allan. Wkrótce będzie po wszystkim.

Renshaw spojrzał na niego przekrwionymi oczami.

— Obiecujesz, John? — Poczekał, aż Rebus przytaknie ruchem głowy. — No to dlaczego telefon wciąż dzwoni, a dziennikarze chcą ze mną gadać? Według nich nieprędko się to skończy.

— Przeciwnie. Właśnie dlatego cię napastują. Za dzień, dwa zajmą się czym innym, sam zobaczysz. Chcesz, żebym przepłoszył kogoś konkretnego?

— Jest taki jeden facet, rozmawiał z Kate. Zdaje się, że ją zdenerwował.

— Jak się nazywa?

— Mam to gdzieś zapisane... — Renshaw rozejrzał się, jakby nazwisko mogło być gdzieś tam, pod jego nosem.

— Może koło telefonu? — podsunął Rebus. Wstał i przeszedł do korytarza. Aparat telefoniczny stał na ściennej półce, tuż przy drzwiach wejściowych. Podniósł słuchawkę, lecz nie usłyszał sygnału. Zauważył, że z gniazdka w ścianie ktoś wyjął wtyczkę — robota Kate. Obok telefonu leżał długopis, ale papieru nie było. Popatrzył w stronę schodów i zobaczył na nich notatnik. Na górnej kartce ktoś nabazgrał jakieś nazwiska i liczby.

Wrócił do kuchni i położył notes na stole.

— Steve Holly — oznajmił.

— Tak, to on — potwierdził Renshaw.

Siobhan przerwała nalewanie herbaty i spojrzała na Rebusa. Oboje znali Steve'a Holly'ego. Pracował dla brukowca z Glasgow i w przeszłości pokazał już, że potrafi zaleźć za skórę.

— Pogadam z nim — obiecał Rebus, sięgając do kieszeni po proszki przeciwbólowe.

Siobhan podała im kubki i usiadła.

— Wszystko w porządku? — spytała.

— Jasne — skłamał Rebus.

— Co ci się stało w ręce, John? — zainteresował się Renshaw. Inspektor potrząsnął głową.

— Nic, Allan. Jak herbata?

— Doskonała — odparł Renshaw, chociaż nawet po nią nie sięgnął.

Przyglądając się kuzynowi, Rebus myślał o taśmie, o chłodnej relacji Jamesa Bella.

— Derek nie cierpiał — powiedział spokojnie. — Prawdopodobnie nawet nie wiedział, co się dzieje.

Renshaw skinął głową.

— Jeśli mi nie wierzysz... no nic, wkrótce sam będziesz mógł spytać Jamesa Bella. On ci powie.

Kolejne kiwnięcie głową.

— Nie sądzę, żebym go znał.

— Jamesa?

— Derek miał wielu kolegów, ale on chyba do nich nie należał.

— Ale przyjaźnił się z Anthonym Jarviesem? — spytała Siobhan.

— O tak, Tony ciągle tu wpadał. Pomagali sobie w nauce, słuchali muzyki...

— Jakiej? — wtrącił Rebus.

— Głównie jazzu. Milesa Davisa, Colemana jakiegośtam... nie pamiętam nazwisk. Derek chciał sobie kupić saksofon tenorowy i nauczyć się grać, jak pójdzie na studia.

— Kate mówiła, że Derek nie znał człowieka, który go zastrzelił. A ty go znałeś, Allan?

— Widywałem go w pubie. To był... samotnik nie jest właściwym określeniem. Ale nie zawsze siedział w towarzystwie. Czasami znikał na całe dni. Chodził po górach czy coś w tym rodzaju. A może wypływał gdzieś tą swoją łódką.

— Allan... jeśli ci to nie odpowiada, masz prawo się nie zgodzić.

Kuzyn spojrzał na niego.

— Niby co?

— Ciekaw jestem, czy mógłbym rzucić okiem na pokój Dereka...

Renshaw wszedł po schodach przed Rebusem, a Siobhan zamykała pochód. Otworzył im drzwi i usunął się na bok, by mogli wejść.

— Nie miałem okazji, żeby... — zaczął się usprawiedliwiać. — Pokój wprawdzie nie jest...

Sypialnia była mała i — przy zaciągniętych zasłonach — ciemna.

— Mogę odsłonić? — zapytał Rebus.

Jego kuzyn wzruszył tylko ramionami, ale nie chciał przestąpić progu. Rebus rozsunął zasłony. Okno wychodziło na ogródek na tyłach domu; ścierka nadal wisiała na suszarce, kosiarka wciąż stała na trawniku. Ściany pokoju ozdabiały nastrojowe czarno-białe fotografie jazzmanów i wydarte z czasopism zdjęcia eleganckich, leżących na kanapach kobiet. Książki na półkach, sprzęt stereo, czternastocalowy telewizor z wbudowanym magnetowidem. Na biurku laptop podłączony do drukarki. Z trudem starczyło miejsca na wąskie łóżko. Rebus obejrzał grzbiety kompaktów: Ornette Coleman, Coltrane, John Zorn, Archie Shepp, Thelonious Monk. Do tego muzyka klasyczna. Na krześle leżała rakieta tenisowa w pokrowcu, a na oparciu wisiała koszulka gimnastyczna i szorty.

— Derek uprawiał jakiś sport? — zapytał Rebus.

— Trenował biegi, także przełajowe.

— A z kim grywał w tenisa?

— Z Tonym... i z kilkoma innymi. Ale powiem ci, że nie odziedziczył tego po mnie. — Spojrzał na siebie, jakby oceniał swój obwód w pasie. Siobhan posłała mu uśmiech, sądząc, że tego się po niej spodziewa. Wiedziała jednak, że we wszystkim, co mówi Renshaw, nie ma nic naturalnego. Brała w tym udział tylko niewielka część jego mózgu, podczas gdy reszta nadal zmagała się z grozą.

— Przebierać też się lubił — rzekł Rebus, podnosząc oprawione w ramkę zdjęcie Dereka z Anthonym Jarviesem; obaj mieli na sobie mundury i czapki kadetów. Renshaw spojrzał na fotografię, stojąc bezpiecznie w progu.

— Derek wstąpił do nich tylko z powodu Tony'ego — wyjaśnił. Rebus przypomniał sobie, że Eric Fogg mówił z grubsza to samo.

— Czy wypływali kiedyś razem? — spytała Siobhan.

— Całkiem możliwe. Kate próbowała jeździć na nartach wodnych... — Głos Renshawa zamarł. Jego oczy rozszerzyły się. — Ten drań Herdman wziął ją kiedyś na łódź... ją i kilku jej przyjaciół. Jak go dopadnę...

— On nie żyje, Allan — przerwał mu Rebus, wyciągając rękę i dotykając ramienia kuzyna. Piłka nożna... w parku w Bowhill... mały Allan kaleczy sobie kolano na asfalcie, a Rebus przykłada mu na ranę liście szczawiu...

„Miałem rodzinę, ale pozwoliłem, żeby się rozpadła...". Żona się do niego zraziła, córka mieszka w Anglii, brat Bóg raczy wiedzieć gdzie.

— Dopadnę go po pogrzebie — mówił Renshaw. — Mam szczery zamiar odkopać drania i zabić go jeszcze raz.

Rebus ścisnął jego ramię, patrząc, jak oczy kuzyna zachodzą nowymi łzami.

— Zejdźmy do kuchni — zaproponował, prowadząc go do schodów. W przejściu ledwie starczyło miejsca, by mogli stanąć obok siebie. Dwaj dorośli mężczyźni, którzy jakoś się trzymają.

— Allan, sądzisz, że moglibyśmy pożyczyć laptop Dereka?

— Jego laptop? — powtórzył Renshaw, lecz Rebus nie odpowiedział. — Po co? Sam nie wiem, John.

— Tylko na dzień czy dwa. Zwrócę ci go.

Renshaw najwyraźniej miał trudności ze zrozumieniem sensu tej prośby.

— Przypuszczam, że... skoro tak sądzisz...

— Dzięki, Allan. — Inspektor skinął głową na Siobhan, która zawróciła na schodach.

Potem zaprowadził kuzyna do bawialni i posadził go na kanapie. Ten natychmiast wziął plik fotografii.

— Muszę je posegregować — wyjaśnił.

— A co z pracą? Do kiedy masz zwolnienie?

— Powiedzieli, że mogę wrócić po pogrzebie. O tej porze roku nie ma ruchu w interesie.

— Może wpadnę do ciebie do roboty — rzekł Rebus. — Czas, żebym zamienił swojego grata na coś nowszego.

— Znajdę ci coś porządnego — obiecał Renshaw, podnosząc na niego wzrok. — Zobaczysz.

Siobhan stanęła w drzwiach; pod pachą trzymała komputer, za którym ciągnęły się kable.

— Musimy się zbierać — powiedział Rebus. — Zajrzę do ciebie niedługo, Allan.

— Zawsze jesteś mile widziany, John. — Renshaw zdobył się na to, by wstać i wyciągnąć rękę. Nagle przyciągnął kuzyna do siebie, uścisnął go i poklepał po plecach.

Rebus zrewanżował mu się tym samym, zastanawiając się, czy wygląda tak głupio, jak się czuje. Siobhan odwróciła wzrok i wpatrzyła się w czubki swoich butów, jak gdyby sprawdzała, czy nie trzeba ich wyczyścić. Kiedy wyszli do samochodu, Rebus uświadomił sobie, że jest cały spocony, a koszula klei mu się do ciała.

— Czy tam było gorąco?

— Niespecjalnie — odparła Siobhan. — Wciąż masz gorączkę?

— Na to wygląda. — Otarł czoło dłonią w rękawiczce.

— Po co wzięliśmy ten laptop?
— Właściwie bez powodu. — Napotkał jej spojrzenie. — Może po to, żeby sprawdzić, czy nie ma tam czegoś o tej kraksie. Jak Derek się po tym czuł, czy ktoś miał do niego pretensje.
— Poza rodzicami, jak rozumiem?
Przytaknął.
— Może... sam nie wiem. — Westchnął.
— Co?
— Może chcę przejrzeć jego zawartość, żeby wyczuć, co to był za chłopak. — Myślał o Allanie, który pewnie z powrotem włączył telewizor i z pilotem od magnetowidu w ręku przywracał syna do życia... na obrazie, w dźwięku i w kolorze. Ale było to tylko faksymile, ograniczone ciasnotą ekranu.
Siobhan pokiwała głową i schyliła się, by położyć komputer na tylnym siedzeniu wozu.
— Rozumiem — powiedziała.
Ale Rebus nie był tego taki pewny.
— Utrzymujesz kontakt z rodziną? — zapytał.
— Telefon co dwa tygodnie.
Wiedział, że jej rodzice żyją i że mieszkają gdzieś na południu. Jego matka umarła młodo, a kiedy był po trzydziestce, ojciec dołączył do niej.
— Chciałaś kiedyś mieć rodzeństwo?
— Pewnie tak, czasami. — Zamilkła. — Z tobą się coś porobiło, prawda?
— O co ci chodzi?
— Właściwie to sama nie wiem. — Zastanowiła się. — Myślę, że w jakimś momencie uznałeś, że rodzina to tylko ciężar, bo przez nią mógłbyś stać się słaby.
— Jak już się domyśliłaś, przytulanki i buziaczki nie są w moim stylu.
— Może i nie, ale tam w domu uściskałeś kuzyna...
Usiadł na miejscu dla pasażera i zamknął drzwiczki. Po środkach przeciwbólowych jego umysł był wytłumiony, jakby opakowano go folią bąbelkową.
— Jedź — polecił.
Włożyła kluczyk do stacyjki.
— Dokąd?

Nagle coś sobie przypomniał.

— Weź komórkę i zadzwoń do Portakabin.

Wystukała cyferki i wcisnęła mu telefon do wyciągniętej ręki. Gdy ktoś odebrał, Rebus poprosił do telefonu Granta Hooda.

— Grant, tu John Rebus. Słuchaj, potrzebny mi numer Steve'a Holly'ego.

— Z jakiegoś konkretnego powodu?

— Napastuje taką jedną rodzinę. Pomyślałem, że powinienem z nim pogadać.

Hood odchrząknął. Rebus przypomniał sobie, że słyszał ten sam dźwięk na taśmie z przesłuchania, i ciekaw był, czy to jego stały nawyk. Kiedy Grant podał mu numer, powtórzył go na głos, żeby Siobhan mogła zapisać.

— Poczekaj chwilkę, John. Szef chce zamienić z tobą słówko. — Szef, czyli Bobby Hogan.

— Bobby? Masz coś w sprawie tego konta? — zapytał.

— Że co?

— Konto bankowe... duże wpłaty... Coś ci się kołacze w pamięci?

— To nieważne. — W głosie Hogana brzmiała niecierpliwość.

— Co się stało?

— Wygląda na to, że lord Jarvies zapuszkował jednego z dobrych kumpli Herdmana.

— No, no. Kiedy to było?

— W zeszłym roku. Facet nazywa się Robert Niles... coś ci to mówi?

Rebus zmarszczył brwi.

— Robert Niles? — powtórzył. Siobhan kiwnęła głową i przejechała dłonią w poprzek szyi. — Ten, co poderżnął gardło swojej żonie?

— Ten sam — odparł Hogan. — Stwierdzono, że może stanąć przed sądem. Został uznany za winnego i lord Jarvies przysolił mu dożywocie. Dostałem cynk, że Herdman regularnie odwiedzał Nilesa.

— Ile to już minęło... dziewięć, dziesięć miesięcy?

— Wsadzili go do Barlinnie, ale świrował, więc przenieśli go gdzie indziej i wtedy zaczął się chlastać.

— Więc gdzie jest teraz?

— W Szpitalu Specjalnym Carbrae.

Rebus zadumał się.

— Myślisz, że Herdmanowi chodziło o syna sędziego?

— Niewykluczone. Zemsta i tak dalej...

— Tak, zemsta. — Teraz to słowo wisiało nad obydwoma zabitymi chłopakami...

— Wybieram się do niego — mówił Hogan.

— Do Nilesa? To on się nadaje do odwiedzin?

— Na to wygląda. Przejedziesz się ze mną?

— Bobby, pochlebiasz mi. Dlaczego ja?

— Bo Niles służył w SAS, John. Razem z Herdmanem. Jeżeli ktokolwiek wie, co siedziało w głowie Lee Herdmana, to tylko on.

— Morderca zamknięty na oddziale dla czubków? My to mamy szczęście, co?

— Propozycja wciąż aktualna, John.

— Kiedy?

— Myślałem, żeby pojechać jutro, z samego rana. Samochodem to dwie godzinki jazdy.

— Możesz na mnie liczyć.

— Równy z ciebie gość. Kto wie, może coś z niego wyciągniesz... wiesz, empatia itede.

— Myślisz?

— Po mojemu, jak zobaczy twoje dłonie, uzna cię za towarzysza niedoli.

Hogan wciąż chichotał, gdy Rebus oddawał telefon Siobhan. Przerwała połączenie.

— Większość słyszałam — zdążyła powiedzieć i w tej samej chwili jej telefon zabrzęczał. Dzwoniła Gill Templer.

— Dlaczego Rebus w ogóle nie odbiera telefonu?! — ryknęła.

— Chyba wyłączył — odparła Siobhan, patrząc na Rebusa. — Nie może naciskać guzików.

— Zabawne, zawsze mi się zdawało, że akurat w naciskaniu guzików jest ekspertem.

Siobhan uśmiechnęła się. Zwłaszcza twoich, pomyślała.

— Chce pani z nim rozmawiać? — spytała.

— Chcę was widzieć oboje u siebie — odparła Templer. — I to migiem, bez żadnych wymówek.

— Co się stało?

— Macie kłopoty, i tyle. Najgorsze z możliwych... — Słowa Templer zawisły w powietrzu. Siobhan wiedziała, co to oznacza.

— Gazety?

— Trafiłaś w dziesiątkę. Ktoś zwietrzył całą historię, tyle że dodali trochę smaczków i chciałabym, żeby John mi je wyjaśnił.

— Jakich smaczków?

— Ktoś widział go, jak wychodził z pubu z Martinem Fairstone'em i szedł z nim do jego domu. Widział go też, jak stamtąd wychodził dużo później... tuż przed tym, jak dom stanął w płomieniach. Rzeczona gazeta chce pójść tym tropem.

— Już jedziemy.

— Czekam. — Telefon umilkł.

Siobhan zapuściła silnik.

— Musimy wracać na St Leonard's — poinformowała Rebusa i zaczęła wyjaśniać dlaczego.

— Co to za gazeta? — zapytał po długim milczeniu.

— Nie pytałam.

— To zadzwoń do niej.

Siobhan spojrzała na niego, ale wybrała numer.

— Daj mi telefon — polecił. — Wolę, żebyś nie wypadła z drogi.

Przyłożył słuchawkę do ucha i poprosił o połączenie z gabinetem starszej inspektor.

— Tu John — powiedział, gdy Templer odebrała. — Kto napisał ten artykuł?

— Niejaki Steve Holly, reporter. Ten drań jest jak terier na wiecu pod latarnią.

6

— Wiedziałem, że to będzie źle wyglądać — tłumaczył Rebus Gill Templer. — Dlatego nic nie mówiłem.

Rozmawiali w jej gabinecie. Ona siedziała, on stał. Templer trzymała w ręku zatemperowany ołówek. Obracała nim, przyglądała się jego czubkowi, a może rozważała użycie go w charakterze broni.

— Okłamałeś mnie.

— Gill, ja tylko pominąłem kilka szczegółów...

— Kilka szczegółów?!

— Nieistotnych.

— Poszedłeś z nim do domu!

— Wpadliśmy do niego na drinka.

— Ty i znany przestępca, który groził twojej najbliższej koleżance? Który złożył na ciebie skargę o napaść?

— Ja tylko z nim gadałem. Nie kłóciliśmy się ani nic w tym stylu. — Rebus zaczął splatać ramiona na piersi, to jednak wzmogło ciśnienie krwi w dłoniach, więc opuścił ręce z powrotem. — Spytajcie sąsiadów, czy słyszeli jakieś podniesione głosy. Ja ci mogę powiedzieć już teraz, że nie słyszeli. Piliśmy whisky w jego bawialni.

— Nie w kuchni?

Rebus pokręcił głową.

— Do kuchni w ogóle nie wchodziłem.

— O której wyszedłeś?

— Nie mam pojęcia. Na pewno po północy.

113

— A więc krótko przed pożarem?

— Dużo wcześniej.

Wbiła w niego wzrok.

— Gill, facet miał dobrze w czubie. Wszyscy to znamy... gość bierze frytki, nastawia patelnię i zasypia. Albo to, albo zapalony papieros spadł mu z kanapy.

Templer czubkiem palca sprawdziła ostrość ołówka.

— Czy siedzę w kłopotach po uszy? — zapytał, by przerwać doskwierającą mu ciszę.

— Zależy od Steve'a Holly'ego. Rozrabia jak pijany zając, więc musimy pokazać, że jakoś na to reagujemy.

— Na przykład zawieszając mnie w obowiązkach?

— Przyszło mi to do głowy.

— Nie miałbym do ciebie pretensji.

— To bardzo wspaniałomyślnie z twojej strony, John. Po co do niego poszedłeś?

— Bo mnie zaprosił. Zdaje się, że lubił takie gierki. Dla niego Siobhan to też była tylko gra. A potem ja mu się nawinąłem. Siedział tam i częstował mnie drinkami, opowiadając o swoich przygodach... zdaje się, że go to rajcowało.

— A co ty chciałeś przez to osiągnąć?

— Właściwie sam nie wiem... myślałem, że skłonię go, żeby odczepił się od Siobhan.

— Prosiła cię o pomoc?

— Nie.

— Jasne, że nie. Ona sama potrafi walczyć o swoje sprawy.

Rebus przytaknął ruchem głowy.

— A zatem to zbieg okoliczności?

— Fairstone sam się prosił o katastrofę. Bogu dzięki, że nie pociągnął za sobą nikogo innego.

— Bogu dzięki?

— Jego śmierć nie spędza mi snu z powiek, Gill.

— Jasne, tego akurat trudno byłoby po tobie oczekiwać.

Rebus wyprostował się i uchwycił się ciszy, objął ją. Templer skrzywiła się — czubkiem ołówka przebiła sobie palec do krwi.

— To ostatnie ostrzeżenie, John — powiedziała, opuszczając dłoń. Nie chciała zajmować się skaleczeniem — dowodem, że nie jest ze stali — w jego obecności.

— Tak jest, Gill.

— Jak mówię, że ostatnie, to ostatnie.

— Rozumiem. Chcesz, żebym ci przyniósł plaster? — Jego ręka powędrowała do klamki u drzwi.

— Chcę, żebyś wyszedł.

— Jesteś pewna, że nic ci nie...

— Jazda stąd!

Zamknął za sobą drzwi, czując, jak mięśnie jego nóg znów zaczynają pracować. Siobhan, stojąca niecałe dziesięć stóp dalej, pytająco uniosła brew. Niezdarnie uniósł kciuki do góry, a ona potrząsnęła głową powoli: „Nie wiem, jak ci to uszło na sucho". On sam też chyba nie wiedział.

— Chodź, postawię ci coś do picia — zaproponował. — Może być kawa w kantynie?

— Zastaw się, a postaw się, tak?

— Dostałem ostatnie ostrzeżenie. Nie będzie to fetowanie zwycięskiej bramki na Hampden.

— Raczej powrotu do gry na Easter Road*?

Udało jej się zmusić go do uśmiechu. Poczuł, że od powstrzymywanego napięcia tak rozbolała go szczęka, że nawet zwykły uśmiech mógł mu ją teraz przestawić.

Na dole panował chaos. Ludzie kłębili się w korytarzu, wszystkie sale przesłuchań były zajęte. Rebus rozpoznał ludzi z komisariatu w Leith — ekipę Hogana. Złapał któregoś z nich za łokieć.

— Co tu się dzieje?

Facet obrzucił go wściekłym spojrzeniem, które złagodniało, gdy rozpoznał pytającego. Był to posterunkowy Pettifer. Pracował w dochodzeniówce zaledwie od pół roku, ale wyrabiał się szybko.

— Leith jest kompletnie zapchane — wyjaśnił. — Pomyśleliśmy, że przeniesiemy część ludzi na St Leonard's.

Rebus rozejrzał się. Ściągnięte twarze, liche ubrania, nieostrzyżone włosy... śmietanka dołów społecznych Edynburga. Informatorzy, ćpuny, naganiacze na wyścigach, farmazony, włamywacze, mięśniaki, pijacy... Po całym komisariacie rozchodziły się ich wymieszane zapachy i bełkotliwe, pełne znie-

---

* Hampden — stadion drużyny Queens Park FC w Glasgow; Easter Road — stadion Hibernian FC w Edynburgu.

cierpliwienia protesty. Byli gotowi walczyć z każdym, zawsze i wszędzie. Gdzie są ich adwokaci? Nie ma nic do picia? Muszą się odlać. Co tu jest grane? A gdzie prawa człowieka? Ten faszystowski kraj jest pozbawiony godności...

Policjanci w cywilu i mundurowi próbowali zaprowadzić jaki taki porządek, zbierając nazwiska, szczegóły, wskazując pokoje albo ławki, gdzie można by złożyć zeznania, wszystkiego się wyprzeć albo poskarżyć po cichu. Młodsi, niestłamszeni jeszcze przez nieustanną atencję stróżów prawa, strugali chojraków. Mimo tabliczek z zakazem palenia kopcili jak kominy. Rebus wysępił skręta od jednego z nich. Facet nosił kraciastą baseballówkę z zadartym do nieba daszkiem. Rebus uznał, że jeden podmuch edynburskiego wiatru zdmuchnąłby mu tę czapkę z głowy jak świecę.

— Ja tam nic żem nie zrobił — oświadczył chłopak; jego jedno ramię drgało nerwowo. — A oni mi trują, że niby pomagałem. Ja mam, bracie, zasadę, od gnatów i klamek trzymać się z daleka. Podasz? — Mrugnął okiem, zimnym jak oko węża. — Tylko raz się sztachnę, no? — Chodziło mu o zmiętoszonego papierosa. Rebus kiwnął głową i ruszył dalej, do Siobhan.

— Bobby szuka tego, kto dostarczył broń — poinformował ją. — Wziął w obroty tradycyjnych desperatów.

— Chyba poznaję kilka twarzy.

— Na pewno nie z czasów, kiedy sędziowałaś w konkursach na najładniejsze dziecko.

Przyjrzał się mężczyznom, bo byli tam sami mężczyźni. Łatwo było w nich dostrzec ludzkie wraki; przy odrobinie wyobraźni dało się nawet wykrzesać dla nich z głębi duszy cień współczucia. To ludzie, do których los się nie uśmiechnął; ludzie wychowani w poszanowaniu chciwości i strachu; ludzie, których życie zostało skażone przez jedno słowo: kasa.

Rebus w to wierzył. Znał rodziny, w których dzieci uciekały z domu i dorastały obojętne na wszystko poza zasadami przeżycia w dżungli, za jaką uważały otaczający je świat. Brak szacunku dla innych miały zapisany w genach. Okrutne środowisko uczy okrucieństwa. Rebus znał ojców i dziadków niektórych z nich. Przestępczość mieli we krwi, jedynym argumentem przemawiającym przeciwko kolejnym odsiadkom była dla nich starość. Tak wyglądały podstawowe fakty. Był jednak pewien problem — zanim Rebus i jego koledzy po fachu mieli powód, by zająć się tymi młodymi ludźmi, szkody, najczęściej nieodwracalne, były już dokonane. W rezultacie nie zostawało miejsca na współczucie. Zastępowała je wojna na wyczerpanie.

Trafiali się też wśród nich ludzie pokroju Pawia Johnsona. Rzecz jasna, nie było to jego prawdziwe imię — wzięło się od koszul, jakie nosił, koszul, na widok których można się było wyleczyć z potężnego kaca. Johnson był drobnym cwaniaczkiem, pozującym na światowca. Doszedł do sporych pieniędzy i szastał nimi na prawo i lewo. Koszule zwykle obstalowywał u krawców na jednej z wąskich uliczek Nowego Miasta. Czasami z upodobaniem nosił filcowe kapelusze, zapuścił też cienki czarny wąsik, prawdopodobnie myśląc, że będzie wyglądał jak Kid Creole. Miał porządnie zrobione zęby — już choćby tylko dzięki temu odstawał od swego środowiska — i szafował uśmiechem bez opamiętania. To był prawdziwy okaz.

Rebus wiedział, że Johnson dobiega czterdziestki, lecz można mu było dać dziesięć lat mniej lub więcej, w zależności od jego aktualnego nastroju i ubrania. Nie ruszał się nigdzie bez kurdupla zwanego Złym Bobem. Bob zawsze ubierał się tak samo, jakby nosił mundur — czapka baseballowa, koszulka gimnastyczna, workowate czarne dżinsy i za duże adidasy. Na palcach złote sygnety, na obu nadgarstkach bransoletki z wygrawerowanym imieniem, na szyi łańcuchy. Miał owalną dziobatą twarz i wiecznie otwarte usta, jakby stale czemuś się dziwił. Niektórzy twierdzili, że Zły Bob jest bratem Pawia. Jeśli tak było naprawdę, to zdaniem Rebusa przeprowadzono jakiś okrutny genetyczny eksperyment — wysoki, niemal elegancki Paw i jego nieokrzesany przydupas.

Co się zaś tyczy przydomka „Zły", uważano go po prostu za część imienia Złego Boba.

Rebus patrzył, jak ich rozdzielają. Bob miał pójść z jednym z detektywów na górę, gdzie niedawno wygospodarowano nowe pokoje, Johnsona zaś posterunkowy Pettifer zabierał do sali przesłuchań numer jeden. Rebus rzucił okiem na Siobhan i przecisnął się przez tłum.

— Mogę sobie z wami posiedzieć? — zapytał Pettifera.

Młody człowiek zmieszał się wyraźnie. Rebus spróbował dodać mu otuchy uśmiechem.

— Pan Rebus... — Johnson wyciągał do niego rękę. — Cóż za miła niespodzianka.

Rebus potraktował go jak powietrze. Nie chciał, żeby taki stary wyjadacz jak Johnson zorientował się, że Pettifer jest jeszcze świeży jak szczypiorek na wiosnę. Zarazem jednak musiał przekonać posterunkowego, że nic przeciwko niemu nie knuje, że nie przyszedł go szpiegować. W zanadrzu miał tylko uśmiech, więc znów sięgnął po niego.

— Jasne — odparł w końcu Pettifer.

Kiedy wszyscy trzej wchodzili do sali przesłuchań, Rebus wyciągnął palec wskazujący w kierunku Siobhan, z nadzieją, że zrozumie i na niego poczeka.

W małej i dusznej sali przesłuchań numer jeden unosił się odór ciał półtuzina poprzednich gości. Na jednej ścianie były wprawdzie wysoko osadzone okna, ale się nie otwierały. Na niewielkim stoliku stał dwukasetowy magnetofon. Za nim, na wysokości barków siedzącego, tkwił w ścianie przycisk alarmowy. Umieszczona na statywie nad drzwiami kamera wideo obejmowała wnętrze pomieszczenia.

Dziś jednak nie rejestrowano obrazu ani dźwięku. Były to przesłuchania nieformalne, chodziło przede wszystkim o wykazanie dobrej woli. Pettifer miał ze sobą tylko kilka czystych kartek i tani długopis. Zapoznał się wcześniej z aktami Johnsona, lecz nie zamierzał się z tym obnosić.

— Proszę usiąść — rzekł Pettifer.

Johnson przetarł krzesło jaskrawoczerwoną chusteczką i dopiero potem opadł na nie z wystudiowanym namysłem.

Pettifer usiadł naprzeciwko niego i wtedy zdał sobie sprawę, że nie ma krzesła dla Rebusa. Chciał wstać, ale inspektor pokręcił głową.

— Postoję sobie tutaj, jeśli można — powiedział. Stał oparty o przeciwległą ścianę, ze skrzyżowanymi nogami i rękami w kieszeniach marynarki. Wybrał takie miejsce, by Pettifer miał go w zasięgu wzroku, ale Johnson, chcąc go zobaczyć, musiałby się odwrócić.

— Robi pan za gwiazdę na gościnnych występach, panie Rebus? — zapytał Johnson z szerokim uśmiechem.

— Dla ciebie, Pawiu, wszystko co najlepsze.

— Paw zawsze podróżuje pierwszą klasą, panie Rebus. — Johnson z zadowoleniem rozsiadł się na krześle i splótł ramiona. Jego kruczoczarne, zaczesane do tyłu włosy zwijały się u nasady karku. Zwykle trzymał w ustach patyczek koktajlowy i obracał nim jak lizakiem. Ale nie dziś. Dzisiaj żuł gumę.

— Przypuszczam, panie Johnson, że wie pan, w jakim celu pana wezwaliśmy? — odezwał się Pettifer.

— Przepytujecie nas wszystkich na okoliczność tego zabójcy. Mówiłem tamtemu gliniarzowi, mówiłem każdemu, kto chciał słuchać, że Paw nie bawi się w takie rzeczy. Strzelanie do dzieciaków... człowieku, toż to zło w najczystszej postaci! — Powoli pokręcił głową. — Pomógłbym wam, gdybym mógł, ale zwabiliście mnie tu pod jakimś fałszywym pretekstem.

— Pan już miał kłopoty z powodu broni palnej, panie Johnson. Pomyśleliśmy, że być może należy pan do ludzi, którzy wiedzą, co w trawie piszczy. Być może coś do pana dotarło. Jakieś plotki, na przykład o kimś nowym na rynku...

W głosie Pettifera słychać było pewność siebie. W dziewięćdziesięciu procentach mogło to być tylko na pokaz, możliwe, że w środku drżał jak ostatni jesienny liść na gałęzi, ale brzmiał tak, jak należy, a o to w końcu chodziło. Rebusowi spodobało się to, co zobaczył.

— Paw nie jest, jak by pan to powiedział, kapusiem, panie władzo. Ale w tym wypadku nie ma sprawy. Jak tylko coś usłyszę, od razu do pana przylecę. Niech pana o to głowa nie boli. A tak dla jasności, ja sprzedaję repliki broni... na rynku kolekcjonerów, szacownym biznesmenom i tym podobnym. No ale gdyby władze zwierzchnie uznały ten handel za nielegalny, może pan być pewien, że Paw zawiesi działalność.

— Nigdy nie sprzedał pan nikomu nielegalnej broni?

— Nigdy.

— I nie zna pan przypadkiem kogoś, kto mógłby to zrobić?

— Jak już stwierdziłem w odpowiedzi na poprzednie pytanie, Paw nie jest kapusiem.

— A jeśli chodzi o tę pańską broń dla kolekcjonerów... czy zna pan kogoś, kto potrafiłby ją przerobić na ostrą?

— Nikogusieńko, panie władzo.

Pettifer pokiwał głową i spojrzał na kartki, równie czyste jak wtedy, gdy kładł je na stole. Korzystając z chwilowej ciszy, Johnson odwrócił się i spojrzał na Rebusa.

— Jak się podróżuje wagonami dla bydła, panie Rebus?

— Podoba mi się. Ludzie tam mają lepsze maniery.

— No, no... — Kolejny uśmiech, któremu tym razem towarzyszyło grożenie palcem. — Nie pozwolę, żeby jakiś zarozumiały urzędnik państwowy zbrukał moje apartamenty.

— Spodoba ci się w Barlinnie, Pawiu — odciął się Rebus. — A może odwrotnie... to faceci stamtąd zakochają się w tobie na zabój. W Bar-L strojnisie zawsze mieli wzięcie.

— Panie Rebus... — Johnson zwiesił głowę i westchnął. — Wendeta to brudna sprawa. Pan się zapyta Włochów.

Pettifer przesunął się na krześle, które zaszurało po podłodze.

— Wróćmy może do zasadniczego pytania. Skąd, pańskim zdaniem, Lee Herdman zdobył tę broń?

— Zdaje się, że dzisiaj produkują ją głównie w Chinach, prawda? — odparł Johnson.

— Chodzi mi o to — ciągnął Pettifer nieco ostrzejszym tonem — jak można wejść w posiadanie takiej broni?

Johnson teatralnie wzruszył ramionami.

— Ująć ją za rękojeść i położyć palec na spuście? — Roześmiał się ze swego dowcipu; jego śmiech zabrzmiał samotnie w panującej ciszy. Potem poprawił się na krześle, próbując przybrać poważny wyraz twarzy. — Większość zbrojmistrzów działa w Glasgow. To z tymi ptaszkami powinniście pogadać.

— Nasi koledzy na zachodzie właśnie się tym zajmują — rzekł Pettifer. — Tymczasem może jednak przychodzi panu do głowy ktoś konkretny, do kogo powinniśmy się zwrócić?

Johnson wzruszył ramionami.

— Bij, zabij, nie mam pojęcia.

— Powinien pan to zrobić, panie posterunkowy — wtrącił Rebus, kierując się do drzwi. — Stanowczo powinien pan skorzystać z jego rady...

Na zewnątrz nie opanowano jeszcze sytuacji; Siobhan przepadła bez śladu. Rebus domyślał się, że schroniła się w kantynie, lecz zamiast jej szukać, ruszył na górę. Zajrzał do kilku pomieszczeń, aż wreszcie znalazł Złego Boba, którego przesłuchiwał sierżant George Silvers. Sierżant był w samej koszuli, bez marynarki. Na St Leonard's znano go jako „Hi-Ho". Był to oportunista, który czekał na wypłatę równie niecierpliwie jak autostopowicz na ciężarówkę na parkingu. Gdy Rebus wszedł do pokoju, nawet nie pozdrowił go skinieniem głowy. Miał jeszcze przed sobą tuzin pytań i chciał jak najszybciej uzyskać na nie odpowiedź, by siedzącego przed nim osobnika można było odstawić z powrotem na ulicę. Rebus przysunął sobie krzesło i siadł między nimi tak, że jego prawe kolano znalazło się tuż obok lewego kolana Boba. Kurdupel zaczął się wiercić na krześle.

— Właśnie słuchałem Pawia — rzekł Rebus, nie przejmując się tym, że przerwał Silversowi pytanie. — Powinien sobie zmienić ksywkę na Kanarek.

Bob spojrzał na niego tępym wzrokiem.

— Że niby co?

— A jak myślisz?

— Bo ja wiem?

— Co robią kanarki?

— Fruwają... mieszkają na drzewach.

— Mieszkają w klatce u twojej pieprzonej babki, kretynie. I śpiewają.

Bob przemyślał to sobie; Rebus nieomal słyszał zgrzyt kółek zębatych w jego głowie. Drobni przestępcy często tak zagrywali. Trafiali się wśród nich spryciarze, mądrzy nie tylko na ulicy. Ale Bob albo był Robertem de Niro w szczytowej formie, albo nie miał w sobie nic z aktora.

— Co takiego? — zapytał, po czym napotkał wzrok inspektora. — Znaczy się, co takiego śpiewają?

A zatem nie de Niro...

— Bob — powiedział Rebus, opierając łokcie na kolanach i nachylając się ku krępemu mężczyźnie. — Jak będziesz trzymał z Johnsonem, przesiedzisz pół życia za kratkami.

— To co?

— Nie obchodzi cię to?

Głupie pytanie, uświadomił sobie Rebus, zaledwie wypowiedział te słowa. Upewniło go w tym figlarne spojrzenie Silversa. Dla Boba pobyt w więzieniu byłby tylko kolejnym spacerkiem przez sen. Nie wywarłby na nim najmniejszego wrażenia.

— Paw i ja jesteśmy wspólnikami.

— Tak, jasne, a on na pewno dzieli się z tobą po połowie.

Nie rozśmieszaj mnie, Bob. — Rebus uśmiechnął się konspiracyjnie. — Przecież on cię kantuje. Szczerzy się do ciebie i oślepia blaskiem sztucznych zębów. Ale robi cię w konia. A zgadnij, kto w razie wpadki dostanie po dupie? Właśnie po to cię trzyma. Jesteś jak ten facet z pantomimy, który na każdym przedstawieniu dostaje w pysk ciastkiem z kremem. Na miłość boską, przecież wy dwaj kupujecie i sprzedajecie broń! Myślisz, że nic na was nie mamy?

— Repliki — oświadczył Bob, jak gdyby powtarzał wyuczoną lekcję. — Dla kolekcjonerów, którzy wieszają je sobie na ścianach.

— Jasne, bo ludzie tylko marzą o tym, żeby mieć fałszywe glocki siedemnastki i walthery PPK nad kominkiem...

Rebus usiadł prosto. Nie wiedział, czy dotarcie do Boba jest w ogóle możliwe. Musiał być jakiś sposób, jakiś słaby punkt, który mógłby wykorzystać. Ale ten facet był niczym mokre ciasto. Można go było ugniatać, wykręcać, zmieniać kształt, a w końcu i tak uzyskiwało się gąbczastą masę. Postanowił spróbować raz jeszcze.

— Pewnego dnia, Bob, jakiś dzieciak wyciągnie taką waszą replikę i ktoś go rozwali, myśląc, że broń była prawdziwa. To tylko kwestia czasu. — Miał świadomość, że pozwolił sobie na to, by w jego głos wkradło się uczucie. Silvers obserwował go bacznie, zastanawiając się, do czego zmierza. Rebus spojrzał na niego, wzruszył ramionami i podniósł się z krzesła. — Przemyśl to sobie, Bob. Zrób to dla mnie. — Spróbował nawiązać z nim kontakt wzrokowy, lecz młody człowiek gapił się na światła na suficie, niczym na pokaz ogni sztucznych. Wychodząc, Rebus usłyszał, jak mówi do Silversa:

— Nigdy nie byłem na pantomimie...

Porzucona przez Rebusa Siobhan poszła na górę, do wydziału śledczego. W głównym biurze pracowano w najlepsze — detektywi siedzieli przy cudzych biurkach, naprzeciwko przesłuchiwanych. Na jej biurku przesunięto monitor komputera, a tacę z przychodzącą korespondencją wygnano na podłogę. Detektyw posterunkowy Davie Hynds notował, a siedzący przed nim młody człowiek, o źrenicach zmniejszonych do rozmiarów łebka od szpilki, cedził coś monotonnie.

— Nie podoba ci się twoje biurko? — spytała Siobhan.

— Sierżant Wylie wykorzystała to, że jest starsza stopniem. — Hynds ruchem głowy wskazał detektyw sierżant Ellen Wylie, która siedziała przy jego biurku, szykując się do następnego przesłuchania. Na dźwięk swojego nazwiska podniosła wzrok i uśmiechnęła się. Siobhan zrewanżowała się tym samym. Ellen pracowała na posterunku West End. Miała ten sam stopień służbowy co Siobhan, ale pracowała znacznie dłużej. Siobhan zdawała sobie sprawę, że kiedyś przyjdzie im rywalizować o awans. Postanowiła schować tacę z korespondencją do jednej z szuflad biurka — cała ta inwazja wcale jej się nie podobała. Każdy komisariat był czymś na kształt lenna. Nie sposób było przewidzieć, co najeźdźcy mogą zabrać ze sobą...

Podnosząc tacę, ujrzała róg białej koperty, wystający spod pliku zszytych raportów. Wyciągnęła ją, wsunęła tacę do jedynej głębokiej szuflady i zamknęła ją na kluczyk. Hynds przyglądał jej się.

— Chyba nic z tego nie potrzebujesz, co? — spytała.

Pokręcił głową, ciekaw, czy doczeka się wyjaśnienia. Siobhan jednak odeszła bez słowa i ruszyła na dół, do automatu z napojami. Tam było nieco spokojniej. Dwaj detektywi z innego posterunku stali na parkingu, paląc papierosy i opowiadając sobie dowcipy. Przekonała się, że Rebusa tam nie ma, więc została przy automacie i otworzyła zimną jak lód puszkę. Cukier zaatakował jej zęby, a potem żołądek. Sprawdziła na puszce składniki napoju, wbijając sobie do głowy, że książki o napadach paniki każą odstawić kofeinę. Próbowała wzbudzić w sobie upodobanie do kawy bezkofeinowej, wiedziała też, że istnieją zimne napoje bez kofeiny. No i sól — jej też powinna unikać. Wysokie ciśnienie krwi i tak dalej. Alkohol wchodził w rachubę w umiarkowanych ilościach. Zastanawiała się, czy butelka wina wieczorem po pracy to ilość „umiarkowana", ale jakoś w to nie wierzyła. Problem w tym, że gdy wypijała tylko pół butelki, następnego dnia reszta miała ohydny smak. Musi zapamiętać: trzeba zbadać możliwość kupowania wina w małych butelkach.

Przypomniała sobie o kopercie i wyjęła ją z kieszeni. Zaadresowana ręcznie, strasznymi bazgrołami. Odstawiła puszkę na automat; kiedy otwierała kopertę, narastało w niej złe przeczucie. Była pewna, że w środku jest tylko pojedyncza kartka. Żadnych żyletek czy szkła... Wokół roiło się od świrów, którzy chcieli się z nią podzielić swoimi przemyśleniami. Rozłożyła list. Nabazgrany wielkimi literami.

DO RYCHŁEGO ZOBACZENIA W PIEKLE. MARTY.

Imię było podkreślone. Serce waliło jej młotem. Nie miała wątpliwości, kim jest ten Marty — Martin Fairstone. Tyle że z Fairstone'a został popiół i kości w słoju na półce czyjegoś laboratorium. Przyjrzała się kopercie. Adres i kod pocztowy bezbłędne. Ktoś sobie z niej w ten sposób żartuje? Ale kto? Kto wiedział o niej i Fairstonie? Rebus, Templer... I kto jeszcze? Cofnęła się myślami o kilka miesięcy. Ktoś zostawiał jej wiadomości na ekranie komputera. Musiał to być ktoś ze śledczego, jeden z jej tak zwanych kolegów. Jednak te wiadomości się skończyły. Davie Hynds i George Silvers — pracowali obok niej. Grant Hood przeważnie też. Inni przychodzili i odchodzili. Ale żadnemu z nich nie mówiła o Fairstonie. Zaraz, zaraz... kiedy Fairstone złożył na nią skargę, czy cokolwiek trafiło do akt? Wątpiła w to. Tyle że na każdym komisariacie policji aż huczy od plotek; trudno cokolwiek utrzymać w tajemnicy.

Uświadomiła sobie, że gapi się przez prowadzące na zewnątrz szklane drzwi, a dwaj detektywi na parkingu spoglądają na nią, pewnie się dziwiąc, co w nich tak ją zahipnotyzowało. Zdobyła się na uśmiech i pokręciła głową na znak, że jest „zamroczona".

Z braku lepszego zajęcia wyjęła komórkę. Miała zamiar sprawdzić wiadomości, tymczasem jednak zaczęła dzwonić, wystukując numer z pamięci.

— Mówi Ray Duff.

— Ray? Jesteś zajęty?

Wiedziała, co teraz nastąpi — wciągnięcie powietrza, a potem długi wydech. Duff był naukowcem pracującym w laboratorium patologa w Howdenhall.

— Pytasz, czy mam coś do roboty poza sprawdzaniem, że wszystkie kule w Port Edgar pochodziły z tej samej broni, porównywaniem śladów krwi i prochu, badaniami balistycznymi i tak dalej?

— Przynajmniej nie jesteś bezrobotny. Jak się sprawuje twoje MG?

— Chodzi jak marzenie. — Kiedy rozmawiali ostatnim razem, Duff właśnie skończył renowację MG, model 1973 special. — Propozycja wypadu na weekend nadal aktualna.

— Może jak pogoda się poprawi.

— Zawsze można założyć dach.

— Ale to już nie to samo, co? Słuchaj, Ray, zdaję sobie sprawę, że w związku z tą szkołą jesteś zagrzebany w robocie po same uszy, ale chciałabym cię prosić o przysługę.

— Siobhan, dobrze wiesz, że muszę odmówić. Wszyscy chcą zapiąć tę sprawę na ostatni guzik.

— Wiem. Ja także nad tym pracuję.

— Tak samo jak wszyscy inni gliniarze w tym mieście. — Kolejne westchnienie. — A tak przez ciekawość, o co właściwie chodzi?

— Ale tylko między nami?

— Oczywiście.

Siobhan rozejrzała się. Detektywi na zewnątrz przestali się nią interesować. Przy stoliku w kantynie, jakieś dwadzieścia stóp od niej, siedzieli trzej posterunkowi, jedząc kanapki i popijając herbatę. Odwróciła się od nich, twarzą do automatu.

— Po prostu dostałam list. Anonim.

— Ktoś ci grozi?

— Coś w tym rodzaju.

— Powinnaś go komuś pokazać.

— Chciałam pokazać go tobie, może byś coś na nim znalazł.

— Chodziło mi o to, żebyś go pokazała szefowej. Zdaje się, że to Gill Templer?

— Ostatnio przestałam być jej pupilką. Poza tym jest zarzucona robotą.

— A ja to nie?

— Tylko szybki rzut oka, Ray. Albo coś znajdziesz, albo nie.

— Ale po cichutku, zgadza się?

— Właśnie.

— Błąd. Skoro ktoś ci grozi, powinnaś to zgłosić, Shiv.

Znów to zdrobnienie — Shiv! Coraz więcej ludzi tak ją nazywało. Uznała jednak, że nie czas na to, by tłumaczyć Rayowi, jak bardzo tego nie lubi.

— Rzecz w tym, Ray, że to list od nieboszczyka.

Na linii zapadła cisza. W końcu Duff wycedził:

— No dobra. Zainteresowałaś mnie.

— Dom komunalny w Gracemount, pożar od patelni...

— A, tak. Pan Martin Fairstone. Nad nim też próbowałem trochę popracować.

— Z jakim skutkiem?

— Za wcześnie, żeby o tym mówić... Na szczyt listy wskoczyło Port Edgar. Fairstone spadł o kilka pozycji.

Rozbawiła ją ta analogia. Ray lubił bawić się w listy przebojów. Ich rozmowy zwykle dotyczyły pierwszej trójki albo piątki. I jak na zawołanie usłyszała:

— Przy okazji, Shiv... trzej najlepsi szkoccy wykonawcy rocka i popu?

— Ray...

— Spraw mi przyjemność. Ale nie wolno ci się namyślać, mów tylko to, co ci od razu przychodzi do głowy.

— Rod Stewart? Big Country? Travis?

— A gdzie miejsce dla Lulu? I Annie Lennox?

— Nie jestem w tym dobra, Ray.

— W każdym razie Rod to interesująca propozycja.

— To dzięki inspektorowi Rebusowi. Pożycza mi stare albumy... — Tym razem to ona westchnęła. — No więc jak, pomożesz mi, czy nie?

— Kiedy możesz mi to podesłać?

— W ciągu godziny.

— Chyba mógłbym zostać po godzinach. Może to by coś zmieniło między nami?

— Czy mówiłam ci już, że jesteś śliczny, dowcipny i uroczy?

— Za każdym razem, kiedy zgadzam się wyświadczyć ci przysługę, poza tym nigdy.

— Jesteś aniołem, Ray. Odezwij się jak najszybciej.

— Wpadnij kiedyś na przejażdżkę — mówił Duff, kiedy przerywała połączenie. Przeszła z listem przez kantynę, do znajdującej się za nią recepcji.

— Nie masz przypadkiem torebki na dowody rzeczowe? — spytała dyżurnego sierżanta.

Otworzył kilka szuflad.

— Mogę przynieść z góry — zaproponował, przyznając się do porażki.

— A masz kopertę na depozyty?

Sierżant znów się pochylił i wyciągnął spod lady brązową kopertę formatu A4.

— Może być — powiedziała Siobhan, wkładając do niej swoją kopertę. Na wierzchu napisała nazwisko Raya Duffa, swoje jako nadawcy oraz słowo PILNE, po czym wróciła przez kantynę i wyszła na parking. Palacze wrócili już do budynku, dzięki czemu nie musiała ich przepraszać za to, że się na nich gapiła. Dwoje mundurowych wsiadało do wozu patrolowego. — Hej, zaczekajcie! — zawołała.

Kiedy podeszła bliżej, poznała, że pasażerem jest posterunkowy John Mason; rzecz jasna, na komisariacie wszyscy wołali na niego „Perry". Za kierownicą siedziała Toni Jackson.

— Cześć, Siobhan! — powitała ją Jackson. — Brakowało nam cię w piątek wieczorem.

W ramach przeprosin Siobhan wzruszyła ramionami. Toni i kilka innych mundurowych policjantek raz w tygodniu lubiły wyskoczyć gdzieś i się zabawić. Spośród detektywów tylko Siobhan była dopuszczona do ich grona.

— Pewnie straciłam fajny wieczór? — spytała.

— Fantastyczny! Moja wątroba wciąż jeszcze dochodzi do siebie.

— A coście takiego robiły? — zainteresował się Mason.

— Chciałbyś wiedzieć, co? — Jego partnerka puściła do niego oko, po czym zwróciła się do Siobhan: — Mamy robić za listonoszy? — Ruchem głowy wskazała kopertę.

— A moglibyście? To dla patologów w Howdenhall. Dostarczcie to temu facetowi do rąk własnych, jeśli to będzie możliwe. — Postukała palcem w nazwisko Duffa.

— Mamy wpaść w kilka miejsc... nie nadłożymy wiele drogi.

— Obiecałam, że dostarczę to w ciągu godziny.

— Żaden problem... skoro Toni prowadzi — zapewnił ją Mason.

Jackson puściła to mimo uszu.

— Chodzą słuchy, Siobhan, że zdegradowali cię do roli szofera.

Siobhan skrzywiła się.

— Tylko na kilka dni.

— W jaki sposób tak sobie załatwił dłonie?

Siobhan wbiła wzrok w Jackson.

— Nie wiem, Toni. A co podają bębny w dżungli?

— Rozmaite rzeczy... wszystko, od bójki na pięści po oparzenie tłuszczem.

— Jedno drugiego nie wyklucza.

— Jeśli chodzi o inspektora Rebusa, w ogóle niczego nie można wykluczyć. — Jackson uśmiechnęła się kwaśno, wyciągając rękę po kopertę. — Dostałaś żółtą kartkę, Siobhan.

— W ten piątek będę na pewno, jeśli mnie jeszcze chcecie.

— Obiecujesz?

— Słowo śledczego.

— Innymi słowy, to zależy.

— Jak zawsze, Toni, wiesz przecież.

Jackson spojrzała ponad ramieniem Siobhan.

— O wilku mowa — powiedziała, siadając za kierownicą.

Siobhan odwróciła się. Rebus obserwował ją od drzwi. Nie wiedziała, od kiedy tam stoi. Czy na tyle długo, by zobaczyć, jak koperta przechodzi z rąk do rąk? Silnik zapalił, więc odeszła od samochodu i patrzyła, jak odjeżdża. Rebus otworzył paczkę papierosów i wyciągał jednego zębami.

— Zabawne, jak zwierzę zwane człowiekiem potrafi się przystosować — zauważyła, podchodząc do niego.

— Zamierzam rozszerzyć swój repertuar — odparł. — Może spróbuję grać nosem na fortepianie. — Uruchomił zapalniczkę za trzecim podejściem i zaciągnął się dymem.

— Swoją drogą, dzięki, żeś mnie tak wystawił do wiatru.

— Tu nie wieje.

— Chodziło mi o to, że...

— Wiem, o co ci chodziło. — Spojrzał na nią. — Chciałem posłuchać, co Johnson ma do powiedzenia na swoją obronę.

— Johnson?

— Paw Johnson. — Zobaczył, że jej oczy się zwęziły. — Sam tak siebie nazywa.

— Dlaczego?

— Widziałaś, jak się ubiera.

— Chodzi mi o to, dlaczego chciałeś się z nim zobaczyć.

— Bo mnie interesuje.

— Z jakiegoś konkretnego powodu?

Rebus tylko wzruszył ramionami.

— A kim on w ogóle jest? — spytała. — Powinnam go znać?

— Drobny cwaniaczek, ale tacy bywają najbardziej niebezpieczni. Sprzedaje repliki broni palnej każdemu, kto ma na nie ochotę... możliwe, że sprzedał też parę oryginałów. Zajmuje się paserką, rozprowadza miękkie narkotyki, ot, trochę haszu tu i tam...

— Gdzie działa?

Rebus wyglądał, jakby się zastanawiał.

— W okolicach Burdiehouse.

Za dobrze go znała, żeby się na to nabrać.

— Burdiehouse?

— W pobliżu... — Papieros drgnął w jego ustach.

— Może zajrzę do akt? — Wytrzymała jego spojrzenie, dopóki nie zamrugał.

— Southhouse, Burdiehouse... gdzieś w tamtych stronach. — Z jego nozdrzy buchnął dym, co przywiodło jej na myśl osaczonego byka.

— Innymi słowy, w pobliżu Gracemount?

Wzruszył ramionami.

— To tylko geografia.

— Tam mieszkał Fairstone... to jego strony. Jakie jest prawdopodobieństwo, że takich dwóch łajdaków się nie znało?

— Mogli się znać.

— John...

— Co było w kopercie?

Jej kolej, by przybrać twarz pokerzysty.

— Nie zmieniaj tematu.

— Temat zamknięty. Co było w kopercie?

— Nic takiego, czym musiałbyś sobie zawracać swoją śliczną główkę, inspektorze.

— Zaczynasz mnie martwić.

— Nic szczególnego, słowo daję.

Odczekał chwilę i powoli skinął głową.

— Dlatego że sama potrafisz się troszczyć o siebie, tak?

— Właśnie.

Przechylił głowę na bok, rzucił niedopałek papierosa na ziemię i przydeptał go czubkiem buta.

— Wiesz, że jutro nie będziesz mi potrzebna?

Skinęła głową.

— Postaram się nie umrzeć z nudów.

Próbował wymyślić jakąś ripostę, lecz ostatecznie zrezygnował.

— No to chodź, spadamy stąd, zanim Gill Templer znajdzie kolejny pretekst, żeby nam urwać jaja. — Ruszył w kierunku jej samochodu.

— Świetnie — odparła. — A kiedy ja będę prowadziła, ty opowiesz mi wszystko o panu Pawiu Johnsonie. — Zamilkła na chwilę. — Tak przy okazji, trzej najlepsi szkoccy wykonawcy popu i rocka?

— Dlaczego pytasz?

— No już, pierwsze, co ci przychodzi na myśl.

Rebus zastanowił się.

— Nazareth, Alex Harvey, Deacon Blue.

— A nie Rod Stewart?

— On nie jest Szkotem.

— Możesz go wziąć pod uwagę, jeśli chcesz.

— Więc dojdę i do niego, prawdopodobnie po Ianie Stewarcie. Przedtem jednak są John Martyn, Jack Bruce, Ian Anderson... nie zapominajmy też o Donovanie i Incredible String Band... o Lulu i Maggie Bell...

Siobhan wywróciła oczami.

— Żałuję, że cię w ogóle spytałam, ale już chyba za późno?

— O wiele za późno — przytaknął Rebus, sadowiąc się w fotelu pasażera. — Jest jeszcze Frankie Miller... Simple Minds w swoim najlepszym okresie... Zawsze też miałem słabość do Pallas...

Siobhan stała przy drzwiach od strony kierowcy, ściskając klamkę, nie próbowała jednak wsiąść. Z wnętrza wozu dobiegała litania kolejnych nazwisk — Rebus specjalnie podniósł głos, żeby nie uroniła ani słowa.

— Nie jest to miejsce, w jakim normalnie bym pijał — mruknął doktor Curt. Wysoki i szczupły, często nazywany był za plecami „grabarzem". Dobiegał sześćdziesiątki; miał długą, obwisłą twarz i worki pod oczami. Przypominał Rebusowi bloodhounda.

Bloodhounda grabarza.

Co skądinąd jak najbardziej do niego pasowało, zważywszy

130

na to że był jednym z najbardziej poważanych patologów w Edynburgu. Ciała zmarłych opowiadały mu różne historie, czasami wyjawiając swoje tajemnice — samobójcy okazywali się ofiarami zabójstw; ludzkie kości nagle przestawały należeć do człowieka. Przez całe lata zawodowa sprawność oraz intuicja Curta pomagały Rebusowi w rozwikłaniu dziesiątków spraw, byłoby więc grubiaństwem odrzucenie jego propozycji, kiedy zadzwonił i zaprosił Rebusa na drinka, dodając jako postscriptum:

— Byle w jakimś spokojnym miejscu, rozumiesz. Gdzieś, gdzie będziemy mogli pogadać tak, żeby nikt nam nie jazgotał nad uchem.

Dlatego właśnie Rebus wybrał swój stały lokal, czyli bar Oxford, schowany w zaułku na tyłach George Street i położony daleko zarówno od biura Curta, jak i od komisariatu St Leonard's.

Siedzieli w pomieszczeniu na tyłach, przy najdalszym stoliku. Poza nimi nie było tam nikogo. Jak to w połowie tygodnia, i to wczesnym wieczorem, w głównej sali było tylko dwóch urzędników, którzy właśnie zbierali się do domu, oraz jeden stały bywalec, który dopiero co przyszedł. Rebus przyniósł drinki do stołu — dla siebie duże piwo, dla patologa dżin z tonikiem.

— Na zdrowie! — powiedział Curt, unosząc szklankę.

— Zdrówko, doktorze. — Rebus wciąż jeszcze nie mógł utrzymać kufla jedną ręką.

— Wyglądasz, jakbyś podnosił puchar — zauważył Curt i po chwili dorzucił: — Chcesz pomówić o tym, jak to się stało?

— Nie.

— Krążą różne plotki.

— A niech sobie krążą do usranej śmierci, mam to gdzieś. Intryguje mnie natomiast twój telefon. Chcesz o tym pogadać?

Po powrocie do domu Rebus wziął letnią kąpiel i zamówił przez telefon curry. Nastawił płytę — Jackie Leven śpiewał o romantycznych twardzielach z Fife... jak mógł zapomnieć dołączyć go do listy? I wtedy zadzwonił Curt. „Moglibyśmy porozmawiać? Najlepiej w cztery oczy? Dziś wieczorem...?". Ani słowa o tym dlaczego, uzgodnili jedynie, że spotkają się w barze Oxford o wpół do ósmej.

Curt delektował się drinkiem.

— Jak ci się wiedzie, John?

Rebus wlepił w niego wzrok. Niektórzy, zwłaszcza ludzie w pewnym wieku i na pewnym poziomie, nie mogą się obyć bez takich wstępów. Poczęstował lekarza papierosem.

— Dla mnie też wyjmij — poprosił. Curt spełnił prośbę i przez pewien czas obaj palili w milczeniu. — U mnie w dechę, doktorku. A co u ciebie? Często wydzwaniasz wieczorami do gliniarzy, żeby się umówić w jakimś obskurnym pokoiku na zapleczu?

— Zdaje się, że to ty wybrałeś ten „obskurny pokoik na zapleczu", nie ja.

Rebus lekko skłonił głowę, przyznając mu rację. Curt uśmiechnął się.

— Cierpliwość nie jest twoją mocną stroną, John...

Inspektor wzruszył ramionami.

— Mogę tu siedzieć choćby i do rana, ale byłbym spokojniejszy, gdybym wiedział, o co chodzi.

— Chodzi o to, co zostało z człowieka nazwiskiem Martin Fairstone.

— Ach tak? — Rebus przesunął się na krześle i założył nogę na nogę.

— Znasz go oczywiście? — Kiedy Curt zaciągnął się papierosem, jego twarz jakby się zapadła. Zaczął palić dopiero pięć lat temu, jakby chciał sprawdzić, czy jest śmiertelny.

— Znałem — przyznał Rebus.

— A, tak... czas przeszły, niestety.

— Bo ja wiem czy niestety? Jakoś nie widzę, żeby ktoś za nim płakał.

— Tak czy inaczej, profesor Gates i ja... no cóż, naszym zdaniem jest to dosyć szare.

— Masz na myśli spopielałe kości, tak?

Curt powoli pokręcił głową, udając, że nie dostrzega tu żartu.

— Ci z laboratorium powiedzą nam więcej... — Zawiesił głos. — Starsza inspektor Templer suszyła nam głowę. Zdaje się, że Gates będzie z nią rozmawiał jutro rano.

— A co to ma wspólnego ze mną?

— Jej zdaniem możesz być jakoś zamieszany w śmierć tego człowieka... w morderstwo.

Ostatnie słowo zawisło między nimi w zadymionym powietrzu. Rebus nie musiał powtarzać go na głos; Curt usłyszał niewypowiedziane pytanie.

— Nie wykluczamy morderstwa — wyjaśnił, powoli kiwając głową. — Są dowody, że był przywiązany do krzesła. Mam zdjęcia... — Sięgnął po stojący koło niego na podłodze neseser.

— Doktorze — wtrącił Rebus — chyba nie powinieneś mi tego pokazywać.

— Wiem, i nie zrobiłbym tego, gdyby istniał choćby cień szansy, że jesteś w to zamieszany. — Podniósł wzrok. — Ale ja cię znam, John.

Rebus patrzył na teczkę.

— Ludzie nieraz już się co do mnie mylili.

— Być może.

Brązowa koperta leżała na stole pomiędzy nimi, na wilgotnych podstawkach pod piwo. Rebus podniósł ją, otworzył. W środku były ze dwa tuziny zdjęć kuchni; w tle wciąż było widać kłęby dymu. Martin Fairstone nie bardzo przypominał człowieka, wyglądał raczej jak sczerniały, pokryty bąblami manekin sklepowy. Leżał twarzą w dół. Za nim widać było krzesło, zredukowane do dwóch nóg i resztek siedzenia. Uwagę Rebusa przykuła kuchenka. Nie wiadomo czemu jej powierzchnia była prawie nietknięta. Na jednym z pierścieni widział patelnię do frytek. Chryste Panie, starczyłoby ją wyczyścić i nadawałaby się do użytku! Ciężko oswoić się z myślą, że patelnia przetrwała to, czego nie przeżył człowiek.

— Tutaj widać, w jaki sposób upadło krzesło. Przewróciło się do przodu, pociągając za sobą ofiarę. Zupełnie jakby Fairstone upadł na kolana, rzucił się w stronę kuchenki i zwalił na podłogę twarzą w dół. Widzisz, w jakiej pozycji są jego ręce? Wyciągnięte płasko wzdłuż ciała.

Rebus widział to wszystko, nie był jednak pewien, jakie wnioski powinien z tego wyciągnąć.

— Sądzimy, że znaleźliśmy resztki sznura... plastikowego sznura, jakiego używa się do wieszania prania. Osłonka się stopiła, ale nylon okazał się całkiem wytrzymały.

— Sznur do prania często trzyma się w kuchni — rzekł Rebus, odgrywając rolę adwokata diabła, bo nagle zrozumiał, do czego to prowadzi.

— Zgoda. Jednak profesor Gates... no cóż, wysłał to do laboratorium...

— Ponieważ sądzi, że Fairstone'a przywiązano do krzesła?

Curt tylko skinął głową.

— Na innych zdjęciach... na zbliżeniach... widać kawałki sznura.

Rebus widział.

— No i jest jeszcze następstwo zdarzeń, rozumiesz. Człowiek jest nieprzytomny, przywiązany do krzesła. Budzi się, dookoła szaleje ogień, a dym wypełnia mu płuca. Próbuje się oswobodzić, krzesło przewraca się i facet zaczyna się dusić. To dym go zabija... umiera, zanim jeszcze płomienie uwalniają go z więzów...

— To tylko teoria — rzekł Rebus.

— Tak, to prawda — przyznał patolog spokojnie.

Inspektor ponownie przerzucił zdjęcia.

— A więc nagle mamy morderstwo?

— Albo nieumyślne zabójstwo. Przypuszczam, że adwokat potrafiłby dowieść, iż przywiązanie go do krzesła nie było powodem jego śmierci... że była to, powiedzmy, tylko przestroga.

Rebus spojrzał na niego.

— Długo się nad tym zastanawiałeś.

Curt znowu uniósł szklankę.

— Jutro profesor Gates będzie rozmawiał z Gill Templer. Pokaże jej te zdjęcia. Laboratorium dorzuci swoje... Ludzie po cichu gadają, że ty tam byłeś. Czy aby nie kontaktował się z tobą jakiś reporter? — Rebus patrzył, jak Curt przytakuje ruchem głowy. — Niejaki Steve Holly? — Kolejne kiwnięcie głową. Inspektor zaklął głośno, akurat w chwili, gdy barman Harry przyszedł po puste naczynia. Harry pogwizdywał, co niedwuznacznie świadczyło o tym, że ma nagraną randkę z kobietą. I pewnie chciał się tym pochwalić, ale wybuch Rebusa spowodował, że wycofał się w pośpiechu.

— W jaki sposób chcesz... — Curt nie potrafił znaleźć właściwych słów.

— Z tym walczyć? — podsunął Rebus. Nagle uśmiechnął się kwaśno. — Z czymś takim nie da się walczyć, doktorze.

Cały świat wie, że ja tam byłem, albo wkrótce się dowie. — Zrobił ruch, jakby chciał zacząć ogryzać paznokcie, ale przypomniał sobie, że nie może. Miał ochotę walnąć pięścią w stół, tego jednak też nie mógł zrobić.

— To tylko poszlaki — mówił Curt. — No, prawie... — Wyciągnął rękę nad stołem i wziął jedno zdjęcie, zbliżenie czaszki z wyszczerzonymi zębami. Rebus poczuł, że piwo bulgocze mu w brzuchu. Curt wskazywał na szyję. — To może wyglądać na skórę, ale coś mu... ale coś mu wisiało na gardle. Czy nie miał wtedy na sobie krawata lub czegoś w tym rodzaju?

Pomysł był tak niedorzeczny, że Rebus wybuchnął śmiechem.

— Byliśmy w domu komunalnym w Gracemount, doktorze, a nie w prywatnym klubie na Nowym Mieście. — Uniósł kufel, lecz stwierdził, że nie ma ochoty pić. Wciąż kręcił głową na myśl o Martinie Fairstonie w krawacie. A może jeszcze w smokingu? I z lokajem, który mu zwija papierosy...

— Rzecz w tym — mówił Curt — że jeśli nie miał czegoś na szyi... apaszki lub czegoś w tym rodzaju, to najwyraźniej mamy do czynienia z jakimś kneblem. Na przykład z chustką, którą wetknięto mu w usta i zawiązano na karku. I chociaż udało mu się jej pozbyć, to prawdopodobnie było już za późno, żeby wezwać pomoc. Zsunęła mu się na szyję, widzisz?

Rebus widział, znowu.

Widział, jak próbuje się z tego wyplątać.

Widział, jak przegrywa.

7

Siobhan wpadła na pomysł.

Ataki paniki często nachodziły ją we śnie. Może to wina sypialni? Postanowiła więc spać na kanapie — był to rzeczywiście idealny układ. Przykryta kołdrą, w rogu telewizor, pod ręką kawa i pudełko pringles. W ciągu wieczoru trzykrotnie stwierdziła, że stoi przy oknie i wygląda na ulicę. Widząc jakiś poruszający się cień, obserwowała to miejsce przez kilka minut, dopóki nie upewniła się, że wszystko w porządku. Kiedy Rebus zadzwonił do niej i poinformował o spotkaniu z doktorem Curtem, zadała mu pytanie.

Czy zwłoki zostały prawidłowo zidentyfikowane?

Zapytał ją, co ma na myśli.

— Szczątki były zwęglone... czyli że identyfikacja powinna być oparta na analizie DNA, prawda? Czy już się tym zajęli?

— Siobhan...

— Tak dla porządku.

— Siobhan, on nie żyje. Możesz o nim zapomnieć.

Zagryzła dolną wargę — teraz tym bardziej nie może zawracać mu głowy listem. Jego czara nieszczęść już się przepełniła.

Rozłączył się. Wiedziała, dlaczego zadzwonił — jeśli nazajutrz gówno zacznie fruwać w powietrzu, nie będzie go pod ręką, więc niech sobie Templer znajdzie zamiast niego inną ofiarę.

Postanowiła zrobić sobie następną kawę — rozpuszczalną

bezkofeinową, która pozostawiała po sobie kwaśny smak w ustach. Przystanęła przy oknie i szybko zerknęła na ulicę, zanim weszła do kuchni. Lekarz kazał jej sporządzić listę potraw, jakie jada w ciągu typowego tygodnia, po czym zakreślił wszystko, co mogło przyczyniać się do jej ataków paniki. Próbowała nie myśleć o pringles... kłopot w tym, że je lubiła. Lubiła też wino, podobnie jak napoje gazowane i jedzenie na wynos. Przekonywała lekarza, że skoro nie pali i gimnastykuje się regularnie, to czasami musi sobie pofolgować.

— I folguje pani sobie za pomocą alkoholu i jedzenia na wynos?

— Przeważnie tak zamykam każdy dzień.

— Może przede wszystkim powinna się pani nie zamykać.

— Chce mi pan powiedzieć, że pan nigdy sobie nie zapalił ani nie golnął jednego?

Ale oczywiście nie zamierzał się do tego przyznać. Lekarze mają wyższy poziom stresu niż gliniarze. Z własnej inicjatywy zrobiła tylko jedno — spróbowała przerzucić się na muzykę ambient. Lemon Jelly, Oldsolar, Boards of Canada. Niektóre zespoły się nie sprawdziły — Aphex Twin i Autechre; ot, kości odarte z mięsa.

Kości odarte z mięsa...

Myślała o Martinie Fairstonie. O jego zapachu — męskiej chemii. O jego przebarwionych zębach. O tym, jak stał koło jej samochodu, jak dobierał się do jej zakupów, obojętny w swojej agresji, jakże pewny siebie. Rebus miał rację — on na pewno umarł. Ten list to tylko czyjś chory żart. Kłopot w tym, że nie widziała kandydata na nadawcę. Ktoś jednak go nadał, ktoś, o kim zapomniała...

Wracając z kuchni z kawą, znowu podeszła do okna. W czynszówce po drugiej stronie ulicy paliły się światła. Jakiś czas temu ktoś ją stamtąd szpiegował... gliniarz nazwiskiem Linford. Nadal służył w policji, pracował w komendzie głównej. W pewnym momencie myślała nawet o przeprowadzce, ale lubiła to miejsce, lubiła swoje mieszkanie, ulicę, otoczenie. Sklepiki na rogach, młode rodziny i uprawiający wolne zawody single... uświadomiła sobie, że większość „rodzin" była młodsza od niej. Stale pytano ją: kiedy znajdziesz sobie faceta? Na piątkowych posiedzeniach ich klubu Toni Jackson pytała o to za każdym razem. Sama wyszukiwała jej najlepszych kandydatów w barach i klubach, nie przyjmując odmowy do wiadomości, i sprowadzała ich do stolika, przy którym Siobhan siedziała z głową podpartą rękami.

Może faktycznie chłopak byłby jakimś wyjściem, odstraszałby natrętów. Chociaż równie dobrze nadawałby się do tego pies. Tyle że jeśli chodzi o psa...

Jeśli chodzi o psa, po prostu go nie chciała. Chłopaka też nie. Musiała zerwać znajomość z Erikiem Bainem, kiedy zaczął przebąkiwać o przeniesieniu ich przyjaźni „na wyższy etap". Brakowało jej go — przychodził późnym wieczorem i dzieląc się pizzą i plotkami, słuchali muzyki, a czasami nawet grali na jego laptopie. Wkrótce znów spróbuje go zaprosić i zobaczy, co z tego wyniknie. Wkrótce, ale jeszcze nie teraz.

Martin Fairstone nie żył. Wszyscy o tym wiedzieli. Gdyby jednak żył, kto mógłby o tym wiedzieć? Może jego dziewczyna? Bliscy przyjaciele albo rodzina? Musiałby przecież gdzieś mieszkać, zarabiać jakoś na życie. Może ten cały Paw Johnson by wiedział? Rebus mówił, że ten facet ściąga lokalne wieści jak magnes. Nie chciało jej się spać, pomyślała więc, że może przejażdżka dobrze jej zrobi. I muzyka ambient w samochodzie. Podniosła słuchawkę i zadzwoniła na komisariat w Leith, wiedząc, że skoro w sprawie Port Edgar nie liczono się z pieniędzmi, na nocnej zmianie będzie sporo ludzi, którzy chcą podreperować stan swoich kont. Połączyła się z jednym z nich i poprosiła o nieco szczegółów.

— Paw Johnson... Nie znam jego prawdziwego imienia, nie wiem, czy ktokolwiek je zna. Był dziś przesłuchiwany na St Leonard's.

— Co pani jest potrzebne, sierżant Clarke?

— Na razie tylko jego adres — odparła.

Rebus złapał taksówkę — było to prostsze niż prowadzenie samemu. Ale i tak otwarcie drzwiczek od strony pasażera wymagało wciśnięcia guzika kciukiem, a kciuk wciąż go palił. Kieszenie miał wypchane monetami. Nie radził sobie jeszcze z drobnymi, więc przy każdej transakcji płacił banknotami, a resztę wsypywał do kieszeni.

Rozmowa z doktorem Curtem wciąż obijała mu się po głowie jak echo. Do kompletu brakowało mu tylko śledztwa w sprawie morderstwa, zwłaszcza z nim samym w roli głównego podejrzanego. Kiedy Siobhan wypytywała go o Pawia Johnsona, udało mu się wykręcić od jasnych odpowiedzi. Johnson — powód, dla którego stał tutaj i naciskał dzwonek u drzwi. A także powód, dla którego tamtej nocy poszedł do domu Fairstone'a... Otworzyły się drzwi i stanął skąpany w świetle.

— A, to ty, John. Wchodź, stary.

Dom z niewielkim tarasem, nowo zbudowany, w bok od Alnwickhill Road. Andy Callis mieszkał tu samotnie, odkąd przed rokiem rak zabrał mu żonę. W korytarzu wisiało oprawione w ramkę ślubne zdjęcie. Callis lżejszy o dobre dziesięć kilogramów, Mary rozpromieniona, w aureoli światła, z kwiatami we włosach. Rebus stał nad grobem, kiedy Andy kładł na trumnie bukiet kwiatów. Zgodził się nieść trumnę jako jeden z sześciu ludzi, wliczając Callisa, i nie spuszczał oczu z wiązanki, kiedy opuszczano Mary do grobu.

Minął rok. Już wyglądało na to, że Andy sobie z tym poradził, kiedy...

— Jak leci, Andy? — spytał Rebus. Elektryczny kominek w salonie był włączony. Przed telewizorem skórzany fotel i podnóżek od kompletu. W pokoju porządek, zapach świeżości. Przydomowy ogródek zadbany, ani śladu chwastów. Nad kominkiem kolejne zdjęcie — portret Mary, wykonany u fotografa. Uśmiech ten sam co na zdjęciu ślubnym, ale wokół oczu kilka zmarszczek, a twarz pełniejsza. Kobieta, która wkracza w wiek dojrzały.

— W porządku, John. — Callis usadowił się w fotelu. Poruszał się jak starzec, choć ledwie przekroczył czterdziestkę, a we włosach nie miał śladu siwizny. Fotel zatrzeszczał, dopasowując się do jego kształtów. — Nalej sobie, wiesz, gdzie co stoi.

— Łyczek mi nie zaszkodzi.

— Nie jesteś za kółkiem?

— Przyjechałem taksówką. — Rebus podszedł do barku, uniósł butelkę i patrzył, jak Callis odmawia ruchem głowy. — Wciąż łykasz te prochy?

— Nie powinienem ich mieszać z alkoholem.

— Ja też nie. — Rebus nalał sobie podwójną porcję.

— Czy tu jest zimno? — pytał Callis. Rebus pokręcił głową. — To po co ci te rękawiczki?

— Poparzyłem dłonie. Dlatego łykam prochy. — Podniósł szklankę. — Oraz inne środki znieczulające, niewymagające recepty. — Podszedł ze szklanką do kanapy i rozsiadł się wygodnie. W cicho nastawionym telewizorze leciał jakiś teleturniej. — Co nadają?

— Bóg raczy wiedzieć.

— Więc nie przeszkadzam?

— Jasne, że nie. — Callis zamilkł, ale nie odrywał oczu od ekranu. — Chyba że znów przyszedłeś mnie namawiać.

Rebus pokręcił głową.

— Już nie. Chociaż muszę przyznać, że nie wyrabiamy się z robotą.

— Ta sprawa w szkole? — Kątem oka patrzył, jak jego gość potakuje. — Straszna historia.

— Mam odkryć powód, dla którego to zrobił.

— Niby po co? Daj ludziom... możliwość, a na pewno do tego dojdzie.

Rebusa zastanowiła przerwa po „ludziom". Callis chciał powiedzieć „broń palną", lecz przełknął te słowa. I określił to jako „sprawę w szkole"... „sprawę", a nie „strzelaninę".

Stary nawyk nie rdzewieje.

— Chodzisz jeszcze do tej kobitki na psychoanalizę? — zapytał Rebus.

Callis prychnął.

— Gówno mi to daje.

Oczywiście nie były to sesje psychoanalityczne. Nie leżał na kozetce i nie opowiadał o swojej matce. Ale Rebus i Callis żartowali z tego w ten sposób. Żarty ułatwiały rozmowę na ten temat.

— Wygląda na to, że są bardziej beznadziejne przypadki niż ja — rzekł Callis. — Faceci, którzy nie potrafią sięgnąć po długopis czy butelkę sosu. Wszystko, co widzą, przypomina im o... — Jego głos zamarł.

Rebus dokończył zdanie w duchu: o broni. Wszystko przypominało im broń palną.

— Jak się nad tym zastanowić, dziwne to jak cholera —

140

mówił dalej Callis. — Chodzi mi o to, że powinniśmy się ich bać, czyż nie na tym to wszystko polega? Ale kiedy ktoś zareaguje tak jak ja, nagle robi się z tego problem.

— Problem jest wtedy, kiedy wpływa to na resztę twojego życia, Andy. Masz kłopot z polewaniem frytek sosem?

Callis poklepał się po brzuchu.

— Jakoś tego nie widać.

Rebus z uśmiechem rozparł się na kanapie i postawił whisky na oparciu. Zastanawiał się, czy Andy zdaje sobie sprawę z tiku w lewym oku i z tego, że zacina się przy mówieniu. Mijały już prawie trzy miesiące, odkąd zwolnił się ze służby z powodu stanu zdrowia. Przedtem był oficerem patrolowym, specjalnie przeszkolonym w zakresie broni palnej. W Lothian i Borders pracowała tylko garstka takich ludzi. Nie można ich było tak po prostu zastąpić kim innym. Cały Edynburg dysponował zaledwie jednym transporterem opancerzonym do rozpędzania demonstracji.

— Co mówi twój lekarz?

— Nieważne, co mówi, John. Nie przywrócą mnie do służby bez całej serii testów.

— Boisz się, że mógłbyś oblać?

Callis spojrzał na niego ostro.

— Boję się, że mógłbym zdać.

Potem siedzieli w milczeniu, oglądając telewizję. Rebus miał wrażenie, że to jeden z tych programów typu *Robinson* — zbiera się obcych sobie ludzi i co tydzień któryś z nich odpada.

— No to opowiadaj, co się ostatnio działo — odezwał się Callis.

— Cóż... — Rebus przemyślał dostępne opcje. — Właściwie to niewiele.

— Poza tą historią w szkole?

— Tak. Chłopaki wciąż pytają o ciebie.

Callis kiwnął głową.

— Czasami któryś z nich do mnie zagląda.

Rebus pochylił się, opierając łokcie na kolanach.

— A więc nie wracasz?

Gospodarz uśmiechnął się ze znużeniem.

— Wiesz, że nie. Mówią, że to stres czy coś takiego. Niezdatny do służby z powodu kalectwa...

— Ile to już lat, Andy?

— Odkąd wstąpiłem do służby? — Callis w zamyśleniu wydął usta. — Piętnaście... piętnaście i pół roku.

— Jeden incydent przez cały ten czas i już zwijasz manatki? Zresztą trudno to nawet nazwać incydentem.

— John, popatrz na mnie. Zauważyłeś coś? Widzisz, jak mi się trzęsą ręce? — Podniósł dłoń, żeby Rebus mógł się przyjrzeć. — A ta żyła, która cały czas pulsuje mi w oku... — Uniósł tę samą dłoń do oka. — To nie ja zwijam manatki, tylko moje ciało. Twoim zdaniem mam zignorować te znaki ostrzegawcze? Wiesz, ile mieliśmy interwencji w zeszłym roku? Prawie trzysta. Sięgaliśmy po broń trzy razy częściej niż rok wcześniej.

— Co prawda, to prawda, świat jest coraz twardszy.

— Świat może tak, ale ja nie.

— To normalne. — Rebus siedział zamyślony. — Powiedzmy, że nie wróciłbyś na ulicę. Za biurkiem też jest co robić.

Callis kręcił głową.

— To nie dla mnie, John. Robota papierkowa zawsze mnie dołowała.

— A mógłbyś wrócić na swój rewir?

Ale Callis, wpatrzony w przestrzeń, wcale go nie słuchał.

— Wkurza mnie tylko, że siedzę tu i się trzęsę, a te dranie ganiają po ulicach z gnatami i włos im za to z głowy nie spadnie. Co to za system, John? — Odwrócił się i spojrzał na Rebusa. — Jaki z nas pożytek, skoro nie możemy temu zapobiec?

— Siedzenie w domu i gderanie niczego nie zmieni — odparł Rebus spokojnie. W oczach przyjaciela widział tyle samo złości, co poczucia przegranej.

Callis powoli zdjął stopy z podnóżka i wstał.

— Nastawię czajnik. Nalać ci czegoś?

Na ekranie telewizora uczestnicy programu sprzeczali się w związku w jakimś zadaniem. Rebus spojrzał na zegarek.

— Dzięki, Andy, mam dość. Powinienem się zbierać.

— Miło mi, że do mnie zaglądasz, John, ale naprawdę nie musisz.

— To tylko pretekst, żeby uszczuplić twoje zapasy w barku, Andy. Jak już go opróżnię, więcej mnie nie zobaczysz.

Callis spróbował się uśmiechnąć.

142

— Jak chcesz, zadzwoń po taksówkę.

— Mam komórkę. — I nawet potrafił z niej skorzystać, tyle że wybierając numer długopisem.

— Na pewno nie dasz się na coś skusić?

Rebus potrząsnął głową.

— Jutro mam ciężki dzień.

— Ja też — oświadczył Andy Callis.

Rebus przytaknął ruchem głowy. Ich rozmowy zawsze kończyły się w ten sam sposób: „Dużo roboty jutro, John?". „Jak zawsze, Andy". „U mnie też". Zastanawiał się, o czym mógłby mu opowiedzieć... o strzelaninie, o Pawiu Johnsonie. I co by to dało? Kiedyś będą mogli rozmawiać... rozmawiać normalnie, a nie grać w ping-ponga, bo do tego sprowadzały się ich ostatnie pogaduszki. Kiedyś, ale jeszcze nie teraz.

— Sam trafię do wyjścia! — zawołał w kierunku kuchni.

— Zaczekaj na taksówkę.

— Muszę odetchnąć świeżym powietrzem, Andy.

— To znaczy, że chcesz zapalić.

— Nie mogę uwierzyć, że przy twojej intuicji nie awansowali cię na detektywa. — Rebus otworzył frontowe drzwi.

— Bo nie chciałem — dobiegły go pożegnalne słowa Andy'ego Callisa.

W taksówce Rebus postanowił nadłożyć drogi i kazał kierowcy jechać do Gracemount, a tam pokierował go pod dom Martina Fairstone'a. Okna zabito deskami, a drzwi zabezpieczono przed wandalami kłódką. Wystarczyłoby paru ćpunów, żeby zamienić to miejsce w melinę. Na zewnętrznych ścianach nie było śladów pożaru. Kuchnia znajdowała się w głębi domku. To ona ucierpiała. Strażacy wytaszczyli niektóre meble i sprzęty na zarośnięty trawnik — krzesła, stół, rozbity odkurzacz. Leżały tam do tej pory, niewarte tego, żeby je zwinąć. Rebus kazał kierowcy jechać dalej. Na przystanku autobusowym zebrało się kilku nastolatków. Rebus nie sądził, żeby czekali na autobus. Wiata służyła za miejsce zebrań ich gangu. Dwaj z nich stali na daszku, pozostali chowali się w cieniu. Kierowca zatrzymał taksówkę.

— Co się stało? — spytał Rebus.

— Zdaje się, że mają kamienie. Jak pojedziemy dalej, to nas nimi obrzucą.

Rebus popatrzył na nich. Dwaj na daszku stali nieruchomo. Nie widział, żeby coś trzymali.

— Niech pan zaczeka — powiedział, wysiadając.

Kierowca odwrócił się.

— Czyś pan na głowę upadł?

— Nie, ale wkurzę się nie na żarty, jeśli odjedzie pan beze mnie — ostrzegł go Rebus. Zostawił drzwiczki wozu otwarte i podszedł do przystanku. Z cienia wychynęło trzech wyrostków. Nosili kaptury, ciasno zawiązane na głowach dla ochrony przed nocnym chłodem. Ręce w kieszeniach. Chude, żylaste osobniki w workowatych dżinsach i adidasach.

Zignorował ich, nie spuszczając oczu z tych dwóch na daszku wiaty.

— Zbieracie kamienie, co? — zawołał do nich. — Za moich czasów to były ptasie jaja.

— O co ci, kurwa, chodzi?

Inspektor opuścił wzrok i napotkał twarde spojrzenie ich przywódcy. To musiał być przywódca, otoczony przez swoich przybocznych.

— Ja cię znam — powiedział Rebus.

Chłopak popatrzył na niego.

— To co?

— To może ty też mnie pamiętasz.

— Jasne, że cię pamiętam. — Chłopak chrząknął, jakby naśladował świnię.

— Wobec tego wiesz, co mogę wam zrobić.

Jeden z chłopaków na daszku parsknął śmiechem.

— Jesteśmy tu w piątkę, palancie!

— To miło, że potrafisz zliczyć do pięciu. — Rozbłysły reflektory samochodu i Rebus usłyszał, jak kierowca odpala silnik taksówki. Zerknął do tyłu, ale taksiarz przestawiał tylko wóz bliżej krawężnika. Nadjeżdżający samochód zwolnił, lecz zaraz przyśpieszył, żeby się nie wpakować w jakąś aferę. — Ale masz rację — ciągnął Rebus. — W pięciu na jednego pewnie skopalibyście mi dupę. Nie o to mi jednak chodziło. Rzecz w tym, co byłoby dalej. Bo jednego możecie być pewni... dopilnowałbym, żebyście stanęli przed sądem i wylądowali w więzieniu. A że jesteście młodociani? Nie ma sprawy, w razie czego odsiedzicie wyrok w jakimś przytulnym zakładzie poprawczym. Tyle że najpierw traficie do Saughton. Na oddział dla dorosłych. A od tego, możecie mi wierzyć, dupa boli. — Przerwał na chwilę. — Ściśle rzecz biorąc, każdego z was będzie bolała dupa.

— To nasz teren, nie twój, do kurwy nędzy! — prychnął jeden z nich.

Rebus wskazał czekającą taksówkę.

— I dlatego też odjeżdżam... za waszym pozwoleniem. — Znów popatrzył na ich przywódcę. Chłopak nazywał się Rab Fisher i miał piętnaście lat. Rebus słyszał, że jego gang nosi nazwę Zagubieni Chłopcy. Aresztowani wielokrotnie, nigdy nie skazani. Rodzice zaklinali się, że robili wszystko, co w ich mocy... Jak to powiedział ojciec Fishera, kiedy jego syna złapano po raz pierwszy i kolejny? „Sprałem go na kwaśne jabłko. Ale co pan na to poradzi?".

Rebus miałby dla niego kilka rad. Tyle że na rady było już za późno. Należało raczej przyjąć, że Zagubieni Chłopcy powiększą statystyki.

— To co, Rab, pozwalasz?

Fisher przeszywał go wzrokiem, napawając się poczuciem władzy. Cały świat czekał na jego pozwolenie.

— Przydałyby mi się rękawiczki — odezwał się w końcu.

— Nie te — odparł Rebus.

— Wyglądają nieźle.

Inspektor powoli pokręcił głową i usiłując się nie krzywić, zaczął ściągać jedną z nich. Uniósł pokrytą pęcherzami dłoń.

— Chcesz, to bierz, Rab, ale zobacz, co było w środku...

— Ja pierdolę! — wykrztusił jeden z przybocznych.

— I dlatego na pewno nie chciałbyś ich nosić. — Rebus naciągnął rękawiczkę, odwrócił się i ruszył do taksówki. Wsiadł do środka i zatrzasnął drzwiczki. — Niech pan przejedzie koło nich — polecił kierowcy.

Taksówka ruszyła. Rebus patrzył przed siebie, choć wiedział, że obserwuje go pięć par oczu. Kiedy samochód przyśpieszył, coś stuknęło w dach i po jezdni potoczyła się połówka cegły.

— To tylko strzał przed dziób — rzekł Rebus.

145

— Łatwo panu mówić, kierowniku. To nie pana pieprzona taksówka.

Na głównej ulicy zatrzymali się na czerwonych światłach. Z naprzeciwka nadjechał jakiś samochód i stanął; kierowca oświetlił wnętrze wozu i pochylił się nad planem miasta.

— Nie zazdroszczę — powiedział taksówkarz. — Nie chciałbym się zgubić w tej okolicy.

— Niech pan zawraca — polecił Rebus.

— Że co?

— Proszę zawrócić i zatrzymać się przed tamtym wozem.

— Dlaczego?

— Dlatego, że pana proszę — warknął Rebus.

Mowa ciała taksówkarza wskazywała, że miewał lepszych klientów. Kiedy zapaliło się zielone światło, włączył prawy kierunkowskaz, zawrócił i podjechał do krawężnika. Inspektor miał już pieniądze w ręku.

— Reszta dla pana — rzucił, wysiadając.

— Zapracowałem na nią, kolego.

Rebus podszedł do stojącego przy krawężniku samochodu, otworzył drzwi po stronie pasażera i wsiadł do środka.

— Miła noc na przejażdżkę — powiedział do Siobhan Clarke.

— Prawda? — Plan miasta gdzieś zniknął, prawdopodobnie pod jej fotelem. Patrzyła, jak taksówkarz wysiada i sprawdza dach taryfy. — Co cię sprowadza w te strony?

— Byłem z wizytą u przyjaciela — odparł. — A ty jaki masz pretekst?

— A potrzebny mi jakiś pretekst?

Taksiarz potrząsał głową; łypnął nieszczęsnym wzrokiem w kierunku swojego niedawnego pasażera, wsiadł za kierownicę i zawrócił, by schronić się w bezpiecznym centrum miasta.

— Jakiej ulicy szukasz? — spytał Rebus i uśmiechnął się, kiedy spojrzała na niego. — Widziałem, jak oglądasz plan miasta. Pozwól, że zgadnę... chodzi o dom Fairstone'a?

Minęła dłuższa chwila, zanim odpowiedziała:

— Skąd wiesz?

Wzruszył ramionami.

— Powiedzmy, że to męska intuicja.

Uniosła brew.

— Jestem pod wrażeniem. Domyślam się, że ty właśnie stamtąd wracasz?

— Odwiedzałem przyjaciela.

— Czy ten przyjaciel jakoś się nazywa?

— Andy Callis.

— Chyba go nie znam.

— Był mundurowym. Poszedł na chorobowe.

— Powiedziałeś „był"... to znaczy, że już z tego chorobowego nie wraca?

— Tym razem to ja jestem pod wrażeniem. — Rebus przesunął się w fotelu. — Andy się rozsypał... psychicznie.

— Na dobre?

Wzruszył ramionami.

— Wciąż się nad tym zastanawiam... a zresztą nieważne.

— Gdzie on mieszka?

— Koło Alnwickhill — odparł bez namysłu i spojrzał na nią ostro, wiedząc, że nie było to niewinne pytanie. Odpowiedziała mu uśmiechem.

— To niedaleko Howdenhall, prawda? — Sięgnęła pod fotel i wyjęła plan miasta. — Ładny kawałek stąd...

— Zgoda, wracając, zboczyłem trochę z drogi.

— Żeby popatrzeć na dom Fairstone'a?

— Tak.

Zadowolona, złożyła plan.

— Siobhan, mnie w to wrabiają — powiedział. — Ja mam powód, żeby wokół tego węszyć. A ty?

— Tak sobie pomyślałam, że... — Role się odwróciły, teraz ona była zapędzona w kozi róg.

— Że co? — Uniósł dłoń w rękawiczce. — Nieważne. Boli mnie, kiedy widzę, jak próbujesz wymyślić jakąś bajeczkę. Wiesz, co ja o tym sądzę?

— Co?

— Że wcale nie szukałaś domu Fairstone'a.

— O?

Pokręcił głową.

— Chciałaś tam powęszyć. Zorientować się, czy mogłabyś poprowadzić śledztwo na własną rękę, może odszukać jakichś jego przyjaciół, znajomych... Kogoś takiego jak Paw Johnson. I jak mi idzie?

— Po co miałabym to robić?
— Odnoszę wrażenie, że nie wierzysz w śmierć Fairstone'a.
— Znowu ta męska intuicja?
— Dałaś mi to do zrozumienia, kiedy do ciebie dzwoniłem.
Przygryzła dolną wargę.
— Chcesz o tym pogadać? — zaproponował spokojnie.
Opuściła wzrok.
— Dostałam list.
— Jaki?
— Podpisany „Marty", czekał na mnie na St Leonard's.
Rebus zamyślił się.
— Wobec tego wiem, co należy zrobić.
— Co takiego?
— Wracaj do miasta, pokażę ci...

Miał jej do pokazania otwartą do późna włoską trattorię
Gordona przy High Street, w której serwowano mocną kawę
i makarony. Zajęli pustą wnękę, wcisnęli się na ławy po obu
stronach stolika i zamówili podwójne espresso.
— Dla mnie bez kofeiny — przypomniała sobie Siobhan.
— Jeździsz na bezołowiowej? Dlaczego? — zainteresował
się Rebus.
— Próbuję się odzwyczaić.
Przyjął jej wyjaśnienie.
— Zjesz coś, czy to też jest *verboten*?
— Nie jestem głodna.
Rebus uznał jednak, że to nieprawda, i zamówił pizzę z owo-
cami morza, ostrzegając Siobhan lojalnie, że będzie musiała
mu pomóc. W tylnej części lokalu mieściła się restauracja;
tylko przy jednym z licznych stolików siedzieli goście, raczący
się *digestifs*. Koło drzwi wejściowych, gdzie usiedli Rebus
i Siobhan, były oddzielone przepierzeniami stoliki, przy których
podawano szybkie dania.
— No to opowiedz mi jeszcze raz, co było w tym liście.
Westchnęła i powtórzyła mu treść.
— Stempel na kopercie był tutejszy?
— Tak.
— Znaczek na list zwykły czy ekspresowy?

— A jakie to ma znaczenie?

Wzruszył ramionami.

— Fairstone zdecydowanie pasuje mi do zwykłego. — Przyglądał się jej. Wydawała się zmęczona, a jednocześnie nakręcona — śmiertelnie niebezpieczne połączenie. Przed oczami mimo woli stanął mu Andy Callis.

— Może Ray Duff rzuci na to nieco światła — mówiła Siobhan.

— Jeśli ktokolwiek coś znajdzie, to tylko on.

Podano kawę. Siobhan podniosła filiżankę do ust.

— Jutro trafisz na szubienicę, prawda?

— Być może — odparł. — W każdym razie cokolwiek się wydarzy, trzymaj się od tego z daleka. A to znaczy, że masz nie rozmawiać z przyjaciółmi Fairstone'a. Jeśli Skargi cię na tym przyłapią, zwietrzą spisek.

— Nie masz cienia wątpliwości, że to rzeczywiście Fairstone zginął w tym pożarze?

— Nie mam powodu w to wątpić.

— Pomijając ten list.

— To nie w jego stylu, Siobhan. On by się nie bawił w wysyłanie listu, tylko przyszedłby prosto do ciebie, tak jak to robił wcześniej.

Przemyślała to sobie.

— Masz rację — przyznała w końcu.

Nastąpiła przerwa w rozmowie; oboje popijali mocną gorzką kawę. W końcu Rebus zapytał:

— Na pewno dobrze się czujesz?

— Świetnie.

— Na pewno?

— Mam ci to dać na piśmie?

— Masz mówić prawdę.

Jej oczy pociemniały, ale nic nie powiedziała. Podano pizzę. Rebus pokroił ją i namówił Siobhan, żeby wzięła kawałek. Jedli w milczeniu. Podchmieleni goście z drugiej sali wychodzili, rechocząc głośno. Zamykając za nimi drzwi, kelner wzniósł oczy do nieba, dziękując Bogu, że w restauracji znów zapanował spokój.

— U państwa wszystko w porządku?

— Jak najbardziej — odrzekł Rebus, nie spuszczając wzroku z Siobhan.

— Jak najbardziej — powtórzyła, wytrzymując jego spojrzenie.

Powiedziała, że podrzuci go do domu. Wsiadając do samochodu, zerknął na zegarek. Jedenasta.

— Możemy posłuchać wiadomości? — zapytał. — Przekonajmy się, czy Port Edgar wciąż jest na pierwszym miejscu.

Kiwnęła głową i włączyła radio.

...gdzie dziś w nocy odbędzie się czuwanie przy świecach. Na miejscu jest nasza reporterka, Janice Graham...

Tej nocy rozlegnie się głos mieszkańców South Queensferry. Pod przewodnictwem miejscowego pastora Kościoła szkockiego, do którego dołączy kapelan szkolny, odśpiewane zostaną hymny. Ze świecami może być jednak problem, ponieważ znad zatoki Forth wieje silny wiatr. Mimo to zebrał się już pokaźny tłum, z tutejszym posłem do parlamentu szkockiego, Jackiem Bellem, na czele. Pan Bell, którego syn został ranny podczas tego tragicznego wydarzenia, liczy na poparcie dla swej kampanii na rzecz ograniczenia dostępu do broni palnej. Oto, co nam powiedział wcześniej...

Kiedy stanęli na czerwonym świetle, wymienili spojrzenia i Siobhan skinęła głową — słowa były zbyteczne. Gdy światła zmieniły się na zielone, przejechała przez skrzyżowanie, zjechała do krawężnika i przepuściła inne samochody, po czym zawróciła.

Czuwanie odbywało się przed szkolną bramą. Na wietrze migotało kilka świec, jednak większość ludzi przewidująco przyniosła kaganki. Siobhan zaparkowała w drugiej linii, obok furgonetki telewizyjnej. Ekipa uwijała się już na zewnątrz, rozstawiając kamery, mikrofony, lampy błyskowe. Ale śpiewający i zwykli gapie przeważali nad nimi liczebnie w stosunku dziesięć do jednego.

— Tu jest pewnie ze czterysta osób — powiedziała Siobhan.

Rebus przytaknął. Droga była kompletnie zablokowana przez ludzi. Na poboczu stało kilku mundurowych; ręce mieli splecione za plecami, prawdopodobnie w geście szacunku. Inspektor zobaczył, że Jacka Bella odciągnięto na bok, by mógł się podzielić swoimi poglądami z grupką dziennikarzy, którzy gorliwie kiwali głowami i notowali, zapełniając słowami posła kolejne strony swoich notesów.

— Ładny gest — powiedziała Siobhan.

Rebus zorientował się, co miała na myśli — Bell nosił na ramieniu czarną opaskę.

— Nadzwyczaj subtelne — przyznał.

W tej samej chwili Bell podniósł wzrok, zauważył ich i nie spuszczając z nich oczu, perorował dalej. Rebus zaczął się przeciskać przez tłum, przystając na palcach, by zobaczyć, co dzieje się przed samą bramą. Pastor był młody, wysoki i obdarzony silnym głosem. Koło niego stała znacznie niższa kobieta w tym samym wieku. Rebus domyślił się, że jest kapelanem Akademii Port Edgar. Ktoś pociągnął go za rękę, więc obejrzał się w lewo i ujrzał stojącą obok Kate Renshaw, szczelnie opatuloną przed zimnem, z ustami zasłoniętymi różowym wełnianym szalem. Uśmiechnął się i skinął jej głową. Za nią dwaj śpiewacy, którzy sprawiali wrażenie, jakby przybyli prosto z jakiejś noclegowni w South Queensferry, fałszowali niemiłosiernie, za to z entuzjazmem. Rebus czuł bijący od nich zapach piwa i papierosów. Jeden z nich dźgnął kolegę w żebra, ruchem głowy wskazując mu odwracającą się ku nim kamerę. Obaj wyprężyli się i zaczęli śpiewać jeszcze głośniej.

Rebus nie wiedział, czy są miejscowi, czy nie. Mogli być turystami, liczącymi na to, że nazajutrz przy śniadaniu zobaczą siebie na ekranie telewizora w wiadomościach...

Hymn dobiegł końca i pani kapelan zaczęła coś mówić; jej słaby głos był ledwie słyszalny na wietrze, który zaczął wiać znad zatoki. Rebus znów spojrzał na Kate i wskazał na skraj tłumu. Poszła za nim do miejsca, gdzie stała Siobhan. Kamerzysta wspiął się na otaczający szkołę mur, by zrobić ujęcie tłumu z góry, a jeden z mundurowych po raz kolejny upominał go, żeby zszedł na dół.

— Cześć, Kate — przywitała się Siobhan.

Kate opuściła szalik.

— Cześć — odparła.

— Jest tu twój ojciec? — zapytał Rebus.

Dziewczyna pokręciła głową.

— On prawie nie rusza się z domu. — Objęła się ramionami i zaczęła podskakiwać na palcach, żeby się rozgrzać.

— Niezłe zbiegowisko — rzekł Rebus, patrząc na tłum. Kate skinęła głową.

— Zaskoczyło mnie, jak wielu z nich wie, kim jestem. Co chwila ktoś mi składa wyrazy współczucia z powodu Dereka.

— Takie historie zbliżają ludzi — zauważyła Siobhan.

— To dobrze... bo inaczej jak by to o nas świadczyło? — Ktoś inny przykuł uwagę Kate. — Przepraszam, muszę... — Ruszyła ku grupce dziennikarzy. Do Bella; Bella, który przywoływał ją ruchem ręki. Objął, kiedy kolejne reflektory oświetliły żywopłot, na tle którego stali. Składano tam wieńce i wiązanki kwiatów, a na wietrze powiewały liściki i fotografie ofiar.

— ...i to dzięki wsparciu takich ludzi jak ona uważam, że mamy szansę. A nawet więcej niż szansę, ponieważ podobnych historii nie można, nie wolno tolerować w tak zwanym społeczeństwie cywilizowanym. Nie chcemy, żeby to się kiedykolwiek powtórzyło, i właśnie dlatego stoimy na stanowisku...

Kiedy Bell przerwał, żeby pokazać dziennikarzom deskę z klipsem, którą trzymał w ręku, posypały się pytania. Odpowiadając na nie, przez cały czas obejmował Kate, niczym jej obrońca. Obrońca czy właściciel? — pomyślał Rebus.

— No cóż — mówiła Kate — petycja to dobry pomysł...

— Znakomity pomysł — poprawił ją Bell.

— ...ale to tylko początek. Tak naprawdę potrzebne są działania, działania ze strony władz, które spowodują, że broń palna przestanie trafiać w niepowołane ręce. — Przy słowie „władz" rzuciła okiem na Rebusa i Siobhan.

— Mogę wam podać nieco danych — wtrącił się znów Bell, wymachując deską z klipsem. — Wszyscy wiemy, że przestępczość z użyciem broni palnej rośnie. Jednakże statystyki nie oddają istoty rzeczy. W zależności od źródła informacji możecie się dowiedzieć, że przestępczość ta co roku zwiększa się o dziesięć, dwadzieścia, a nawet czterdzieści procent. Rzecz w tym, że choćby najmniejszy wzrost jest nie tylko złą nowiną, nie tylko wstydliwą plamą na osiągnięciach policji i służb wywiadowczych, lecz co ważniejsze...

— Kate, jeśli można, chciałbym cię zapytać — przerwał mu któryś z dziennikarzy — w jaki sposób zamierzasz zmusić rząd do wysłuchania opinii ofiar?

— Nie wiem, czy mi się to uda. Być może nadszedł czas, żeby pominąć rząd i zwrócić się bezpośrednio do ludzi... do tych, którzy strzelają, którzy sprzedają broń palną, którzy sprowadzają ją do kraju...

Bell jeszcze bardziej podniósł głos.

— Już w tysiąc dziewięćset dziewięćdziesiątym szóstym roku Ministerstwo Spraw Wewnętrznych szacowało, że do Wielkiej Brytanii trafia nielegalnie dwa tysiące sztuk broni palnej tygodniowo... tygodniowo!... z tego znaczna część dociera przez tunel pod kanałem La Manche. Od czasu zaostrzenia przepisów dotyczących posiadania tego rodzaju broni po masakrze w Dunblane przestępczość z użyciem broni palnej wzrosła o czterdzieści procent...

— Kate, czy możemy poznać twoje zdanie na temat...

Rebus odwrócił się i ruszył do samochodu Siobhan. Kiedy go dogoniła, zapalał papierosa, a raczej starał się to zrobić. Jego zapalniczka odmawiała posłuszeństwa na wietrze.

— Nie pomożesz mi? — zapytał.

— Nie.

— Wielkie dzięki.

Ustąpiła jednak i rozchyliła płaszcz, by mógł osłonić zapalniczkę i przypalić papierosa. Podziękował jej ruchem głowy.

— Napatrzyłeś się? — mruknęła.

— Uważasz, że jesteśmy tak samo okropni jak ci gapie?

Zastanowiła się nad tym i pokręciła głową.

— Nie, my jesteśmy stroną zainteresowaną.

— Można i tak to nazwać.

Tłum zaczynał się rozchodzić. Część ludzi zwlekała, chcąc obejrzeć prowizoryczną kapliczkę pod żywopłotem, inni zaś mijali miejsce, gdzie stali Rebus i Siobhan. Na ich twarzach malowała się powaga, stanowczość, ślady łez. Jakaś kobieta tuliła do siebie dwoje kilkuletnich dzieci; zdezorientowane maluchy nie wiedziały, co takiego zrobiły, że mama płacze. Kuśtykający o lasce staruszek najwyraźniej zamierzał dotrzeć do domu o własnych siłach, bo co chwila ruchem głowy odmawiał tym, którzy chcieli mu pomóc.

Minęła ich grupka nastolatków w szkolnych mundurkach Port Edgar. Rebus nie wątpił, że sfilmowały ich dziesiątki kamer. Dziewczętom rozpłynął się makijaż. Chłopcy poruszali się niezgrabnie, jakby żałując, że w ogóle tu przyszli. Rebus rozejrzał się za panną Teri, ale jej nie wypatrzył.

— Czy to aby nie twój przyjaciel? — spytała Siobhan, wskazując mu kogoś ruchem głowy. Rebus znów spojrzał na tłum i zobaczył, kogo miała na myśli.

W procesji wracających do miasta ludzi kroczył Paw Johnson, a obok niego niższy o stopę Zły Bob. Na czas uroczystości Bob zdjął baseballówkę, prezentując łysiejący czubek głowy. Teraz wkładał ją z powrotem. Johnson odstawił się z tej okazji — błyszcząca szara koszula, zapewne jedwabna, pod długim do kostek czarnym płaszczem. Na szyi miał wąziutki krawat ze srebrną spinką. On także zdjął nakrycie głowy — szary filcowy kapelusz — a teraz trzymał go oburącz, przesuwając palcami po rondzie.

Johnson wyczuł, że ktoś go obserwuje. Kiedy napotkał wzrok Rebusa, inspektor skinął na niego palcem. Paw powiedział coś do swego przydupasa i obaj zaczęli się przeciskać przez tłum.

— Panie Rebus, składa pan wyrazy szacunku, jak przystało na prawdziwego dżentelmena, za którego niewątpliwie się pan uważa.

— To mój powód... a twój?

— Taki sam, panie Rebus, dokładnie taki sam. — Skłonił się lekko w pasie ku Siobhan. — Przyjaciółka od serca czy koleżanka po fachu? — zapytał inspektora.

— Ta druga — odparła Siobhan.

— Jak to mówią, jedno nie musi wykluczać drugiego. — Uśmiechnął się do niej szeroko, wkładając kapelusz.

— Widzisz tamtego faceta? — Rebus ruchem głowy wskazał Jacka Bella, który właśnie kończył wywiad. — Gdybym powiedział mu, kim jesteś i czym się zajmujesz, przerobiłby cię na miazgę.

— Ma pan na myśli pana Bella? Kiedy tu dotarliśmy, natychmiast podpisaliśmy się pod jego petycją, no nie, mikrusie? — Spojrzał na swego towarzysza. Bob nic z tego nie rozumiał, ale i tak przytaknął. — Sam pan widzi, sumienie mamy czyste — ciągnął Johnson.

— To nie tłumaczy, co tu w ogóle robicie... chyba że twoje sumienie nie jest jednak takie czyste.

— Wybaczy pan, ale to był cios poniżej pasa. — Dla lepszego efektu Johnson puścił oko. — Pożegnaj się z naszymi miłymi detektywami — powiedział, klepiąc Złego Boba po ramieniu.

— Żegnam miłych detektywów. — Tłustą twarz kurdupla wykrzywił pijacki uśmieszek.

Paw Johnson dołączył tymczasem do tłumu, z pochyloną nisko głową, jakby był pogrążony w modlitwie. Bob ruszył kilka kroków za swoim panem, niczym wyprowadzany na spacer pies.

— I co nam to dało? — zadała pytanie Siobhan.

Rebus powoli pokręcił głową.

— Być może twoja uwaga o jego sumieniu nie była daleka od prawdy — dodała.

— Bądź tak miła i przyskrzyń tego drania za cokolwiek.

Spojrzała na niego pytająco, on jednak skierował już uwagę na Jacka Bella, który szeptał coś Kate do ucha. Dziewczyna skinęła głową, a poseł uścisnął ją serdecznie.

— Myślisz, że czeka ją kariera w polityce? — spytała Siobhan.

— Mam szczerą nadzieję, że tylko o to chodzi — mruknął Rebus, bezlitośnie miażdżąc niedopałek papierosa obcasem.

Dzień trzeci

Czwartek

8

— Ten kraj schodzi na psy — oświadczył Bobby Hogan. Rebus uważał, że to niesprawiedliwa ocena. Jechali szosą M74, jedną z najbardziej niebezpiecznych dróg w Szkocji. Dwuczłonowe ciężarówki obrzucały passata Hogana żwirem i wodą, zmieszanymi w stosunku dziewięć do jednego. Nastawione na najszybszy tryb wycieraczki nie nadążały z oczyszczaniem szyby, a mimo to Hogan ciągnął ponad siedemdziesiątką. Tyle że jazda z taką prędkością wiązała się z koniecznością wyprzedzania ciężarówek, których kierowcy z upodobaniem niemrawo ścigali się nawzajem, w wyniku czego ustawiała się za nimi kolejka samochodów osobowych, czekających na swoją szansę.

O świcie nad stolicą zaświeciło mleczne słońce, lecz Rebus wiedział, że nie potrwa to długo. Niebo było zbyt zamglone, mętne jak dobre zamiary pijaka. Hogan postanowił, że spotkają się na St Leonard's; zanim tam dotarł, co najmniej połowa kamiennego usypiska Arthur's Seat zniknęła w chmurach. Zdaniem Rebusa nawet David Copperfield nie wykonałby tej sztuczki z większym wigorem. Gdy Arhur's Seat zaczynało ginąć w chmurach, było pewne, że spadnie deszcz. I rozpadało się, zanim jeszcze wyjechali z miasta. Hogan najpierw włączył wycieraczki na tryb przerywany, a potem na ciągły. Teraz, na autostradzie M74 na południe od Glasgow, machały na prawo i lewo niczym nogi Strusia Pędziwiatra na kreskówce.

— No wiesz... ta pogoda, ten ruch... jak człowiek ma to znosić?

159

— Ze skruchą? — podsunął Rebus.

— Sugerujesz, że sobie na to zasłużyliśmy?

— Sam mówisz, Bobby, że musi być jakiś powód, dla którego stoimy w miejscu.

— Może po prostu jesteśmy leniwi?

— Pogody nie zmienimy. Przypuszczam, że w naszej mocy leży zmniejszenie natężenia ruchu, ale po co zawracać sobie głowę, skoro nigdy nic to nie dało?

Hogan uniósł palec.

— O właśnie. Nas po prostu nikt i nic nie będzie robić w konia.

— Twoim zdaniem to wada?

Hogan wzruszył ramionami.

— Zaleta to w każdym razie nie jest, prawda?

— Raczej nie.

— Cały ten kraj się sypie. W robocie pod górkę, politycy tylko patrzą, jak dorwać się do koryta, dzieciaki nie mają... Sam już nie wiem. — Głośno wypuścił powietrze.

— Co ty tak od rana jękolisz jak stara baba, Bobby?

Hogan potrząsnął głową.

— Od wieków mam takie poglądy.

— No to dzięki, żeś mnie zaprosił do konfesjonału.

— Wiesz co, John? Jesteś jeszcze większym cynikiem niż ja.

— Nieprawda.

— Nie? No to poproszę o przykład.

— Na przykład wierzę w życie po śmierci. Mało tego, uważam, że obaj przeniesiemy się w zaświaty szybciej, niż się tego spodziewamy, jeżeli nie zdejmiesz nogi z...

Hogan uśmiechnął się po raz pierwszy tego ranka i zasygnalizował, że zjeżdża na środkowy pas.

— Teraz lepiej? — zapytał.

— Lepiej — przyznał Rebus.

Po dłuższej chwili padło pytanie:

— Naprawdę wierzysz, że po śmierci coś jeszcze nas czeka?

Rebus zastanowił się nad odpowiedzią.

— Wierzę, że był to skuteczny sposób, żebyś zwolnił. — Wcisnął guzik zapalniczki samochodowej i natychmiast tego pożałował. Hogan zauważył, jak skrzywił się z bólu.

— Ręce wciąż ci dają w kość?

— Już coraz mniej.

— Opowiedz mi jeszcze raz, jak do tego doszło.

Rebus pokręcił głową powoli.

— Pogadajmy lepiej o Carbrae. Ile tak naprawdę wyciągniemy z tego Roberta Nilesa?

— Przy pewnej dozie szczęścia coś więcej niż tylko jego nazwisko, stopień służbowy i numer seryjny — odparł Hogan, znowu zabierając się do wyprzedzania.

Szpital Specjalny Carbrae usytuowany był, jak to określał Hogan, „pod spoconą pachą Bóg wie czego i gdzie". Żaden z nich wcześniej tam nie był. Hoganowi kazano jechać autostradą A117 na zachód od Dumfries, w kierunku Dalbeattie. Kiedy przegapili zjazd, Hogan zaczął przeklinać zbitą ścianę ciężarówek na wewnętrznym pasie, obwiniając je o to, że zasłoniły drogowskazy i zjazd. W rezultacie mogli zjechać z M74 dopiero pod Lockerbie, na zachód w kierunku Dumfries.

— Byłeś w Lockerbie, John? — zapytał Hogan.

— Tylko przez dwa dni.

— Pamiętasz tę porutę ze zwłokami? Jak kładli je na lodowisku? — Hogan powoli pokręcił głową. Rebus pamiętał: zwłoki przymarzły do lodu i trzeba było rozmrozić całe lodowisko. — Właśnie o to mi chodziło, kiedy mówiłem o Szkocji, John. Tamta sytuacja najlepiej nas podsumowała.

Rebus nie zgadzał się z nim. Uważał, że o jego kraju o wiele więcej mówił pełen godności spokój mieszkańców miasteczka po katastrofie lotu Pan Am 103. Nie potrafił przestać myśleć o tym, jak poradzą sobie mieszkańcy South Queensferry, kiedy już potrójny pierścień policji, mediów i wyszczekanych polityków stamtąd zniknie. Rano, popijając kawę, przez piętnaście minut oglądał wiadomości, lecz musiał wyłączyć dźwięk, kiedy na ekranie pojawił się Jack Bell, obejmujący Kate, której twarz powlekała upiorna bladość.

Jadąc z domu po Rebusa, Hogan kupił plik gazet. Niektórym udało się w swych ostatnich wydaniach zamieścić zdjęcia z czuwania — pastora prowadzącego śpiew, posła pokazującego swą petycję. Cytowano jedną z mieszkanek dzielnicy: „Nie mogę spać ze strachu na myśl o tym, kto jeszcze czai się tam z bronią".

Strach — to było kluczowe słowo. Większość ludzi przez całe życie nigdy nie styka się z przestępczością, a jednak boi się jej. Ten strach jest realny, obezwładniający. Policja istniała właśnie po to, by rozpraszać ów lęk, zbyt często jednak przedstawiano ją jako nieudolną, bezradną, która zjawia się na miejscu już po dokonaniu zbrodni i tylko usuwa jej skutki, zamiast jej zapobiegać. W tej sytuacji ktoś taki jak Jack Bell jawił się jako człowiek, który przynajmniej próbuje coś robić... Rebus znał określenia, jakimi popisywano się na seminariach — prospołeczny, a nie aspołeczny. Któryś z brukowców uczepił się tego tematu. Popierał kampanię Bella, jakakolwiek by miała być: „Skoro nasze siły porządkowe nie są w stanie uporać się z tym narastającym problemem, to my sami, pojedynczo lub w zorganizowanych grupach, musimy przeciwstawić się fali przemocy, która zalewa naszą kulturę...".

Rebus domyślał się, że nietrudno było napisać ten wstępniak — autor jedynie cytował słowa posła. Hogan rzucił okiem na gazetę.

— Bell jest na fali, co?

— Już niedługo.

— Mam nadzieję. Rzygać mi się chce, jak widzę tego świętoszkowatego drania.

— Czy mogę zacytować pańskie słowa, inspektorze Hogan?

— Dziennikarze... kolejny dowód na to, że ten kraj schodzi na psy.

W Dumfries zatrzymali się na kawę. Nawet ponure połączenie sztucznego tworzywa i kiepskiego oświetlenia w kawiarni żadnemu z nich nie przeszkadzało, kiedy już wbili zęby w grube bułki z bekonem. Hogan spojrzał na zegarek i ocenił, że są w drodze od prawie dwóch godzin.

— Przynajmniej przestaje padać — powiedział Rebus.

— Flagi na maszt! — rzucił Hogan.

Rebus uznał, że należy zmienić temat.

— Byłeś kiedyś w tych stronach?

— Na pewno musiałem przejeżdżać przez Dumfries, ale nie bardzo pamiętam.

— Ja tu byłem raz na wakacjach. Mieszkaliśmy w wozie kempingowym nad zatoką Solway.

— Kiedy to było? — Hogan zlizywał z palców roztopione masło.

— Lata temu... Sammy chodziła jeszcze w pieluchach. — Sammy, córka Rebusa.

— Odzywa się czasem do ciebie?

— Dzwoni od czasu do czasu.

— Wciąż siedzi w Anglii? — Hogan patrzył, jak Rebus kiwa głową. — No to powodzenia. — Rozłożył bułkę i oderwał z bekonu kawał tłuszczu. — Szkocka dieta... nasze kolejne przekleństwo.

— Jezu, Bobby, może zostawię cię po prostu w Carbrae? Mógłbyś się tam zapisać i odgrywać starego zrzędę przed oczarowaną publicznością.

— Ja tylko mówię, że...

— Że co? Że mamy gównianą pogodę i gówniane żarcie? Poproś Granta Hooda, żeby ci poprowadził konferencję prasową, zobaczysz, jak zadziwicie wszystkich mieszkańców.

Hogan skupił się na jedzeniu, przeżuwając je, ale nie przełykając.

— Chyba za długo siedziałem w samochodzie — powiedział w końcu tonem usprawiedliwienia.

— Za długo siedzisz nad sprawą Port Edgar — wytknął mu Rebus.

— To raptem...

— Nie interesuje mnie, jak długo to trwa. Może mi powiesz, że się wysypiasz? Zostawiasz wszystko za sobą, kiedy wracasz wieczorem do domu? Wyłączasz się? Zrzucasz to na kogo innego? Dzielisz się z...

— Rozumiem — przerwał mu Hogan i zamilkł. — Sam cię w to wciągnąłem, prawda?

— I całe szczęście, bo inaczej jechałbyś teraz sam jak palec.

— I?

— I nie miałbyś przed kim jękolić. — Rebus popatrzył na niego. — Ulżyło ci, że wyrzuciłeś to wreszcie z siebie?

Hogan uśmiechnął się.

— Może i masz rację.

— Coś podobnego, trzeba to zapisać w księgach!

Obaj wybuchnęli śmiechem. Hogan uparł się, że zapłaci rachunek, Rebus zostawił napiwek. Wróciwszy do samochodu, odszukali drogę na Dalbeattie. Dziesięć mil za Dumfries drogowskaz skierował ich w prawo, na wąską i krętą drogę, porośniętą na środku trawą.

— No proszę i już nie ma ruchu — zauważył Rebus.

— Dla turystów to trochę za bardzo na uboczu — mruknął Hogan.

Carbrae zbudowano dla celów szpitalnych w nastawionych na przyszłość latach sześćdziesiątych — długi, przypominający pudełko budynek z odchodzącymi w bok aneksami. Zobaczyli go jednak dopiero wtedy, gdy zaparkowali samochód, wylegitymowali się przy bramie, po czym ktoś przyszedł po nich i zaprowadził ich w głąb grubych ścian z szarego betonu. Było tam także zewnętrzne ogrodzenie — wysoki na dwadzieścia stóp druciany płot pod napięciem, na szczycie którego rozmieszczono kamery. Przy wejściu dostali laminowane przepustki, zawieszane na szyi na czerwonej wstążce. Tablice informowały odwiedzających, czego nie wolno wnosić na teren szpitala. Żadnych napojów ani jedzenia, gazet czy czasopism. Żadnych ostrych przedmiotów. Niczego nie wolno przekazywać pacjentom bez uprzedniej konsultacji z kimś z personelu. Korzystanie z telefonów komórkowych było zabronione — „Naszych pacjentów może zdenerwować wszystko, nawet rzeczy pozornie niegroźne. W przypadku wątpliwości PYTAJ!".

— Myślisz, że mamy szansę zdenerwować Roberta Nilesa? — zapytał Hogan, patrząc Rebusowi prosto w oczy.

— To by było niezgodne z naszym charakterem — odparł Rebus, wyłączając komórkę.

Przyszedł po nich sanitariusz i weszli do środka.

Poprowadził ich biegnącą przez ogród ścieżką, z porządnie utrzymanymi klombami po bokach. Z niektórych okien wyglądały jakieś twarze. Okna nie były okratowane. Rebus spodziewał się, że sanitariuszami będą udający słabeuszy, ogromni i milczący osiłkowie, w szpitalnej bieli lub w jakichś mundurach. Tymczasem ich przewodnik, Billy, był drobny i wesoły, ubrany swobodnie w koszulkę, dżinsy i buty na miękkiej podeszwie. Rebusowi przyszła do głowy straszna myśl: szaleńcy opanowali szpital i zamknęli personel pod kluczem. Tłumaczyłoby to promienny uśmiech na rumianej twarzy Billy'ego. A może zwędził coś z szafki z lekarstwami?

— Doktor Lesser oczekuje panów u siebie — mówił Billy.

— A co z Nilesem?

— Porozmawiacie z Robertem u niej. On nie lubi, jak obcy wchodzą do jego pokoju.

— O?

— Ma fioła na tym punkcie. — Billy wzruszył ramionami, jak gdyby chciał powiedzieć: „przecież wszyscy mamy jakieś dziwactwa, prawda?". Nacisnął kilka cyfr na tabliczce obok drzwi i uśmiechnął się do wycelowanej w niego kamery. Drzwi otworzyły się i weszli na teren szpitala.

Pachniało tam... w każdym razie nie lekarstwami. Więc czym? Nagle Rebus uświadomił sobie, co to jest — zapach nowych dywanów, zwłaszcza tego niebieskiego, który rozciągał się przed nimi w korytarzu. Farba na ścianach na oko też była świeża. Rebus przypuszczał, że jej przemysłowa nazwa na puszkach to jabłkowa zieleń. Na ścianach obrazki, przymocowane taśmą samoprzylepną. Żadnych ramek ani pinezek. Panowała cisza. Ich buty poruszały się po dywanie bezszelestnie. Żadnej muzyki na dudach, żadnych wrzasków. Billy poprowadził ich korytarzem i zatrzymał się przed otwartymi drzwiami.

— Doktor Lesser?

W środku, za nowoczesnym biurkiem, siedziała kobieta. Uśmiechnęła się i spojrzała na nich ponad dwuogniskowymi szkłami okularów.

— A więc jednak dotarliście — powiedziała.

— Przepraszamy za niewielkie spóźnienie... — zaczął się usprawiedliwiać Hogan.

— Nie o to chodzi — zapewniła go. — Po prostu ludzie często mijają zjazd z autostrady i potem dzwonią, że się zgubili.

— Nie zgubiliśmy się.

— Właśnie widzę.

Podeszła do nich z wyciągniętą ręką. Hogan i Rebus przedstawili się.

— Dziękuję, Billy — powiedziała. Chłopak ukłonił się lekko i wycofał. — Dlaczego nie wchodzicie? Ja nie gryzę. — Znów się uśmiechnęła. Rebus zastanawiał się, czy wchodzi to w zakres obowiązków pracowników Carbrae.

Pokój był niewielki i wygodnie urządzony. Żółta dwuosobowa kanapa, półki z książkami, aparatura stereo. Żadnych szafek na akta. Rebus domyślał się, że kartoteki pacjentów trzymano z dala od wścibskich oczu. Doktor Lesser powiedziała, żeby zwracali się do niej Irene. Dwudziestokilkuletnia, a może nieco po trzydziestce, miała kasztanowe, opadające tuż poniżej ramion włosy. Jej oczy przypominały barwą chmury, zasłaniające rano Arthur's Seat.

— Siadajcie, panowie. — Mówiła z angielskim akcentem. Zdaniem Rebusa, liverpoolskim.

— Pani doktor... — zaczął Hogan.

— Proszę mi mówić Irene.

— Oczywiście. — Hogan przerwał, jak gdyby się zastanawiał, czy powinien zwracać się do niej po imieniu. W takim wypadku ona też zaczęłaby zwracać się do niego tak samo, a to byłoby zbyt familiarne. — Domyśla się pani, po co przyjechaliśmy?

Lesser kiwnęła głową. Przysunęła sobie krzesło tak, że siedziała naprzeciwko obu detektywów. Rebus uświadomił sobie, że kanapa jest dla nich nieco ciasna, razem z Bobbym ważyli ze dwieście kilo...

— A wy pewnie się domyślacie, że Robert ma prawo nie odpowiadać na wasze pytania — mówiła Lesser. — Jeśli się zdenerwuje, to koniec rozmowy i kropka.

Hogan przytaknął ruchem głowy.

— A pani, oczywiście, będzie obecna przy rozmowie?

Uniosła brew.

— Oczywiście.

Mimo że spodziewali się takiej odpowiedzi, poczuli się zawiedzeni.

— Pani doktor... — odezwał się Rebus. — Czy mogłaby nam pani pomóc się przygotować? Czego możemy się spodziewać po panu Nilesie?

— Nie lubię przepowiadać...

— Na przykład, czy podczas rozmowy powinniśmy czegoś unikać? Może jakichś słów?

Spojrzała na niego z uznaniem.

— On nie będzie mówił o tym, co zrobił ze swoją żoną.

— Nie po to tu przyjechaliśmy.

Zastanowiła się przez chwilę.

— Nie wie, że jego przyjaciel nie żyje.

— Nie wie o śmierci Herdmana? — zdziwił się Hogan.

— Naszych pacjentów raczej nie interesują bieżące wiadomości.

— I wolałaby pani, żebyśmy nie mówili o tym Nilesowi? — domyślił się Rebus.

— Zakładam, że nie musicie mu tłumaczyć, dlaczego interesuje was pan Herdman...

— Ma pani rację, nie musimy. — Rebus spojrzał na Hogana. — Tylko powinniśmy uważać, żeby się nie wygadać, prawda, Bobby?

Gdy Hogan kiwał głową, ktoś zapukał do otwartych drzwi. Wszyscy troje wstali. W progu stał wysoki muskularny mężczyzna. Byczy kark, wytatuowane ramiona. Oto jak powinni wyglądać sanitariusze, pomyślał Rebus. Nagle jednak zobaczył twarz Lesser i uświadomił sobie, że tym gigantem jest Robert Niles.

— Robercie... — Uśmiech lekarki wrócił na swoje miejsce, lecz Rebus wiedział, że Lesser zastanawia się, od jak dawna Niles stoi w progu i jak wiele usłyszał.

— Billy mówił, że... — Jego głos zadudnił jak grzmot pioruna.

— Zgadza się. Chodź, chodź do nas.

Gdy Niles wszedł do pokoju, Hogan wstał, by zamknąć drzwi.

— Niech pan tego nie robi — powiedziała Lesser rozkazującym tonem. — Te drzwi są zawsze otwarte.

Można to było rozumieć dwojako: otwarte, bo nie ma nic do ukrycia, albo dlatego, żeby łatwiej można było jej przyjść z pomocą, gdyby ktoś ją zaatakował.

Lekarka ruchem ręki wskazała Nilesowi krzesło, sama zaś wycofała się za swoje biurko. Gdy wielkolud siadał, obaj detektywi poszli w jego ślady i upchnęli się na kanapie.

Niles przyglądał im się ze zwieszoną głową, spod opuszczonych powiek.

— Robercie, panowie chcieliby ci zadać kilka pytań.

— Jakich pytań? — Niles miał na sobie śnieżnobiały podkoszulek i szare spodnie do joggingu. Rebus usiłował nie gapić się na jego tatuaże. Były stare, prawdopodobnie pochodziły jeszcze z okresu służby wojskowej. W swoim czasie Rebus był jedynym rekrutem, który na pierwszej przepustce nie uczcił zaciągnięcia się do wojska tatuażami. Niles miał wytatuowane godło Szkocji, dwa splecione węże oraz owinięty w sztandar sztylet. Rebus przypuszczał, że sztylet ma coś wspólnego ze służbą w SAS, chociaż szefostwo patrzyło na to krzywym okiem — tatuaże, podobnie jak blizny, oznaczały możliwość identyfikacji. A zatem mogły być wykorzystane przeciwko tobie, gdybyś dostał się w ręce wroga...

Hogan postanowił przejąć inicjatywę.

— Chcemy porozmawiać o twoim przyjacielu, Lee.

— O Lee?

— O Lee Herdmanie. Odwiedza cię czasem?

— Czasami, tak. — Słowa popłynęły powoli. Rebus zastanawiał się, jakimi prochami go faszerują.

— Widzieliście się ostatnio?

— Kilka tygodni temu... chyba. — Niles odwrócił głowę ku lekarce. W Carbrae czas nie miał pewnie znaczenia. Pokiwała mu głową zachęcająco.

— O czym rozmawiacie, kiedy cię odwiedza?

— O starych czasach.

— A konkretnie?

— Po prostu, o starych czasach. Dobrze się wtedy żyło.

— Czy Lee też był tego zdania? — Kończąc to pytanie, Hogan gwałtownie wciągnął powietrze, uświadamiając sobie, że wyraził się o Herdmanie w czasie przeszłym.

— O co tu chodzi? — Kolejne spojrzenie na lekarkę, które Rebusowi skojarzyło się z tresowanym zwierzęciem, szukającym instrukcji u właściciela. — Czy ja muszę tego słuchać?

— Drzwi są otwarte, Robercie. — Lesser ruchem ręki wskazała na wyjście. — Wiesz przecież.

— Wygląda na to, że Lee zaginął, panie Niles — odezwał się Rebus, pochylając się lekko. — Chcemy się tylko dowiedzieć, co się z nim stało.

— Zniknął?

Rebus wzruszył ramionami.

— Jazda z Queensferry tutaj to ładny kawałek drogi. Wychodzi na to, że wy dwaj byliście ze sobą dosyć zżyci.

— Służyliśmy razem w wojsku.

Rebus kiwnął głową.

— W SAS, wiem. Byliście w tym samym oddziale?

— W szwadronie C.

— Sam o mało tam nie trafiłem. — Rebus zmusił się do uśmiechu. — Byłem spadochroniarzem, starałem się o przyjęcie do nich.

— I co się stało?

Rebus starał się nie wracać wspomnieniami do przeszłości. Czaiły się tam upiory.

— Oblałem trening.

— Kiedy odpadłeś?

Łatwiej powiedzieć prawdę, niż kłamać.

— Przeszedłem wszystko aż do testów psychologicznych.

Twarz Nilesa przepołowił szeroki uśmiech.

— Złamali cię.

Rebus przytaknął.

— Pękłem jak jakieś pieprzone jajko, kozaku. — Kozaku, żołnierski żargon.

— Kiedy to było?

— Na początku lat siedemdziesiątych.

— No to trochę przede mną. — Niles zamyślił się. — Musieli zmienić system przesłuchań — przypomniał sobie. — Kiedyś były o wiele twardsze.

— Przechodziłem to.

— Złamałeś się podczas przesłuchań? Co ci zrobili? — Oczy Nilesa zwęziły się. Był teraz czujny, nareszcie z kimś rozmawiał i to ten ktoś odpowiadał na jego pytania.

— Trzymali mnie w celi... bez przerwy światło i hałas... krzyki z innych cel...

Rebus wiedział, że skupił na sobie uwagę wszystkich. Niles uderzył dłonią o dłoń.

— Śmigłowiec? — zapytał, a kiedy Rebus przytaknął, znów klasnął i zwrócił się do doktor Lesser: — Wkładają ci worek na głowę, wsadzają do śmigłowca i mówią, że cię wyrzucą, jeśli nie powiesz im tego, co chcą wiedzieć. Kiedy cię zrzucają, jesteś raptem osiem stóp nad ziemią, tyle że o tym nie wiesz. — Odwrócił się z powrotem do Rebusa. — Załatwiają cię tym na cacy. — Nagle wyciągnął do niego rękę.

— Jeszcze jak — zgodził się Rebus, próbując nie reagować na palący ból po uścisku dłoni.

— Dla mnie to zwykłe barbarzyństwo — zauważyła wyraźnie pobladła doktor Lesser.

— Albo się łamiesz, albo zostajesz — wyjaśnił jej Niles.

— Mnie to złamało — przyznał Rebus. — A ty, Robercie... ty zostałeś?

— Na jakiś czas. — Ożywienie Nilesa nieco przygasło. — Dopiero kiedy wychodzisz... dopiero wtedy cię to dopada.

— Co takiego?

— To, że wszystko, co robiłeś... — Niles zamilkł, nieruchomy jak posąg. Jakieś następne prochy zaczęły działać? Ale za jego plecami Lesser kręciła głową na znak, że nie ma się czego obawiać. Olbrzym pogrążył się tylko w myślach. — Znałem kilku spadochroniarzy — odezwał się w końcu. — Były z nich twarde skurczybyki.

— Służyłem w drugiej kompanii strzelców.

— Czyli w Ulsterze?

Rebus skinął głową.

— I nie tylko.

Niles postukał się po nosie. Rebus wyobraził sobie, jak jego palce ściskają nóż, jak podrzynają gładkie białe gardło...

— O tym ani mru-mru, nawet własnej matce — powiedział olbrzym.

A tym bardziej żonie, pomyślał Rebus.

— Czy Lee nie był jakiś dziwny, kiedy widziałeś się z nim ostatnim razem? — zapytał spokojnie. — Może czymś się martwił?

Niles potrząsnął głową.

— Lee zawsze robi dobrą minę do złej gry. Kiedy ma dołek, to mi się nie pokazuje.

— Ale wiesz, że czasami bywa w dołku?

— Wyszkolono nas, żeby tego nie okazywać. Jesteśmy mężczyznami!

— Tak, jasne — potwierdził Rebus.

— W wojsku nie ma miejsca dla mięczaków. Mięczak nie zastrzeli człowieka ani nie rzuci w niego granatem. Musisz być zdolny do... Szkolą cię, żebyś... — Ale dalszy ciąg nie przeszedł mu przez usta. Nerwowo wykręcał ręce, jakby chciał wypluć z siebie słowa, którymi się zakrztusił. Przeniósł wzrok z Rebusa na Hogana i z powrotem. — Czasami... czasami nie wiedzą, jak nas wyłączyć.

Hogan wyprostował się na kanapie.

— Myślisz, że to się odnosi do Lee?

Niles wlepił w niego wzrok.

— On coś zrobił, prawda?

Hogan ugryzł się w język i spojrzał na lekarkę, szukając ratunku. Było już jednak za późno. Niles powoli wstawał z krzesła.

— Pójdę już — powiedział, zmierzając do drzwi.

Hogan otworzył usta, by coś powiedzieć, lecz Rebus dotknął jego ramienia i powstrzymał go; domyślał się, że Bobby prawdopodobnie chciał wrzucić do pokoju granat: „Twój kumpel nie żyje i zabrał ze sobą paru dzieciaków...". Doktor Lesser wstała i podeszła do drzwi, sprawdzając, czy Niles nie schował się za nimi. Upewniwszy się, że nikogo tam nie ma, wróciła na krzesło, które dopiero co zwolnił jej pacjent.

— Wydaje się całkiem rozgarnięty — zauważył Rebus.

— Rozgarnięty?

— Opanowany. Czy to wpływ leków?

— Lekarstwa mają w tym swój udział. — Założyła nogę na nogę. Była w spodniach. Rebus zauważył, że nie nosi żadnej biżuterii, ani na rękach, ani na szyi, nie miała nawet kolczyków w uszach.

— Kiedy zostanie... wyleczony... czy wróci z powrotem do więzienia?

— Ludzie sądzą, że pobyt w takim zakładzie jak ten to sama przyjemność. Zapewniam pana, że tak nie jest.

— Nie o to mi chodziło. Zastanawiam się tylko, czy...

— O ile pamiętam — wpadł mu w słowo Hogan — Niles nigdy nie wyjaśnił, dlaczego poderżnął żonie gardło. Czy wobec pani był bardziej szczery, pani doktor?

Patrzyła na niego bez zmrużenia oka.

— To nie ma nic wspólnego z tym, po co przyjechaliście.

Hogan wzruszył ramionami.

— Racja, po prostu jestem ciekawy.

Lesser zwróciła się do Rebusa:

— Może to coś w rodzaju prania mózgu?

— Niby co? — spytał Hogan.

Rebus odpowiedział za lekarkę:

— Doktor Lesser zgadza się z Nilesem. Uważa, że wojsko uczy żołnierzy zabijania, po czym nie robi nic, żeby ich wyłączyć, zanim przejdą do cywila.

171

— Można przytoczyć wiele przykładów na poparcie tego poglądu — oświadczyła Lesser. Oparła dłonie na udach, dając znać, że posiedzenie dobiegło końca. Rebus wstał jednocześnie z nią, lecz Hogan się ociągał.

— Przejechaliśmy kawał drogi, pani doktor — powiedział.

— Nie sądzę, żebyście się jeszcze czegoś dowiedzieli od Roberta, nie dzisiaj.

— Wątpię, czy znajdziemy czas na powtórną wizytę.

— A to już, oczywiście, pańska decyzja.

W końcu Hogan wstał z kanapy.

— Często widuje pani Nilesa?

— Codziennie.

— Mam na myśli rozmowy w cztery oczy.

— O co panu właściwie chodzi?

— Być może następnym razem mogłaby go pani zapytać o jego przyjaciela Lee.

— Być może — przyznała.

— Więc gdyby coś powiedział...

— Pozostałoby to między nim a mną.

Hogan kiwnął głową.

— Tajemnica lekarska, rozumiem. Tyle że kilka rodzin właśnie straciło swoich synów. Może dla odmiany pomyślałaby pani o ofiarach. — W jego głosie zabrzmiała twarda nuta.

Rebus zaczął popychać go w stronę drzwi.

— Przepraszam za kolegę — zwrócił się do lekarki. — Taka sprawa zawsze odbija się na człowieku.

Jej twarz złagodniała.

— Tak, oczywiście... Poczekajcie chwilkę, zawołam Billy'ego.

— Myślę, że sami trafimy do wyjścia — rzekł Rebus. Kiedy jednak wyszli na korytarz, ujrzał nadchodzącego sanitariusza. — Jesteśmy pani wdzięczni za pomoc. — Po czym zwrócił się do Hogana: — Bobby, podziękuj miłej pani doktor.

— Dzięki — burknął Hogan z wysiłkiem. Wyrwał się koledze i ruszył korytarzem. Rebus poszedł w jego ślady.

— Inspektor Rebus! — zawołała za nim doktor Lesser. Odwrócił się do niej. — Może pan też chciałby z kimś porozmawiać? Myślę o terapii.

— Wyszedłem z wojska trzydzieści lat temu.

Pokiwała głową.

— To zbyt długo, żeby nosić taki bagaż. — Splotła ramiona na piersi. — Niech pan się nad tym zastanowi.

Rebus skinął głową, cofając się. Pomachał jej ręką na pożegnanie, odwrócił się i ruszył przed siebie, czując na sobie jej wzrok. Hogan szedł przed Billym i najwyraźniej nie życzył sobie towarzystwa. Rebus zrównał się z sanitariuszem.

— Bardzo nam to pomogło — powiedział do Billy'ego, wiedząc, że Hogan go słyszy.

— Cieszę się.

— Warto było przyjechać.

Chłopak kiwnął tylko głową, zadowolony, że ktoś jeszcze ma równie udany dzień jak on.

— Billy, czy księga gości jest tutaj, czy na wartowni? — zapytał Rebus, kładąc dłoń na jego ramieniu. Chłopak wyglądał na zaskoczonego. — Nie słyszałeś, co mówiła doktor Lesser? — brnął dalej inspektor. — Potrzebne nam są daty odwiedzin Nilesa przez Lee Herdmana.

— Księga jest na wartowni.

— Więc tam ją sobie przejrzymy. — Rebus posłał sanitariuszowi zwycięski uśmiech. — Jest szansa, że dostaniemy tam kawę?

W wartowni mieli czajnik i strażnik przygotował im dwa kubki kawy rozpuszczalnej. Billy wrócił do szpitala.

— Myślisz, że pójdzie od razu do tej lekarki? — zapytał szeptem Hogan.

— Trzeba się uwijać.

Nie było to proste, ponieważ strażnik zainteresował się nimi i zaczął ich wypytywać o pracę w dochodzeniówce. Pewnie nosiło go po całych dniach spędzanych w tej budce, w otoczeniu ekranów telewizji przemysłowej, gdzie nie miał nic lepszego do roboty niż przepuścić kilka samochodów na godzinę... Hogan rzucał mu jakieś smakowite historyjki, które, jak podejrzewał Rebus, wymyślał na poczekaniu. Księga gości była staromodnym rejestrem, zawierającym kolumny z datą, godziną, nazwiskiem i adresem gościa oraz nazwiskiem odwiedzanego. Ostatnia kolumna podzielona była na dwie części — nazwisko pacjenta oraz lekarza prowadzącego. Rebus zaczął od nazwisk gości i przejechał szybko palcem przez trzy strony, aż w końcu znalazł Lee Herdmana. Niemal dokładnie miesiąc temu, więc Niles nie był daleki od prawdy. Kolejny miesiąc wstecz i kolejna wizyta. Rebus zapisał ich daty w notesie, lekko naciskając długopis. Przynajmniej nie wrócą do Edynburga z niczym.

Zrobił sobie przerwę, by upić łyk kawy z wyszczerbionego, pomalowanego w kwiaty kubka. Sądząc po smaku, była to jedna z tych tanich mieszanek robionych dla supermarketów — więcej cykorii niż kawy. Jego ojciec, oszczędzając kilka pensów, kupował to samo świństwo. Gdy Rebus, mając kilkanaście lat, przyniósł kiedyś do domu nieco droższy gatunek, ojciec ani razu go nie spróbował.

— Dobra kawa — rzucił w kierunku strażnika zadowolonego z komplementu.

— Skończyliśmy? — zapytał Hogan, który miał już powyżej uszu opowiadania anegdotek.

Rebus skinął głową, lecz jeszcze raz zerknął do księgi. Tym razem jednak nie na nazwiska gości, lecz pacjentów...

— Nadciąga towarzystwo — ostrzegł go Hogan.

Rebus podniósł wzrok. Bobby wskazywał na jeden z telewizyjnych ekranów. Z budynku szpitala wyszła doktor Lesser w towarzystwie Billy'ego i maszerowała ścieżką.

Rebus wrócił do rejestru i znów odszukał R. Nilesa. Robert Niles/doktor Lesser. Inny odwiedzający, nie Lee Herdman.

Że też jej o to nie spytaliśmy! Rebus miał ochotę kopnąć się w dupę.

— Spadamy stąd, John — mówił Bobby Hogan, odstawiając kubek. Ale Rebus ani myślał się zbierać. Puścił oko do Hogana, który przyglądał mu się zdziwiony. Nagle drzwi otworzyły się z trzaskiem i stanęła przed nimi doktor Lesser.

— Kto wam pozwolił szperać w poufnych aktach? — warknęła.

— Zapomnieliśmy panią zapytać o innych odwiedzających — odparł zimno Rebus i postukał palcem w rejestr. — Kim jest Douglas Brimson?

— Nie pańska sprawa!

— Skąd pani wie? — Zapisał nazwisko w notesie.

— Co pan robi?

Zamknął notes i schował go do kieszeni. Potem skinął głową na Bobby'ego.

— Jeszcze raz dzięki, pani doktor — rzucił Hogan, zmierzając do wyjścia.

Lekarka zignorowała go, przeszywając Rebusa wściekłym wzrokiem.

— Złożę na pana skargę — zapowiedziała.

Wzruszył ramionami.

— I tak mnie dziś zawieszą. Jeszcze raz dziękuję za pomoc. — Przecisnął się koło niej i wyszedł za Hoganem na parking.

— Od razu mi lepiej — rzekł Bobby. — Może i była to tania zagrywka, ale przynajmniej na koniec strzeliliśmy gola.

— Taniego gola zawsze warto zdobyć — przytaknął Rebus.

Hogan zatrzymał się przy passacie i zaczął szukać kluczyków po kieszeniach.

— Douglas Brimson? — zapytał.

— Jeszcze jeden facet, który odwiedzał Nilesa — wyjaśnił Rebus. — Mieszka w Turnhouse.

— W Turnhouse? — Hogan zmarszczył brwi. — Na lotnisku?

Rebus skinął głową.

— Czy jest tam coś jeszcze?

— Poza lotniskiem? — Rebus wzruszył ramionami. — Może warto będzie sprawdzić — dorzucił w chwili, gdy szczęknął centralny zamek, odblokowując drzwiczki samochodu.

— O co ci chodziło z tym zawieszeniem?

— Musiałem coś jej powiedzieć.

— Ale dlaczego akurat to?

— Jezu, Bobby, myślałem, że psychoanalityczka już sobie poszła.

— John, czy przypadkiem nie powinienem o czymś wiedzieć...

— Nie.

— Ja cię w to wciągnąłem, ale równie szybko mogę cię wywalić. Pamiętaj.

— Ty to potrafisz motywować ludzi do pracy, Bobby. — Rebus zatrzasnął drzwiczki wozu. Zapowiadała się długa jazda...

9

ZRÓB MI PRZYJEMNOŚĆ (CODY).

Siobhan ponownie spojrzała na list. Ten sam charakter pisma co wczoraj, była tego pewna. Znaczek jak na list zwykły, a mimo to dotarł do niej w jeden dzień. Adres bezbłędny, włącznie z kodem pocztowym St Leonard's. Tym razem bez podpisu, ale przecież go nie potrzebowała, prawda? O to właśnie chodziło nadawcy.

„Zrób mi przyjemność" — nawiązanie do Brudnego Harry'ego Clinta Eastwooda? Znała jakiegoś Harry'ego? Nie. Nie była pewna, czy miała domyślić się, co oznacza CODY, ale wiedziała to od razu: *Come On, Die Young* — *No już, umrzyj młodo*. Wiedziała, bo tak zatytułowana była płyta Mogwai, którą kupiła jakiś czas temu. Zdaje się, że tak brzmiało jakieś gangsterskie graffiti z Ameryki. Czy zna kogoś, kto oprócz niej lubi Mogwai? Kilka miesięcy temu pożyczyła parę kompaktów Rebusowi. Na komisariacie nikt się nie orientował, jakiej muzyki słucha. Grant Hood był u niej w mieszkaniu kilka razy... tak samo Eric Bain... A może nie miała się domyślić znaczenia tego skrótu, nie bez popracowania nad tym? Przypuszczała, że większość fanów zespołu jest młodsza od niej — nastolatki, ludzie nieco po dwudziestce. I pewnie byli to głównie mężczyźni. Mogwai grali muzykę instrumentalną, mieszając spokojne brzmienie gitary z ogłuszającym łomotem. Nie mogła sobie przypomnieć, czy Rebus oddał jej te płyty... Czy była wśród nich *Come On, Die Young*?

Nie zdając sobie sprawy z tego, co robi, przeszła od biurka do okna i wyjrzała na St Leonard's Lane. Wydział śledczy opustoszał, wszystkie przesłuchania związane z Port Edgar zakończono. Teraz zostaną przepisane na maszynie i zebrane do kupy. A potem ktoś wprowadzi je do komputera i przekonają się, czy technika znajdzie jakieś powiązania, które przegapili zwykli śmiertelnicy...

Nadawca listu chciał, żeby zrobiła mu przyjemność. Jemu? Jeszcze raz uważnie przyjrzała się charakterowi pisma. Być może ekspert potrafiłby określić, czy pisała to kobieta, czy mężczyzna. Przypuszczała, że nadawca celowo zmienił charakter pisma. Stąd te bazgroły. Wróciła do swego biurka i zadzwoniła do Raya Duffa.

— Ray, tu Siobhan... Masz coś dla mnie?

— Ja też panią witam, sierżant Clarke. Czy nie mówiłem, że się odezwę, kiedy — jeśli! — coś znajdę?

— To znaczy, że na razie nic nie odkryłeś?

— To znaczy, że jestem zaharowany. To znaczy, że nie zabrałem się jeszcze do twojego listu, za co najmocniej przepraszam, ale jestem tylko człowiekiem.

— Przepraszam, Ray. — Z westchnieniem uszczypnęła się w grzbiet nosa.

— Dostałaś następny? — domyślił się.

— Tak.

— Jeden wczoraj, jeden dzisiaj?

— Właśnie.

— Chcesz mi go podesłać?

— Ten chyba sobie zatrzymam, Ray.

— Zadzwonię, jak tylko będę coś miał.

— Wiem. Przepraszam, że zawracałam ci głowę.

— Pogadaj z kimś o tym, Siobhan.

— Już to zrobiłam. Trzymaj się, Ray.

Rozłączyła się i zadzwoniła na komórkę Rebusa, lecz nie odbierał. Nie zostawiła mu wiadomości. Złożyła list, schowała go do koperty i wsunęła ją do kieszeni. Na biurku stał laptop zastrzelonego chłopaka, jej zadanie na dziś. Zawierał ponad sto plików. Znajdowały się wśród nich pewnie jakieś aplikacje komputerowe, w większości jednak były to dokumenty utworzone przez Dereka Renshawa. Kilka już przejrzała — korespondencja, szkolne wypracowania. Ani słowa na temat wypadku samochodowego, w którym zginął jego przyjaciel. Wyglądało na to, że próbował założyć jakiś jazzowy fanzin. Były tam strony składu, zawierające zeskanowane zdjęcia, częściowo ściągnięte z sieci. Wiele entuzjazmu, ale brak talentu do pisania. „Bez dwóch zdań Miles był innowatorem, później jednak zajął się odkrywaniem nowych talentów i przytulał się do nich, licząc na to, że część ich zdolności przejdzie na niego...". Siobhan miała nadzieję, że Miles mył się potem dokładnie. Usiadła przed laptopem i wlepiła w niego wzrok, próbując się skoncentrować. Słowo CODY telepało jej się po głowie. Może to była wskazówka... prowadząca do kogoś o tym imieniu. Ale nie znała żadnego ani żadnej Cody. Nagle z przerażeniem pomyślała, że pewnie Fairstone żyje, a zwęglone zwłoki należą do jakiegoś Cody'ego. Wybiła to sobie z głowy, odetchnęła głęboko i wróciła do pracy.

Natychmiast natknęła się na mur. Nie mogła wejść do poczty elektronicznej Dereka bez hasła. Sięgnęła po telefon, zadzwoniła do South Queensferry i ucieszyła się, że odebrała Kate, a nie jej ojciec.

— Kate, mówi Siobhan Clarke.

— Tak?

— Mam tu komputer Dereka.

— Tata mi mówił.

— Ale zapomniałam zapytać o hasło.

— A do czego pani potrzebne?

— Żeby sprawdzić, czy jest jakaś nowa poczta.

— Po co? — Irytacja w głosie, najwyraźniej dziewczyna chciała mieć to wreszcie za sobą.

— Bo taka jest nasza praca. — Zapadło milczenie. — Kate?

— Słucham?

— Sprawdzałam tylko, czy się nie wyłączyłaś.

— A, tak... — Nagle na linii zapadła cisza. Kate Renshaw odłożyła słuchawkę.

Siobhan zaklęła w duchu i postanowiła spróbować później albo poprosić o to Rebusa. Ostatecznie należał do rodziny. A poza tym miała folder ze starą korespondencją Dereka, do którego hasło nie było potrzebne. Przebiegła spis i stwierdziła, że listy w folderze pochodzą z czterech lat. Miała nadzieję, że

Derek był porządny i usunął cały spam. Grzebała się w tym od pięciu minut, znudzona wynikami rozgrywek rugby i sprawozdaniami z meczów, kiedy zabrzęczał telefon. Dzwoniła Kate.

— Bardzo panią przepraszam — powiedziała.
— Nie ma za co. Nie szkodzi.
— Nieprawda. Pani przecież tylko wykonuje swoją pracę.
— Co nie znaczy, że tobie musi się to podobać. Szczerze mówiąc, mnie też nie zawsze się podoba.
— Jego hasło brzmi „Miles".
Oczywiście! Gdyby tylko pomyślała, sama wpadłaby na to w parę minut.
— Dzięki, Kate.
— Dużo siedział w Internecie. Tata przez jakiś czas skarżył się na rachunki.
— Byliście ze sobą bardzo zżyci, ty i Derek, prawda?
— Chyba tak.
— Nie każdy brat zdradziłby siostrze swoje hasło.
Parsknięcie, nieomal śmiech.
— Sama je odgadłam. Za trzecim podejściem. On próbował odgadnąć moje hasło, a ja jego.
— I co, domyślił się, jakie jest twoje?
— Nagabywał mnie o nie całymi dniami, ciągle miał jakieś nowe pomysły.
Siobhan opierała się na biurku lewym łokciem. Zacisnęła dłoń w pięść i oparła na niej głowę. Zapowiadało się na dłuższą rozmowę, rozmowę, której Kate potrzebowała.
Wspomnienia o Dereku.
— Czy lubiliście taką samą muzykę?
— Jezu, nie. On słuchał tylko shoegaze... muzyki zamkniętych oczu. Godzinami przesiadywał w pokoju, a jak ktoś do niego zaglądał, to zawsze widział go siedzącego po turecku na łóżku, z głową w chmurach. Parę razy próbowałam wyciągnąć go na miasto, do klubów, ale mówił, że tylko go przygnębiają. — Kolejne parsknięcie. — Po prostu, różne gusty. Wiesz, że kiedyś został pobity?
— Gdzie?
— Na mieście. Chyba właśnie od tej pory zaczął przesiadywać w domu. Wpadł na jakichś gówniarzy, którym nie spodobał

się jego „elegancki" akcent. Wiesz, takich jest mnóstwo. My jesteśmy snobami, dlatego że mamy nadzianych starych, którzy płacą za nasze wykształcenie, a oni to blokersi, którzy skończą na zasiłku... tak to się zaczyna.

— Co się tak zaczyna?

— Agresja. Pamiętam swój ostatni rok w Port Edgar... dostaliśmy list, w którym „życzliwie radzono" nam, żebyśmy nie pokazywali się na mieście w szkolnych mundurkach, chyba że na wycieczkach pod opieką wychowawców. — Westchnęła ciężko. — Moi rodzice oszczędzali i odmawiali sobie wszystkiego, żebyśmy mogli pójść do prywatnej szkoły. Nie wiem, czy w sumie nie dlatego się rozeszli.

— Na pewno nie z tego powodu.

— Większość ich kłótni dotyczyła pieniędzy.

— Mimo wszystko...

Na chwilę zapadła cisza.

— Siedziałam w Internecie, szukałam tego i owego.

— To znaczy czego?

— Różnych rzeczy... próbowałam się dowiedzieć, dlaczego to zrobił.

— Mówisz o Lee Herdmanie?

— Jest taka książka, jakiegoś Amerykanina. To psychiatra czy ktoś w tym rodzaju. Wiesz, jaki ma tytuł?

— Jaki?

— *Źli mężczyźni robią rzeczy, o których dobrzy tylko marzą.* Myślisz, że to prawda?

— Musiałabym najpierw przeczytać tę książkę.

— Moim zdaniem ten psychiatra uważa, że wszyscy mamy to w sobie... potencjał do... no wiesz...

— Nic mi na ten temat nie wiadomo. — Siobhan wciąż myślała o Dereku Renshawie. Pobicie go było kolejną z rzeczy, o których nie wspomniał w swoich komputerowych plikach. Tyle tajemnic... — Kate, nie obrazisz się, jeśli cię zapytam...

— O co?

— Derek nie miał chyba depresji? Chodzi mi o to, że przecież uprawiał różne sporty, miał zainteresowania.

— Tak, ale jak wracał do domu...

— To przesiadywał u siebie w pokoju? — domyśliła się Siobhan.

— Słuchając jazzu i surfując po sieci.
— Miał jakieś ulubione strony? Coś konkretnego?
— Zaglądał na kilka czatowni, odwiedzał listy dyskusyjne.
— Pozwól, że zgadnę... sport i jazz?
— Trafiłaś w dziesiątkę. — Zapadła cisza. — Pamiętasz, co mówiłam o rodzinie Stuarta Cottera?
Stuart Cotter, ofiara kraksy.
— Pamiętam — odparła Siobhan.
— Myślałaś wtedy, że zwariowałam? — Kate starała się powiedzieć to lekkim tonem.
— Nie przejmuj się, sprawdzimy ten trop.
— Wiesz, ja nie mówiłam tego poważnie. Nie sądzę, żeby rodzina Stuarta Cottera była... była zdolna do czegoś takiego.
— Rozumiem, Kate. — Kolejna cisza na linii, tym razem dłuższa. — Kate, znów odłożyłaś słuchawkę?
— Nie.
— Chcesz jeszcze o czymś porozmawiać?
— Nie powinnam cię odrywać od pracy.
— Zawsze możesz do mnie zadzwonić, Kate. Kiedy tylko będziesz chciała pogadać.
— Dzięki, Siobhan. Fajna z ciebie kumpela.
— Trzymaj się, Kate. — Siobhan przerwała połączenie i z powrotem spojrzała na ekran. Przycisnęła dłoń do kieszeni kurtki i namacała kształt koperty.
CODY.
Nagle przestało to mieć dla niej znaczenie.
Wróciła do pracy. Podłączyła laptop do gniazdka telefonicznego i wprowadziła hasło Dereka, by odebrać masę nowych e-maili, głównie spamu i bieżących informacji sportowych. Kilka listów pochodziło od ludzi, których pamiętała z korespondencji w folderze. Przyjaciele, których Derek prawdopodobnie nigdy nie spotkał, z którymi kontaktował się jedynie w sieci; przyjaciele rozrzuceni po całym świecie, którzy mieli te same zainteresowania. Przyjaciele, którzy nie wiedzieli, że zginął.
Wyprostowała się, czując chrupnięcie kręgów w kręgosłupie. Kark jej zesztywniał, a zegarek podpowiadał, że najwyższa pora na lunch. Nie była głodna, ale wiedziała, że powinna coś

zjeść. Choć tak naprawdę miała ochotę tylko na podwójne espresso, a do tego może czekoladę. Na ten podwójny zastrzyk cukru i kofeiny, który wprawia świat w ruch.

— Nie poddam się — powiedziała sama do siebie. Zamiast na kawę, pójdzie do Engine Shed, gdzie podają zdrową żywność i herbatki owocowe. Wyjęła z torby książkę w miękkiej oprawie i telefon komórkowy, po czym zamknęła torbę na klucz w dolnej szufladzie biurka — na komisariacie ostrożności nigdy za wiele. Książka była krytycznym opracowaniem na temat muzyki rockowej, autorstwa jakiejś poetki. Od wieków próbowała doczytać ją do końca.

Właśnie wychodziła, gdy do biura wszedł George „Hi-Ho" Silvers.

— Spadam na lunch, George — powiedziała.

Rozejrzał się po pustym biurze.

— A może bym tak poszedł z tobą, co ty na to?

— Przepraszam, George, ale jestem umówiona — skłamała bezwstydnie. — Poza tym któreś z nas powinno pilnować fortu.

Zeszła po schodach, wyszła z komisariatu głównym wejściem i skręciła w lewo w St Leonard's Lane. Patrzyła na maleńki ekran telefonu, sprawdzając wiadomości. Nagle na jej ramieniu wylądowała czyjaś ciężka ręka i głęboki głos warknął:

— Cześć!

Okręciła się na pięcie, upuszczając książkę i telefon. Chwyciła napastnika za nadgarstek i wykręciła go tak, że mężczyzna opadł na kolana.

— Ożeż kurwa! — wystękał.

Widziała tylko czubek jego głowy. Krótkie ciemne włosy, postawione do góry na żel. Ciemnoszary garnitur. Facet był mocno zbudowany, niewysoki...

Nie był to Martin Fairstone.

— Kim pan jest? — syknęła. Trzymała jego nadgarstek wysoko za plecami, wykręcając go silnie. Usłyszała trzask otwieranych i zamykanych drzwi samochodu, podniosła wzrok i ujrzała, że pędzą ku niej kobieta i mężczyzna.

— Chciałem tylko porozmawiać — wystękał napastnik. — Jestem dziennikarzem. Holly... Steve Holly.

Puściła go. Holly ściskał obolałe ramię, gramoląc się na nogi.

— Co tu się dzieje? — spytała kobieta.

182

Siobhan rozpoznała ją. Whiteread, przysłana przez wojsko do zbadania sprawy. Towarzyszył jej Simms; uśmiechał się lekko i kiwał głową z uznaniem, doceniając refleks policjantki.

— Nic — odparła Siobhan.

— Wcale na to nie wyglądało. — Whiteread mierzyła wzrokiem Steve'a Holly'ego.

— To reporter — wyjaśniła Siobhan.

— Szkoda, że nie wiedzieliśmy, nie śpieszylibyśmy się tak z interwencją — rzekł Simms.

— Brawo — mruknął Holly, masując łokieć. Przeniósł wzrok z Simmsa na Whiteread. — Ja już was widziałem... jeśli się nie mylę, przed mieszkaniem Lee Herdmana. A zdawało mi się, że znam wszystkich z dochodzeniówki. — Wstał i wyciągnął rękę do Simmsa, biorąc go za przełożonego kobiety. — Steve Holly.

Simms rzucił okiem na Whiteread i dziennikarz natychmiast się zorientował, że popełnił błąd. Obrócił się nieznacznie, tak że jego wyciągnięta ręka celowała w kobietę, i przedstawił się powtórnie. Whiteread potraktowała go jak powietrze.

— Zawsze traktuje pani przedstawicieli czwartej władzy w ten sposób, sierżant Clarke?

— Czasami zakładam im nelsona.

— Słusznie, należy zmieniać metody ataku — pochwaliła ją Whiteread.

— Dzięki temu nieprzyjaciel nie potrafi przewidzieć twojego ruchu — dodał Simms.

— Czy mi się tylko zdaje, czy jaja sobie ze mnie robicie? — zapytał Holly.

Siobhan schyliła się po komórkę i książkę. Sprawdziła, czy telefon nie jest uszkodzony.

— Czego pan chce ode mnie?

— Odpowiedzi na kilka pytań.

— W jakiej sprawie?

Holly cały czas patrzył na parę wojskowych.

— Na pewno nie przeszkadza pani publiczność, sierżant Clarke?

— I tak nie mam panu nic do powiedzenia — odparła.

— Skąd pani wie, skoro jeszcze mnie pani nie wysłuchała?

— Bo chce pan rozmawiać na temat Martina Fairstone'a.

— Czyżby? — Holly uniósł brew. — Być może miałem taki zamiar... zastanawiam się jednak, dlaczego jest pani taka nerwowa i dlaczego nie chce pani rozmawiać o Fairstonie?

Bo właśnie z powodu Fairstone'a jestem taka nerwowa! — miała ochotę wykrzyczeć mu w twarz. Prychnęła jednak tylko pogardliwie. Engine Shed nie wchodziła już w rachubę. Nic nie mogło powstrzymać Holly'ego, żeby nie poszedł za nią i się nie przysiadł...

— Wracam na komisariat — oświadczyła.

— Niech pani uważa, żeby nikt tam panią nie złapał za ramię — ostrzegł Holly. — I proszę przekazać inspektorowi Rebusowi moje przeprosiny...

Siobhan nie dała się na to złapać. Ruszyła do drzwi komisariatu, lecz Whiteread zastąpiła jej drogę.

— Możemy pogadać?

— Mam przerwę na lunch.

— Też bym coś przekąsiła — stwierdziła Whiteread, zerkając na Simmsa, który kiwnął głową.

Siobhan westchnęła.

— No to chodźcie.

Pchnęła drzwi obrotowe; Whiteread szła tuż za nią. Simms ruszył za nimi, lecz zatrzymał się i zwrócił do dziennikarza.

— Pracuje pan w gazecie? — zapytał. A kiedy Holly przytaknął, uśmiechnął się do niego i dorzucił: — Zabiłem kiedyś człowieka gazetą. — Po czym odwrócił się i wszedł za kobietami do budynku.

W kantynie wybór był już niewielki. Kobiety wzięły kanapki, Simms zdecydował się na frytki z fasolą.

— O co mu chodziło z tymi przeprosinami? — spytała Whiteread, mieszając cukier w herbacie.

— Nieważne — odparła Siobhan.

— Czy aby na pewno...

— Niech pani posłucha...

— Nie jesteśmy twoimi wrogami, Siobhan. Wiem, jak to jest, prawdopodobnie nie ufasz kolegom z innych komisariatów, a co dopiero komuś z zewnątrz, jak my. Ale jesteśmy po tej samej stronie.

— Nie mam z tym problemu, ale to, co się właśnie wydarzyło, nie ma nic wspólnego ani z Port Edgar, ani z Lee Herdmanem, ani z SAS.

Whiteread przez chwilę mierzyła ją wzrokiem, po czym skwitowała jej odpowiedź wzruszeniem ramion.

— No więc, o co wam chodzi? — spytała Siobhan.

— Właściwie to mieliśmy nadzieję, że uda nam się porozmawiać z inspektorem Rebusem.

— Nie ma go tu.

— Tak nam powiedzieli w South Queensferry.

— I mimo to przyjechaliście?

Whiteread zajęła się badaniem zawartości kanapki.

— Jak widać.

— Jego tu nie ma... ale wiedzieliście, że mnie zastaniecie?

Whiteread uśmiechnęła się.

— Rebus starał się o przyjęcie do SAS, ale go nie wzięli.

— Już to słyszałam.

— Czy mówił pani kiedyś dlaczego?

Siobhan postanowiła nie odpowiadać, nie zamierzając przyznać, że Rebus nigdy nie dopuścił jej do tej części swojego życia. Whiteread przyjęła jej milczenie za odpowiedź.

— Pękł. Zwolnił się z wojska i przeszedł załamanie nerwowe. Przez jakiś czas mieszkał na plaży, gdzieś na północ stąd.

— W Fife — sprecyzował Simms z ustami pełnymi frytek.

— Skąd wy to wszystko wiecie? Podobno zajmujecie się Herdmanem?

Whiteread pokiwała głową.

— Kłopot w tym, że Lee Herdman nie był u nas odhaczony.

— Odhaczony?

— Jako potencjalny psychopata — wyjaśnił Simms. Whiteread przeszyła go wściekłym wzrokiem, więc przełknął głośno i zajął się jedzeniem.

— Psychopata nie jest właściwym słowem — sprostowała, kierując te słowa do Siobhan.

— Ale Johna macie odhaczonego? — domyśliła się policjantka.

— Tak — przyznała Whiteread. — To załamanie nerwowe, rozumiesz... A potem został policjantem, jego nazwisko regularnie zaczęło pojawiać się w mediach...

I wkrótce znów się pojawi, pomyślała Siobhan.

— Nadal nie rozumiem, co to ma wspólnego ze śledztwem — powiedziała z nadzieją, że w jej głosie nie słychać niepokoju.

— Chodzi o to, że wiedza inspektora Rebusa może się okazać użyteczna — wyjaśniła Whiteread. — Inspektor Hogan z pewnością tak sądzi. Wziął ze sobą Rebusa do Carbrae, prawda? Na rozmowę z Robertem Nilesem.

— Kolejna z waszych spektakularnych porażek — wyrwało się Siobhan.

Wydawało się, że Whiteread przyjęła tę uwagę bez urazy. Odłożyła większą część kanapki na talerz i wzięła kubek kawy. Zadzwonił telefon Siobhan. Spojrzała na ekran — Rebus.

— Przepraszam — powiedziała, wstając od stołu i podchodząc do automatu z napojami. — Jak poszło? — rzuciła do słuchawki.

— Mamy nazwisko. Możesz je sprawdzić w komputerze?

— Podaj mi je.

— Brimson. — Rebus przeliterował. — Na imię ma Douglas. Mieszka w Turnhouse.

— Na lotnisku?

— Na to wygląda. On też odwiedzał Nilesa...

— I mieszka niedaleko South Queensferry, więc możliwe, że znał Lee Herdmana. — Siobhan obejrzała się na Whiteread i Simmsa, którzy siedzieli przy stoliku, pogrążeni w rozmowie. — Są tu twoi kolesie z wojska. Czy mam sprawdzić tego Brimsona przy nich, na wypadek gdyby też był kiedyś w wojsku?

— Chryste, nie. Czy oni nas słuchają?

— Jesteśmy w kantynie, ale nie martw się, są poza zasięgiem słuchu.

— Co oni tam robią?

— Whiteread je kanapkę, a Simms wcina frytki. — Przerwała. — Ale tak naprawdę to mnie chcieli pożreć.

— A ja się mam teraz z tego uśmiać?

— Przepraszam, to był kiepski żart. Czy Templer już z tobą rozmawiała?

— Jeszcze nie. W jakim jest nastroju?

— Od rana udaje mi się schodzić jej z drogi.

— Prawdopodobnie najpierw chciała się spotkać z patologami, zanim mnie wrzuci na ruszt.

— No i kto tu teraz żartuje?

— Chciałbym, żeby to był dowcip, Siobhan.

— Kiedy wracasz?

— Dziś już nie, jeśli nie będę musiał. Bobby chce pogadać z sędzią.

— Po co?

— Żeby wyjaśnić kilka drobiazgów.

— I to ci zajmie resztę dnia?

— Beze mnie też masz co robić. Tylko nic nie mów Bliźniakom Ponurakom.

Bliźniaki Ponuraki... Siobhan spojrzała w ich kierunku. Nie rozmawiali już; skończyli jeść i teraz patrzyli na nią.

— Steve Holly też tutaj węszył — poinformowała Rebusa.

— Domyślam się, że dałaś mu kopa w jaja i krzyżyk na drogę?

— Z grubsza się zgadza...

— Musimy jeszcze pogadać, zanim kurtyna opadnie.

— Będę tutaj.

— Znalazłaś coś w laptopie?

— Na razie nic.

— Próbuj dalej.

Zapadła cisza; radosne bipkanie powiedziało Siobhan, że Rebus przerwał połączenie. Wróciła do stołu i przywdziała uśmiech na twarz.

— Muszę wracać — oświadczyła.

— Możemy cię podrzucić — zaproponował Simms.

— Ale ja wracam na górę.

— Skończyłaś już w South Queensferry? — spytała Whiteread.

— Mam tu różne takie, muszę się tym zająć.

— Różne takie?

— Luźne wątki sprzed całej tej historii.

— Robota papierkowa, co? — mruknął Simms ze współczuciem. Ale mina Whiteread wskazywała, że nie dała się nabrać.

— Odprowadzę was do samochodu — powiedziała Siobhan.

— Zawsze byłam ciekawa, jak wygląda wydział śledczy... — zaczęła Whiteread, lecz Siobhan wpadła jej w słowo:

— Kiedyś was oprowadzę. Jak nie będziemy zawaleni robotą po uszy.

Z braku wyboru Whiteread musiała przyjąć jej odpowiedź, lecz Siobhan widziała, że była tym zachwycona mniej więcej tak jak koncertem Mogwai.

10

Lord Jarvies dobiegał sześćdziesiątki. Kiedy jechali z powrotem do Edynburga, Bobby Hogan wprowadził Rebusa w historię jego rodziny. Rozwiódł się z pierwszą żoną i ożenił powtórnie. Jedynym dzieckiem z drugiego związku był Anthony. Mieszkali w Murrayfield.

— Mają tam w okolicy mnóstwo dobrych szkół — rzucił Rebus, dumając nad odległością z Murrayfield do South Queensferry. Ale Orlando Jarvies był wychowankiem Port Edgar. Jako dwudziestolatek grał nawet w ich drużynie rugby. — Ciekawe, na jakiej pozycji — zainteresował się nagle.

— John, całą moją wiedzę na temat rugby można by spisać na niedopałku twojego papierosa — odparł Hogan.

Spodziewał się, że zastaną sędziego w domu, pogrążonego w szoku i żałobie. Jednak po kilku telefonach okazało się, że Jarvies wrócił do pracy, a zatem należy go szukać w Sheriff Court na Chambers Street, naprzeciwko muzeum, w którym pracowała Jean Burchill. Rebusowi przyszło do głowy, że może by tak do niej zadzwonić — znalazłby czas na szybką kawę — ale zrezygnował z tego pomysłu. Przecież musiałaby zwrócić uwagę na jego dłonie. Najlepiej zawiesić kontakty, dopóki się nie zagoją. Wciąż jeszcze odczuwał skutki uścisku ręki Roberta Nilesa.

— Zeznawałeś kiedyś przed Jarviesem? — spytał Hogan, parkując na pojedynczej żółtej linii przed dawną kliniką dentystyczną, przerobioną teraz na klub nocny.

— Kilka razy. A ty?

— Raz czy dwa.

— Dałeś mu powód, żeby cię zapamiętał?

— Przekonajmy się — odparł Hogan, kładąc za szybą tabliczkę, informującą, że jest to „samochód policyjny na służbie".

— Chyba taniej wyjdzie mandat — poradził mu Rebus.

— Jak to?

— Zastanów się.

Hogan w zamyśleniu zmarszczył brwi, po czym pokiwał głową. Nie wszyscy wychodzący z gmachu sądu mają powód, by kochać policję. Mandat mógł kosztować trzydzieści funtów (zresztą gdyby szepnąć słówko komu trzeba, może dałoby się go wycofać), a naprawa porysowanej karoserii wypadała znacznie drożej. Hogan usunął tabliczkę.

Sąd mieścił się w nowoczesnym budynku, lecz goście zostawili po sobie ślady — zaschniętą ślinę na szybach, graffiti na ścianach. Sędzia przebywał właśnie w garderobie i tam też zaprowadzono Rebusa i Hogana. Woźny skłonił się lekko, zanim zamknął za nimi drzwi.

Jarvies kończył się właśnie przebierać z togi w prążkowany garnitur z kamizelką i zegarkiem z dewizką. Miał starannie zawiązany krawat w kolorze czerwonego wina oraz wypolerowane na wysoki błysk czarne półbuty. Jego twarz też wyglądała jak wypolerowana, co podkreślało gęstą siatkę czerwonych żyłek na policzkach. Na długim stole leżały sędziowskie ubrania robocze: czarne togi, białe kołnierze i szare peruki. Każdy zestaw podpisany był nazwiskiem właściciela.

— Siadajcie, jeśli znajdziecie wolne krzesła — powiedział Jarvies. — Zaraz będę gotowy. — Popatrzył na nich z lekko rozchylonymi ustami, jak to często robił na sali rozpraw. Kiedy Rebus po raz pierwszy zeznawał przed Jarviesem, ta maniera rozpraszała go, miał wrażenie, że sędzia chce mu przerwać. — Jestem umówiony na spotkanie, dlatego musiałem przyjąć was tutaj albo wcale.

— Nic nie szkodzi, panie sędzio — rzekł Hogan.

— Szczerze mówiąc — dorzucił Rebus — po tym, co pan przeszedł, dziwimy się, że w ogóle jest pan tutaj.

— Nie możemy dać się pokonać tym draniom — oświadczył

190

sędzia. Zabrzmiało to, jak gdyby nie po raz pierwszy wygłaszał tę kwestię. — A zatem, czym mogę panom służyć?

Rebus i Hogan wymienili spojrzenia, nie mogąc uwierzyć, że stojący przed nimi człowiek właśnie stracił syna.

— Chodzi o Lee Herdmana — wyjaśnił Hogan. — Wygląda na to, że kolegował się z Robertem Nilesem.

— Niles...? — Sędzia podniósł wzrok. — Przypominam go sobie... zadźgał nożem żonę, dobrze mówię?

— Poderżnął jej gardło — sprostował Rebus. — Trafił do więzienia, ale teraz jest w Carbrae.

— Ciekawi nas, czy kiedykolwiek miał pan powód, żeby obawiać się jego zemsty — dorzucił Hogan.

Jarvies wstał powoli, wyjął zegarek i otworzył go, by zobaczyć która godzina.

— Chyba rozumiem — powiedział. — Szukacie motywu. Czy nie wystarczy stwierdzenie, że Herdmanowi pomieszało się w głowie?

— Możliwe, że takie będą nasze końcowe wnioski — przyznał Hogan.

Sędzia przeglądał się w olbrzymim lustrze na ścianie. Nozdrza Rebusa podrażnił nikły aromat, który w końcu rozpoznał. Był to zapach kosztownych zakładów krawieckich — zakładów, w których bywał jako dziecko, kiedy jego ojciec szedł do miary. Jarvies przygładził sterczący kosmyk. Zaczynał lekko siwieć na skroniach, lecz poza tym jego włosy były kasztanowe. Aż za bardzo, pomyślał Rebus, zastanawiając się, czy nie jest to wynik dyskretnego farbowania. Fryzura sędziego, ze starannym lewym przedziałkiem, sprawiała wrażenie, jakby w tej materii nie wymyślono nic nowego od jego czasów szkolnych.

— Panie sędzio... — ponaglił Hogan. — Robert Niles...?

— Z jego strony nigdy nie otrzymałem żadnych gróźb, inspektorze Hogan. A jeśli chodzi o Herdmana, usłyszałem to nazwisko dopiero po strzelaninie. — Odwrócił się od lustra. — Czy to jest odpowiedź na wasze pytania?

— Tak, panie sędzio.

— Gdyby celem Herdmana był Anthony, po co miałby strzelać do pozostałych chłopców? I po co miałby czekać tak długo od ogłoszenia wyroku?

— Tak jest.

— Motyw nie zawsze jest najważniejszy...

Nagle zabrzęczał telefon Rebusa; ten współczesny dźwięk wydawał się tu całkiem nie na miejscu. Inspektor uśmiechnął się ze skruchą i wyszedł na wyłożony czerwonym chodnikiem korytarz.

— Rebus — rzucił do mikrofonu.

— Właśnie odbyłam dwa interesujące spotkania — oświadczyła Gill Templer, usiłując trzymać nerwy na wodzy.

— Tak?

— Wyniki badań laboratoryjnych z kuchni Fairstone'a dowodzą, że prawdopodobnie był związany i zakneblowany. Czyli że to morderstwo.

— Albo ktoś usiłował mu napędzić porządnego stracha.

— Nie jesteś zaskoczony?

— Ostatnio niewiele mnie już zaskakuje.

— Wiedziałeś o tym, prawda? — spytała, lecz Rebus milczał; nie było sensu pakować doktora Curta w kłopoty. — No więc pewnie domyślasz się, z kim miałam drugie spotkanie.

— Z Carswellem — powiedział. Colin Carswell, zastępca komendanta.

— Zgadza się.

— A ja mam się uważać za zawieszonego w obowiązkach służbowych do czasu zakończenia śledztwa?

— Tak.

— Świetnie. Czy jeszcze coś chciałaś mi przekazać?

— Zostaniesz wezwany do komendy głównej na rozmowę wstępną.

— Do Skarg?

— Coś w tym rodzaju, może nawet do KEZ. — Miała na myśli Komisję Etyki Zawodowej.

— Aha, do zbrojnej bojówki Skarg.

— John... — W jej głosie brzmiało ostrzeżenie i irytacja.

— Chętnie sobie z nimi pogawędzę — rzekł Rebus i przerwał połączenie.

Hogan właśnie wychodził z garderoby, dziękując sędziemu, że poświęcił im czas. Zamknął za sobą drzwi i odezwał się szeptem:

— Wyjątkowo dobrze to znosi.

— Raczej skutecznie dusi w sobie — odparł Rebus, zrównując się z nim. — A swoją drogą, mam dla ciebie nowiny.

— No?

— Zostałem zawieszony w obowiązkach. Śmiem przypuszczać, że Carswell właśnie cię szuka, żeby cię o tym zawiadomić.

Hogan zatrzymał się i odwrócił twarzą do Rebusa.

— Tak jak to przewidywałeś w Carbrae.

— Poszedłem do jednego faceta, a on tej samej nocy zginął w płomieniach — wyjaśnił Rebus. Hogan opuścił wzrok na jego rękawiczki. — To nie ma z tym nic wspólnego, Bobby. Zwykły przypadek.

— Więc w czym problem?

— Ten gość napastował Siobhan.

— I?

— I wygląda na to, że kiedy wybuchł pożar, facet był przywiązany do krzesła.

Hogan wydął policzki.

— Jacyś świadkowie?

— Zdaje się, że ktoś widział, jak z nim wchodziłem do domu.

Zabrzęczał telefon Hogana — inny sygnał niż w komórce Rebusa. Bobby skrzywił się, sprawdziwszy na wyświetlaczu, kto dzwoni.

— Carswell? — domyślił się Rebus.

— Komenda główna.

— A więc to on.

Hogan kiwnął głową i wsunął telefon do kieszeni.

— Nie ma sensu tego odwlekać — powiedział Rebus.

Bobby jednak potrząsnął głową.

— Należy to odwlekać jak najdłużej, John. A poza tym, mogą cię odsunąć od śledztwa, ale Port Edgar to nie jest żadne śledztwo, prawda? Nikt nie stanie przed sądem. To raczej porządki domowe.

— Pewnie tak. — Rebus zdobył się na wymuszony uśmiech.

Bobby poklepał go po ramieniu.

— Nic się nie martw, John. Wujek Bobby się tobą zaopiekuje...

— Dzięki, wujku Bobby — wtrącił Rebus.

— ...dopóki nie wdepniemy w gówno po same uszy.

Zanim Gill Templer wróciła na St Leonard's, Siobhan wytropiła Douglasa Brimsona. Nie było to szczególnie uciążliwe zajęcie, ponieważ figurował w książce telefonicznej. Dwa adresy i numery — po jednym do domu i do biura. Templer zniknęła w swoim gabinecie po drugiej stronie korytarza, trzaskając za sobą drzwiami. George Silvers podniósł wzrok znad biurka.

— Zdaje się, że wkroczyła na wojenną ścieżkę — powiedział, chowając długopis do kieszeni i szykując się do odwrotu. Siobhan spróbowała połączyć się z Rebusem, lecz był zajęty. Najprawdopodobniej odpieraniem ciosów tomahawka starszej inspektor.

Gdy Silvers wyszedł, znów została w wydziale śledczym sama. Detektyw inspektor Pryde kręcił się gdzieś po budynku, podobnie jak detektyw posterunkowy Davie Hynds. Obaj jednak stali się niewidzialni. Siobhan gapiła się na ekran laptopa Dereka Renshawa, śmiertelnie znudzona przeglądaniem niewinnej zawartości komputera. Nie wątpiła, że Derek był dobrym chłopcem, ale nudnym. Wiedział już, jakimi torami potoczy się jego życie — trzy, cztery lata na uniwerku, potem rachunkowość w szkole biznesu, wreszcie praca biurowa, zapewne w księgowości. Pieniądze na kupno apartamentu z widokiem na morze, szybkiego samochodu i najlepszej aparatury stereo, jaka jest na rynku...

Tyle że ta przyszłość była zamrożona, spełniona tylko w słowach na ekranie, w bajtach pamięci. Myśląc o tym, zadrżała. Jak wszystko może się zmienić w mgnieniu oka... Ukryła twarz w dłoniach, przecierając oczy i wiedząc jedno — że nie chce tu być, kiedy Gill Templer wyjdzie zza tych swoich drzwi. Podejrzewała bowiem, że po raz pierwszy wygarnie szefowej za wszystkie czasy albo i lepiej. W obecnym nastroju nie nadawała się na ofiarę, obojętne czyją. Spojrzała na telefon, a potem na notes z danymi Brimsona. Podjąwszy decyzję, zamknęła laptopa i wsadziła go do torby. Wzięła komórkę i notes.

Wyszła.

Tylko raz zboczyła z drogi — wpadła na chwilę do domu, by znaleźć płytę *Come On, Die Young*. Puściła ją sobie w samochodzie, szukając jakichś wskazówek. Trudna sprawa, skoro płyta była w większej części instrumentalna...

Pod domowym adresem Brimsona, na wąskiej uliczce pomiędzy lotniskiem i dawnym szpitalem Gogarburn, mieściła się nowoczesna parterowa willa. Wysiadając z samochodu,

Siobhan usłyszała w oddali odgłosy demolki — to wyburzano szpital. Pomyślała, że teren sprzedano pewnie któremuś z większych banków, z przeznaczeniem na siedzibę ich centrali. Willa, przed którą zaparkowała, ukryta była za wysokim żywopłotem i zieloną bramą z kutego żelaza. Otworzyła ją i ruszyła z chrzęstem po różowym żwirze. Nacisnęła dzwonek, po czym zajrzała w okna po obu stronach wejścia. Jedno było od salonu, drugie od sypialni. Łóżko było posłane, a salon wydawał się rzadko używany. Na niebieskiej skórzanej kanapie leżało kilka czasopism, ze zdjęciami samolotów na okładkach. Od frontu posesja była prawie w całości wyłożona płytami, tylko na dwóch klombach rosły niewielkie jeszcze krzewy róż. Wąska ścieżka oddzielała domek od garażu. Przekręciła klamkę kolejnej bramy i weszła do ogrodu na tyłach. Tworzył go szmat pochyłego trawnika, na dole którego rozciągały się pola uprawne. Obramowana drewnem cieplarnia sprawiała wrażenie, jakby ją dobudowano niedawno. Prowadzące do niej drzwi były zamknięte na klucz. Przez okna domu zajrzała do wielkiej, całkowicie białej kuchni i jeszcze jednej sypialni. Nie wyczuwała życia rodzinnego — żadnych zabawek w ogrodzie, zupełny brak śladów kobiecej ręki. Mimo to posesja utrzymana była w nienagannym stanie. Wracając ścieżką, dostrzegła szybkę w bocznych drzwiach garażu. W środku stał samochód — sportowy model jaguara — ale właściciela z pewnością nie było w domu.

Wróciła do swego samochodu, pojechała na lotnisko i zatrzymała się przed budynkiem terminalu. Ochroniarz ostrzegł ją, że tu nie wolno parkować, kiedy jednak pokazała mu legitymację, machnął ręką, że może być. W terminalu panował duży ruch, ludzie czekali w kolejkach na zbiorową wycieczkę ku słońcu. Biznesmeni żwawo ciągnęli walizki w kierunku windy. Siobhan rozejrzała się po tablicach, znalazła informację, podeszła do okienka i powiedziała, że chce rozmawiać z panem Brimsonem.

Szybki stukot klawiszy na klawiaturze, a potem potrząśnięcie głową.

— Nie mam takiego nazwiska.

Siobhan przeliterowała je kobiecie, która skinęła głową na znak, że wprowadziła dane prawidłowo, podniosła słuchawkę i powiedziała coś do kogoś po drugiej stronie. Tym razem to ona przeliterowała nazwisko: B-r-i-m-s-o-n. Po chwili znów pokręciła głową.

— Na pewno tu pracuje? — zapytała.

Siobhan pokazała jej adres, przepisany z książki telefonicznej. Kobieta uśmiechnęła się.

— Tu jest napisane „lądowisko", skarbie — wyjaśniła. — Lądowisko, a nie lotnisko. — Po czym powiedziała jej, jak tam dojechać. Siobhan podziękowała i wyszła z czerwoną twarzą; jak mogła popełnić taki błąd? Lądowisko jak lądowisko, przylegało do lotniska po przeciwnej stronie. W hangarach stały niewielkie samoloty; jak informowała tablica na bramie, mieściła się tam również szkoła pilotażu. Poniżej widniał numer telefonu, ten sam, który Siobhan przepisała z książki telefonicznej. Wysoka metalowa brama była zamknięta na kłódkę, lecz obok wisiała staromodna słuchawka telefoniczna. Siobhan podniosła ją i usłyszała sygnał.

— Halo? — odezwał się męski głos.

— Szukam pana Brimsona.

— No to go znalazłaś, złotko. Czym mogę służyć?

— Panie Brimson, jestem detektyw sierżant Clarke, z policji okręgu Lothian i Borders. Chciałabym zamienić z panem kilka słów.

Zapadła cisza. Aż wreszcie:

— Zaczekaj momencik. Muszę otworzyć bramę.

Siobhan chciała podziękować, lecz połączenie przerwano. Widziała kilka hangarów i parę samolotów. Jeden miał tylko jedno śmigło, na dziobie, drugi zaś dwa, po jednym na każdym skrzydle. Maszyny wyglądały na dwuosobowe. Stały tam również dwa przysadziste budynki z prefabrykatów; z jednego z nich wyszedł jakiś człowiek i wsiadł do sędziwego land-rovera bez dachu. Podchodzący do lądowania na lotnisku samolot zagłuszył silnik samochodu. Land-rover wyrwał do przodu i błyskawicznie przebył jakieś sto jardów, dzielące go od bramy. Kierowca wyskoczył z wozu. Był wysoki, opalony i muskularny. Miał około pięćdziesięciu lat i pobrużdżoną zmarszczkami twarz, która rozciągnęła się w szerokim powitalnym uśmiechu. Koszulka z krótkimi rękawami, w tym samym oliwkowym kolorze co land-rover, odsłaniała pokryte srebrnymi włoskami ramiona. Równie siwa była gęsta czupryna Brimsona, który za młodu był pewnie ciemnym blondynem. Wpuszczona w szare płócienne spodnie koszulka zdradzała, że mężczyźnie zaczyna rosnąć brzuch.

— Muszę tu zamykać — wyjaśnił, pobrzękując wielkim pękiem kluczy, który wyjął ze stacyjki land-rovera. — Przepisy bezpieczeństwa.

Pokiwała głową na znak, że rozumie. Ten człowiek miał w sobie coś takiego, że natychmiast wzbudzał sympatię. Może sprawiała to jego energia i poczucie pewności siebie, a może sposób, w jaki kołysał ramionami, podchodząc do bramy? Albo ten jego przelotny uśmiech zwycięzcy?

Kiedy jednak otwierał bramę, zauważyła, że jego twarz spoważniała.

— Przypuszczam, że chodzi o Lee — powiedział z namaszczeniem. — Prędzej czy później musiało do tego dojść. — Ruchem ręki pokazał jej, by wjechała za bramę. — Proszę zaparkować przed biurem — dorzucił. — Dogonię panią.

Przejeżdżając przez bramę, zastanawiała się nad jego słowami.

„Prędzej czy później musiało do tego dojść...".

Siedząc naprzeciwko niego w biurze, miała okazję go spytać, co miał na myśli.

— Chodziło mi o to, że prędzej czy później musieliście się do mnie zwrócić — wyjaśnił.

— Jak to?

— Bo przypuszczam, że chcecie wiedzieć, dlaczego to zrobił.

— I?

— I pytacie jego przyjaciół, czy mogą wam pomóc.

— Pan był przyjacielem Lee Herdmana?

— Tak. — Zmarszczył brwi. — To w tej sprawie pani przyjechała?

— Poniekąd. Stwierdziliśmy, że zarówno pan, jak i pan Herdman, odwiedzaliście w Carbrae tego samego pacjenta.

Brimson powoli pokiwał głową.

— Bardzo sprytnie — pochwalił. Kiedy zagotowała się woda i czajnik wyłączył się z lekkim trzaskiem, zerwał się z krzesła, zalał rozpuszczalną kawę w dwóch kubkach i podał jedno naczynie Siobhan. Biuro było mikroskopijne, mieściło się w nim zaledwie biurko i dwa krzesła. Prowadziły stamtąd drzwi do poczekalni, w której stało jeszcze kilka krzeseł i szafki na akta. Na ścianach wisiały plakaty z rozmaitymi modelami samolotów.

— Jest pan instruktorem pilotażu? — spytała Siobhan, biorąc od niego kubek.

— Proszę mi mówić Doug.

Brimson wrócił na krzesło. W oknie za jego plecami pojawiła się jakaś postać. Stukanie kostek dłoni w szybę. Brimson odwrócił głowę i pomachał ręką, a postać na zewnątrz odpowiedziała tym samym gestem.

— To Charlie — wyjaśnił. — Idzie polatać. Pracuje w banku, ale mówi, że zamieniłby się ze mną na robotę od jutra, gdyby dzięki temu mógł więcej czasu spędzać w powietrzu.

— To znaczy, że pan wynajmuje swoje samoloty?

Przez chwilę zastanawiał się nad jej pytaniem.

— Nie, nie — odparł w końcu. — Charlie ma własny samolot, a tutaj tylko go trzyma.

— A zatem lądowisko należy do pana?

Brimson skinął głową.

— W tym sensie, że dzierżawię ten teren od lotniska. Ale owszem, to wszystko jest moje. — Rozpostarł szeroko ramiona, posyłając jej kolejny uśmiech.

— Od jak dawna znał pan Lee Herdmana?

Ramiona opadły, a wraz z nimi uśmiech.

— Kilka ładnych lat.

— A konkretnie?

— W zasadzie odkąd się tu sprowadził.

— A więc od sześciu lat?

— Skoro pani tak twierdzi... — Umilkł. — Przepraszam, zapomniałem, jak się pani nazywa...

— Detektyw sierżant Clarke. Byliście ze sobą zżyci?

— Zżyci? — Wzruszył ramionami. — Lee nie pozwalał, żeby ktokolwiek się do niego zbliżył. To znaczy był przyjacielski, lubił spotykać się z ludźmi i tak dalej...

— Ale?

Brimson w zamyśleniu zmarszczył brwi.

— Nigdy nie byłem pewny, co mu chodzi... o, tutaj. — Postukał się w głowę.

198

— Co pan sobie pomyślał, kiedy dowiedział się pan o strzelaninie?

Ponownie wzruszył ramionami.

— Trudno mi było w to uwierzyć.

— Wiedział pan, że Herdman ma broń?

— Nie.

— A jednak interesował się nią.

— To prawda... ale mi jej nie pokazywał.

— Nigdy na ten temat nie rozmawialiście?

— Nigdy.

— To o czym ze sobą gadaliście?

— O samolotach, łodziach, wojsku... ja przez siedem lat służyłem w RAF.

— Jako pilot?

Brimson potrząsnął głową.

— W tamtych czasach mało latałem. Byłem specem od elektryki, pilnowałem, żeby nasze pudła trzymały się w powietrzu. — Pochylił się nad biurkiem. — Latała pani kiedyś?

— Tylko na wakacje.

Skrzywił się.

— Miałem na myśli takie latanie jak Charliego. — Wskazał kciukiem za okno, gdzie mały samolot mijał ich z warkotem silnika.

— Wystarczająco dużo kłopotu sprawia mi prowadzenie samochodu.

— Samolot prowadzi się łatwiej, może mi pani wierzyć.

— Czyli że wszystkie te wskaźniki i pokrętła są tylko na pokaz?

Roześmiał się.

— Możemy przelecieć się nawet teraz, co pani na to?

— Panie Brimson...

— Doug.

— Panie Brimson, naprawdę nie mam teraz czasu na lekcję latania.

— To może jutro?

— Zastanowię się. — Mimo woli jednak uśmiechnęła się na myśl, że tysiąc stóp nad Edynburgiem byłaby nieosiągalna dla Gill Templer.

— Spodoba się pani, obiecuję.

— Zobaczymy.

— Ale nie będzie pani na służbie, zgoda? Tak żeby wolno pani było mówić mi po imieniu? — Poczekał, aż skinęła głową. — A wtedy jak ja będę mógł się do pani zwracać, pani sierżant?

— Siobhan.

— Irlandzkie imię?

— Gaelickie.

— Pani akcent nie...

— Nie jesteśmy tu po to, żeby rozmawiać o moim akcencie.

Uniósł ręce na znak, że się poddaje.

— Dlaczego pan się nie zgłosił? — zapytała. Najwyraźniej nie zrozumiał, o co jej chodzi. — Po strzelaninie niektórzy znajomi pana Herdmana sami do nas dzwonili.

— Naprawdę? Po co?

— Z różnych powodów.

Zastanowił się nad odpowiedzią.

— Nie widziałem w tym żadnego sensu, Siobhan.

— Zostawmy mówienie sobie po imieniu na później, co?

Przekrzywił głowę w geście skruchy. Nagle ożyło radio i rozległ się zmieniony przez tranzystory głos.

— To wieża — wyjaśnił Brimson, sięgając za biurko, by przyciszyć radio. — Charlie prosi o zezwolenie na start. — Zerknął na zegarek. — O tej porze nie powinno być problemów.

Siobhan słuchała głosu, ostrzegającego pilota, by uważał na śmigłowiec nad centrum miasta.

— *Wieża, zrozumiałem.*

Brimson jeszcze bardziej ściszył dźwięk.

— Chciałabym tu przywieźć kolegę, żeby z panem porozmawiał — powiedziała Siobhan. — Nie ma pan nic przeciwko temu?

Wzruszył ramionami.

— Sama pani widzi, jaki mam nawał pracy. Naprawdę jest tu co robić tylko w weekendy.

— Chciałabym móc powiedzieć to samo o sobie.

— Czy mam rozumieć, że w weekendy nie ma pani co robić? Taka ładna kobieta jak pani?

— Chodziło mi o to, że...

Znowu wybuchnął śmiechem.

— Tylko się z panią droczę. Ale obrączki pani nie nosi. — Wskazał na jej lewą dłoń. — Myśli pani, że nadałbym się do dochodzeniówki?

— Zauważyłam, że pan też nie nosi obrączki.

— Zatwardziały kawaler, oto cały ja. Według przyjaciół dlatego, że mam głowę w chmurach. — Wskazał palcem w górę. — A tam niewiele jest barów dla singli.

Siobhan uśmiechnęła się. Nagle zdała sobie sprawę, że bawi ją ta rozmowa, a to zawsze zły znak. Wiedziała, że powinna zadać kilka pytań, ale nie mogła się na nich skoncentrować.

— A więc może jutro — powiedziała, wstając z krzesła.

— Pani pierwsza lekcja latania?

Potrząsnęła głową.

— Rozmowa z moim kolegą.

— Ale pani też przyjedzie?

— Jeśli będę mogła.

Zadowolony z odpowiedzi, wyszedł zza biurka z wyciągniętą ręką.

— Miło było cię poznać, Siobhan.

— I wzajemnie, panie... — Umilkła, gdy ostrzegawczo podniósł palec, i ustąpiła. — Doug.

— Odprowadzę cię.

— Dam sobie radę. — Otworzyła drzwi, by zwiększyć dzielący ich dystans.

— Naprawdę? Widocznie jesteś dobrą włamywaczką.

Przypomniała sobie o kłódce na bramie.

— Faktycznie, zapomniałam — przyznała, wychodząc za nim na zewnątrz w chwili, gdy maszyna Charliego zakończyła dobieg i oderwała koła od ziemi.

— Czy Gill już cię namierzyła? — rzuciła Siobhan do słuchawki telefonu, wracając do miasta.

— Namierzyła — potwierdził Rebus. — Ale wcale się przed nią nie chowałem.

— I z jakim wynikiem?

— Zawieszenie w obowiązkach. Tylko że Bobby widzi to inaczej. Wciąż chce, żebym mu pomagał.

— Czyli że nadal mnie potrzebujesz, tak?

— Myślę, że dałbym radę prowadzić sam, gdybym musiał.

— Ale nie musisz...

Roześmiał się.

— Tylko się z tobą droczę, Siobhan. Bryka jest twoja, skoro masz ochotę.

— To dobrze, bo namierzyłam Brimsona.

— Jestem pod wrażeniem. Co to za jeden?

— Prowadzi szkołę pilotażu w Turnhouse. — Przerwała. — Pojechałam z nim porozmawiać. Wiem, że powinnam się najpierw zameldować, ale twój telefon był zajęty.

Usłyszała, jak Rebus mówi do Hogana:

— Pojechała zobaczyć się z Brimsonem — na co Hogan mruknął coś w odpowiedzi, a Rebus znów zwrócił się do niej: — Bobby jest zdania, że najpierw powinnaś poprosić o zgodę.

— Czy tak się dokładnie wyraził?

— Szczerze mówiąc, wywrócił oczami i zaczął bluzgać. Wolałem to ująć własnymi słowami.

— Dziękuję, że nie musiałam spłonąć panieńskim rumieńcem.

— No i co z niego wyciągnęłaś?

— Przyjaźnił się z Herdmanem. Mają podobną przeszłość... wojsko i RAF.

— A skąd zna Roberta Nilesa?

Usta Siobhan zadrgały.

— Zapomniałam go spytać. Powiedziałam, że wrócimy do niego razem.

— Zdaje się, że będziemy musieli. Czy w ogóle na coś się przydał?

— Podobno nie wiedział, że Herdman miał broń, i nie ma pojęcia, po co poszedł do tej szkoły. A co z Nilesem?

— Gówno nam z niego przyjdzie.

— To co teraz?

— Spotkajmy się w Port Edgar. Musimy sobie porozmawiać jak należy z panną Teri. — Zapadła cisza i Siobhan zdążyła pomyśleć, że się rozłączył, gdy nagle zapytał: — Dostałaś kolejne wiadomości od naszego przyjaciela?

Miał na myśli listy, ale nie chciał, żeby Hogan się o nich dowiedział.

— Rano czekał na mnie następny.

— Tak?

— Mniej więcej taki sam jak poprzedni.

— Wysłałaś go do Howdenhall?

— Nie widziałam sensu.

— To dobrze. Chcę go obejrzeć, jak się spotkamy. Ile zajmie ci dojazd?

— Piętnaście minut, mniej więcej.

— Stawiam piątaka, że dotrzemy tam przed tobą.

— Stoi — potwierdziła i docisnęła pedał gazu. Dopiero po dłuższej chwili zdała sobie sprawę, że nie wie, skąd on dzwonił...

No i oczywiście czekał na nią na parkingu Akademii Port Edgar, oparty o passata Hogana, z nogami skrzyżowanymi w kostkach i splecionymi na piersi rękami.

— Oszukiwałeś! — rzuciła, wysiadając z samochodu.

— *Caveat emptor**. Wisisz mi piątaka.

— Nie ma mowy.

— Przyjęłaś zakład, Siobhan. Dama zawsze spłaca długi.

Kręcąc głową, sięgnęła do kieszeni.

— Mam ten list — powiedziała, wyjmując kopertę. Rebus wyciągnął rękę. — Lektura będzie cię kosztowała piątkę.

Popatrzył na nią.

— Za przywilej wydania fachowej opinii? — Koperta była tuż poza zasięgiem jego wyciągniętej ręki. W końcu ciekawość zwyciężyła. — Zgoda, niech ci będzie.

Podczas gdy Siobhan prowadziła samochód, kilkakrotnie przeczytał list.

— Tylko straciłem pięć funtów — orzekł w końcu. — Kim jest Cody?

— Myślę, że to znaczy „Come On, Die Young". To gangsterski greps, z Ameryki.

— Skąd wiesz?

— Tak się nazywa album Mogwai. Pożyczałam ci ich płyty.

— Możliwe, że to imię. Takie jak na przykład Buffalo Bill.

— A jaki to ma związek...

---

* Łacińska maksyma kupiecka, „niech się strzeże nabywca". W języku potocznym oznacza mniej więcej „nie kupuj kota w worku".

— Nie wiem. — Rebus złożył list z powrotem, przyjrzał się krawędziom i zajrzał do koperty.

— Odgrywasz Sherlocka Holmesa pierwsza klasa — przyznała Siobhan.

— A co jeszcze mam zrobić?

— Mógłbyś się przyznać do porażki. — Wyciągnęła rękę.

Rebus oddał jej list, schowany do koperty.

— Zrób mi przyjemność... Brudny Harry?

— Tak się domyślam — potwierdziła.

— Brudny Harry był gliniarzem...

Wlepiła w niego wzrok.

— Myślisz, że to robota kogoś, z kim pracuję?

— Nie mów, że tobie też nie przyszło to do głowy.

— Owszem — przyznała w końcu.

— Musiałby to jednak być ktoś, kto wie o twoim związku z Fairstone'em.

— Tak.

— Co zawężałoby krąg podejrzanych do Gill Templer i do mnie. — Przerwał. — Nie przypuszczam, żebyś ostatnio pożyczała jej jakieś płyty.

Wzruszyła ramionami i z powrotem skupiła uwagę na drodze. Przez chwilę nie odzywała się, on zresztą też nie, dopóki nie sprawdził adresu w notesie. Pochylił się wówczas w fotelu i powiedział:

— Jesteśmy na miejscu.

Long Rib House był wąskim bielonym wapnem budynkiem, który wyglądał, jakby w przeszłości służył za stodołę. Nad parterem dobudowano poddasze, o czym świadczył rząd okien, wpuszczonych w pochyły, kryty czerwoną dachówką dach. Wjazdu na teren posiadłości broniła drewniana brama, niezamknięta na klucz. Siobhan otworzyła ją, wróciła do samochodu i przejechała kilka jardów żwirowym podjazdem. Zanim zdążyła z powrotem zamknąć bramę, otworzyły się drzwi frontowe i stanął w nich jakiś mężczyzna. Rebus wysiadł z samochodu i przedstawił się.

— A pan zapewne nazywa się Cotter?

— William Cotter — odparł ojciec panny Teri. Nieco po czterdziestce, niski i krępy, miał modną fryzurę. Potrząsnął ręką Siobhan, ale nie wyglądał na urażonego, że Rebus trzyma dłonie w rękawiczkach sztywno opuszczone. — Proszę, wejdźcie — powiedział.

Przeszli długim, wyłożonym dywanem korytarzem, ozdobionym obrazami w ramach i starodawnym zegarem. Drzwi do pokoi po prawej i lewej były zamknięte. Cotter zaprowadził ich na koniec korytarza i weszli do otwartego, połączonego z kuchnią salonu. Ta część domu wyglądała na niedawno dobudowaną; wychodzące na patio drzwi balkonowe dawały widok na olbrzymi ogród na tyłach domu, gdzie ujrzeli kolejny niedawny dodatek — drewnianą konstrukcję, przeszkloną tak, by w całej krasie pokazywała to, co mieści się w środku.

— Kryty basen — mruknął Rebus w zadumie. — Przydatna rzecz.

— Częściej się z niego korzysta, niż gdyby był odkryty — zażartował Cotter. — No więc, czym mogę wam służyć?

Rebus zerknął na Siobhan, która omiatała wzrokiem pomieszczenie, notując w pamięci kremową skórzaną kanapę w kształcie litery L oraz aparaturę hi-fi i telewizor plazmowy firmy Bang & Olufsen. Telewizor był włączony, z wyciszonym dźwiękiem. Nastawiony na stację Ceefax, pokazywał fluktuacje cen na giełdzie.

— Chcielibyśmy porozmawiać z Teri — wyjaśnił Rebus.

— Czyżby wpakowała się w jakieś kłopoty?

— Nic z tych rzeczy, panie Cotter. Chodzi o tę sprawę w Port Edgar. Po prostu kilka uzupełniających pytań.

Cotter zmrużył oczy.

— Być może ja mógłbym wam pomóc... — powiedział, najwyraźniej próbując zdobyć nieco więcej informacji.

Rebus postanowił usiąść na kanapie. Przed sobą miał stolik do kawy, na którym leżały gazety, otwarte na stronach biznesowych. Bezprzewodowy telefon, połówkowe okulary, pusty kubek, długopis i notatnik formatu A4.

— Zajmuje się pan interesami, panie Cotter? — zapytał.

— Owszem.

— Wolno spytać jakimi?

— Venture capital. — Cotter przerwał. — Wie pan, na czym to polega?

— Kapitał na start — podsunęła Siobhan, wyglądając na ogród.

205

— Z grubsza rzecz biorąc. Moja działka to nieruchomości i ludzie z pomysłami...

Rebus rozejrzał się po otoczeniu z przesadnym podziwem.

— Widać, że jest pan w tym dobry. — Odczekał, aż pochlebstwo dotrze do adresata. — Czy Teri jest w domu?

— Nie jestem pewien — odparł Cotter. Widząc spojrzenie Rebusa, uśmiechnął się przepraszająco. — Z Teri nigdy nic nie wiadomo. Czasami siedzi cicho jak mysz pod miotłą. Puka się do niej, a ona nie odpowiada. — Wzruszył ramionami.

— Czyli odwrotnie niż większość nastolatków?

Cotter pokiwał głową.

— Kiedy ją spotkałem, odniosłem takie właśnie wrażenie — dodał Rebus.

— Pan się z nią widział? — spytał Cotter, na co inspektor skinął głową. — Była w pełnej gali?

— Domyślam się, że do szkoły tak się nie ubiera.

Cotter znowu pokiwał głową.

— Nie wolno im nawet nosić kolczyków w nosie. Doktor Fogg jest bardzo wyczulony na tym punkcie.

— Może do niej zajrzymy? — zaproponowała Siobhan, odwracając się do niego.

— Czemu nie — rzekł Cotter.

Z powrotem ruszyli za nim korytarzem i weszli na krótkie schody. Ponownie znaleźli się w długim i wąskim korytarzu, z drzwiami po obu stronach. I znów wszystkie drzwi były zamknięte.

— Teri! — zawołał Cotter, gdy weszli na górę. — Jesteś jeszcze, skarbie? — Przy ostatnim słowie zająknął się; Rebus domyślił się, że córka zabroniła mu tak się do siebie zwracać. Dotarli do drzwi na samym końcu; Cotter przyłożył do nich ucho i zastukał. — Być może przysnęła — powiedział szeptem.

— Pozwoli pan...? — Nie czekając na odpowiedź, Rebus przekręcił klamkę. Drzwi otworzyły się do środka. Czarne przejrzyste zasłony były zaciągnięte, więc w pokoju panował półmrok. Cotter sięgnął do kontaktu i zapalił światło. Wszędzie stały świece. Czarne świece, w większości całkiem stopione, prawie ogarki. Na ścianach grafiki i plakaty. Rebus rozpoznał kilka prac H. R. Gigera — znał go stąd, że zaprojektował kiedyś okładkę płyty Emerson, Lake & Palmer. Utrzymane były w konwencji piekła z nierdzewnej stali. Pozostałe obrazki były równie ponure.

— Nastolatki, co? — zagadnął Cotter.

Horrory Poppy Z. Brite i Anne Rice. Inna książka, zatytułowana *The Gates of Janus*, wyszła ponoć spod pióra „mordercy z wrzosowisk", Iana Brady'ego*. Mnóstwo płyt kompaktowych, sam łomot. Prześcieradło na pojedynczym łóżku było czarne, podobnie jak błyszcząca poszwa na kołdrę. Ściany pokoju miały kolor mięsa, sufit zaś podzielono na cztery kwadraty — dwa czarne, dwa czerwone. Siobhan zatrzymała się przy biurku komputerowym. Stojący na nim zestaw był najwyższej klasy — monitor plazmowy, twardy dysk z napędem DVD, skaner i podłączona do komputera kamera wideo.

— Tego chyba nie produkują w czerni — powiedziała w zadumie.

— Oczywiście, inaczej Teri by je kupiła — przytaknął Cotter.

— Gdy ja byłem w jej wieku, nie słyszałem o innych gothach niż bary — rzekł Rebus.

Cotter roześmiał się.

— Tak, Gothenburgs. To była sieć pubów dla społeczności lokalnych, prawda?

Inspektor przytaknął ruchem głowy.

— Jeżeli Teri nie schowała się pod łóżko, to raczej jej tu nie ma. Ma pan pomysł, gdzie moglibyśmy ją znaleźć?

— Mógłbym zadzwonić na jej komórkę...

— Czy to ta? — spytała Siobhan, podnosząc mały, błyszczący czarny telefon.

— Właśnie ta — przytaknął Cotter.

— Nastolatki raczej nie ruszają się z domu bez komórek — powiedziała Siobhan z namysłem.

— Faktycznie. Cóż... mama Teri bywa... — Cotter nerwowo wzruszył ramionami, jakby poczuł nagły dyskomfort.

---

* Ian Brady, właśc. Ian Duncan Stewart, najgłośniejszy szkocki seryjny morderca dzieci na tle seksualnym. Znany jako „morderca z wrzosowisk", gdyż zwłoki ofiar ukrywał na wrzosowiskach koło Manchesteru. Ponieważ miesiąc przed jego aresztowaniem w Wielkiej Brytanii zniesiono karę śmierci, w 1966 r. został skazany na dożywocie. W 2001 roku wydał książkę *The Gates of Janus*, w której szczegółowo analizuje głośne przypadki seryjnych morderców oraz sugeruje, w jaki sposób należy ich łapać.

— Bywa jaka? — naciskał Rebus.

— Pilnuje Teri na każdym kroku, o to chodzi? — domyśliła się Siobhan.

Cotter pokiwał głową z ulgą, że uwolniła go od konieczności wyjaśniania tej kwestii.

— Teri będzie w domu później — powiedział. — Jeśli to może poczekać.

— Wolelibyśmy uwinąć się z tym jak najszybciej i mieć to z głowy — odparł Rebus.

— No cóż...

— Rozumie pan, czas to pieniądz, i tak dalej.

Cotter skinął głową.

— Spróbujcie na Cockburn Street. Jej przyjaciele czasami tam się zbierają.

Rebus spojrzał na Siobhan.

— Powinniśmy sami na to wpaść — skwitował.

Siobhan skrzywiła się na znak, że się z nim zgadza. Cockburn Street — kręta uliczka łącząca Królewską Milę z dworcem Waverley — od zawsze cieszyła się podejrzaną reputacją. Kilkadziesiąt lat temu była miejscem spotkań hipisów i rozmaitych wyrzutków, którzy sprzedawali koszulki z gazy i batiku oraz bibułki papierosowe. Rebus zaglądał tam czasem do dobrego sklepu z używanymi płytami, nie zwracając uwagi na ciuchy. Obecnie miejsce to przejęli we władanie przedstawiciele nowych alternatywnych subkultur. Fajna uliczka dla kogoś, kto gustuje w makabrze albo lubi ćpunów.

Wracając korytarzem, Rebus zauważył, że na jednych drzwiach wisi mała porcelanowa tabliczka, informująca, że jest to „pokój Stuarta". Zatrzymał się przed nią.

— Pański syn?

Cotter powoli pokiwał głową.

— Charlotte... moja żona... ona chce zachować ten pokój w takim stanie, jak przed wypadkiem.

— Nie ma w tym nic złego — uspokoiła go Siobhan, wyczuwając jego zażenowanie.

— Pewnie ma pani rację.

— Niech mi pan powie, czy Teri zaczęła zadawać się z gothami przed czy po śmierci brata? — spytał Rebus.

Cotter spojrzał na niego.

— Krótko potem.

— Byli ze sobą bardzo zżyci, prawda?

— Chyba tak... Nie rozumiem jednak, co to wszystko ma wspólnego z...

Rebus wzruszył ramionami.

— Zwykła ciekawość. Przepraszam, to jedna z pułapek, w które się wpada w tym zawodzie.

Cotter przyjął to wyjaśnienie i sprowadził ich po schodach na dół.

— Kupuję tam płyty — powiedziała Siobhan, kiedy wrócili do samochodu i jechali na Cockburn Street.

— Ja też — przyznał się Rebus. Często widywał tam gothów, zajmujących większą część chodnika, niżby wypadało; przesiadywali na bocznych schodach starego budynku redakcji „Scotsmana", dzieląc się papierosami i wymieniając informacje o najnowszych kapelach. Zaczynali się schodzić zaraz po lekcjach, przebrawszy się ze szkolnych mundurków w regulaminową czerń. Do tego makijaż i świecidełka, z nadzieją, że wtopią się w otoczenie, a jednocześnie wyróżnią się z tłumu. Tyle że w dzisiejszych czasach ludzi trudniej było zaszokować. Kiedyś całą sprawę załatwiały sięgające ramion włosy. Potem nadszedł glam, a następnie jego nieślubne potomstwo — punk. Rebus wciąż pamiętał, jak w pewną sobotę wybrał się na zakup płyt. Idąc pod górę długą Cockburn Street, po raz pierwszy zobaczył punków — rozlazły chód, nastroszone włosy, łańcuchy i szydercze uśmieszki. Nie zdzierżyła tego idąca za nim kobieta w średnim wieku, która ofuknęła ich: „Czy nie potraficie chodzić jak ludzie?", zapewne sprawiając punkom niemałą radochę.

— Możemy zaparkować na dole i przejść się pod górę — zaproponowała Siobhan, kiedy zbliżali się do Cockburn Street.

— Ja bym raczej zaparkował na górze i poszedł w dół — sprzeciwił się Rebus.

Dopisało im szczęście — akurat zwolniło się miejsce przy krawężniku i mogli zaparkować na samej Cockburn Street, zaledwie kilka jardów od wałęsającej się grupki gothów.

— Mamy ją! — ucieszył się Rebus, zauważywszy pannę Teri, która z ożywieniem rozmawiała z dwójką przyjaciół.

— Musisz wysiąść pierwszy — powiedziała Siobhan.

Zrozumiał, w czym rzecz, gdy przy krawężniku ujrzał worki śmieci, czekające na wywóz i blokujące drzwi samochodu od strony kierowcy. Wygramolił się więc i przytrzymał otwarte drzwiczki, by Siobhan mogła przesunąć się na jego fotel i wysiąść. Usłyszał tupot kroków na chodniku i nagle spostrzegł, że jeden z worków ze śmieciami znika. Podniósł wzrok i zobaczył, że koło samochodu przebiega pięciu wyrostków w kurtkach z kapturami i czapkach baseballowych. Któryś z nich cisnął workiem śmieci w grupkę gothów. Worek pękł i jego zawartość pofrunęła we wszystkie strony. Rozległy się krzyki, wrzaski. Stopy i pięści poszły w ruch. Jednego z gothów zrzucono głową w dół z kamiennych schodów. Inny umknął na jezdnię i został potrącony przez przejeżdżającą taksówkę. Przechodnie ostrzegali się głośno, w progach sklepików pojawili się właściciele. Ktoś krzyknął, żeby wezwać policję.

Bójka rozprzestrzeniała się po ulicy; ciała popychano na szyby wystawowe, dłonie sięgały do gardeł. Zaledwie pięciu napastników na tuzin gothów, ale ta piątka była silna i ziała złością. Siobhan puściła się biegiem i z rozpędu przewróciła jednego z nich. Rebus patrzył, jak panna Teri ucieka do sklepu i zatrzaskuje za sobą drzwi. Drzwi były ze szkła i ten, który ją ścigał, rozglądał się za czymś, czym mógłby je stłuc. Inspektor zaczerpnął tchu i zawołał na cały głos:

— Rab Fisher! Hej, Rab! Tutaj!

Napastnik zatrzymał się i obejrzał na niego. Rebus pomachał mu dłonią w rękawiczce.

— Pamiętasz mnie, Rab?

Usta Fishera wykrzywił szyderczy grymas. Inny członek jego gangu także rozpoznał inspektora.

— Gliny! — wrzasnął.

Reszta Zagubionych Chłopców usłyszała jego okrzyk. Zebrali się na środku jezdni, zasapani, oddychając ciężko.

— Jesteście gotowi na wycieczkę do Saughton, chłopaki? — zapytał głośno Rebus, podchodząc bliżej.

Czterech z nich odwróciło się i uciekło w dół ulicy. Rab Fisher ociągał się; w końcu po raz ostatni z uporem kopnął szklane drzwi i oddalił się nieśpiesznie, by dołączyć do kolegów. Siobhan pomagała kilku gothom pozbierać się na nogi i sprawdzała ich obrażenia. Noże ani kamienie nie poszły w ruch, więc ucierpiała głównie ich duma. Rebus podszedł do szklanych drzwi. Za nimi panna Teri stała w towarzystwie kobiety w białym fartuchu, jakie noszą lekarze albo farmaceuci. Ujrzał rząd błyszczących kabin — było to solarium, na pierwszy rzut oka całkiem nowe. Kobieta głaskała Teri po włosach, a dziewczyna próbowała się wyrywać. Rebus otworzył drzwi.

— Poznajesz mnie, Teri? — zapytał.

Przyjrzała mu się i pokiwała głową.

— Pan jest tym policjantem, którego spotkałam.

Podał rękę kobiecie.

— A pani jest zapewne matką Teri. Inspektor Rebus — przedstawił się.

— Charlotte Cotter — odparła kobieta, ściskając mu dłoń. Dobiegała czterdziestki i miała bujne, kręcone popielate włosy. Lekko opalona twarz niemal błyszczała. Patrząc na obie kobiety, trudno było dostrzec jakiekolwiek podobieństwo. Gdyby ktoś mu powiedział, że są spokrewnione, przypuszczałby, że są w zbliżonym wieku — może nie tyle siostry, co kuzynki. Matka była niższa od córki o dwa cale, szczuplejsza i bardziej wysportowana. Pomyślał, że teraz już chyba wie, kto w rodzinie Cotterów korzysta z krytego basenu.

— O co poszło? — zapytał dziewczynę.

Wzruszyła ramionami.

— O nic.

— Często się was czepiają?

— Ich się czepiają na okrągło — odpowiedziała zamiast niej matka, na co córka przeszyła ją wściekłym spojrzeniem. — Obrażają ich, czasem posuwają się dalej.

— Co ty tam wiesz! — burknęła córka.

— Widzę, co się dzieje.

— To dlatego otworzyłaś ten salon? Żeby mieć mnie na oku? — Teri zaczęła bawić się złotym łańcuszkiem na szyi. Rebus zauważył, że wisi na nim brylant.

— Teri — powiedziała jej matka z westchnieniem. — Ja tylko mówię, że...

— Wychodzę — mruknęła dziewczyna.

— A może byśmy tak przedtem pogadali? — zaproponował Rebus.

— Nie zamierzam wnosić skargi ani nic z tych rzeczy!

— No i widzi pan, jaka jest uparta? — W głosie Charlotte Cotter brzmiała irytacja. — Słyszałam, jak pan kogoś wołał po nazwisku, inspektorze. Czy to znaczy, że zna pan tych opryszków? Może pan ich aresztować?

— Nie sądzę, żeby to coś dało, proszę pani.

— Przecież pan ich widział!

Rebus kiwnął głową.

— Dostali ostrzeżenie. To powinno wystarczyć. Ale ja się tu nie znalazłem przypadkiem. Chciałem zamienić słówko z Teri.

— O?

— No to chodźmy — powiedziała Teri, biorąc go pod ramię. — Przepraszam, mamo, muszę pomóc policji w śledztwie.

— Teri, zaczekaj...

Było już jednak za późno. Charlotte Cotter patrzyła, jak jej córka wyciąga inspektora na zewnątrz, na drugą stronę ulicy, gdzie sytuacja wracała do normy. Porównywano obrażenia wojenne. Jeden z chłopaków wąchał klapy swojego czarnego trencza, marszcząc nos na znak, że przyda się solidne pranie. Śmieci z rozerwanego worka zebrano na kupę — Rebus przypuszczał, że było to dzieło Siobhan. Właśnie próbowała skłonić kogoś do pomocy przy napełnianiu nowego worka, który sprezentowano jej w pobliskim sklepie.

— Wszyscy cali i zdrowi? — spytała Teri.

Rebus odniósł wrażenie, że gothom podoba się ta sytuacja. Znów występowali w roli ofiar i było im z tym dobrze. Podobnie jak w wypadku tamtych punków sprzed lat i kobiety, ktoś na nich zareagował. Wciąż tworzyli grupę, teraz jednak połączyło ich jeszcze coś — mogli się dzielić opowieściami z frontu walki. Inne dzieciaki — wracające powoli do domu ze szkoły, wciąż jeszcze w mundurkach — zatrzymywały się, żeby ich posłuchać. Rebus zaprowadził Teri w górę ulicy, do najbliższej knajpy.

— Takich jak ona nie obsługujemy! — warknęła kobieta za barem.

— Owszem, obsługujecie, kiedy ja z nią jestem! — odparł Rebus tym samym tonem.

— Ona jest nieletnia — upierała się kobieta.

— Więc dostanie lemoniadę. — Odwrócił się do Teri. — Co ci postawić?

— Wódkę z tonikiem.

Uśmiechnął się.

— Niech jej pani da colę. Dla mnie laphroaig z odrobiną wody. — Zapłacił, pewien, że tym razem da radę wyciągnąć z kieszeni także drobne, a nie tylko banknoty.

— Jak pana dłonie? — spytała Teri Cotter.

— Świetnie — odparł. — Ale szklanki możesz zanieść sama. Kilka osób przyglądało im się, kiedy zmierzali do stolika. Teri najwyraźniej podobało się takie przyjęcie; posłała całusa jednemu z mężczyzn, który parsknął drwiąco i odwrócił wzrok.

— Jeśli wywołasz tu zamieszki, będziesz musiała radzić sobie sama — ostrzegł ją Rebus.

— Potrafię zadbać o siebie.

— Pewnie. Widziałem, jak uciekłaś pod skrzydła mamusi, kiedy tylko pojawili się Zagubieni Chłopcy.

Przeszyła go wściekłym wzrokiem.

— Nawiasem mówiąc, dobre posunięcie — dorzucił. — Ucieczka jest najlepszą połową męstwa, i tak dalej. Czy to prawda, co mówiła twoja mama, że często dochodzi do takich rzeczy?

— Nie tak często, jak jej się wydaje.

— A mimo to wciąż przychodzicie na Cockburn Street?

— Dlaczego nie?

Wzruszył ramionami.

— Rzeczywiście. Trochę masochizmu nikomu jeszcze nie zaszkodziło.

Wlepiła w niego wzrok, po czym uśmiechnęła się i spojrzała w głąb swej szklanki.

— Zdrówko! — rzucił, podnosząc swoją.

— Przekręcił pan cytat — powiedziała. — Najlepszą połową męstwa jest dyskrecja*. Szekspir, *Henryk IV*, część pierwsza.

— Ciebie i twoich kumpli trudno uznać za dyskretnych.

— Staram się taką nie być.

— I dobrze ci idzie. Kiedy wspomniałem o Zagubionych Chłopcach, nie zdziwiłaś się. To znaczy, że ich znasz?

Znowu opuściła wzrok; włosy opadły na jej bladą twarz. Palcami gładziła szklankę. Paznokcie pomalowane na błyszczącą czerń. Szczupłe dłonie i nadgarstki.

---

* Przekład Leona Ulricha.

— Ma pan papierosa? — spytała.

— Przypal i dla mnie — odparł, wyciągając paczkę z kieszeni marynarki. Wetknęła mu zapalonego papierosa do ust.

— Ludzie będą plotkować — powiedziała, wydmuchując dym.

— Wątpię, panno Teri. — Patrzył, jak otwierają się drzwi i wchodzi Siobhan. Na jego widok wskazała ruchem głowy toaletę i uniosła ręce na znak, że musi je umyć. — Lubisz trzymać się na uboczu, co? — zapytał.

Teri Cotter skinęła głową.

— I dlatego lubiłaś Lee Herdmana... on także był samotnikiem — dodał. Dziewczyna spojrzała na niego. — Znaleźliśmy u niego twoje zdjęcie. Zakładam więc, że się znaliście.

— Znałam go. Mogę zobaczyć to zdjęcie?

Rebus wyjął z kieszeni fotografię w plastikowej koszulce.

— Gdzie je zrobiono? — zapytał.

— Tutaj — odparła, wskazując na ulicę.

— Dobrze go znałaś?

— Lubił nas. To znaczy gothów. Nigdy nie mogłam zrozumieć dlaczego.

— Urządzał imprezy, prawda? — Przypomniał sobie płyty w mieszkaniu Herdmana: muzyka do tańca dla gothów.

Teri kiwała głową, mruganiem powstrzymując łzy.

— Niektórzy z nas zaglądali do niego. — Podniosła zdjęcie. — Gdzie je znaleźliście?

— W książce, którą czytał.

— Co to za książka?

— Dlaczego pytasz?

Wzruszyła ramionami.

— Zwykła ciekawość.

— Zdaje się, że to była jakaś biografia. Żołnierza, który sam odebrał sobie życie.

— Sądzi pan, że to jest wskazówka?

— Wskazówka?

Skinęła głową.

— Dlaczego Lee się zastrzelił?

— Całkiem możliwe. Spotkałaś kiedyś jakichś jego przyjaciół?

— On chyba nie miał wielu przyjaciół.

— A Doug Brimson? — Pytanie zadała Siobhan. Usiadła właśnie na ławie.

Usta Teri drgnęły.

— Tak, znam go.

— Mówisz to bez specjalnego entuzjazmu — zauważył Rebus.

— Można i tak powiedzieć.

— A co z nim jest nie tak? — dopytywała się Siobhan. Rebus zobaczył, że się zjeżyła.

Teri zbyła ją wzruszeniem ramion.

— A ci dwaj, którzy zginęli — podjął inspektor. — Widywałaś ich czasem na imprezach?

— Nie za bardzo.

— To znaczy?

Spojrzała na niego.

— Oni byli z innej bajki. Rugby, jazz i kadeci. — Jak gdyby to wszystko tłumaczyło.

— Czy Lee opowiadał czasami o latach spędzonych w wojsku?

— Rzadko.

— Ale pytałaś go o to? — naciskał. Powoli skinęła głową. — I wiedziałaś, że ma bzika na punkcie broni?

— Wiem, że miał zdjęcia... — Ugryzła się w język, ale za późno.

— Na wewnętrznej stronie drzwi szafy z ubraniami — dorzuciła Siobhan. — Nie wszyscy o tym wiedzą.

— To jeszcze o niczym nie świadczy! — Dziewczyna podniosła głos. Znowu bawiła się łańcuszkiem na szyi.

— Nie jesteśmy w sądzie, Teri — uspokoił ją Rebus. — Po prostu chcemy się dowiedzieć, dlaczego to zrobił.

— A skąd ja mam wiedzieć?

— Bo znałaś go, a nie o każdym można to powiedzieć.

Dziewczyna pokręciła głową.

— Nigdy mi nic nie mówił. Taki już był... bardzo skryty. Ale nigdy nie sądziłam, że mógłby...

— Tak?

Spojrzała Rebusowi prosto w oczy, ale nie odezwała się.

— Czy pokazywał ci swoją broń? — spytała Siobhan.

— Nie.

— I nie wspominał, że ją ma?

Potrząśnięcie głową.

— Powiedziałaś, że nigdy się przed tobą nie otworzył... a jak to było w drugą stronę?

— O co pani chodzi?

— Czy wypytywał cię o twoje sprawy? Może opowiadałaś mu o swojej rodzinie?

— Możliwe.

Rebus pochylił się do przodu.

— Przykro nam z powodu twojego brata, Teri.

Siobhan także się nachyliła.

— Prawdopodobnie wspominałaś o tym wypadku Herdmanowi.

— Albo zrobił to któryś z twoich kolegów — dodał Rebus.

Teri zrozumiała, że jest osaczona. Nie miała jak uciec od ich spojrzeń i pytań. Położyła fotografię na stole i skupiła na niej całą uwagę.

— Lee nie zrobił tego zdjęcia — powiedziała, próbując zmienić temat.

— Czy powinniśmy jeszcze z kimś pogadać, Teri? — spytał Rebus. — Z ludźmi, którzy bywali na wieczorkach u Lee?

— Nie odpowiem już na żadne pytanie.

— Dlaczego nie, Teri? — spytała Siobhan z taką miną, jakby była autentycznie zdziwiona.

— Bo nie, i już.

— Gdybyśmy znali nazwiska innych... — mówił Rebus. — Miałabyś nas z głowy.

Teri Cotter siedziała jeszcze przez chwilę. Nagle wstała, stanęła na ławie, weszła na stół i zeskoczyła na podłogę po drugiej stronie; czarna sukienka z przezroczystej tkaniny zawirowała wokół niej. Nie odwracając się, ruszyła do wyjścia, otworzyła drzwi i zatrzasnęła je za sobą. Rebus spojrzał na Siobhan i uśmiechnął się niechętnie.

— Dziewczyna ma styl — przyznał.

— Wystraszyliśmy ją — oświadczyła Siobhan. — Kiedy wspomnieliśmy o śmierci jej brata.

— Może po prostu byli ze sobą bardzo zżyci — zaprotestował Rebus. — Nie wracasz chyba do teorii zabójstwa na zlecenie?

216

— Tak czy inaczej, coś w tym jest... — odparła.

Znowu otworzyły się drzwi wejściowe. Teri Cotter podeszła zdecydowanym krokiem do stołu, oparła się na nim obiema rękami i zbliżyła twarz do swoich inkwizytorów.

— James Bell — syknęła. — Skoro chcecie jakieś nazwisko, to macie.

— Bywał na imprezach u Herdmana? — upewnił się Rebus.

Dziewczyna kiwnęła głową i odwróciła się. Stali bywalcy kiwali głowami, patrząc, jak wychodzi, po czym wrócili do swoich drinków.

— Co takiego James Bell mówił o Herdmanie podczas tego przesłuchania, którego słuchaliśmy z taśmy? — spytał Rebus.

— Coś o nartach wodnych.

— Tak, ale jak on to określił... „Spotykaliśmy się na gruncie towarzyskim" czy jakoś tak.

Siobhan kiwnęła głową.

— Może powinniśmy się tym zainteresować.

— Musimy z nim porozmawiać.

Siobhan nadal kiwała głową, teraz jednak patrzyła na stół. Zajrzała pod blat, na podłogę.

— Zgubiłaś coś? — zainteresował się Rebus.

— Ja nie, ale ty owszem.

Spojrzał na stół i nagle go oświeciło. Teri Cotter zabrała swoje zdjęcie.

— Myślisz, że tylko po to wróciła? — spytała Siobhan.

Wzruszył ramionami.

— Można by je chyba uznać za jej własność... pamiątkę po mężczyźnie, którego straciła.

— Myślisz, że byli kochankami?

— Zdarzają się dziwniejsze rzeczy.

— W takim razie...

Ale Rebus kręcił głową.

— Użyła swoich kobiecych wdzięków, żeby namówić go do morderstwa? Bądźże poważna, Siobhan.

— Zdarzają się dziwniejsze rzeczy — powtórzyła jak echo.

— A skoro już mowa o dziwnych rzeczach, mogę liczyć na to, że mi postawisz? — Podniósł pustą szklankę.

— Nie możesz — odparła, zbierając się do wyjścia.

Z posępną miną wyszedł za nią z baru. Stała przy samochodzie, wpatrując się w coś jak urzeczona. Rebus nie widział nic godnego zainteresowania. Grupka gothów, minus panna Teri, szwendała się tak jak przedtem. Zagubieni Chłopcy przepadli bez śladu. Kilku turystów zatrzymało się, żeby zrobić sobie zdjęcia.

— Co się stało? — zapytał.

Ruchem głowy wskazała mu zaparkowany po drugiej stronie ulicy samochód.

— Zdaje się, że to land-rover Douga Brimsona.

— Jesteś pewna?

— Widziałam go w Turnhouse. — Rozejrzała się po Cockburn Street. Brimsona nie było widać.

— Jest w jeszcze gorszym stanie niż mój saab — zauważył Rebus.

— Owszem, ale ty nie masz w garażu jaguara.

— Jaguar i zdezelowany land-rover?

— Pewnie chodzi o image... chłopcy lubią takie zabawki. — Jeszcze raz rozejrzała się po ulicy. — Ciekawe, gdzie on się podział?

— Może cię napastuje? — podsunął Rebus, lecz widząc wyraz jej twarzy, ze skruchą wzruszył ramionami.

Znowu spojrzała na samochód, absolutnie przekonana, że należy do Brimsona. Przypadek, powiedziała sobie w duchu, zwykły przypadek.

Przypadek.

Mimo wszystko jednak zapisała numer rejestracyjny.

11

Wieczorem ulokowała się na kanapie i próbowała znaleźć coś ciekawego w telewizji. Para prezenterów w krzykliwych strojach tłumaczyła swej ofierze, że w tym, co ma na sobie, jest jej nie do twarzy. Na innym kanale „deburdelizowano" dom. Siobhan miała więc do wyboru tylko jakiś ponury film, koszmarny serial komediowy albo dokument o życiu ropuchy olbrzymiej.

I dobrze jej tak, skoro nie chciało jej się podjechać do wypożyczalni wideo. Kolekcja filmów Siobhan była niewielka czy — jak sama ją określała — „wyselekcjonowana". Każdy z nich oglądała przynajmniej z sześć razy, tak że mogła z pamięci cytować dialogi i dokładnie wiedziała, co zdarzy się w kolejnej scenie. A może nastawi muzykę, wyciszy telewizor i sama wymyśli dialogi do lecącego na ekranie nudnego filmu. Albo nawet do dokumentu o ropuchach. Przerzuciła jakieś czasopismo, wzięła książkę i zaraz ją odłożyła, zjadła chipsy i czekoladę, które kupiła na stacji benzynowej, kiedy tankowała samochód. Na stole w kuchni stało niedojedzone chow mein, które mogłaby sobie odgrzać w kuchence mikrofalowej. Najgorsze jednak, że skończyło jej się wino, po mieszkaniu walały się tylko puste butelki, czekające, aż odda je do skupu. W barku stał wprawdzie dżin, lecz nie miała go z czym zmieszać, chyba że z dietetyczną colą, a nie była aż tak zdesperowana.

Jeszcze nie.

Mogłaby zadzwonić do kogoś z przyjaciół, wiedziała jednak, że nie nadaje się na duszę towarzystwa. Na automatycznej sekretarce zastała wiadomość od przyjaciółki, Caroline, która pytała, czy nie wyskoczyłaby z nią na drinka. Drobna i jasnowłosa Caroline zawsze przyciągała uwagę mężczyzn, kiedy wychodziły razem na miasto. Siobhan postanowiła na razie nie odpowiadać na telefon. Była zbyt zmęczona, a zresztą sprawa strzelaniny cały czas siedziała jej w głowie i nie chciała jej opuścić. Zalała sobie kawę i dopiero kiedy upiła łyk, zorientowała się, że nie zagotowała wody. Potem spędziła kilka minut na przetrząsaniu kuchni w poszukiwaniu cukru, dopóki nie uświadomiła sobie, że przecież go nie używa. Przestała słodzić kawę już jako nastolatka.

— Starcza demencja — mruknęła na głos. — A gadanie do siebie to kolejny symptom.

Czekolada i chrupki nie wchodziły w skład diety zapobiegającej panice. Sól, tłuszcz i cukier. Jej serce może nie biło jeszcze jak szalone, wiedziała jednak, że musi się jakoś wyciszyć, odprężyć i zacząć powoli układać się do snu. Przez jakiś czas obserwowała przez okno sąsiadów po drugiej stronie ulicy, przyciskając nos do szyby, gdy patrzyła dwa piętra w dół na przejeżdżające samochody. Na dworze panował spokój, spokój i ciemność; pomarańczowe latarnie wydobywały chodnik z mroku.

Przypomniała sobie, że dawno temu, jeszcze w okresie, kiedy słodziła kawę, przez pewien czas bała się ciemności. Miała wtedy trzynaście czy czternaście lat, więc była za stara, żeby zwierzyć się z tego rodzicom. Przepuszczała kieszonkowe na baterie do latarki, którą przez całą noc trzymała zapaloną pod kołdrą, i wstrzymywała oddech, by usłyszeć, czy ktoś inny nie oddycha w jej pokoju. Kiedy rodzice kilkakrotnie ją na tym przyłapali, sądzili, że po prostu czytała do późna. Nigdy nie wiedziała, co należy zrobić — zostawiać drzwi otwarte, żeby w każdej chwili móc uciec, czy raczej zamykać je, by nie wpuszczać intruzów? W ciągu dnia kilkakrotne zaglądała pod łóżko, choć nie było się tam gdzie ukryć, ponieważ właśnie pod nim trzymała płyty. Nigdy jednak nie miała w nocy koszmarów. Kiedy już zasypiała, spała głębokim, oczyszczającym snem. Nigdy nie doświadczała napadów paniki. Z czasem w ogóle zapomniała, co to strach. Latarka wróciła na swoje miejsce, do szuflady. Pieniądze, które wcześniej wydawała na baterie, teraz szły na kosmetyki.

Nigdy nie była pewna, co nastąpiło najpierw — czy to ona odkryła chłopców, czy też oni odkryli ją?

— To już prehistoria, dziewczyno — powiedziała teraz sama do siebie.

Nie dybały na nią żadne potwory, ale rycerzy bez skazy też było niewielu. Podeszła do stołu i spojrzała na notatki ze śledztwa. Leżały nieuporządkowane — wszystko, co zdobyła tego pierwszego dnia. Raporty, wyniki sekcji zwłok i z laboratorium, zdjęcia z miejsca zbrodni i fotografie ofiar. Przyjrzała się dwóm twarzom — Dereka Renshawa i Anthony'ego Jarviesa. Obaj byli przystojni na swój nudny sposób. Spod ciężkich powiek Jarviesa wyzierały wyniosłość i inteligencja. Renshaw nie wyglądał na tak pewnego siebie. Może była to kwestia pochodzenia, u Jarviesa dawały o sobie znać jego geny. Podejrzewała, że Allan Renshaw był dumny z faktu, że jego syn kolegował się z synem sędziego. Czyż nie po to posyła się dzieci do prywatnych szkół? Żeby poznały odpowiednich ludzi, ludzi, którzy mogą się przydać w przyszłości. Znała kolegów z policji, niekoniecznie na pensjach dochodzeniówki, którzy odmawiali sobie wszystkiego, by móc posłać swoje pociechy do takich szkół, o jakich sami nigdy nie mogli marzyć. I znów kwestia pochodzenia. Pomyślała o Lee Herdmanie. Służył w wojsku, w SAS... pod rozkazami ludzi, którzy ukończyli właściwe szkoły, którzy posługiwali się takim językiem jak należy. Czyżby to było takie proste? Czyżby powodem jego ataku była jedynie pełna goryczy zazdrość wobec elity?

Sprawa jest prosta jak drut... Przypominając sobie, co powiedziała Rebusowi, wybuchnęła śmiechem. Skoro to takie proste, to czym się teraz przejmuje? Dlaczego wypruwa z siebie flaki? Dlaczego nie odłoży tego na bok i nie odpocznie?

— Pieprzyć to — powiedziała.

Usiadła przy stole, zgarnęła papiery na bok i przysunęła sobie laptop Dereka Renshawa. Odpaliła go i podłączyła do linii telefonicznej. Miała do sprawdzenia pocztę elektroniczną, co zajmie jej przynajmniej pół nocy. A do tego wiele innych plików, których jeszcze nie przejrzała. Wiedziała, że praca ją uspokoi. Uspokoi ją dlatego, że była pracą.

Postanowiła zrobić sobie kawę bezkofeinową; tym razem nie zapomniała nastawić czajnika. Wróciła z gorącym napojem do salonu. Wstukawszy hasło „Miles", dostała się do poczty, ale w nowej korespondencji był tylko spam. Ktoś próbował sprzedawać ubezpieczenia czy viagrę chłopcu, który już nie żył. Było też kilka wiadomości od ludzi, którzy zauważyli, że Derek zniknął z niektórych list dyskusyjnych i czatowni. Przyszło jej coś do głowy — przesunęła kursor na górę ekranu i kliknęła na „Ulubione". Pojawiła się lista stron, linków i adresów, z których Derek korzystał regularnie. Były wśród nich czatownie, listy dyskusyjne oraz tradycyjni podejrzani — Amazon, BBC, Ask Jeeves... Ale jednego adresu nie znała. Kliknęła na niego. Połączenie było prawie natychmiastowe.

WITAJ W MOJEJ CIEMNOŚCI!

Słowa były ciemnoczerwone, pulsowały życiem. Poza tym na ekranie było tylko czarne tło. Siobhan przesunęła kursor na pierwszą literę W i kliknęła dwa razy. Tym razem połączenie trwało znacznie dłużej, ale wreszcie na ekranie pojawiło się wnętrze jakiegoś pokoju. Obraz był dość niewyraźny. Spróbowała zmienić kontrast i jasność ekranu, niewiele jednak mogła zdziałać, problem tkwił w samym obrazie. Widziała łóżko na tle zasłoniętego okna. Przesuwała kursorem po całym ekranie, ale nie było żadnego ukrytego znaczka, na który można by kliknąć. To było wszystko. Odchyliła się na krześle, splotła ramiona na piersiach i zastanawiała się, cóż takiego w tym obrazku mogło zainteresować Dereka Renshawa. Czyżby to był jego pokój? Czyżby „ciemność" odzwierciedlała drugą stronę jego natury? Nagle po ekranie przesunęło się dziwne żółtawe światło. Jakieś zakłócenia? Siobhan pochyliła się na krześle i chwyciła krawędź stołu. Wiedziała już, co to było — reflektory samochodu, które przez chwilę oświetliły pokój. A zatem to nie obraz, nie stop-klatka.

— Kamera internetowa — szepnęła.

Oglądała przekaz z czyjejś sypialni w czasie rzeczywistym. Co więcej, wiedziała już, czyja to sypialnia. Reflektory samochodu zrobiły swoje. Siobhan wstała, odszukała telefon i wybrała numer.

Podłączyła kable i odpaliła laptopa. Postawiła go na krześle — za krótki kabel nie sięgnąłby od gniazdka telefonicznego do stołu w jadalni Rebusa.

— Bardzo to wszystko tajemnicze — oświadczył, niosąc na

tacy kubki kawy dla nich obojga. Czuła zapach octu — prawdopodobnie na kolację jadł rybę. Pomyślała o chow mein, czekającym na nią w domu, i uświadomiła sobie, jacy są do siebie podobni — jedzenie na wynos, po pracy nie ma do kogo wracać... Rebus pił piwo, na podłodze obok jego fotela stała pusta butelka deuchar's. No i słuchał muzyki — antologii zespołu Hawkwind, którą kupiła mu na ostatnie urodziny. Może nastawił ją specjalnie, żeby nie pomyślała, że zapomniał.

— Prawie już jesteśmy — powiedziała.

Rebus wyłączył odtwarzacz kompaktów i przecierał oczy poparzonymi dłońmi bez rękawiczek. Dochodziła dziesiąta. Kiedy do niego zadzwoniła, spał w fotelu i nie zamierzał się stamtąd ruszać do samego rana. To prostsze niż rozbieranie się. Prostsze niż rozwiązywanie sznurówek, zmaganie się z guzikami. Znała go dostatecznie dobrze, by wiedzieć, że nie zawraca sobie głowy sprzątaniem. Ale zamknął drzwi do kuchni, żeby nie widziała brudnych talerzy. Gdyby je zobaczyła, zaproponowałaby mu, że pozmywa, a tego sobie nie życzył.

— Niech się tylko połączy...

Rebus przyniósł sobie od stołu krzesło i usiadł. Siobhan klęczała na podłodze przed laptopem. Pochyliła nieco ekran, a on skinął głową na znak, że widzi.

WITAJ W MOJEJ CIEMNOŚCI!

— Fanklub Alice'a Coopera? — domyślił się.

— Poczekaj chwilkę.

— Królewskie Towarzystwo Niewidomych?

— Jeżeli się uśmiechnę, możesz mnie walnąć w głowę tą tacą. — Usiadła trochę dalej od komputera. — Jest... tylko popatrz.

W pokoju nie było już całkiem ciemno. Ktoś zapalił świece. Czarne świece.

— Sypialnia Teri Cotter — oświadczył Rebus. Siobhan skinęła głową. Inspektor patrzył na migotające świece. — Czy to film?

— Nie, przekaz na żywo.

— To znaczy?

— Do jej komputera jest podłączona kamera wideo. Właśnie z niej pochodzi ten obraz. Kiedy widziałam to po raz pierwszy, w pokoju było ciemno. Pewnie wróciła już do domu.

— I to ma być ciekawe? — zapytał.

— Są tacy, którzy lubią takie rzeczy. Niektórzy nawet płacą, żeby oglądać coś takiego.

— Ale my mamy to za darmo?

— Na to wygląda.

— Myślisz, że ona to gasi, jak wraca do domu?

— A gdzie by wtedy była frajda?

— Czyli że to jest włączone przez cały czas?

Siobhan wzruszyła ramionami.

— Może się tego dowiemy.

Na ekranie pojawiła się Teri Cotter; jej ruchy były szarpane, bo kamera przekazywała serię stop-klatek z minimalnym opóźnieniem.

— Nie ma dźwięku? — zdziwił się Rebus.

Siobhan przypuszczała, że nie, spróbowała jednak podgłośnić komputer.

— Nie ma — potwierdziła.

Teri usiadła na łóżku i skrzyżowała nogi. Była ubrana tak samo jak wtedy, kiedy się z nią spotkali. Patrzyła w obiektyw kamery. Pochyliła się i wyciągnęła na łóżku, podpierając brodę dłońmi, z twarzą tuż przed kamerą.

— Całkiem jak te stare nieme filmy — orzekł Rebus. Siobhan nie wiedziała, czy ma na myśli jakość obrazu, czy brak dźwięku. — A tak w ogóle, co my właściwie robimy?

— Jesteśmy jej publicznością.

— Ona wie, że tu jesteśmy?

Siobhan pokręciła głową.

— Prawdopodobnie nie ma możliwości sprawdzenia, kto to ogląda... i czy w ogóle ktoś patrzy.

— Ale Derek Renshaw ją obserwował?

— Tak.

— Myślisz, że ona o tym wie?

Wzruszyła ramionami i upiła łyk gorzkiej kawy. Nie była bezkofeinowa, więc później mogła przez nią cierpieć, ale miała to gdzieś.

— No więc, co o tym myślisz? — spytał.

— Ekshibicjonizm u młodych dziewcząt nie jest niczym niezwykłym. — Urwała. — Ale z czymś takim jeszcze się nie spotkałam.

— Ciekawe, kto jeszcze o tym wie?

— Jej rodzice raczej nie. Czy powinniśmy ją o to zapytać?

Rebus zamyślił się.

— Jak ludzie się tu dostają? — Wskazał na ekran.

— Są listy stron prywatnych. Ona musi tylko podać link, a być może także opis.

— Sprawdźmy to.

Siobhan zamknęła „Witaj w mojej ciemności" i zaczęła buszować w cyberprzestrzeni, wstukując w wyszukiwarkę słowa „Panna" i „Teri". Pojawiły się całe strony linków, przeważnie prowadzących na strony pornograficzne oraz do ludzi imieniem Terry, Terri i Teri.

— To może potrwać — powiedziała.

— A więc to takie rzeczy tracę, nie mając modemu?

— Tu jest całe ludzkie życie, przeważnie dość przygnębiające.

— Dokładnie to, czego potrzeba człowiekowi po szychcie na przodku.

Skrzywienie jej twarzy niemal można by uznać za uśmiech. Rebus demonstracyjnie sięgnął po tacę z herbatą.

— Zdaje się, że mam — odezwała się Siobhan kilka minut później. Rebus patrzył, jak podkreśla palcem niektóre słowa.

Pannna Teri — zajrzyjcie na moją w 100 % niepornograficzną (sorki, chłopaki!) stronę!

— Dlaczego „Pannna"? — zdziwił się.

— Możliwe, że inna pisownia była już zajęta. Ja mam adres e-mailowy „66Siobhan".

— Bo sześćdziesiąt pięć innych Siobhan zarejestrowało się przed tobą?

Kiwnęła głową.

— A wydawało mi się, że mam rzadkie imię.

Kliknęła na link. Zaczęła się ładować strona główna Teri Cotter. Ukazała się fotografia, przedstawiająca ją w pełnym rynsztunku gothów, z dłońmi na policzkach.

— Narysowała sobie na dłoniach pentagramy — zauważyła Siobhan.

Rebus zobaczył pięcioramienne gwiazdy, otoczone kółkiem. Innych zdjęć nie było, jedynie tekst informujący o zainteresowaniach Teri, o jej szkole, a także informacja, że można jej

„oddawać cześć na Cockburn Street, w soboty po południu...".
Można też było wysyłać do niej e-maile, dodawać komentarze
w księdze gości oraz wchodzić na rozmaite linki, przeważnie
odsyłające na inne strony gothów; jeden z nich jednak był
opisany jako „Wstęp do ciemności".

— To będzie obraz z jej kamery — powiedziała Siobhan.
Żeby się upewnić, kliknęła na ten link. Na ekranie znów
pojawiły się te same czerwone słowa: WITAJ W MOJEJ CIEM-
NOŚCI! Kolejne kliknięcie i z powrotem znaleźli się w sypialni
Teri Cotter. Zmieniła pozycję i teraz siedziała oparta o wez-
głowie łóżka, z podciągniętymi pod brodę kolanami. Pisała coś
w kołonotatniku.

— Pewnie odrabia pracę domową — domyśliła się Siobhan.
— Albo pisze — podsunął Rebus. — Każdy, kto wejdzie na
jej stronę główną, dowie się, ile ma lat, do jakiej szkoły chodzi
i jak wygląda.
Siobhan kiwała głową.
— I gdzie można ją znaleźć w soboty po południu.
— Niebezpieczna rozrywka — mruknął Rebus. W myślach
widział już Teri jako potencjalną ofiarę grasujących w sieci
drapieżników.
— Może dlatego to lubi.
Rebus znów przetarł oczy. Przypomniał sobie pierwsze spot-
kanie z tą dziewczyną. Jak mówiła, że zazdrości Derekowi
i Anthony'emu... i jej uwagę na koniec spotkania: „Może mnie
pan oglądać w każdej chwili...". Teraz już wiedział, do czego
odnosiły się te słowa.
— Napatrzyłeś się? — spytała Siobhan, stukając w ekran.
Kiwnął głową.
— Pierwsze wrażenia, sierżant Clarke?
— No cóż... zakładając, że ona i Herdman byli kochankami,
a on był zazdrosny...
— To miałoby sens tylko wtedy, gdyby Anthony Jarvies
wiedział o jej stronie.
— Jarvies i Derek byli najlepszymi kumplami... czy wyob-
rażasz sobie, że Derek go nie wtajemniczył?
— Racja. Musimy to sprawdzić.
— I jeszcze raz porozmawiać z Teri?
Powoli pokiwał głową.

— Możemy wejść do księgi gości?

Weszli, ale nic im to nie dało. Nie było wpisów świadczących o tym, że pochodziły od Dereka Renshawa albo Anthony'ego Jarviesa, tylko gledzenie wielbicieli Teri, przeważnie zagranicznych, sądząc po topornej angielszczyźnie. Rebus patrzył, jak Siobhan gasi komputer.

— Sprawdziłaś ten numer rejestracyjny? — zapytał.

Skineła głową.

— Tuż przed wyjściem z biura. To wóz Brimsona.

— Wszystko to robi się coraz dziwniejsze...

Zamknęła laptop.

— Jak sobie radzisz? — spytała. — Wiesz, z ubieraniem się i rozbieraniem.

— Świetnie.

— I nie sypiasz w ubraniu?

— No wiesz! — Próbował zdobyć się na ton oburzenia.

— A więc mogę liczyć na to, że jutro zobaczę cię w czystej koszuli?

— Przestań mi matkować.

Uśmiechnęła się.

— Znowu mogę ci nastawić kąpiel.

— Dam sobie radę. — Zaczekał, aż spojrzy mu prosto w oczy. — Słowo harcerza.

— Obyś się nim nie udławił.

Jej słowa znów przypomniały mu pierwsze spotkanie z Teri Cotter... pytała go wtedy, czy widział wielu umarlaków... chciała wiedzieć, jak się umiera. I ta jej strona internetowa, która wręcz zaprasza rozmaitych psycholi.

— Mam tu coś dla ciebie — powiedziała Siobhan, grzebiąc w torebce. Wyciągnęła książkę i pokazała mu okładkę: *Jestem mężczyzną* Ruth Padel. — To o muzyce rockowej — wyjaśniła, otwierając ją na zaznaczonej stronie. — Posłuchaj tego: „sen o heroizmie zaczyna się w sypialni nastolatka".

— I co to niby znaczy?

— Autorka pisze, że muzyka jest dla nastolatków sposobem wyrażania buntu. Być może Teri używa w tym celu swojej sypialni. — Przerzuciła stronę. — I jeszcze coś... „broń palna świadczy o zagrożeniu męskiej seksualności". — Spojrzała na niego. — Moim zdaniem to ma sens.

— Chcesz powiedzieć, że Herdman był jednak zazdrosny?

— A ciebie nigdy nie zżerała zazdrość? Nigdy nie wpadłeś w furię z tego powodu?

Zastanawiał się przez chwilę.

— No, może raz czy dwa.

— Kate wspomniała mi o pewnej książce, zatytułowanej *Źli mężczyźni robią rzeczy, o których dobrzy tylko marzą*. Może furia Herdmana zaprowadziła go za daleko? — Uniosła dłoń do ust, tłumiąc ziewnięcie.

— Pora do łóżka — powiedział Rebus. — Na amatorską psychoanalizę będziemy mieli aż nadto czasu rano.

Wyłączyła laptop z prądu, pozbierała kable. Odprowadził ją do drzwi, a potem patrzył przez okno, jak chroni się w samochodzie. Nagle koło jej drzwiczek pojawił się jakiś mężczyzna. Rebus odwrócił się, popędził do schodów i zbiegł na dół po dwa stopnie naraz. Szarpnął drzwi, wypadł na ulicę. Nieznajomy coś mówił, przekrzykując warkot silnika wozu. Przyciskał coś do przedniej szyby. Gazetę. Rebus złapał go za ramię, czując, jak palce przeszywa mu ogień. Odwrócił go... rozpoznał jego twarz.

Był to reporter, Steve Holly. Rebus uświadomił sobie, że dziennikarz najprawdopodobniej pokazywał Siobhan poranne wydanie gazety.

— A oto i człowiek, z którym się chciałem zobaczyć — oświadczył Holly, uwalniając się z uścisku i rozdziawiając twarz w szerokim uśmiechu. — Miło widzieć, jak oficerowie wydziału śledczego składają sobie domowe wizyty. — Odwrócił się i zerknął na Siobhan, która zgasiła silnik i wysiadała z samochodu. — Niektórzy mogliby pomyśleć, że jest deczko późno jak na pogaduszki.

— Czego chcesz? — zapytał Rebus.

— Chodzi mi o komentarz. — Holly uniósł gazetę tak, by inspektor mógł przeczytać tytuł: GLINIARZ W PŁONĄCYM DOMU? — Na razie nie podajemy jeszcze żadnych nazwisk. Ciekaw jestem, czy miałby pan ochotę przedstawić swoją wersję. O ile mi wiadomo, jest pan zawieszony w związku z wewnętrznym śledztwem. — Złożył gazetę i wyciągnął z kieszeni dyktafon. — Paskudnie to wygląda — zauważył, ruchem głowy wskazując dłonie Rebusa. — Oparzenia goją się powoli, prawda?

— John... — To Siobhan ostrzegała go, żeby nie tracił głowy. Inspektor wycelował pokryty pęcherzami palec w reportera.

— Trzymaj się z dala od Renshawów. Spróbuj im się naprzykrzać, a będziesz miał ze mną do czynienia, rozumiemy się?

— Wobec tego niech mi pan udzieli wywiadu.

— Nie ma mowy.

Holly spojrzał na gazetę, którą trzymał w ręku.

— A może by zmienić tytuł na „Gliniarz ucieka z miejsca zbrodni"?

— Byłaby to gratka dla moich prawników, kiedy już cię podadzą do sądu.

— Moja gazeta nigdy nie obawia się uczciwej walki, inspektorze.

— No to mamy problem — odparł Rebus, zatykając ręką mikrofon dyktafonu. — Bo ja nigdy nie walczę uczciwie — warknął, pokazując Holly'emy dwa rzędy obnażonych zębów. Dziennikarz nacisnął przycisk i wyłączył dyktafon.

— Miło wiedzieć, na czym stoimy.

— Odczep się od rodzin ofiar, Holly. Ja nie żartuję.

— Pewnie nie, na swój smutny, niefortunny sposób. Słodkich snów, inspektorze. — Skłonił się lekko Siobhan i odszedł.

— Sukinsyn! — syknął Rebus.

— Ja bym się nim nie przejmowała — pocieszała go Siobhan. — Jego gazetę czyta tylko jedna czwarta społeczeństwa. — Wsiadła do samochodu, uruchomiła silnik i wycofała się tyłem na jezdnię. Odjeżdżając, pomachała mu szybko.

Holly zniknął za rogiem, zmierzając w kierunku Marchmont Road. Rebus wrócił po schodach do mieszkania i znalazł kluczyki do samochodu. Włożył rękawiczki. Wychodząc, zamknął drzwi na oba zamki.

Na ulicy panował spokój, Steve Holly zniknął bez śladu. Inna sprawa, że Rebus go nie szukał. Wsiadł do saaba i spróbował pokręcić kierownicą w prawo i lewo. Uznał, że da sobie radę. Przejechał Marchmont Road do Melville Drive, w kierunku Arthur's Seat. Nie włączył muzyki, wolał zastanawiać się nad tym wszystkim, co się wydarzyło, i obracać w myślach rozmowy i obrazy.

Irene Lesser: „Może pan też chciałby z kimś porozmawiać... To zbyt długo, żeby nosić taki bagaż...".

Siobhan: cytaty z książki.

Kate: *Źli mężczyźni robią...*

Boecjusz: „Dobrzy ludzie cierpią...".

Nie myślał o sobie jako o kimś złym, wiedział jednak, że dobry też nie jest.

Jestem mężczyzną — tytuł starego bluesa.

Robert Niles, który odszedł z SAS, chociaż nie został „wyłączony". Lee Herdman także nosił ze sobą „bagaż". Rebus czuł, że jeśli uda mu się zrozumieć Herdmana, to być może lepiej zrozumie samego siebie.

Na Easter Road panował spokój, bary wciąż przyjmowały gości, a przed budką z frytkami ustawiała się kolejka. Rebus jechał na komisariat w Leith. Prowadzenie wozu nie sprawiało mu kłopotu, ból był do zniesienia. Skórę na dłoniach miał napiętą, jakby spaloną przez słońce. Zobaczył wolne miejsce przy krawężniku, niecałe pięćdziesiąt jardów od wejścia na posterunek, i zaparkował. Wysiadł i zamknął samochód. Po drugiej stronie ulicy stała ekipa telewizyjna z kamerą; prawdopodobnie chcieli nagrać z kimś wywiad na tle komisariatu. Nagle zobaczył, kto jest ich rozmówcą — Jack Bell, który odwrócił się, poznał Rebusa i pokazał go palcem, zanim z powrotem spojrzał w obiektyw kamery. Inspektor dosłyszał jego słowa:

— ...podczas gdy oficerowie dochodzeniówki, tacy jak ten za mną, zajmują się duperelami, zamiast proponować sensowne rozwiązania...

— Cięcie — przerwał mu reżyser. — Przepraszam, Jack. — Ruchem głowy wskazał inspektora, który przeszedł na drugą stronę ulicy i stanął za plecami Bella.

— Co tu się dzieje? — spytał Rebus.

— Nagrywamy materiał o przemocy w społeczeństwie — warknął Bell, wściekły, że mu przerwano.

— A ja myślałem, że instruktażowy — wycedził Rebus.

— Co proszę?

— Poradnik, jak zarywać dziwki na ulicy, coś w tym guście. Teraz tak właśnie większość dziewczyn zarabia na życie — dorzucił, wskazując w kierunku Salamander Street.

— Jak pan śmie! — wybełkotał poseł, zapluwając się, po czym odwrócił się do reżysera. — Sam pan widzi, jakie to symptomatyczne dla problemu, którym się zajmujemy. Małostkowość i mściwość... oto, czym charakteryzują się obecni policjanci.

— W przeciwieństwie do pana, rzecz jasna — odciął się Rebus. Dopiero teraz zauważył, że Bell trzyma fotografię. Poseł uniósł ją na wysokość piersi.

— Thomas Hamilton — oświadczył. — Nikt nie dostrzegał w nim nic wyjątkowego. Tymczasem kiedy wszedł do tej szkoły w Dunblane, okazało się, że jest wcieleniem zła.

— A w jaki sposób policja mogła temu zapobiec? — spytał Rebus, splatając ręce na piersi.

Zanim Bell zdążył mu odpowiedzieć, reżyser zwrócił się do niego z pytaniem:

— Czy w mieszkaniu Herdmana znaleziono jakieś taśmy wideo albo czasopisma? Brutalne filmy, tego typu rzeczy?

— Nic nie świadczyło o tym, że miał takie zainteresowania. Ale gdyby nawet, to co z tego?

Reżyser wzruszył ramionami; najwyraźniej uznał, że nie wyciągnie z inspektora tego, na czym mu zależało.

— Jack, może ty byś przeprowadził szybki wywiad z... przepraszam, nie dosłyszałem pańskiego nazwiska. — Uśmiechnął się do Rebusa.

— Nazywam się Pierdol Się — odparł inspektor, odwzajemniając uśmiech. Wrócił na drugą stronę ulicy i otworzył drzwi komisariatu.

— Jest pan zakałą policji! — wrzeszczał za nim Jack Bell. — Czarną owcą! Niech pan sobie nie myśli, że tak to zostawię...

— A pan znowu przysparza sobie przyjaciół? — zapytał sierżant dyżurny.

— Cóż robić, wrodzony talent — odparł Rebus, wchodząc po schodach do wydziału śledczego. Przy sprawie Herdmana można było brać nadgodziny, więc kilka osób, pomimo późnej pory, wciąż siedziało w pracy. Wklepywali raporty do komputera albo wymieniali ploteczki przy gorących napojach. Rebus rozpoznał wśród nich detektywa posterunkowego Marka Pettifera i podszedł do niego.

— Mam prośbę, Mark.

— Co ci potrzeba, John?

— Chcę pożyczyć laptopa.

Pettifer uśmiechnął się.

— Myślałem, że twoje pokolenie woli gęsie pióro i pergamin.

— Jeszcze jedno — dodał Rebus, puszczając jego uwagę mimo uszu. — Musi być gotowy do podłączenia do Internetu.

— Myślę, że coś ci znajdę.

— Ale zanim się do tego zabierzesz... — Inspektor nachylił się ku niemu i zniżył głos. — Pamiętasz, jak zwinięto Jacka Bella za dziwki? To chyba był któryś z twoich chłopaków?

Pettifer powoli pokiwał głową.

— Przypuszczam, że w papierach nic się na ten temat nie znajdzie...

— Nie sądzę. W końcu nigdy go nie oskarżono, no nie?

Rebus zamyślił się.

— A co z chłopakami, którzy zatrzymali jego samochód... mógłbym z nimi pogadać?

— O co w tym wszystkim chodzi?

— Powiedzmy, że jestem stroną zainteresowaną — odparł inspektor.

Okazało się jednak, że młody detektyw, który zajmował się Bellem, został przeniesiony i obecnie pracował przy Torphichen Street. Rebus w końcu dostał numer jego telefonu komórkowego. Policjant nazywał się Harry Chambers.

— Przepraszam, że zawracam głowę — powiedział Rebus, przedstawiwszy się.

— Żaden kłopot, właśnie wracam z knajpy.

— Mam nadzieję, że wieczór się udał.

— Turniej bilarda. Doszedłem do półfinału.

— Brawo. Dzwonię w sprawie Jacka Bella.

— A co ten oślizgły skurczybyk znowu nawywijał?

— Wchodzi nam w paradę przy sprawie Port Edgar. — Była to prawda, lecz nie cała. Rebus nie widział potrzeby wyjaśniania, że chce wyrwać Kate ze szponów pana posła.

— Więc pamiętajcie, żeby wytrzeć sobie o niego buty — mówił Chambers. — W sam raz się do tego nadaje.

— Wyczuwam w tym szczyptę antagonizmu, Harry.

— Po tej historii z rwaniem dziwek na ulicy Bell próbował załatwić mi degradację na mundurowego. A ten cały bajer, jaki nam wstawiał: najpierw, że wracał skądś do domu... potem, jak nie mógł tego nijak potwierdzić, okazało się, że „bada" konieczność wprowadzenia stref tolerancji. Akurat! Dziwka, z którą się umawiał, powiedziała mi, że dogadali się już co do ceny.

— Myślisz, że to była jego pierwsza eskapada w tamte strony?

— Nie mam pojęcia. Ale wiem jedno... a staram się zachować maksimum obiektywizmu. To szemrany, kłamliwy i mściwy fiutas. Że też taki Herdman nie mógł nam wyświadczyć przysługi i kropnąć jego, zamiast tych biednych dzieciaków...

Po powrocie do domu Rebus usiłował sobie przypomnieć instrukcje Pettifera, podłączając komputer. Nie był to najnowszy model. „Jak się będzie grzebał, dorzuć mu węgla", poradził Pettifer. Inspektor zapytał, jak stary jest ten sprzęt. Odpowiedź: ma dwa lata, więc właściwie jest już zabytkiem.

Rebus uznał, że coś tak sędziwego należy pielęgnować. Przetarł więc klawiaturę i ekran wilgotną szmatką. I on, i komputer przetrwali niejedną zawieruchę.

— No dobra, staruszku — powiedział do niego. — Przekonajmy się, co potrafisz.

Po kilku frustrujących minutach zadzwonił do Pettifera; w końcu złapał go na komórce, kiedy wracał samochodem do domu, do łóżka. Kolejne instrukcje... Rebus wisiał na telefonie, dopóki nie nabrał pewności, że wszystko zrozumiał.

— Trzymaj się, Mark — powiedział i rozłączył się. Potem przysunął sobie fotel, by usadowić się względnie wygodnie.

Siedział ze skrzyżowanymi w kostkach nogami, rękami splecionymi na piersiach i lekko przekrzywioną na bok głową.

Obserwował śpiącą Teri Cotter.

Dzień czwarty
Piątek

12

— Spałeś w ubraniu — oświadczyła Siobhan, kiedy rano podjechała po niego.

Rebus udał, że nie słyszy. Na fotelu pasażera leżał brukowiec, ten sam, którym Steve Holly wymachiwał poprzedniej nocy. GLINIARZ W PŁONĄCYM DOMU?

— Cienkie to — zapewniła go Siobhan. Miała rację. Mnóstwo domysłów, faktów niewiele. Mimo to Rebus nie odebrał telefonów o siódmej rano, siódmej piętnaście i wpół do ósmej. Wiedział, kto prawdopodobnie dzwoni — Skargi, by umówić się na spotkanie, żeby go dalej szykanować. Zwilżywszy czubki palców w rękawiczkach, przerzucał strony gazety. — Na St Leonard's huczy od plotek — dodała Siobhan. — Fairstone był zakneblowany i przywiązany do krzesła. Wszyscy wiedzą, że tam byłeś.

— A czy ja się tego wypieram? — odparł. Spojrzała na niego. — Tyle że kiedy wychodziłem, drzemał na kanapie, cały i zdrowy.

Przerzucił jeszcze kilka stron, szukając azylu. Znalazł go w historii o psie, który połknął ślubną obrączkę; jedyny lekki tekst w gazecie pełnej ponurych, drukowanych małą czcionką tytułów: o nożownikach w barze, gwiazdach porzuconych przez kochanki i kochanków, wycieku ropy na Atlantyku i tornadach w Ameryce.

— Zabawne, że gospodarz porannego programu telewizyjnego zasługuje na więcej centymetrów kwadratowych niż katastrofa ekologiczna — zauważył, składając gazetę i rzucając ją przez ramię na tylne siedzenie. — Dokąd właściwie jedziemy?

— Myślałam, że może by tak odbyć małe sam na sam z Jamesem Bellem...

— To jest myśl. — Zadzwoniła jego komórka, lecz nie wyjął jej z kieszeni.

— Twój fanklub? — domyśliła się Siobhan.

— Nie mogę się opędzić od wielbicieli. Skąd wiesz, o czym plotkują na St Leonard's?

— Zajrzałam tam, zanim przyjechałam po ciebie.

— Sama się prosisz o ukaranie.

— Korzystałam z siłowni.

— Z siłowni? A co to takiego?

Uśmiechnęła się. Kiedy zabrzęczał jej telefon, znów spojrzała na Rebusa. Wzruszył ramionami, więc sprawdziła numer na wyświetlaczu.

— Bobby Hogan — powiedziała, odbierając. Słyszał tylko to, co mówiła Siobhan. — Jedziemy właśnie do... Dlaczego, co się stało? — Rzut oka na Rebusa. — Jest tutaj... pewnie nie naładował baterii... dobrze, przekażę mu.

— Najwyższy czas, żebyś sobie sprawiła zestaw głośnomówiący — oświadczył, kiedy zakończyła rozmowę.

— Czy aż tak źle prowadzę?

— Chodziło mi o to, że mógłbym posłuchać.

— Bobby mówi, że Skargi cię szukają.

— Niemożliwe!

— Proszono go, żeby ci przekazał wiadomość. Podobno nie odbierasz telefonów.

— Pewnie nie naładowałem baterii. Co jeszcze mówił?

— Chce się z nami spotkać na przystani.

— Mówił po co?

— Może chce nas zaprosić na rejs.

— Na pewno. I podziękować nam za pracowitość i ciężką pracę.

— Tylko się nie zdziw, jeśli okaże się, że kapitan jachtu jest ze Skarg.

— Widziałeś poranną gazetę? — zapytał Bobby Hogan, prowadząc ich po betonowym molo.

— Widziałem — przyznał Rebus. — A Siobhan przekazała

mi twoją wiadomość. Ale ani jedno, ani drugie nie tłumaczy, co my tu właściwie robimy.

— Dzwonił też do mnie Jack Bell. Grozi, że wniesie oficjalną skargę. — Hogan zerknął na kolegę. — Nie wiem, co mu zrobiłeś, ale rób to dalej.

— Z miłą chęcią, Bobby, skoro to polecenie służbowe.

Rebus zobaczył, że szczyt drewnianej rampy, prowadzącej w dół do pontonów, przy których cumowały jachty i małe łódki, jest oddzielony kordonem. Trzech mundurowych trzymało wartę przy tablicy z napisem „Tylko dla posiadaczy stanowisk do cumowania". Hogan podniósł taśmę, by mogli pod nią przejść, i poprowadził ich w dół.

— Nie powinniśmy byli tego przegapić. — Zmarszczył brwi. — Naturalnie to moja wina.

— Naturalnie.

— Wygląda na to, że Herdman miał jeszcze inną łódź, dużo większą. Pełnomorską.

— Jacht? — zapytała Siobhan.

Bobby przytaknął. Minęli szereg zacumowanych łodzi, podskakujących na falach. Znowu ten szczęk takielunku. Nad głową mewy. Wiała silna bryza, od czasu do czasu spryskując ich solą.

— Za duży, żeby mógł go trzymać w hangarze. Z całą pewnością wypływał nim, bo inaczej trzymałby go na lądzie. — Hogan wskazał na brzeg, na osadzone w blokach łodzie, z dala od niszczycielskiego działania wody morskiej.

— I? — spytał Rebus.

— I zobaczcie sami...

Rebus zobaczył. Zobaczył tłum, w którym rozpoznał kilka osób z Urzędu Ceł i Akcyzy. Wiedział, co to oznacza. Celnicy badali coś, co leżało na rozłożonych płachtach folii. Jej rogi przytrzymywano butami, żeby nie trzepotała.

— Im szybciej przeniesiemy to pod dach, tym lepiej — mówił jeden z urzędników. Inny protestował, że technicy z laboratorium powinni to obejrzeć jeszcze na miejscu. Rebus stanął za plecami któregoś z kucających i ujrzał ich łup.

— Eski — wyjaśnił Hogan Rebusowi, wkładając ręce do kieszeni spodni. — Tak na oko z tysiąc. Wystarczy na ładne kilka całonocnych imprezek. — Tabletki extasy znajdowały się w kilkunastu torebkach z przezroczystej niebieskiej folii, takich, jakich używa się do przechowywania żywności w lodówce. Hogan wysypał sobie kilka sztuk na dłoń. — Na ulicy to jest warte jakieś osiem, dziesięć kawałków. — Pigułki miały zielonkawy odcień i były dwa razy mniejsze od tabletek przeciwbólowych, które Rebus łyknął z samego rana. — Jest też trochę kokainy — ciągnął Hogan. — Wartej mniej więcej tysiąc, więc może to na użytek własny.

— Zdaje się, że w jego mieszkaniu znaleźliśmy ślady koki, prawda? — powiedziała Siobhan.

— Owszem.

— A to gdzie było? — zainteresował się Rebus.

— Zamknięte w szafce pod pokładem — odparł Hogan. — Kiepska kryjówka.

— Kto je znalazł?

— My.

Rebus odwrócił się w stronę głosu. Po krótkiej desce, łączącej jacht z pontonowym molo, szła Whiteread; obok niej kroczył zadowolony z siebie Simms. Whiteread demonstracyjnie otrzepała ręce z kurzu.

— Zdaje się, że reszta łodzi jest czysta, ale pańscy funkcjonariusze pewnie sami będą chcieli to sprawdzić.

Hogan skinął głową.

— Nie ma obawy, sprawdzimy.

Rebus stał naprzeciwko obojga wojskowych. Whiteread napotkała jego wzrok.

— Widzę, że tryskacie radością — powiedział. — Ciekawe, czy to dlatego, że znaleźliście narkotyki, czy dlatego, że udało wam się zrobić nas w konia?

— Przede wszystkim, inspektorze, gdybyście zrobili, co do was należy... — Whiteread zawiesiła głos, żeby Rebus sam mógł sobie dopowiedzieć resztę.

— Wciąż jednak zadaję sobie pytanie, jak do tego doszło.

Usta Whiteread drgnęły.

— W jego biurze znaleźliśmy papiery. Potem to już była tylko kwestia pogadania z kierownikiem przystani.

— Przeszukaliście łódź? — Inspektor przyglądał się jachtowi; wyglądał na mocno używany. — Na własną rękę czy zgodnie z SPO? — SPO: standardowa procedura operacyjna. Uśmieszek zamarł na ustach Whiteread. Rebus odwrócił się do

Hogana. — Jurysdykcja, Bobby. Pewnie ciekawi cię, dlaczego przystąpili do przeszukania, nie kontaktując się wcześniej z tobą. — Wskazał na wojskowych. — Ufam im mniej więcej tak, jak ćpunowi z zestawem „Mały chemik".

— Jakim prawem pozwala pan sobie mówić coś takiego? — Simms uśmiechał się, lecz jego uśmiech ograniczał się tylko do ust. Zmierzył Rebusa wzrokiem od stóp do głów. — Przyganiał kocioł garnkowi... to nie przeciwko nam toczy się śledztwo w sprawie...

— Dość tego, Gavin! — syknęła Whiteread.

Młody człowiek zamilkł. Zdawało się, że nagle na całej przystani zapanowała cisza i bezruch.

— W ten sposób tylko gonimy w piętkę — rzekł Bobby Hogan. — Wyślemy ten towar do zbadania...

— Już ja wiem, kogo by tu przydało się zbadać — mruknął Simms.

— ...a tymczasem zastanówmy się razem, czy wnosi to coś do naszego śledztwa. Może być? — Patrzył na Whiteread, która z zadowoleniem pokiwała głową, po czym przeniosła wzrok na Rebusa, prowokując go, by spojrzał jej w oczy. Zrobił to, wiedząc, że wzmacnia w ten sposób swoje przesłanie.

Nie ufam wam...

W końcu znaleźli się w konwoju samochodów zmierzających do Akademii Port Edgar. Przed bramą szkoły kręciło się już mniej gapiów i ekip telewizyjnych, a policjanci nie patrolowali terenu i nie odganiali ciekawskich. Biuro Portakabin było za duże jak na obecne potrzeby, więc ktoś wreszcie pomyślał, żeby zająć jedną z sal wykładowych. Szkoła jeszcze przez kilka dni miała być zamknięta, ale nawet po jej otwarciu świetlica, w której dokonano zbrodni, miała pozostać odizolowana i nieczynna. Zasiedli w ławkach, w których normalnie siedzieliby uczniowie i słuchali nauczyciela geografii. Na ścianach wisiały mapy, wykresy stref deszczowych, obrazki przedstawiające ludzi z jakiegoś pierwotnego plemienia, nietoperze i igloo. Część ekipy stała na lekko rozstawionych nogach, ze splecionymi na piersi rękami. Bobby Hogan podszedł do staromodnej tablicy. Obok niej wisiała tabliczka do pisania flamastrem, z dwoma słowami: „Praca domowa", po których następowały trzy wykrzykniki.

— To przypomnienie chyba odnosi się do nas — stwierdził, stukając w tabliczkę. — Dzięki naszym przyjaciołom z wojska... — ruchem głowy wskazał Whiteread i Simmsa, którzy stali w progu — sprawa przybrała inny obrót. Pełnomorski jacht i duża ilość narkotyków. Co z tego wynika?

— Szmugiel, inspektorze — rozległ się czyjś głos.

— Chciałbym dorzucić jeden fakt... — Mówiący te słowa stał w głębi pokoju. Był to jeden z celników. — Większa część extasy, która trafia do Wielkiej Brytanii, pochodzi z Holandii.

— Wobec tego musimy przejrzeć dziennik pokładowy Herdmana — oświadczył Hogan. — Sprawdzić, dokąd wypływał.

— Oczywiście zapisy w dzienniku pokładowym zawsze można sfałszować — dorzucił facet z Urzędu Ceł i Akcyzy.

— Musimy także pogadać z wydziałem narkotyków i sprawdzić, co wiedzą o rynku extasy.

— Czy to na pewno eski, inspektorze? — zapiszczał czyjś głos.

— W każdym razie z pewnością nie proszki przeciwko chorobie morskiej.

Odpowiedź ta spotkała się z wymuszonym śmiechem.

— Panie inspektorze, czy to znaczy, że sprawa zostanie przekazana do DMC? — DMC: Drugs and Major Crime, czyli wydział do zwalczania narkotyków i poważnej przestępczości.

— W tej chwili nie potrafię jeszcze na to odpowiedzieć. Na razie musimy się skupić na naszej pracy. — Hogan rozejrzał się po sali, sprawdzając, czy wszyscy go słuchają. Zwrócił uwagę, że nie patrzy na niego jedynie John Rebus. Inspektor spoglądał na dwie postacie w progu, marszcząc w zadumie brwi. — Poza tym musimy przeczesać cały jacht i sprawdzić, czy czegoś jeszcze nie przegapiliśmy. — Spostrzegł, że Whiteread i Simms wymieniają spojrzenia. — No dobrze, są jakieś pytania?

Padło kilka, lecz szybko się z nimi uporał. Jeden z oficerów chciał wiedzieć, ile kosztuje taki jacht jak Herdmana. Odpowiedzi na to pytanie już wcześniej udzielił kierownik przystani — za jacht o długości czterdziestu stóp, z sześcioma miejscami do spania, trzeba dać sześćdziesiąt tysięcy funtów. Kupując z drugiej ręki.

— Z całą pewnością nie wziął tej forsy z funduszu emerytalnego, możecie mi wierzyć — rzuciła Whiteread.

— Cały czas sprawdzamy konta bankowe Herdmana i inne jego aktywa — poinformował Hogan wszystkich obecnych, znowu zerkając na Rebusa.

— Macie coś przeciwko naszej obecności podczas przeszukania łodzi? — spytała Whiteread.

Hoganowi nie przychodził do głowy żaden pretekst, żeby jej odmówić, więc tylko wzruszył ramionami. Kiedy spotkanie dobiegło końca, stwierdził, że Rebus stoi obok niego.

— Bobby... — Głos był ściszony do szeptu. — Te prochy mogły zostać podrzucone.

Hogan wlepił w niego wzrok.

— Niby w jakim celu?

— Nie wiem. Ale nie ufam...

— Dałeś to już jasno do zrozumienia.

— Wyglądało na to, że zwijamy interes. A dzięki temu Whiteread i jej przydupas mają pretekst, żeby dalej się tu kręcić.

— Nie rozumiem tego.

— Zapominasz, że miałem do czynienia z takimi jak oni.

— Ale nie chodzi ci o wyrównanie starych rachunków? — Hogan starał się nie podnosić głosu.

— Nie.

— Więc o co?

— Jeśli byłemu żołnierzowi odbija palma, to jego dawni pracodawcy nie kręcą się w pobliżu. Nie zależy im na rozgłosie. — Obaj byli już w korytarzu. Wojskowy duet zniknął bez śladu. — Nie chcą, żeby ktokolwiek obarczył ich odpowiedzialnością. Dlatego trzymają się z daleka.

— I co?

— A to, że Bliźniaki Ponuraki przyczepiły się do tej sprawy jak gówno do podeszwy. Tu chodzi o coś więcej.

— O coś więcej niż co? — Pomimo najlepszych chęci Hogan podniósł głos. Ludzie zaczęli spoglądać w ich stronę. — Herdman zdobył jakoś forsę na ten jacht...

Rebus wzruszył ramionami.

— Mam prośbę, Bobby. Załatw mi akta wojskowe Herdmana. — A kiedy Hogan wbił w niego wzrok, dorzucił: — Jestem pewien, że Whiteread ma ze sobą kopię. Poproś ją, żeby pozwoliła ci rzucić na nią okiem. Z czystej ciekawości. Kto wie, może się zgodzi.

— Chryste Panie, John...

— Chcesz wiedzieć, dlaczego Herdman zrobił to, co zrobił, tak? To dlatego mnie tu ściągnąłeś, chyba że się mylę. — Rebus rozejrzał się, sprawdzając, czy nie ma nikogo w zasięgu słuchu. — Kiedy ich spotkałem po raz pierwszy, czołgali się po hangarze Herdmana. Zaraz potem szperają na jego jachcie. Teraz znów zamierzają tam wrócić. Zupełnie jakby czegoś szukali.

— Czego?

Rebus pokręcił głową.

— Nie wiem.

— John, Skargi i Etyka za chwilę przeczołgają się po tobie.

— I co z tego?

— To, że może w jakiś sposób jesteś... sam nie wiem...

— Uważasz, że dorabiam teorię do praktyki?

— Żyjesz w wielkim stresie.

— Bobby, albo uważasz, że nadaję się do tej roboty, albo nie. — Rebus założył ręce na piersi. — Więc jak? — Jego komórka zabrzęczała ponownie.

— Odbierzesz? — spytał Hogan. Rebus pokręcił głową. Bobby westchnął. — No dobra, pogadam z Whiteread.

— Nie wspominaj jej o mnie. I nie naciskaj za bardzo na obejrzenie tych akt. Po prostu jesteś ciekawy, i tyle.

— Jestem ciekawy, i tyle — powtórzył Hogan jak echo.

Rebus puścił do niego oko i odszedł. U wejścia do szkoły czekała na niego Siobhan.

— Porozmawiamy z Jamesem Bellem? — zapytała.

Kiwnął głową.

— Najpierw jednak przekonajmy się, czy jesteś dobrym detektywem, sierżant Clarke.

— Chyba oboje znamy odpowiedź.

— W porządku, mądralo. Pracujesz dla wojska, na wysokim szczeblu, i na jakiś tydzień oddelegowano cię z Hereford do Edynburga. Gdzie się zatrzymujesz?

Zastanawiała się nad tym, wsiadając do samochodu. Włożyła kluczyk do stacyjki i odwróciła się do Rebusa.

— Może w koszarach Redford? Albo na zamku, tam zdaje się jest garnizon?

Odpowiedź była całkiem dobra. Tyle że jego zdaniem nieprawdziwa.

— Czy Whiteread wygląda na taką, która lubi znosić niewygody? Poza tym ona chce być blisko akcji.

— Co racja, to racja. Wobec tego miejscowy hotel.

— Też tak sądzę. Hotel albo pensjonat. — Przygryzł dolną wargę.

— W Boatmanie mają kilka pokoi, prawda?

— Zaczniemy stamtąd — rzekł.

— Wolno zapytać dlaczego?

— Im mniej wiesz, tym lepiej... wierz mi.

— Nie wydaje ci się, że masz już dosyć kłopotów?

— Myślę, że znajdzie się miejsce dla następnych. — Puścił do niej oko, żeby ją uspokoić, ale nie wydawała się przekonana.

Boatman nie otworzył jeszcze podwoi dla gości, lecz barman, poznawszy Siobhan, wpuścił ich do środka.

— Masz na imię Rod, dobrze pamiętam? — zagadnęła. Rod McAllister kiwnął głową. — To mój kolega, inspektor Rebus.

— Cześć — przywitał się barman.

— Rod znał Lee Herdmana — przypomniała Siobhan Rebusowi.

— Czy sprzedawał ci kiedyś dropsy? — chciał wiedzieć inspektor.

— Co proszę?

Rebus tylko pokręcił głową. Teraz, kiedy już byli w barze, odetchnął głęboko — płyn do czyszczenia drewna nie zabił zapachu wczorajszego piwa i papierosów. McAllister grzebał w papierach, które piętrzyły się na barze. Wsadził rękę pod obszerny podkoszulek i podrapał się po piersi. Podkoszulek był mocno spłowiały, na ramieniu miał pęknięty szew.

— Lubisz Hawkwind? — spytała Siobhan. Barman spojrzał na przód swojej koszulki. Spłowiała farba przedstawiała okładkę płyty *In Search of Space*. — Nie zabierzemy ci dużo czasu — ciągnęła. — Ciekawi nas tylko, czy macie dwoje gości...

Rebus włączył się i podał nazwiska, lecz McAllister pokręcił głową. Patrzył na Siobhan, jej towarzysz w ogóle go nie interesował.

— Gdzie jeszcze w mieście mogliby się zatrzymać? — dopytywała się Siobhan.

Barman podrapał się po szczecinie na brodzie, co przypomniało Rebusowi, że jego poranne golenie było w najlepszym razie próbne.

— Jest parę takich miejsc — odparł. — Mówiła pani, że ktoś może chcieć ze mną pogadać o Lee.

— Tak?

— No ale nikt się nie zgłosił.

— Masz jakiś pomysł, dlaczego on to zrobił? — zapytał nagle Rebus. McAllister zaprzeczył. — Wobec tego skupmy się na tych adresach, co?

— Adresach?

— Pensjonatów, innych hoteli...

Barman pojął, o co chodzi. Siobhan wyjęła notes, a on zaczął dyktować. Podał kilka namiarów i potrząsnął głową na znak, że to koniec.

— Pewnie jest ich więcej — powiedział, wzruszając ramionami.

— Na początek wystarczy — rzekł Rebus. — Niech pan wraca do swej pilnej pracy, panie McAllister.

— Jasne... dzięki. — Barman ukłonił się lekko i przytrzymał Siobhan drzwi.

Kiedy wyszli, zajrzała do notesu.

— To nam zajmie cały dzień.

— Jeśli będzie to w naszym interesie — przytaknął Rebus. — Zdaje się, że masz nowego wielbiciela.

Odwróciła się i w oknie hotelu ujrzała twarz McAllistera. Barman odskoczył do tyłu.

— Mogłaś trafić gorzej... wyobraź sobie tylko, darmowe drinki do końca życia...

— Coś, o czym sam marzysz.

— To był cios poniżej pasa. Zawsze płacę swoją działkę.

— Skoro tak twierdzisz... — Pomachała notesem. — Jest łatwiejszy sposób.

— A konkretnie?

— Spytaj Bobby'ego Hogana. On na pewno wie, gdzie się zatrzymali.

Pokręcił głową.

— Lepiej go w to nie mieszać.

— Powiedz mi, dlaczego mam w związku z tym złe przeczucia?

— Wracajmy do samochodu, musisz zacząć obdzwaniać te miejsca.

Wsuwając się na fotel, spojrzała na niego.

— Jacht za sześćdziesiąt kawałków... skąd wziął na to forsę?

— Z narkotyków, oczywiście.

— Tak uważasz?

— Uważam, że chcą, żebyśmy tak myśleli. Nic z tego, czego się dowiedzieliśmy o Herdmanie, nie wskazuje, że był narkotykowym baronem.

— Pomijając fakt, że jak magnes przyciągał znudzonych nastolatków.

— W szkole niczego cię nie nauczyli?

— Na przykład czego?

— Żeby nie wyciągać pochopnych wniosków.

— Zapomniałam... to twoja specjalność.

— Kolejny cios poniżej pasa. Uważaj, bo będzie musiał wkroczyć arbiter.

Przyjrzała mu się uważnie.

— Ty o czymś wiesz, mam rację?

Wytrzymał jej spojrzenie i powoli pokręcił głową.

— Może będę coś wiedział, jak załatwisz te telefony...

13

Mieli szczęście — trzecią pozycją na ich liście okazał się hotel na skraju miasta, z widokiem na most drogowy. Przestronny parking był całkiem pusty. Na turystów czekały dwa samotne teleskopy. Rebus przysunął oko do jednego z nich, ale nic nie zobaczył.

— Musisz wrzucić do środka pieniądze — wyjaśniła mu Siobhan, wskazując otwór na monety. Rebus dał sobie spokój i skierował się do recepcji.

— Powinnaś tu zaczekać — ostrzegł ją.

— I stracić całą zabawę? — Ruszyła za nim, starając się nie okazywać niepokoju. Był nafaszerowany środkami przeciwbólowymi i prosił się o kłopoty. Kiepska kombinacja. Nieraz już widywała, jak przekraczał granicę, tyle że zawsze panował nad sobą. Ale teraz, mając czerwone, pokryte pęcherzami dłonie, a na głowie Skargi, które chciały go przesłuchać pod zarzutem popełnienia morderstwa...

Za ladą recepcji urzędowała jakaś kobieta.

— Dzień dobry — powitała ich wesoło.

Rebus trzymał już w ręku legitymację.

— Policja okręgu Lothian i Borders — powiedział. — Mieszka u was kobieta o nazwisku Whiteread.

Palce recepcjonistki zatańczyły po klawiaturze komputera.

— Zgadza się.

Rebus oparł się o ladę.

— Muszę się dostać do jej pokoju.

Kobieta nie wiedziała, co robić.

— Mnie nie...

— Skoro pani nie potrafi nam pomóc, chciałbym porozmawiać z pani szefem.

— Nie jestem pewna, czy...

— Albo może pani oszczędzić nam fatygi i po prostu dać klucz.

Recepcjonistka całkiem straciła głowę.

— Lepiej będzie, jeśli poproszę tu moją przełożoną.

— Proszę to zrobić. — Rebus założył ręce za plecami, jak gdyby był zniecierpliwiony.

Kobieta podniosła słuchawkę telefonu i zadzwoniła pod kilka numerów, ale nie znalazła osoby, której szukała. Rozległ się dźwięk jadącej windy, drzwi rozsunęły się i wysiadła sprzątaczka, ze ścierką do kurzu i jakimś aerozolem. Recepcjonistka odłożyła słuchawkę.

— Muszę jej poszukać — oznajmiła.

Rebus z westchnieniem spojrzał na zegarek. Potem patrzył, jak recepcjonistka otwiera jakieś wahadłowe drzwi i znika za nimi. Znowu oparł się na ladzie, tym razem odwracając ekran komputera do siebie.

— Pokój dwieście dwanaście — poinformował Siobhan. — Zaczekasz tu?

Pokręciła głową i ruszyła za nim do windy. Wcisnął guzik drugiego piętra. Drzwi zamknęły się z suchym trzaskiem.

— A jeśli Whiteread akurat wróci? — zaniepokoiła się Siobhan.

— Przeszukuje teraz jacht — odparł z uśmiechem.

Rozległ się gong i drzwi rozsunęły się z szumem. Tak jak się tego spodziewał, sprzątaczki wciąż pracowały na tym piętrze — w korytarzu stały dwa wózki. Stosy pościeli i ręczników czekały na transport do pralni. Miał już gotową bajeczkę — zapomniał czegoś... klucz został na dole w recepcji... czy byłaby pani uprzejma otworzyć drzwi? Gdyby to nie poskutkowało, miał nadzieję, że pięć albo dziesięć funtów załatwi sprawę. Szczęście wciąż jednak mu dopisywało — drzwi pokoju 212 były otwarte na oścież. Sprzątaczka urzędowała w łazience. Wsunął głowę do pokoju.

— Musiałem po coś wrócić — powiedział głośno. — Proszę

sobie nie przeszkadzać. — Rozejrzał się po sypialni. Łóżko było już pościelone. Na komodzie leżały drobiazgi osobiste. W wąskiej garderobie wisiały ubrania. Walizka Whiteread była pusta.

— Prawdopodobnie wszystko zabiera ze sobą — szepnęła Siobhan. — I zostawia w samochodzie.

Rebus nie zwracał na nią uwagi. Zajrzał pod łóżko, sprawdził obie szuflady na ubrania i otworzył szufladę szafki nocnej, w której leżała Biblia Gideona.

— Zupełnie jak Rocky Raccoon* — mruknął pod nosem. Wyprostował się. W tym pokoju nic nie było. W łazience, kiedy tam zajrzał, też nic nie zauważył. Teraz jednak patrzył na inne drzwi... wewnętrzne. Przekręcił klamkę i stanął przed kolejnymi drzwiami, ale bez klamki z jego strony. Nieważne — i tak były lekko uchylone. Pchnął je i znalazł się w sąsiedniej sypialni. Na obu krzesłach walały się ubrania. Na szafce nocnej leżały czasopisma. Ze sportowej torby z czarnego nylonu wylewały się krawaty i skarpetki.

— Pokój Simmsa — mruknął.

Na komodzie leżała duża brązowa koperta. Odwrócił ją na drugą stronę i ujrzał słowa TAJNE oraz DANE OSOBOWE. A także nazwisko: LEE HERDMAN. Oto pojęcie Simmsa o zasadach bezpieczeństwa — połóż kopertę do góry nogami, a nikt się nie zorientuje, co to jest.

— Będziesz to czytał tutaj? — spytała Siobhan.

Pokręcił głową; musiałby przekopać się przez czterdzieści albo i pięćdziesiąt stron.

— Myślisz, że recepcjonistka nam je skopiuje?

— Mam lepszy pomysł. — Wzięła kopertę. — W recepcji widziałam informację, że mają do dyspozycji gości salę biznesową. Powinni tam mieć kopiarkę.

— Więc chodźmy — powiedział, ale ona pokręciła głową.

— Jedno z nas musi tu zostać. Co by było, gdyby sprzątaczka wyszła i zamknęła za sobą drzwi na klucz?

Rebus uznał, że argument jest sensowny, i skinął głową. Tak więc Siobhan wyszła z kopertą, on zaś pobieżnie sprawdził

---

* Rocky Raccoon, postać z piosenki Beatlesów pod tym samym tytułem, zameldowawszy się w hotelu, znalazł Biblię Gideona.

pokój Simmsa. Czasopisma należały do gatunku typowo męskich: „FHM", „Loaded", „GQ". Pod poduszkami i materacem nic nie było. Żadne z ubrań Simmsa nie trafiło do szuflad, chociaż dwie koszule i dwa garnitury wisiały w garderobie. Wewnętrzne drzwi... sam nie wiedział, co o tym sądzić i czy w ogóle cokolwiek z tego wynika. Drzwi Whiteread były zamknięte, co oznaczało, że Simms nie mógł się do niej dostać. Ale swoje drzwi zostawił uchylone... czyżby zapraszał ją do siebie na noc? W łazience pasta do zębów i szczoteczka elektryczna. Miał też własny szampon, antyłupieżowy. Rebus uważniej przyjrzał się zawartości czarnej torby. Pięć par majtek i skarpetek. Dwie koszule w szafie, dwie na krześle. Czyli łącznie pięć koszul. Zapas na tydzień. Simms spakował się na tygodniowy wyjazd. Rebus zamyślił się. Były żołnierz dokonuje masakry, a wojsko wysyła dwoje ludzi, mających dopilnować, by nic nie połączyło tej zbrodni z przeszłością zabójcy. Czemu wysłano dwie osoby? I co miałyby robić na miejscu zbrodni przez cały tydzień? Jakiego rodzaju ludzi on sam by wysłał? Może psychologów, żeby zbadali stan umysłu zabójcy. Ale ani Whiteread, ani Simms nie sprawiali wrażenia ludzi mających doświadczenie z zakresu psychologii, nie wyglądali też na zainteresowanych stanem umysłu Herdmana.

Byli myśliwymi, a może myśliwymi i zbieraczami. Rebus był o tym przekonany.

Ktoś zastukał cicho do drzwi. Zerknął przez wizjer — Siobhan. Kiedy wpuścił ją do pokoju, odłożyła kopertę na komodę.

— Nie pomieszałaś stron? — zapytał.

— No co ty? — Kopię akt miała w grubej żółtej kopercie. — Możemy się zbierać?

Skinął głową i ruszył za nią do drzwi pokoju Simmsa. Nagle jednak zatrzymał się i obejrzał. Koperta leżała napisem do góry. Odwrócił ją, po raz ostatni omiótł pokój wzrokiem i wyszedł.

Mijając recepcjonistkę, uśmiechnęli się do niej. Uśmiechnęli się, ale nie odezwali.

— Myślisz, że ona powie o nas Whiteread? — spytała Siobhan.

— Wątpię. — Wzruszył ramionami, bo nawet gdyby się mylił, Whiteread nic by nie mogła na to poradzić. W jej pokoju nie było nic ciekawego i niczego nie brakowało.

Kiedy Siobhan jechała autostradą A90 w kierunku Barnton, zabrał się do lektury akt. W większości była tam sama sieczka — wyniki rozmaitych testów i sprawozdania; dokumentacja medyczna; rezultaty prac komisji zatwierdzającej awanse. Na marginesach widniały odręczne komentarze na temat słabych i mocnych stron Herdmana. Kwestionowano jego sprawność fizyczną, ale jego kariera przebiegała jak z podręcznika — służba w Irlandii Północnej, na Falklandach, na Bliskim Wschodzie; obozy treningowe w Wielkiej Brytanii, Arabii Saudyjskiej, Finlandii i w Niemczech. Rebus odwrócił stronę i wlepił wzrok w następną kartkę — całkowicie pustą, jeśli nie liczyć wystukanych na maszynie słów: USUNIĘTE NA ROZKAZ. Poniżej widniał czyjś niewyraźny podpis i stempel datownika sprzed zaledwie czterech dni. Czyli z dnia, w którym doszło do strzelaniny w szkole. Na kolejnej stronie była notatka dotycząca ostatnich miesięcy Herdmana w wojsku. Herdman poinformował przełożonych, że nie przedłuży kontraktu — do akt dołączono kopię jego listu. Próbowano namówić go, żeby został, ale bezskutecznie. Dalej były jedynie biurokratyczne formularze. Ot, nadano bieg sprawie.

— Widziałaś to? — zapytał Rebus, stukając w napis: USUNIĘTE NA ROZKAZ.

Siobhan kiwnęła głową.

— Co to znaczy?

— To znaczy, że coś stąd usunięto, i prawdopodobnie trzymają to coś pod kluczem w kwaterze głównej SAS.

— Drażliwe informacje? Nie dla oczu Whiteread i Simmsa?

— Kto wie? — odparł Rebus, pogrążony w zadumie.

Wrócił do poprzedniej strony i skupił się na końcowych akapitach. Siedem miesięcy przed odejściem z SAS Herdman był członkiem „ekipy ratunkowej" na Jurze. Kiedy Rebus po raz pierwszy rzucił okiem na tę stronę, ujrzawszy słowo „Jura", uznał, że chodzi o ćwiczenia. Jura — wąska wyspa u zachodnich wybrzeży. Odcięta od świata, raptem jedna droga i góry. Prawdziwie dziki krajobraz. Dawno temu, kiedy sam był jeszcze w wojsku, także odbywał tam ćwiczenia. Długie marsze po górach, urozmaicane wspinaczką skalną. Pamiętał ten górzysty teren: „pagórki Jury". Przypomniał sobie krótką podróż promem na Islay i na koniec wyprawę do gorzelni whisky.

Jednak Herdman nie był tam na ćwiczeniach; wchodził w skład „ekipy ratunkowej". Co on tam właściwie ratował?

— Posunęło nas to do przodu? — zapytała Siobhan, hamując gwałtownie, bo skończyła się dwupasmówka. Przed sobą mieli odnogę obwodnicy Barnton.

— Nie jestem pewien — przyznał Rebus. Podobnie jak nie był pewien, co czuje w związku z tym, że wplątał ją w swój mały fortel. Powinien kazać jej zostać w pokoju Simmsa. Wtedy to jego twarz zapamiętałaby kobieta z obsługi sali biznesowej. Gdyby Whiteread zaczęła węszyć, dostałaby jego rysopis, a nie Siobhan...

— Więc jak, było warto? — drążyła temat Siobhan.

Zbył ją wzruszeniem ramion, coraz bardziej zamyślony, kiedy skręcali w lewo w obwodnicę; patrzył, jak Siobhan hamuje, po czym wjeżdża na podjazd.

— Gdzie jesteśmy?

— Dom Jamesa Bella — odparła. — Pamiętasz? Mieliśmy z nim pogadać.

Bez słowa pokiwał głową.

Była to nowoczesna willa o małych oknach i ścianach wyłożonych na szkocką modłę paździerzem. Siobhan nacisnęła dzwonek i czekała. Otworzyła im niziutka, dobiegająca sześćdziesiątki, lecz świetnie utrzymana kobieta o przeszywających niebieskich oczach. Jej zebrane do tyłu włosy związane były kokardą z czarnego aksamitu.

— Pani Bell? Jestem sierżant Clarke, a to inspektor Rebus. Chcielibyśmy zamienić słowo z Jamesem.

Felicity Bell sprawdziła ich legitymacje i odsunęła się, wpuszczając ich do środka.

— Jacka nie ma — powiedziała wyzutym z energii głosem.

— Chcieliśmy się zobaczyć z pani synem, nie mężem — wyjaśniła Siobhan, zniżając głos, by nie wystraszyć tej małej, zaszczutej istotki.

— Mimo wszystko... — Pani Bell rozejrzała się w popłochu. Zaprowadziła ich do salonu. Próbując ją uspokoić, Rebus zdjął z parapetu rodzinne zdjęcie.

— Ma pani trójkę dzieci, pani Bell? — zapytał.

Kiedy zobaczyła, co trzyma, podeszła, wyrwała mu zdjęcie z ręki i starannie odstawiła na to samo miejsce, z którego je wziął.

— James jest ostatni — odparła. — Pozostali dwaj się ożenili... wyfrunęli z gniazdka. — Zatrzepotała jedną ręką.

— Ta strzelanina to musiał być dla pani ciężki wstrząs — odezwała się Siobhan.

— Straszny, okropny. — Jej oczy znów przybrały dziki wyraz.

— Pani pracuje w Traverse, prawda? — spytał Rebus.

— Owszem. — Była zdziwiona, że wie takie rzeczy na jej temat. — Lada dzień wystawiamy nową sztukę... właściwie powinnam tam być i im pomóc, ale jestem potrzebna tutaj, rozumiecie.

— Co to za sztuka?

— Adaptacja *O czym szumią wierzby*... Czy któreś z was ma dzieci?

Siobhan pokręciła głową, a Rebus wyjaśnił, że jego córka jest już za stara.

— Nigdy się nie jest za starym, nigdy — oświadczyła Felicity Bell swoim drżącym głosem.

— Domyślam się, że została pani w domu, żeby opiekować się Jamesem? — rzekł Rebus.

— Tak.

— A więc on jest na górze?

— Tak, w swoim pokoju.

— Myśli pani, że mógłby nam poświęcić kilka minut?

— Bo ja wiem... — Kiedy Rebus wspomniał o minutach, ręka pani Bell powędrowała do nadgarstka. Spojrzała na zegarek. — Mój Boże, już prawie czas na lunch... — Chciała wyjść z pokoju, prawdopodobnie do kuchni, ale przypomniała sobie o dwojgu obcych w jej gniazdku. — Może jednak zadzwonię do Jacka...

— Proszę zadzwonić — zgodziła się Siobhan. Przyglądała się oprawionej w ramkę fotografii posła, triumfującego podczas nocy wyborczej. — Bardzo chętnie z nim porozmawiamy.

Pani Bell podniosła na nią wzrok. Ściągnęła brwi.

— A w jakiej sprawie chcecie z nim rozmawiać? — Mówiła

z edynburskim akcentem osoby wykształconej, połykając końcówki.

— My mamy sprawę do Jamesa — powiedział Rebus, robiąc
krok w jej stronę. — Jest w swoim pokoju, prawda? — Poczekał,
aż kobieta kiwnie głową. — Domyślam się, że na górze? —
Kolejne kiwnięcie głową. — Wobec tego powiem pani, co
zrobimy. — Położył rękę na jej chudym jak szczapa przed-
ramieniu. — Pani się zajmie lunchem, a my sami trafimy do
syna. Unikniemy w ten sposób niepotrzebnego zamieszania,
nie sądzi pani?

Pani Bell przyswajała to sobie powoli, w końcu jednak
rozpromieniła się w uśmiechu.

— Tak właśnie zrobię — oświadczyła, wycofując się do
korytarza.

Rebus i Siobhan wymienili spojrzenia i kiwnęli głowami na
znak zgody — tej kobiecie brakowało piątej klepki. Weszli po
schodach i odszukali pokój, który prawdopodobnie należał do
Jamesa — z drzwi pozdzierano nalepki, przylepione tam w dzieciństwie. Teraz wisiały na nich tylko stare bilety z koncertów,
przeważnie z angielskich miast — Foo Fighters w Manche-
sterze; Rammstein w Londynie; Puddle of Mudd w Newcastle.
Rebus zapukał, lecz nie doczekał się odpowiedzi. Przekręcił
klamkę i otworzył drzwi. James Bell siedział na łóżku. Białe
prześcieradło i kołdra, śnieżnobiałe ściany bez żadnych ozdób.
Bladozielona wykładzina, na której leżało kilka małych dywa-
ników. Półki zapchane książkami. Komputer, sprzęt hi-fi, telewizor... Wszędzie walały się płyty kompaktowe. Bell miał na
sobie czarną koszulkę. Siedział z podciągniętymi kolanami, na
których opierał jakieś pismo. Przewracał kartki jedną ręką, bo
drugą miał na temblaku. Miał krótkie ciemne włosy, bladą
twarz i znamię na policzku. W pokoju nie było widać oznak
buntu nastolatka. Kiedy Rebus miał naście lat, jego sypialnia
składała się właściwie z samych kryjówek — nieprzyzwoite
czasopisma pod dywanem (materac czasami odwracano, więc
nie nadawał się do tej roli), papierosy i zapałki za jedną z nóg
szafy, nóż wetknięty pod zimowy kombinezon w dolnej szufladzie komody. Miał wrażenie, że gdyby tutaj zajrzał do szuflad,
znalazłby tylko ubrania, a pod dywanem co najwyżej grubą
warstwę kurzu.

Ze słuchawek, które James Bell miał na uszach, sączyła się muzyka. Chłopak nadal nie odrywał oczu od lektury. Prawdopodobnie sądzi, że to matka weszła do pokoju, i ignoruje ją z wystudiowaną obojętnością, pomyślał Rebus. Podobieństwo rysów twarzy syna i ojca było uderzające. Inspektor pochylił się i przekrzywił głowę, aż wreszcie James podniósł wzrok i jego oczy rozszerzyły się ze zdumienia. Zsunął słuchawki i wyłączył muzykę.

— Przepraszam, że ci przeszkadzamy — odezwał się Rebus. — Twoja mama powiedziała, żebyśmy weszli.

— Kim jesteście?

— Detektywami, James. Mógłbyś nam poświęcić trochę czasu? — Rebus stał przy łóżku, uważając, żeby nie przewrócić wielkiej butelki wody, stojącej na podłodze koło jego stóp.

— O co chodzi?

Inspektor wziął czasopismo z łóżka. Magazyn dla kolekcjonerów broni palnej.

— Dziwna tematyka — zauważył.

— Próbuję znaleźć ten pistolet, z którego mnie postrzelił. Siobhan zabrała Rebusowi magazyn.

— Potrafię to zrozumieć — powiedziała. — Chcesz wiedzieć wszystko na ten temat?

— Nie miałem okazji mu się przyjrzeć.

— Jesteś pewien, James? — zapytał Rebus. — Lee Herdman zbierał pisma o broni palnej. — Ruchem głowy wskazał magazyn, który przeglądała teraz Siobhan. — To jego?

— Co?

— Czy on ci go pożyczył? Słyszeliśmy, że znałeś go dużo lepiej, niż wynikało z twoich zeznań.

— Nigdy nie twierdziłem, że go nie znam.

— „Spotykaliśmy się na gruncie towarzyskim”... to twoje słowa, James. Słyszałem je na taśmie. Powiedziałeś to w taki sposób, jakbyś wpadał na niego czasem w barze czy w kiosku z gazetami. — Przerwał na chwilę. — Ale on ci powiedział, że służył w SAS, a to nie jest tylko zdawkowa uwaga, przyznasz? Może rozmawialiście o tym na jednej z jego imprez. — Kolejna przerwa. — Bywałeś u niego na imprezach, prawda?

— Czasami. To był interesujący facet. — James Bell przeszywał inspektora wściekłym wzrokiem. — Prawdopodobnie o tym też mówiłem. A zresztą wszystko już opowiedziałem policji, o tym, że dobrze znałem Lee, że bywałem na jego imprezach... nawet o tym, że pokazał mi broń...

Rebus zmrużył oczy.

— Pokazał ci broń?

— Chryste, nie słuchaliście taśm?

Rebus nie mógł się powstrzymać, by nie rzucić okiem na Siobhan. Taśmy, liczba mnoga... a oni nie pofatygowali się, żeby przesłuchać inne, poza tą jedną.

— Co to była za broń?

— Ta, którą trzymał w hangarze.

— Czy twoim zdaniem była prawdziwa? — spytała Siobhan.

— Wyglądała na prawdziwą.

— Był przy tym ktoś jeszcze?

James pokręcił głową.

— A tej drugiej, pistoletu, nie widziałeś?

— Dopiero kiedy do mnie strzelał. — Chłopak spojrzał na swoje ranne ramię.

— Do ciebie i jeszcze dwóch innych — przypomniał mu Rebus. — Czy mam rację, twierdząc, że Lee Herdman nie znał Anthony'ego Jarviesa i Dereka Renshawa?

— Ja w każdym razie nic o tym nie wiem.

— Ciebie jednak zostawił przy życiu. Czy tylko dlatego, że masz szczęście, James?

Palce chłopaka zawisły nad przestrzelonym ramieniem.

— Zastanawiałem się nad tym — przyznał spokojnie. — Być może poznał mnie w ostatniej chwili...

Siobhan odchrząknęła.

— A zastanawiałeś się także nad tym, dlaczego w ogóle to zrobił?

James powoli skinął głową, lecz nic nie odpowiedział.

— Być może — mówiła dalej Siobhan — zobaczył w tobie coś takiego, czego nie widział w tamtych.

— Obaj bardzo aktywnie udzielali się w kadetach, może to ma z tym coś wspólnego — zasugerował chłopak.

— Co masz na myśli?

— Cóż... Lee połowę życia spędził w wojsku... a potem go wykopali.

— Tak ci powiedział? — spytał Rebus.

James znów skinął głową.

— Może miał o to pretensję? Powiedziałem, że nie znał Resnhawa i Jarviesa, ale to nie znaczy, że ich nigdy nie widział... być może w mundurach. I to podziałało jak... wyzwalacz? — Popatrzył na nich i uśmiechnął się. — Wiem... powinienem zostawić dętą psychologię dętym psychologom.

— Bardzo nam pomagasz — oświadczyła Siobhan, nie dlatego, że tak rzeczywiście było, lecz ponieważ jej zdaniem oczekiwał jakiejś pochwały.

— Chodzi o to, James, że gdybyśmy zrozumieli, dlaczego ciebie pozostawił przy życiu, może dowiedzielibyśmy się, dlaczego tamci dwaj musieli umrzeć — wyjaśnił Rebus. — Rozumiesz nas?

Chłopak zamyślił się.

— A czy to ma jakieś znaczenie?

— Naszym zdaniem ma. — Rebus wyprostował się. — Kogo jeszcze spotykałeś na jego imprezach, James?

— Pyta pan o nazwiska?

— Z grubsza o to mi chodzi.

— Tam nie zawsze byli ci sami ludzie.

— Teri Cotter? — podsunął Rebus.

— Tak, czasami przychodziła. Zawsze przyprowadzała ze sobą kilku gothów.

— A ty nie należysz do gothów, James? — zapytała Siobhan.

Wybuchnął krótkim śmiechem.

— Czy ja wyglądam na takiego?

Wzruszyła ramionami.

— Muzyka, jakiej słuchasz...

— To po prostu zwyczajny rock.

Podniosła niewielkie urządzenie, do którego były podłączone słuchawki.

— Odtwarzacz MP trójek — powiedziała takim tonem, jakby była pod wrażeniem. — A Douglas Brimson... widywałeś go na tych imprezach?

— Czy to ten od samolotów? — spytał, na co Siobhan kiwnęła głową. — Tak, raz z nim rozmawiałem. — Przerwał. — Słuchajcie, właściwie trudno mówić o „imprezach", te spotkania nie były specjalnie organizowane. Po prostu ludzie wpadali na drinka...

— I narkotyki? — wtrącił Rebus obojętnym tonem.

— Tak, czasami — przyznał James.

— Spid? Koka? Eski?

Młody człowiek parsknął drwiąco.

— Jak człowiek miał szczęście, mógł się załapać na skręta.

— Nic mocniejszego?

— Nic.

Ktoś zapukał do drzwi — pani Bell. Obrzuciła gości takim wzrokiem, jakby zupełnie o nich zapomniała.

— Och — bąknęła zmieszana, po czym powiedziała: — Zrobiłam kanapki, James. Czego się napijesz?

— Nie jestem głodny.

— Ależ to pora lunchu!

— Mamo, chcesz, żebym się wyrzygał?

— Nie... oczywiście, że nie.

— Powiem ci, jak zgłodnieję. — Jego głos stwardniał; nie ze złości, pomyślał Rebus, lecz dlatego, że jest zawstydzony. — Ale napiję się kawy, tylko nie za dużo mleka.

— Dobrze — powiedziała jego matka i zwróciła się do Rebusa: — A może państwo...

— Dziękujemy pani, ale będziemy się zbierać.

Pokiwała głową i przez chwilę stała w miejscu, jakby zapomniała, co ma zrobić, a potem odwróciła się i wyszła, bezszelestnie stąpając po dywanie.

— Twoja mama dobrze się czuje? — zapytał Rebus.

— Ślepi jesteście? — James przesunął się na łóżku. — Całe życie spędziła z moim tatą... trudno jej się dziwić.

— Nie układa ci się z ojcem?

— Nieszczególnie.

— Wiesz, że zbiera podpisy pod petycją?

James skrzywił się.

— Gówno z tego wyjdzie. — Zamilkł na chwilę. — Czy to Teri Cotter?

— Słucham?

— Czy to ona powiedziała wam, że bywałem u Lee? — sprecyzował, lecz detektywi milczeli. — Mogłem się tego po niej spodziewać. — Znowu przesunął się na łóżku, jak gdyby szukał jakiejś wygodnej pozycji.

— Może ci pomóc? — zaproponowała Siobhan.

Pokręcił głową.

— Chyba znów powinienem łyknąć coś na ból.

Siobhan znalazła proszki po drugiej stronie łóżka; leżały na srebrnej folii na szachownicy z ustawionymi do gry figurami. Podała chłopakowi dwie tabletki, a on popił je wodą.

— Ostatnie pytanie, James, i zostawimy cię w spokoju — rzekł Rebus.

— Tak?

Inspektor wskazał srebrną folię ruchem głowy.

— Mogę wysępić dwie pigułki? Moje właśnie mi się skończyły...

Siobhan miała w samochodzie pół butelki mdłego irn-bru. Rebus popił każdą tabletkę po kolei.

— Uważaj, żebyś się nie uzależnił — przestrzegła go Siobhan.

— I co o tym wszystkim sądzisz? — zapytał, zmieniając temat.

— Może i coś jest w tym, co mówił. Połączone Siły Kadetów... dzieciaki paradujące w mundurach...

— Powiedział też, że Herdmana wylali z wojska, a to nieprawda, jeśli wierzyć jego kartotece.

— Więc?

— Więc albo Herdman go okłamał, albo młody James sobie to zmyślił.

— Żyje fantazjami?

— W takim pokoju człowiekowi nie pozostaje nic innego.

— Niewątpliwie panuje tam... porządek. — Zapuściła silnik. — Wiesz, co wynika z tego, co mówił o pannie Teri?

— Miał rację, rzeczywiście to ona nam powiedziała, że bywał u Herdmana.

— Tak, ale nie o to chodzi...

— A o co?

Wrzuciła bieg i ruszyła.

— Chodzi o to, w jaki sposób to mówił... Znasz powiedzenie o zapieraniu się zadnimi łapami?

— Udawał, że jej nie znosi, ponieważ tak naprawdę ją lubi? — spytał, na co kiwnęła głową. — Myślisz, że wie o jej stronie internetowej?

— Bo ja wiem? — Zakończyła zawracanie „na trzy".

— Powinniśmy go o to zapytać.

— A to co? — zdziwiła się, wyglądając przez szybę. Wyjazd na ulicę blokował samochód patrolowy z włączonym niebieskim kogutem. Kiedy zahamowała, tylne drzwi wozu policyjnego otworzyły się i wysiadł z niego mężczyzna w szarym garniturze. Był wysoki, miał wielką błyszczącą łysinę i ciężkie obwisłe powieki. Stanął na rozstawionych nogach i złączył dłonie przed sobą.

— Nic się nie martw — uspokoił ją Rebus. — To moja randka w samo południe.

— Jaka randka?

— Ta, na którą nie dotarłem — odparł, otwierając drzwi samochodu. Kiedy wysiadł, nachylił się i wsadził głowę w głąb wozu. — Z moim osobistym katem...

14

Łysy facet nazywał się Mullen. Pracował w Komisji Etyki Zawodowej w Skargach. Z bliska widać było, że jego skóra lekko się łuszczy; zupełnie jak moje pokryte pęcherzami dłonie, pomyślał Rebus. Długie uszy prawdopodobnie zyskały mu w szkole przezwisko „Dumbo", ale Rebusa zafascynowały jego paznokcie. Były niemal zbyt doskonałe — różowe, błyszczące i bez prążków, ze starannie wyciętym naskórkiem. W trakcie trwającego godzinę przesłuchania inspektora wiele razy korciło, by odwrócić role i samemu zadać pytanie — czy Mullen chodzi do manikiurzystki.

Tymczasem zapytał jedynie, czy mógłby dostać coś do picia. W ustach wciąż miał smak środków przeciwbólowych Jamesa Bella. Tabletki zrobiły swoje — i to o wiele lepiej niż te parszywe gówniane proszki, które przepisano jemu. Czuł się panem świata. Nie przeszkadzało mu nawet to, że w przesłuchaniu uczestniczył zastępca komendanta Colin Carswell, wyperfumowany i ufryzowany. Carswell nie znosił go do szpiku kości, lecz Rebus nie winił go za to. Zbyt wiele między nimi zaszło. Siedzieli w pokoju w komendzie głównej policji na Fettes Avenue; właśnie nadeszła kolej Carswella, by wziąć go w obroty.

— Co pan właściwie nawyrabiał wczoraj wieczorem?

— Wczoraj wieczorem?

— Z Jackiem Bellem i tym reżyserem z telewizji. Obaj domagają się przeprosin. — Pogroził Rebusowi palcem. — I przeprosi ich pan osobiście.

— A nie wolałby pan, żebym spuścił portki i się na nich wypiął?

Twarz Carswella nabrzmiała z wściekłości.

— Inspektorze Rebus — wtrącił się Mullen — ponownie wracamy do pytania, na co pan liczył, wybierając się po nocy do znanego przestępcy na kielicha?

— Na darmowego drinka.

Carswell z sykiem powoli wypuścił powietrze. W trakcie przesłuchania dziesiątki razy rozplatał i z powrotem krzyżował nogi i ramiona.

— Podejrzewam, że pańska wizyta miała na celu coś więcej.

W odpowiedzi Rebus wzruszył tylko ramionami. Nie wolno mu było palić, więc zabawiał się na wpół pustą paczką papierosów, otwierając ją i zamykając albo pstrykając w nią tak, że koziołkując w powietrzu, spadała na stół. Robił to tylko dlatego, że widział, jak bardzo wkurza tym Carswella.

— O której wyszedł pan od Fairstone'a?

— Jakiś czas przed wybuchem pożaru.

— A mógłby pan to określić dokładniej?

Rebus pokręcił głową.

— Piłem. — Wypił więcej, niż powinien... o wiele, wiele więcej. Od tej pory był grzeczny, próbując wyhamować.

— A zatem jakiś czas po pańskim wyjściu — kontynuował Mullen — pojawił się ktoś inny, niezauważony przez sąsiadów, związał i zakneblował pana Fairstone'a, następnie zaś zapalił gaz pod patelnią z tłuszczem do frytek i wyszedł?

Rebus czuł się w obowiązku zaprotestować.

— Niekoniecznie. Patelnia mogła już być nastawiona.

— Czy pan Fairstone mówił, że zamierza smażyć frytki?

— Chyba wspominał, że coś by przekąsił... nie jestem pewien. — Rebus wyprostował się na krześle, czując, jak trzeszczy mu kręgosłup. — Panie Mullen, widzę, że ma pan tu mnóstwo poszlak... — poklepał brązową kopertę, podobną do tej, którą zostawił na komodzie Simmsa — świadczących o tym, że jestem ostatnią osobą, która widziała Martina Fairstone'a żywego. — Zamilkł na chwilę. — Ale nic więcej z tego nie wynika, zgodzi się pan ze mną? A ja przecież wcale się tego nie wypieram. — Oparł się na krześle i czekał.

— Z wyjątkiem mordercy — rzekł Mullen tak cicho, jakby

mówił sam do siebie. — Powinien pan powiedzieć: „Jestem ostatnią osobą, która widziała go żywego, z wyjątkiem mordercy". — Spojrzał na Rebusa spod obwisłych powiek.

— To właśnie miałem na myśli.

— Ale pan tego nie powiedział, inspektorze.

— Proszę o wybaczenie. Nie jestem w stu procentach...

— Czy pan jest pod wpływem jakichś leków?

— Tak, przeciwbólowych. — Rebus uniósł dłonie, przypominając Mullenowi, dlaczego łyka tabletki.

— A kiedy zażył pan ostatnią dawkę?

— Sześćdziesiąt sekund przed tym, nim pana ujrzałem. — Szeroko otworzył oczy. — Myśli pan, że powinienem o tym wspomnieć na początku?

Mullen obiema rękami uderzył w blat biurka.

— Oczywiście, że pan powinien! — Teraz już nie mówił do siebie. Wstał raptownie, przewracając krzesło. Carswell również się podniósł.

— Nie rozumiem...

Mullen nachylił się nad biurkiem, żeby wyłączyć magnetofon.

— Nie wolno przesłuchiwać kogoś, kto znajduje się pod działaniem leków wydawanych na podstawie recepty — wyjaśnił na użytek zastępcy komendanta. — Myślałem, że wszyscy o tym wiedzą.

Carswell bąknął, że po prostu wyleciało mu to z głowy. Mullen przeszywał Rebusa wściekłym spojrzeniem, a ten puścił do niego oko.

— Porozmawiamy sobie jeszcze, inspektorze.

— Kiedy już przestanę brać leki? — błysnął domyślnością Rebus.

— Muszę mieć nazwisko pańskiego lekarza, żebym mógł go spytać, kiedy to nastąpi. — Mullen otworzył akta; jego długopis zawisł nad czystą kartką.

— To było na pogotowiu — odparł Rebus wesoło. — Nie pamiętam, jak się nazywał ten lekarz.

— Trudno, sam będę musiał sprawdzić. — Mullen z powrotem zamknął akta.

— A tymczasem — wtrącił Carswell piskliwym tonem — nie muszę chyba panu przypominać, że ma pan złożyć te przeprosiny, ani o tym, że nadal jest pan zawieszony w obowiązkach?

— Nie, proszę pana — odrzekł Rebus.

— W związku z tym nasuwa mi się pytanie, dlaczego spotkaliśmy pana w towarzystwie koleżanki z wydziału w domu Jacka Bella — powiedział spokojnie Mullen.

— Detektyw sierżant Clarke podrzucała mnie, i tyle. Musiała po drodze zajrzeć do domu Bella, żeby porozmawiać z jego synem. — Wzruszył ramionami, a Carswell wypuścił kolejną porcję powietrza.

— Już my dotrzemy do sedna tej sprawy, Rebus. Może pan być pewny.

— Nie wątpię, proszę pana. — Rebus wstał jako ostatni. — No cóż, wobec tego zostawię panów, żebyście się mogli tym zająć. Miłego sedna, kiedy już do niego dotrzecie...

Tak jak przypuszczał, Siobhan czekała na niego przed komendą w samochodzie.

— Masz wyczucie czasu — pochwaliła go. Tylne siedzenia były zawalone pełnymi zakupów torbami. — Poczekałam dziesięć minut, żeby sprawdzić, czy od razu każesz im się odwalić.

— A potem pojechałaś na zakupy?

— Do supermarketu na końcu ulicy. Mam pytanie, czy nie miałbyś ochoty wpaść do mnie wieczorem na kolację?

— Zobaczymy, jak się ułoży reszta dnia.

Kiwnęła głową na znak zgody.

— Więc kiedy pojawiła się kwestia środków przeciwbólowych?

— Jakieś pięć minut temu.

— Nie śpieszyłeś się.

— Chciałem sprawdzić, czy mają mi coś nowego do powiedzenia.

— I mieli?

Zaprzeczył.

— Ale wygląda na to, że ciebie nie uważają za podejrzaną — dodał.

— Mnie? A dlaczego mieliby mnie podejrzewać?

— Dlatego, że on cię napastował... dlatego, że każdy gliniarz zna stary numer z patelnią do frytek. — Wzruszył ramionami.

— Jeszcze słowo, a odwołam zaproszenie na kolację. — Zaczęła wyprowadzać wóz z parkingu. — Następny przystanek w Turnhouse? — spytała.

— Sądzisz, że powinienem złapać najbliższy odlatujący samolot?

— Mieliśmy pogadać z Dougiem Brimsonem.

Pokręcił głową.

— Sama z nim pogadasz. Ale najpierw gdzieś mnie podrzucisz.

Spojrzała na niego.

— Dokąd?

— Na George Street, obojętnie w którym miejscu.

Wciąż patrzyła na niego.

— Coś podejrzanie blisko baru Oxford.

— Nie to miałem na myśli, ale skoro już o tym wspomniałaś...

— Alkohol nie idzie w parze z prochami, John.

— Minęło już półtorej godziny, odkąd wziąłem tę tabletkę. Poza tym jestem zawieszony, pamiętasz? Nie muszę być grzeczny.

Siedząc w tylnej sali baru Oxford, czekał na Steve'a Holly'ego.

Był to jeden z najmniejszych pubów w mieście — zaledwie dwie salki, niewiele większe niż bawialnia w typowym bliźniaku. W pomieszczeniu od frontu było zwykle tłoczno, bo trzy, cztery osoby już robiły tam tłok. W tylnej sali stały stoły i krzesła — Rebus usadowił się w najciemniejszym kącie, z dala od okna. Ściany pomalowane były na ten sam odcień żółci co wtedy, gdy odkrył ten lokal trzydzieści lat temu. Sztywny staromodny wystrój onieśmielał gości, którzy trafiali tu po raz pierwszy, ale Rebus gotów był iść o zakład, że na dziennikarzy to nie działa. Wcześniej zadzwonił do edynburskiej filii brukowca, mieszczącej się zaledwie dziesięć minut spacerkiem od baru. Przekazał Holly'emu zwięzłą wiadomość: „Chcę z tobą pogadać. Bar Oxford. Natychmiast". I rozłączył się, nie dając dziennikarzowi szansy na nawiązanie rozmowy. Wiedział, że Holly przyjdzie. Przyjdzie, bo będzie zaintrygowany. Przyjdzie z powodu historii, o której zaczął pisać. Przyjdzie, bo taki był jego zawód.

Usłyszał, jak drzwi baru otwierają się i zamykają. Nie przejmował się ludźmi siedzącymi przy sąsiednich stołach. Wszystko, co mogliby przypadkiem podsłuchać, zatrzymaliby dla siebie. Taki to już był lokal. Rebus uniósł kufel z resztkami dużego piwa. Coraz łatwiej było mu chwytać różne rzeczy. Potrafił już unieść szklankę jedną ręką i zgiąć nadgarstek bez obezwładniającego bólu. Trzymał się z dala od whisky — Siobhan dobrze mu poradziła i chociaż raz jej posłuchał. Wiedział, że musi mieć jasną głowę. Steve Holly nie będzie skłonny grać na jego warunkach.

Kroki na schodkach i cień poprzedziły wejście dziennikarza do sali. Holly przebijał wzrokiem przedwieczorny zmrok, lawirując między krzesłami w stronę stolika. Niósł coś, co wyglądało na szklankę lemoniady, być może doprawionej wódką. Skinął lekko głową i stał, dopóki Rebus nie zaprosił go gestem, by usiadł. Opadł na krzesło i rozejrzał się na prawo i lewo, zły, że musi siedzieć plecami do pozostałych klientów baru.

— Spokojnie, nikt tu nie wyskoczy z cienia i nie trzaśnie pana w łeb maczugą — zapewnił go Rebus.

— Zdaje się, że powinienem panu pogratulować — powiedział Holly. — Słyszałem, że udało się panu zaleźć Jackowi Bellowi za skórę.

— A ja słyszałem, że pańska gazeta wspiera jego kampanię.

Usta dziennikarza wykrzywił grymas.

— To nie znaczy, że nie jest kutasem. Kiedy go przyłapaliście z panienką, trzeba było sięgnąć po broń. Albo lepiej, zadzwonić do mojej gazety... przyjechalibyśmy i zrobili mu kilka fotek *in flagranti*. Poznał pan jego żonę? — spytał. Rebus pokiwał głową. — Kompletnie szurnięta — ciągnął dziennikarz. — Nerwy w strzępach, wrak człowieka.

— A jednak stanęła po jego stronie.

— Czyli zachowała się tak, jak przystało na żonę posła — prychnął lekceważąco Holly. Po chwili zapytał: — No dobrze, czemu zawdzięczam ten zaszczyt? Zdecydował się pan przedstawić własną wersję tej historii?

— Chciałem prosić o przysługę — odparł Rebus, kładąc na stole dłonie w rękawiczkach.

— O przysługę? — powtórzył dziennikarz, na co inspektor przytaknął. — A co pan proponuje w zamian, konkretnie?

— Specjalny status.

— To znaczy? — Holly uniósł szklankę do ust.

— To znaczy, że cokolwiek zdobędę w sprawie Herdmana, pan dowie się o tym pierwszy.

Dziennikarz parsknął śmiechem. Musiał otrzeć sobie opryskane usta.

— O ile wiem, jest pan zawieszony.

— Mimo to wciąż wiem, co w trawie piszczy.

— A cóż takiego może mi pan powiedzieć o Herdmanie, czego nie dowiedziałbym się od dziesięciu innych moich informatorów?

— Zależy, czy wyświadczy mi pan tę przysługę. Mam coś, czego oni nie mają.

Holly znów rozlał drinka po podniebieniu, przełknął i mlasnął językiem.

— Chodzi ci o to, Rebus, żebym porzucił trop, może nie? W sprawie Martina Fairstone'a trzymam cię za klejnoty rodzinne. Wszyscy o tym wiedzą. I ty masz czelność prosić mnie o przysługę? — Zachichotał, lecz w jego oczach nie było wesołości. — Powinieneś mnie raczej błagać, żebym ci nie urwał gruczołów płciowych.

— Myślisz, że starczyłoby ci ikry? — odparował Rebus, dopijając piwo. Pchnął pusty kufel po stole w kierunku dziennikarza. — Dla mnie duże IPA, jak już skończysz swojego drinka.

Holly spojrzał na niego, po czym uśmiechnął się półgębkiem, wstał i z powrotem zaczął lawirować między krzesłami. Rebus podniósł szklankę z lemoniadą i powąchał — wódka, bez dwóch zdań. Udało mu się przypalić papierosa i wypalił go do połowy, zanim dziennikarz wrócił.

— Uprzejmy ten barman, nie ma co!

— Może nie spodobało mu się to, coś o mnie powiedział — rzekł Rebus.

— Zgłoś się z tym do komisji etyki dziennikarskiej. — Holly podał mu piwo. Dla siebie przyniósł następną lemoniadę z wódką. — Ale jakoś nie wierzę, że to zrobisz.

— Tylko dlatego, że w twoim wypadku szkoda zachodu.

— I to mówi facet, który mnie prosi o przysługę?

— O przysługę, o której nawet nie chciałeś jeszcze posłuchać.

— No to proszę... — Holly rozpostarł ramiona.

— Jakaś operacja ratunkowa — powiedział spokojnie Rebus. — Prowadzona na Jurze, w czerwcu dziewięćdziesiątego piątego. Muszę wiedzieć, o co tam chodziło.

— Operacja ratunkowa? — Dziennikarz zmarszczył brwi; jego zawodowy instynkt został rozbudzony. — Tankowiec? Coś w tym stylu?

Rebus pokręcił głową.

— Na lądzie. Sprowadzono SAS.

— Herdman?

— Możliwe, że brał w tym udział.

Holly przygryzł dolną wargę, jak gdyby chciał usunąć haczyk, na który złapał go Rebus.

— A co to ma do rzeczy?

— Nie dowiemy się, dopóki się temu nie przyjrzymy.

— Co będę z tego miał, jeśli się zgodzę?

— Tak jak mówiłem, pierwszeństwo w dostępie do wszelkich informacji. — Inspektor zamilkł na chwilę. — Być może mógłbym też zdobyć akta wojskowe Herdmana.

Brwi dziennikarza uniosły się wyraźnie.

— Jest w nich coś ciekawego?

Rebus wzruszył ramionami.

— Na tym etapie nie mogę powiedzieć nic więcej. — Wkręcał reportera, wiedząc doskonale, że w aktach nie ma nic ciekawego dla czytelników brukowców. Ale skąd Steve Holly mógł o tym wiedzieć?

— Kto wie, może i dobijemy targu. — Dziennikarz znów wstawał z krzesła. — No, czas goni.

Rebus wpatrywał się w swój kufel piwa, wciąż w trzech czwartych pełny. Holly nie zaczął nawet drugiego drinka.

— Skąd ten pośpiech? — spytał inspektor.

— Nie sądzisz chyba, że wpadłem tu, żeby przesiedzieć w twoim towarzystwie resztę dnia? — odparł dziennikarz. — Nie lubię cię, Robus, i z całą pewnością ci nie ufam. — Przerwał na chwilę. — Bez urazy.

— Bez urazy — przytaknął Rebus, wstał i ruszył za dziennikarzem do wyjścia.

— A przy okazji — rzucił Holly. — Jedna rzecz nie daje mi spokoju...

— Co takiego?

— Gadałem z jednym facetem i on powiedział, że potrafiłby zabić człowieka gazetą. Słyszałeś kiedyś o czymś takim?

Rebus skinął głową.

— Czasopismo jest lepsze, ale gazeta też wystarczy.

Reporter spojrzał na niego.

— Jak to się robi? Dusi się czy jak?

Inspektor pokręcił głową.

— Zwijasz gazetę jak najciaśniej, a potem walisz nią w szyję. Jeśli zrobisz to dostatecznie silnie, zmiażdżysz krtań.

Holly wlepił w niego wzrok.

— Nauczyli cię tego w wojsku?

Rebus znów kiwnął głową.

— Tak samo jak tego faceta, z którym gadałeś.

— To był jakiś gość na St Leonard's... on i jakaś kobitka, ostra jak brzytwa.

— Ona nazywa się Whiteread, a ten gość to Simms.

— Śledczy z wojska? — Holly pokiwał głową, jak gdyby dostrzegł w tym jakiś sens. Rebus z trudem powstrzymał uśmiech — jego plan polegał głównie na tym, żeby napuścić reportera na Whiteread i Simmsa.

Byli już na zewnątrz i Rebus spodziewał się, że przejdą do redakcji piechotą, Holly jednak skręcił w lewo, zamiast w prawo, i wycelował kluczyk w kierunku zaparkowanych przy krawężniku samochodów.

— Przyjechałeś wozem? — zdziwił się Rebus, gdy usłyszał szczęknięcie centralnego zamka srebrnoszarego audi TT.

— W końcu do tego służą nogi, no nie? — odparł Holly. — Wsiadaj.

Rebus wcisnął się w siedzenie, myśląc o tym, że brat Teri Cotter prowadził takie samo audi TT tej nocy, kiedy zginął, a Derek Renshaw siedział w fotelu pasażera, tak samo jak on teraz... Przypomniał sobie zdjęcia z wypadku, bezwładne jak szmaciana lalka ciało Stuarta Cottera... Patrzył, jak Holly wsadza rękę pod fotel kierowcy i wyciąga cienkiego czarnego laptopa. Dziennikarz położył sobie komputer na kolanach, otworzył go i trzymając w jednej ręce komórkę, palcami drugiej zaczął stukać w klawiaturę.

— Połączenie na podczerwień — wyjaśnił. — Pozwala szybko wejść do sieci.

— A po co wchodzisz do sieci? — Rebus musiał odsunąć od siebie nagłe wspomnienie tej nocy, kiedy siedział przy stronie panny Teri; czuł się zażenowany, że dał się wciągnąć do jej świata.

— Bo moja gazeta tam właśnie przechowuje większość archiwów. Wstukuję teraz hasło... — Inspektor patrzył, jak dziennikarz naciska kilka klawiszy. — Tylko bez podglądania, Rebus — ostrzegł go Holly. — Mamy tu najrozmaitszy chłam... wycinki, materiały wycofane, archiwum...

— Listę gliniarzy, którym płacicie za informacje?

— Czy ja jestem aż tak głupi?

— Nie wiem. Jesteś?

— Kiedy ludzie decydują się ze mną rozmawiać, wiedzą, że potrafię dochować tajemnicy. Te nazwiska zabiorę ze sobą do grobu.

Z powrotem zajął się komputerem. Rebus nie wątpił, że jego sprzęt to prawdziwe dzieło sztuki. Połączenie było błyskawiczne, a kolejne strony zmieniały się w mgnieniu oka. W porównaniu z tym komputerem laptop pożyczony przez Rebusa był — jak to ujął Pettifer — napędzany węglem.

— Wyszukiwarka... — Holly gadał sam do siebie. — Wprowadzamy miesiąc, rok i kluczowe słowa: Jura i ratownictwo... i zobaczymy, co nam program wyrzuci. — Nacisnął ostatni klawisz, oparł się wygodnie i znów spojrzał na inspektora, sprawdzając, czy jest pod należytym wrażeniem. Rebus był pod wrażeniem jak cholera, lecz miał nadzieję, że tego nie widać.

Obraz na ekranie znów się zmienił.

— Siedemnaście odnośników — powiedział Holly. — Jezu, pamiętam to. — Ustawił ekran pod nieco innym kątem, a Rebus nachylił się ku niemu, by zobaczyć, co na nim jest. I nagle też sobie przypomniał, przypomniał sobie samo wydarzenie, choć nie zanotował w pamięci, że działo się to na Jurze. Wojskowy śmigłowiec z półtuzinem wyższych oficerów na pokładzie. Zginęli na miejscu, wraz z pilotem, kiedy maszyna spadła na ziemię. Wówczas podejrzewano, że została zestrzelona. W niektórych regionach Irlandii Północnej świętowano... do zamachu przyznał się jakiś odłam republikanów. Ostatecznie jednak jako przyczynę katastrofy podano „błąd pilota".

— Ani słowa o SAS — zauważył Holly.

Wspominano tylko niejasno o jakiejś „ekipie ratunkowej", wysłanej w celu zlokalizowania szczątków maszyny i ciał oficerów. To, co zostało ze śmigłowca, przekazano do analizy, a przed pogrzebem przeprowadzono sekcję zwłok. Wszczęto śledztwo, ale na jego wyniki przyszło długo poczekać.

— Rodzina pilota nie była zachwycona — rzekł Holly, który zdążył przeczytać już cały tekst. Wspomnienia zszargane przez końcowy wniosek: „błąd pilota".

— Cofnij kawałek — polecił Rebus, zły, że Holly jest szybszy od niego. Dziennikarz spełnił prośbę i ekran zmienił się w jednej chwili.

— A więc Herdman należał do ekipy ratunkowej — mruknął Holly. — To się trzyma kupy, że armia wysłała własnych ludzi... — Odwrócił się do inspektora. — Ale co ty właściwie próbujesz mi sugerować?

Rebus nie chciał go wtajemniczać w szczegóły, więc odparł, że nie jest pewien.

— Wobec tego tracę tylko czas. — Holly nacisnął klawisz i ekran zgasł. Potem odwrócił się twarzą do Rebusa. — Nawet jeśli Herdman był na Jurze, to co z tego? W jaki sposób łączy się to z tym, co zaszło w szkole? Kombinujesz coś ze stresem i traumą?

— Nie jestem pewien — powtórzył inspektor, patrząc na dziennikarza. — Mimo wszystko dzięki. — Otworzył drzwi i zaczął się dźwigać z niskiego fotela.

— I to wszystko? — syknął Holly. — Ja ci pokazałem, a ty się migasz?

Rebus z powrotem opadł na fotel.

— Bo to, co ja mam do pokazania, kolego, jest o wiele bardziej interesujące.

— Ty mnie wcale nie potrzebowałeś — oświadczył Holly, zerkając na komputer. — Pół godziny przy wyszukiwarce i dowiedziałbyś się tego samego.

Rebus skinął głową.

— Mogłem też zapytać Whiteread i Simmsa, tylko że oni raczej nie byliby tak skorzy do pomocy.

Holly zamrugał.

— Dlaczego nie?

Rybka połknęła haczyk, więc Rebus puścił do dziennikarza oko, zatrzasnął za sobą drzwi i wrócił do baru Oxford, gdzie Harry zamierzał właśnie wylać jego piwo do zlewu.

— Pozwolisz, że cię od tego uwolnię — powiedział, wyciągając rękę do barmana. Doleciał go ryk silnika audi — wściekły Steve Holly odjeżdżał z piskiem opon. Rebus miał to gdzieś. Osiągnął to, o co mu chodziło.

Katastrofa śmigłowca. Na pokładzie wojskowe szychy. Takie coś rzeczywiście mogło rozbudzić apetyty wojskowych śledczych. Co więcej, kiedy Holly przerzucał kolejne strony, Rebus zauważył informację, że w poszukiwaniach pomagało kilku mieszkańców wyspy — ludzie, którzy znali Jurę jak własną kieszeń. Jeden z nich udzielił nawet wywiadu i podał opis miejsca katastrofy. Nazywał się Rory Mollison. Rebus dopił piwo przy barze, gapiąc się w telewizor, choć zupełnie nie kojarzył, co leci na ekranie. Widział jedynie kalejdoskop barw. Duchem przebywał gdzie indziej, leciał nad lądem i wodą, a później ponad szczytami gór... Wysyłać SAS w celu odszukania zwłok? Jura nie była aż tak górzysta, z pewnością nie było tam szczytów, jakie spotykało się w górach Grampians. Po co więc taka specjalistyczna ekipa?

Szybowanie ponad wrzosowiskami i dolinami, zatoczkami i klifami skalnymi... Rebus wygrzebał telefon, ściągnął zębami rękawiczkę i kciukiem wystukał numer. Czekał, aż Siobhan odbierze.

— Gdzie jesteś? — zapytał.

— Nieważne. Po jaką cholerę rozmawiałeś ze Steve'em Hollym?

Rebus zamrugał, podbiegł do drzwi od ulicy i otworzył je. Stała naprzeciwko niego. Schował telefon do kieszeni. Siobhan, niczym lustrzane odbicie, zrobiła to samo ze swoim.

— Śledzisz mnie! — powiedział, udając oburzenie.

— Bo ciebie trzeba śledzić.

— Gdzie byłaś? — Zaczął wciągać rękawiczkę.

Wskazała głową w kierunku North Castle Street.

— Samochód stoi za rogiem. A wracając do mojego pytania...

— Nie ma o czym mówić. Czyli że nie wróciłaś jeszcze na lądowisko?

— Nie, jeszcze nie.

— To dobrze, bo chcę, żebyś z nim pogadała.

— Z kim? Z Brimsonem? — Patrzyła, jak kiwa głową. —
Ale potem powiesz mi, co robiłeś ze Steve'em Hollym?

Spojrzał na nią i znów kiwnął głową.

— I zrobisz to przy drinku, którego mi postawisz?

Popatrzył na nią tak, jakby ją chciał zamordować. Wyciągnęła
telefon z kieszeni i pomachała mu nim przed nosem.

— Niech ci będzie — burknął. — Tylko zadzwoń do tego
faceta, dobrze?

Zajrzała do notesu, sprawdziła dane Brimsona i zaczęła
wybierać numer.

— Co właściwie mam mu powiedzieć?

— Użyj całego swojego uroku... chcesz go prosić o wielką
przysługę. Może nawet o kilka... Ale na początek możesz go
zapytać, czy jest jakieś lądowisko na Jurze...

Przybywszy do Akademii Port Edgar, Rebus ujrzał, jak Bobby
Hogan spiera się z Jackiem Bellem. Poseł nie był sam — miał
ze sobą ekipę telewizyjną. Jego ręka była zaciśnięta na przed-
ramieniu Kate Renshaw.

— Uważam, że mamy wszelkie prawo zobaczyć miejsce,
w którym zastrzelono drogie nam osoby — mówił.

— Z całym szacunkiem, panie pośle, ta sala jest miejscem zbrodni. Nikt nie ma tam prawa wstępu bez istotnego
powodu.

— Należymy do rodzin ofiar, co chyba jest najlepszym
powodem z możliwych.

Hogan wskazał ekipę telewizyjną.

— Duża ta rodzina, panie pośle...

Reżyser zauważył nadchodzącego Rebusa i poklepał Bella
po ramieniu. Poseł odwrócił się i na jego twarzy zagościł zimny
uśmiech.

— Przyszedł pan, żeby mnie przeprosić? — zapytał.

Rebus potraktował go jak powietrze.

— Nie wchodź tam, Kate — powiedział, stając tuż przed
nią. — Nic dobrego z tego nie wyjdzie.

Unikała jego wzroku.

— Ludzie chcą wiedzieć. — Powiedziała to szeptem, a Bell wtórował jej, kiwając głową.

— Możliwe, ale na pewno nie chcą, żeby robić z tego publiczny cyrk. To rozmienianie całej sprawy na drobne, Kate, chyba sama to rozumiesz.

Bell zwrócił się z powrotem do Hogana:

— Muszę nalegać, żeby usunięto stąd tego człowieka.

— Musi pan? — powtórzył jak echo Hogan.

— Ciążą już na nim zarzuty wygłaszania obraźliwych komentarzy pod adresem moim i mojej ekipy...

— Mam w zanadrzu jeszcze wiele innych — wtrącił Rebus.

— John... — Wzrok Hogana powiedział mu, żeby się uspokoił. A potem: — Przykro mi, panie Bell, ale naprawdę nie mogę pozwolić na filmowanie w tej sali.

— A gdyby nie było kamery? — zaproponował reżyser. — Tylko dźwięk?

Hogan kręcił głową.

— Nie dam się w to wmanewrować. — Złożył ręce na piersi, na znak, że to koniec dyskusji.

Rebus wciąż koncentrował się na Kate, próbując nawiązać z nią kontakt wzrokowy. Ją jednak najwyraźniej zafascynowało coś w oddali. Może mewy na boisku albo pola punktowe do rugby...

— Wobec tego gdzie możemy kręcić? — pytał poseł.

— Za bramą, tak jak wszyscy inni — odparł Hogan.

Bell sapnął z wściekłością.

— Zapewniam, że nie zapomnę o tym, jak mi pan utrudnia życie — ostrzegł.

— Najmocniej dziękuję — odrzekł Hogan spokojnie, choć jego oczy pałały.

Świetlicę opróżniono ze wszystkiego — nie było tam już krzeseł, sprzętu grającego ani czasopism. Dyrektor szkoły, doktor Fogg, stał w progu ze złożonymi jak do modlitwy dłońmi. Ubrany był w dyskretny ciemnoszary garnitur, białą koszulę i czarny krawat. Wokół oczu miał ciemne obwódki, a jego włosy były przyprószone łupieżem. Wyczuł obecność Rebusa, odwrócił się i posłał mu blady uśmiech.

— Zastanawiam się, jak najlepiej wykorzystać tę salę — wyjaśnił. — Kapelan uważa, że można by tu urządzić coś w rodzaju kaplicy, gdzie uczniowie mogliby się oddawać medytacji.

— Jest to jakiś pomysł — przyznał Rebus. Dyrektor usunął się na bok, żeby inspektor mógł wejść do sali. Krew na ścianach i podłodze już wyschła. Rebus starał się nie nadepnąć na plamy. — Zawsze też możecie ją zamknąć i zostawić na kilka lat. Dzieciaki skończą szkołę, a wtedy nowa farba, nowe wykładziny...

— Trudno wybiegać tak daleko w przyszłość — rzekł Fogg i zdobył się na kolejny uśmiech. — No cóż, zostawię pana, żeby mógł pan... żeby... — Skłonił się lekko, odwrócił i poszedł do swego gabinetu.

Rebus przyglądał się rozmieszczeniu plam krwi na jednej ze ścian. Tam właśnie stał Derek. Derek — członek jego rodziny, teraz skasowany.

Lee Herdman... Rebus próbował go sobie wyobrazić, jak budzi się tamtego ranka i sięga po broń. Co takiego się stało? Jaka zmiana zaszła w jego życiu? Czy kiedy się obudził, wokół jego łóżka tańczyły demony? Czy wzywały go jakieś głosy? Nastolatki, z którymi się przyjaźnił... czy coś zakłóciło tę sielankę? Całujcie mnie w dupę, gówniarze, idę po was... Wjeżdża na teren szkoły, zatrzymuje samochód byle gdzie, zamiast zaparkować. W pośpiechu zostawia drzwi wozu otwarte na oścież. Wchodzi bocznym wejściem, poza zasięgiem kamer... Przechodzi korytarzem do tej sali. Hej, dzieciaki, już jestem. Anthony Jarvies, postrzelony w głowę. On prawdopodobnie był pierwszy. Wojskowe wyszkolenie każe celować w środek klatki piersiowej — większy cel, trudniej spudłować, a rana i tak zwykle jest śmiertelna. Ale Herdman wolał mierzyć w głowę... Dlaczego? Pierwszy strzał pozbawił go elementu zaskoczenia. Możliwe, że Derek Renshaw się poruszył i zarobił za to kulkę w twarz. James Bell nurkuje pod stół, dostaje kulę w bark i zamyka oczy, kiedy Herdman kieruje lufę na siebie... Trzeci strzał w głowę, tym razem w skroń.

— Dlaczego, Lee? Tylko tego chcemy się dowiedzieć — szepnął Rebus w otaczającej go ciszy. Podszedł do drzwi, zawrócił i jeszcze raz wszedł do sali, wyciągając prawą dłoń w rękawiczce, jakby trzymał w niej broń. Obrócił się, zmieniając pozycję strzelecką. Wiedział, że ci z laboratorium robią to samo, tyle że przed ekranami komputerów. Rekonstruują przebieg wypadków, obliczają kąty wlotu pocisków, ustalają pozycję zabójcy przy każdym strzale. Nawet najmniejszy skrawek dowodu rzeczowego wnosi swój wkład do tej historii. O proszę, stał tutaj... potem odwrócił się, zrobił krok do przodu... Jeśli porównamy kąt wlotu pocisku z układem plam na ścianie...

W końcu poznają każdy ruch Herdmana. Za pomocą grafiki i balistyki przywrócą tę scenę do życia. Ale w żaden sposób nie przybliży ich to do jedynego istotnego pytania: Dlaczego?

— Nie strzelaj — odezwał się ktoś od progu. Bobby Hogan, stojący z podniesionymi do góry rękami. Było z nim dwóch mężczyzn, Claverhouse i Ormiston. Rebus znał ich. Wysoki i chudy Claverhouse był detektywem inspektorem; Ormiston — niższy, krępy i wiecznie pociągający nosem — miał stopień detektywa sierżanta. Obaj pracowali w DMC — wydziale do zwalczania narkotyków i poważnych przestępstw — i byli blisko związani z zastępcą komendanta, Colinem Carswellem. W przypływie złego humoru Rebus mógłby ich nazwać siepaczami Carswella. Uświadomił sobie, że wciąż wyciąga rękę, markując strzał, więc opuścił ją.

— Słyszałem, że w tym roku noszenie się na faszystę jest w modzie — odezwał się Claverhouse, wskazując skórzane rękawiczki Rebusa.

— One nigdy nie wychodzą z mody — odparował Rebus.

— Dzieci, dajcie spokój — mitygował ich Hogan.

Ormiston przyglądał się plamie krwi na podłodze i pocierał ją czubkiem buta.

— Skąd się tu wzięliście? Co takiego kazało wam tu węszyć? — spytał Rebus, nie spuszczając oczu z sierżanta, który drapał się grzbietem dłoni po nosie.

— Narkotyki — wyjaśnił Claverhouse. W zapiętej na wszystkie trzy guziki marynarce wyglądał jak sklepowy manekin.

— Zdaje się, że Ormy już sprawdził towar.

Hogan pochylił głowę, próbując ukryć uśmiech. Claverhouse odwrócił się szybko do niego.

— Myślałem, że inspektor Rebus został odsunięty od sprawy.

— Wieści szybko się rozchodzą — wtrącił Rebus.

— Jasne, zwłaszcza te dobre — odciął się Ormiston.

Hogan podniósł głowę.

— Czy wszyscy trzej chcecie trafić do aresztu? — Nikt się nie odezwał. — A odpowiadając na pańskie pytanie, inspektorze Claverhouse, wyjaśniam, że John jest tutaj wyłącznie w charakterze doradcy, ze względu na swoją przeszłość wojskową. Nie „pracuje" w normalnym znaczeniu tego słowa.

— Czyli że nic się nie zmieniło — mruknął Ormiston.

— Poza tym, że kocioł prowadzi z garnkiem do przerwy zero-jeden — poinformował go Rebus.

Hogan uniósł rękę.

— A to jest żółta kartka od sędziego. Jak nie przestaniecie pierdolić, wylecicie stąd wszyscy, i to migiem.

W jego głosie pojawiła się ostrzejsza nuta. Claverhouse błysnął oczami, ale się nie odezwał. Ormiston niemal dotykał nosem jednej z plam krwi na ścianie.

— No dobra... — powiedział Hogan w panującej ciszy, wzdychając ciężko. — Więc co dla nas macie?

Claverhouse wziął to pytanie do siebie.

— Wygląda na to, że towar, który znaleźliście na łodzi, jest już na wymarciu. Extasy i kokaina. Koka jest wyjątkowo czysta. Może była przeznaczona do dalszego przerobu...

— Na crack? — upewniał się Hogan.

Claverhouse skinął głową.

— W paru miejscach już się przyjął na dobre... w osadach rybackich na północy, w niektórych blokowiskach tutaj i w Glasgow... Z dobrego towaru wartości tysiąca funtów można po przetworzeniu wyciągnąć dziesięć tysięcy.

— Poza tym krąży sporo haszu — dodał Ormiston.

Claverhouse przeszył go wściekłym spojrzeniem, zły, że ktoś mu przerywa tyradę.

— Ormy ma rację, na ulicach jest cała kupa haszu.

— A extasy? — spytał Hogan.

Claverhouse pokiwał głową.

— Myśleliśmy, że pochodzi z Manchesteru. Chyba jednak byliśmy w błędzie.

— Z dziennika pokładowego wiemy, że Herdman ciągle pływał na kontynent — powiedział Hogan. — Zdaje się, że zatrzymywał się w Rotterdamie.

— W Holandii jest wiele wytwórni dropsów — oznajmił

Ormiston obojętnie. Z rękami w kieszeniach, kiwając się na piętach, wciąż badał ścianę przed sobą, jakby podziwiał eksponat na wystawie. — Kokainy też tam nie brakuje.

— A celnikom te jego wyskoki do Rotterdamu nie wydawały się podejrzane? — chciał wiedzieć Rebus.

Claverhouse wzruszył ramionami.

— Skurczybyki są zawalone robotą po uszy. Nie mają możliwości kontrolowania wszystkich, którzy wyskakują na kontynent, zwłaszcza teraz, po otwarciu granic.

— Więc z tego, co mówisz, wynika, że Herdman prześliznął się przez waszą sieć?

Claverhouse spojrzał Rebusowi prosto w oczy.

— Podobnie jak celnicy my też polegamy na inteligencji służb wywiadowczych.

— Tutaj faktycznie jej nie widać — odparował Rebus, przenosząc wzrok z Claverhouse'a na Ormistona i z powrotem. — Bobby, czy sprawdzono już finanse Herdmana?

Hogan skinął głową.

— Nie ma śladu jakichś większych wpłat ani wypłat.

— Dealerzy trzymają się z dala od banków — oświadczył Claverhouse. — Stąd konieczność prania pieniędzy. Ten interes Herdmana z wynajmowaniem łodzi świetnie by się do tego nadawał.

— A co z sekcją zwłok Herdmana? — zapytał Rebus Bobby'ego. — Są ślady zażywania narkotyków?

Hogan pokręcił głową.

— Testy krwi wypadły negatywnie.

— Dealerzy nie zawsze sami biorą — podkreślił Claverhouse z naciskiem. — Poważni gracze siedzą w tym dla forsy. W ciągu ostatnich sześciu miesięcy zlikwidowaliśmy operację przerzutu stu trzydziestu tysięcy tabletek dropsów, o wartości rynkowej półtora miliona i wadze czterdziestu czterech kilogramów. Przejęliśmy też cztery kilogramy opium, które przyleciało z Iranu. — Wlepił wzrok w Rebusa. — To była akcja celników, oparta na danych wywiadu.

— A ile znaleźliśmy na łodzi Herdmana? — spytał Rebus. — To kropla w morzu, jeśli wybaczycie mi to określenie. — Zaczął zapalać papierosa, lecz podchwycił spojrzenie Hogana i rozejrzał się po sali. — Nie jesteśmy w kościele, Bobby — powiedział i dokończył to, co zaczął. Nie przypuszczał, żeby Derek czy Anthony mieli coś przeciwko temu. A to, co by sobie pomyślał Herdman, miał gdzieś...

— Może sprowadził to na użytek własny? — podsunął Claverhouse.

— Tylko że on nie brał. — Rebus wydmuchał dym nosem w jego kierunku.

— Być może miał przyjaciół, którzy brali. Słyszałem, że urządzał imprezki...

— Nie trafiliśmy na nikogo, kto by przyznał, że Herdman częstował ich koką albo eskami.

— A co, mieli się z tym obnosić? — prychnął Claverhouse. — Prawdę mówiąc, w ogóle dziwię się, że ktokolwiek przyznał się do znajomości z tym skurwielem. — Wpatrywał się w plamy krwi na podłodze.

Ormiston znowu przejechał ręką pod nosem, po czym kichnął potężnie, jeszcze bardziej opryskując ścianę.

— Ormy, ty nieczuły skurwysynu! — syknął Rebus.

— To nie on strzepuje popiół z petów na podłogę! — burknął Claverhouse.

— Od tego dymu zakręciło mi się w nosie — tłumaczył się Ormiston. Rebus podszedł i stanął obok niego.

— To był ktoś z mojej rodziny, do kurwy nędzy! — warknął, wskazując plamy na podłodze.

— Przecież nie zrobiłem tego naumyślnie.

— Coś ty powiedział, John? — Niski głos Hogana zabrzmiał jak grzmot.

— Nic — odparł Rebus. Ale było już za późno. Hogan stał tuż obok niego i wsuwając ręce do kieszeni, oczekiwał wyjaśnień. — Allan Renshaw to mój kuzyn — przyznał w końcu.

— I nie uznałeś za stosowne podzielić się ze mną tą informacją? — Twarz Hogana nabrzmiała z gniewu.

— No... właściwie to nie, Bobby. — Ponad ramieniem Hogana widział, jak po wąskiej twarzy Claverhouse'a rozlewa się szeroki uśmiech.

Hogan wyciągnął ręce z kieszeni i założył je za plecami, lecz uznał ten manewr za niewystarczający. Rebus wiedział, co jego kolega chciałby zrobić z rękami — zacisnąć je na jego szyi.

— Ale to niczego nie zmienia — wywodził. — Jak sam mówiłeś, jestem tu tylko w roli doradcy. Nie szykujemy sprawy dla sądu, Bobby. Żaden adwokat nie będzie wykorzystywał moich zeznań.

— Ten drań szmuglował narkotyki — wtrącił Claverhouse. — Musiał mieć wspólników, których będziemy szukać. I jak któryś z nich się dowie...

— Claverhouse — przerwał mu Rebus ze znużeniem. — Oddaj nam wszystkim przysługę i — jego głos przeszedł nagle w ryk — WEŹ SIĘ, KURWA, ZAMKNIJ!

Claverhouse ruszył na niego, Rebus przygotował się do odparcia ataku, a Hogan stanął między nimi, mając świadomość, że jest równie przydatny jak kajdanki z czekolady. Rola Ormistona ograniczała się do funkcji obserwatora — nie wmieszałby się do awantury, żeby nie wiem co, no chyba że jego partner dostałby wycisk.

Nagle od otwartych drzwi doleciał krzyk:

— Telefon do inspektora Rebusa! — W progu stała Siobhan, z komórką w wyciągniętej ręce. — Zdaje się, że to pilne, dzwonią ze Skarg.

Claverhouse odsunął się, robiąc Rebusowi przejście, i machnął drwiąco ręką, jakby chciał powiedzieć: „pan przodem". Szyderczy uśmiech powrócił na jego twarz. Rebus spojrzał na Hogana, który nadal trzymał go za poły marynarki. Bobby puścił go i Rebus ruszył do drzwi.

— Wolisz odebrać na zewnątrz? — podsunęła Siobhan.

Kiwnął głową i wyciągnął rękę po telefon. Ona jednak nie oddała mu go, dopóki nie wyszli z budynku. Tam rozejrzała się, upewniła, że są w bezpiecznej odległości od pozostałych, i podała mu komórkę.

— Lepiej udawaj, że rozmawiasz — ostrzegła go.

Przyłożył słuchawkę do ucha. Cisza.

— Nikt nie dzwonił? — zapytał.

Pokręciła głową.

— Pomyślałam tylko, że przyda ci się pomoc.

Zdobył się na uśmiech, wciąż trzymając telefon przy uchu.

— Bobby wie o Renshawach.

— Wiem. Słyszałam.

— Znowu mnie szpiegowałaś?

— Wynudziłam się w sali geograficznej. — Szli w kierunku biura Portakabin. — Więc co robimy?

— Cokolwiek, byle jak najdalej stąd... dajmy Bobby'emu czas, żeby ochłonął. — Obejrzał się. Od progu szkoły obserwowały go trzy postacie.

— A Claverhouse'owi i Ormistonowi na to, żeby wpełzli z powrotem pod swój kamień?

— Czytasz w moich myślach. — Zamilkł na chwilę. — No więc o czym teraz myślę?

— O tym, że moglibyśmy skoczyć na drinka.

— Jesteś niesamowita!

— A także o tym, że chciałbyś mi postawić, w podzięce za uratowanie ci tyłka.

— Tym razem odpowiedź jest błędna. No ale jak to śpiewali Meat Loaf... — Dotarli do samochodu i oddał jej komórkę. — Dwa trafienia na jedno pudło to całkiem nieźle.

15

— Wobec tego, skoro na koncie Herdmana nie pojawiły się większe pieniądze, możemy go chyba skreślić jako zabójcę do wynajęcia — powiedziała Siobhan.

— Chyba że zamienił forsę na prochy — odrzekł Rebus sztuka dla sztuki.

Siedzieli w Boatmanie, popijając w przedwieczornym tłumie gości. Urzędnicy i pracownicy fizyczni, którzy skończyli dzień pracy. Za barem znów stał Rod McAllister. Rebus zapytał go żartem, czy należy do wyposażenia lokalu.

— Dzienna zmiana — odparł McAllister bez uśmiechu.

— Jesteś cennym nabytkiem dla tego lokalu — oświadczył Rebus, odbierając resztę.

Teraz siedział z małym piwem i resztkami szklaneczki whisky. Siobhan popijała wściekle kolorową mieszankę soku z limonki z wodą sodową.

— Naprawdę wierzysz, że Whiteread i Simms mogli podrzucić te narkotyki?

Wzruszył ramionami.

— Po ludziach pokroju Whiteread wszystkiego można się spodziewać.

— I mówisz to na podstawie...? — Popatrzył na nią. — Chodzi mi o to — ciągnęła — że zawsze byłeś wyjątkowo małomówny na temat lat, które spędziłeś w wojsku.

— Nie był to najszczęśliwszy okres w moim życiu — przyznał. — Widziałem facetów złamanych przez system. Prawdę powiedziawszy, mnie samemu z trudem udało się pozostać przy zdrowych zmysłach. Kiedy odszedłem, przeżyłem załamanie nerwowe. — Zdusił wspomnienia. Pomyślał o tych wszystkich komunałach, które zawsze są pod ręką: „Co się stało, to się nie odstanie", „Nie można żyć przeszłością...". — Jeden gość, facet, z którym byłem bardzo zżyty, kompletnie się rozsypał podczas treningu. Wywalili go na zbity pysk, tyle że zapomnieli go przedtem wyłączyć... — Jego głos zamarł.

— I co się stało?

— Miał pretensje do mnie i próbował się zemścić. To było dawno, nie za twoich czasów, Siobhan.

— Więc potrafisz zrozumieć, dlaczego Herdmanowi mogło odbić?

— Być może.

— Ale nie jesteś pewien, czy mu odbiło, prawda?

— Zazwyczaj widać znaki ostrzegawcze. Herdman nie był typem samotnika. Nie trzymał w domu całego arsenału, raptem jedną sztukę... — Zamilkł. — Dobrze byłoby sprawdzić, kiedy ją zdobył.

— Broń?

Skinął głową.

— Dowiedzielibyśmy się, czy kupił ją specjalnie w tym celu.

— Możliwe, że czuł potrzebę jakiejś ochrony, skoro przemycał narkotyki. To by wyjaśniało obecność maca dziesiątki w jego hangarze. — Siobhan śledziła wzrokiem młodą blondynkę, która właśnie weszła do lokalu. Barman najwyraźniej ją znał. Nalał jej drinka, zanim jeszcze do niego podeszła. Wyglądało to na bacardi z coca-colą. Bez lodu.

— Tamte przesłuchania nic nie dały? — pytał Rebus.

Potrząsnęła głową. Chodziło mu o rozmowy z drobnymi łajdaczkami i handlarzami bronią.

— Ten brocock nie należał do najnowszych modeli. Jak dobrze pomyśleć, wychodzi na to, że przywiózł go ze sobą, kiedy się tu sprowadził. A jeśli chodzi o pistolet maszynowy, kto wie?

Pogrążył się w zadumie, a Siobhan patrzyła, jak Rod McAllister pochyla się i opiera łokcie o ladę baru. Pogrążony w rozmowie z blondynką... z blondynką, którą Siobhan już gdzieś widziała. Nie pamiętała, by barman kiedykolwiek był tak zadowolony... Kobieta paliła papierosa i wydmuchiwała popielate smugi dymu w stronę sufitu.

— Zrób coś dla mnie — odezwał się Rebus znienacka. — Połącz się z Bobbym Hoganem.

— Dlaczego ja?

— Bo ze mną teraz pewnie nie chciałby gadać.

— A w jakiej sprawie do niego dzwonię? — spytała, wyciągając komórkę.

— Żeby zapytać, czy Whiteread pokazała mu akta wojskowe Lee Herdmana. Odpowiedź prawdopodobnie będzie brzmiała: „nie", ale w takim razie powinien był skontaktować się bezpośrednio z wojskiem. Chcę wiedzieć, co z tego wyszło.

Siobhan kiwała głową, naciskając klawisze.

— Inspektorze Hogan, tu sierżant Clarke... — Słuchając rozmówcy, patrzyła na Rebusa. — Nie, nie mam pojęcia, o co chodziło... Zdaje się, że go wezwali na Fettes. — Otworzyła szeroko oczy w niemym pytaniu, Rebus zaś skinął głową na znak, że powiedziała to, co trzeba. — Ciekawa jestem, czy udało się panu poprosić panią Whiteread o te akta Herdmana? — Przez chwilę milczała, słuchając odpowiedzi Hogana. — Po prostu John wspomniał mi o tym, więc pomyślałam, że pójdę tym tropem... — Znowu słuchała, zaciskając powieki. — Nie, on nas nie słyszy. — Otworzyła oczy. Rebus puścił do niej oko na znak, że świetnie jej idzie. — Mmm... hmm... — Słuchała chwilę Hogana. — Wygląda na to, że nie jest tak skora do współpracy, jak byśmy sobie życzyli... Jasne, wierzę, że pan jej powiedział. — Uśmiech. — I co ona na to? — Znów słuchała. — I co, poszedł pan za jej radą?... No i co powiedzieli w Hereford? — Czyli w kwaterze głównej SAS. — A więc odmówili nam dostępu? — Kolejne spojrzenie na Rebusa. — Co prawda, to prawda, oboje wiemy, jaki potrafi być trudny. — Teraz mówili o nim, Rebusie. Prawdopodobnie Hogan tłumaczył jej, że sam by mu to powiedział, gdyby sytuacja w świetlicy nie eksplodowała. — Nie, nie miałam pojęcia, że łączą go z nimi związki rodzinne. — Złożyła usta w kształt litery O. — Trudno, taka jest moja wersja i będę się jej trzymać. — Tym razem to ona puściła oko do Rebusa. Przeciągnął palcem po szyi, ale pokręciła głową. Cała ta sytuacja zaczynała ją bawić. — Założę się, że miałby pan co o nim opowiadać...

Rzeczywiście jest, wiem o tym. — Śmiech. — Nie, nie, ma pan absolutną rację. Boże jedyny, dobrze, że go tu nie ma... — Rebus wyciągnął rękę, by wyrwać jej telefon, lecz odwróciła się od niego. — Naprawdę? No, dzięki. Nie, tylko że... Tak, jasne, bardzo chętnie... Może się... tak, jak już to wszystko się... Nie mogę się doczekać. Na razie, Bobby.

Kończąc rozmowę, uśmiechała się. Podniosła szklankę i upiła łyk.

— Chyba zrozumiałem istotę rzeczy — mruknął Rebus.

— Mam się do niego zwracać per „Bobby". Mówi, że jestem dobrym detektywem.

— Jezu...

— I zaprosił mnie na kolację, kiedy już ta sprawa się skończy.

— On jest żonaty.

— Wcale nie.

— No dobrze, żona go zostawiła. Ale jest w takim wieku, że mógłby być twoim ojcem. — Rebus zamilkł na chwilę. — A co mówił o mnie?

— Nic.

— Śmiałaś się z tego.

— Tylko cię wkręcałam.

Przeszył ją wzrokiem.

— To ja ci stawiam, a ty mnie wkręcasz? Czy tak mają wyglądać nasze stosunki?

— Proponowałam, że ci ugotuję kolację.

— No fakt, proponowałaś.

— Bobby zna miłą restaurację w Leith.

— Ciekawe, którą będę z kebabem miał na myśli...

Klepnęła go w ramię.

— Idź po następną kolejkę.

— Po tym, przez co przeszedłem? — Potrząsnął głową. — Twoja kolej. — Rozsiadł się na krześle, jakby chciał się poczuć wygodnie.

— No, skoro tak ze mną pogrywasz... — Wstała. I tak zresztą chciała przyjrzeć się tamtej kobiecie z bliska. Ale blondynka właśnie wychodziła, upychając papierosy i zapalniczkę w torbie, z głową pochyloną tak nisko, że widać było tylko fragment jej twarzy.

— Do rychłego! — zawołała.

— Na razie! — odkrzyknął McAllister. Przecierał ladę baru wilgotną szmatką. Na widok Siobhan uśmiech zniknął z jego twarzy. — Jeszcze raz to samo? — zapytał.

Kiwnęła głową.

— To pańska przyjaciółka?

Odwrócił się, by nalać whisky dla Rebusa.

— W pewnym sensie.

— Chyba skądś ją znam.

— Tak? — Postawił przed nią szklaneczkę. — Dla pani też jedno małe?

Ponownie kiwnęła głową.

— I jeszcze jeden sok z limonki z...

— ...wodą sodową. Pamiętam. Whisky bez niczego, sok z limonki z lodem.

Z drugiego końca baru nadeszło kolejne zamówienie — dwa jasne, rum i czarna kawa. McAllister wbił drinki Siobhan na kasę, szybko wydał jej resztę i zaczął nalewać piwo, udając, że nie ma czasu na pogaduszki. Siobhan stała tam jeszcze przez chwilę, w końcu jednak uznała, że nie warto. Była już w pół drogi do stolika, kiedy sobie przypomniała. Zatrzymała się tak raptownie, że trochę piwa Rebusa wylało się po ściance kufla i skapnęło na zdartą drewnianą podłogę.

— Hej tam, uważaj! — zawołał Rebus, który obserwował ją z krzesła.

Podeszła do stolika, postawiła naczynia na blacie i wyjrzała przez okno, blondynki jednak nigdzie nie było widać.

— Wiem, kim ona jest — oświadczyła.

— Kto?

— Kobieta, która właśnie wyszła. Na pewno ją zauważyłeś.

— Długie blond włosy, obcisła różowa koszulka, krótka skórzana kurtka? Czarne spodnie narciarskie i obcasy tak wysokie, że aż niebezpieczne? — Pociągnął łyk piwa. — Chyba nie zwróciłem na nią uwagi.

— Ale jej nie poznałeś?

— A powinienem?

— No cóż, dzisiejsza gazeta podaje, że ty tylko poszedłeś i usmażyłeś jej chłopaka. — Siobhan oparła się na krześle, trzymając szklankę przed sobą i czekając, aż jej słowa dotrą do adresata.

— Dziewczyna Fairstone'a? — spytał Rebus; jego oczy zwęziły się.

Przytaknęła.

— Widziałam ją tylko raz, tego dnia, kiedy Fairstone wyszedł na wolność.

Rebus spoglądał w stronę baru.

— Jesteś pewna, że to ona?

— Prawie. Kiedy usłyszałam, jak mówi... tak, jestem pewna. Widziałam ją przed sądem, po zakończeniu rozprawy.

— Tylko wtedy?

Znowu skinęła głową.

— To nie ja ją przesłuchiwałam na okoliczność alibi, jakie zapewniła swojemu chłopakowi, a kiedy zeznawałam jako świadek, jej nie było w sądzie.

— Jak się nazywa?

Siobhan w skupieniu zmrużyła oczy.

— Rachel jakaśtam.

— A gdzie Rachel jakaśtam mieszka?

Wzruszyła ramionami.

— Pewnie niedaleko swojego chłopaka.

— Czyli niezupełnie w tej okolicy.

— Niezupełnie.

— Konkretnie dziesięć mil stąd.

— Mniej więcej. — Siobhan wciąż trzymała szklankę przed sobą; nie upiła jeszcze ani łyka.

— Dostałaś następne listy?

Pokręciła głową.

— Myślisz, że ona cię śledzi?

— Nie przez cały dzień. Inaczej bym ją zauważyła. — Teraz i ona spojrzała w stronę baru. McAllisterowi minął szał aktywności i wrócił do mycia szklanek. — Oczywiście mogła tu przyjść nie ze względu na mnie...

Rebus poprosił Siobhan, żeby wysadziła go pod domem Allana Renshawa. Powiedział jej, żeby wróciła do siebie, a on zabierze się do miasta taksówką albo wezwie radiowóz.

— Nie wiem, jak długo mi zejdzie — wyjaśnił.

Nie przyjechał z wizytą oficjalną; ot, sprawy rodzinne. Kiwnęła głową i odjechała. Zadzwonił do drzwi — bez powodzenia. Zajrzał przez okno. W całym salonie nadal walały się pudła ze zdjęciami. Ani śladu życia. Dotknął klamki — przekręciła się. Drzwi nie były zamknięte na klucz.

— Allan? — zawołał. — Kate?

Zamknął za sobą drzwi. Z piętra dolatywało jakieś buczenie. Zawołał jeszcze raz — znów bez odpowiedzi. Ostrożnie ruszył schodami na górę. W połowie korytarza na piętrze była metalowa drabinka, prowadząca do otwartej klapy w suficie. Powoli wszedł po szczeblach.

— Allan?

Na strychu paliło się światło, a buczenie było głośniejsze. Rebus wsadził głowę przez właz. Jego kuzyn siedział na podłodze ze skrzyżowanymi nogami i pilotem w ręku, naśladując warkot samochodu wyścigowego, który pędził po torze w kształcie ósemki.

— Zawsze daję mu wygrywać — odezwał się, dając znak, że wie o obecności Rebusa. — To znaczy Derekowi. Kupiliśmy mu to kiedyś pod choinkę...

Rebus zobaczył otwarte pudło, z którego wystawały niewykorzystane fragmenty toru. Opróżnione kartony, pootwierane walizki. Zobaczył kobiece stroje i dziecięce ubranka oraz stos starych płyt na czterdzieści pięć obrotów. Zobaczył czasopisma z dawno zapomnianymi gwiazdami telewizji na okładkach. Talerze i ozdoby, wyjęte z papierków, w które były zapakowane. Pewnie znajdowały się wśród nich prezenty ślubne, które zmieniająca się moda zepchnęła w ciemność. Składany powóz czekał na odkrycie go przez kolejne pokolenia. Rebus dotarł na szczyt drabiny i oparł się o krawędź włazu. W całym tym rozgardiaszu Allan Renshaw jakimś cudem wygospodarował miejsce na rozłożenie toru i śledził czerwony plastikowy samochodzik, który w nieskończoność pokonywał kolejne okrążenia.

— Nigdy mnie to jakoś nie pasjonowało — wyznał Rebus. — Podobnie jak kolejki.

— Z samochodami jest inaczej. Masz to złudzenie szybkości... i możesz ścigać się z każdym. Poza tym... — Renshaw mocniej nacisnął guzik przyśpieszenia — jeśli za szybko weźmiesz zakręt i się rozbijesz... — W tym momencie samochód wypadł z toru. Renshaw sięgnął po niego i wsunął występy pod przednim zderzakiem w prowadnice toru. Wcisnął przycisk i samochód znów ruszył w podróż. — Widzisz? — zapytał, zerkając na kuzyna.

— Zawsze możesz zacząć od początku, o to chodzi? — domyślił się Rebus.

— Nic się nie zmieniło. Nic się nie popsuło — rzekł Renshaw, kiwając głową. — Jak gdyby nic się nie stało.

— Wobec tego to złudzenie — oświadczył Rebus.

— Bardzo wygodne złudzenie — zgodził się jego kuzyn i zamilkł na chwilę. — Czy ja w dzieciństwie miałem tor wyścigowy? Nie pamiętam...

Rebus wzruszył ramionami.

— Wiem tylko, że ja nie miałem. Jeśli w ogóle wtedy istniały, to pewnie były za drogie.

— Ile pieniędzy wydajemy na te nasze dzieciaki, co, John? — Po twarzy Renshawa przemknął uśmiech. — Zawsze chcemy dla nich wszystkiego co najlepsze, niczego im nie odmawiamy.

— Opłacanie ich nauki w Port Edgar musiało cię sporo kosztować.

— Niemało. Ty masz tylko jedno dziecko, dobrze pamiętam?

— Ona jest już dorosła, Allan.

— Kate też szybko dorasta... zaczyna inne życie.

— Ma głowę na karku. — Rebus patrzył, jak samochód znów wypada z toru i koziołkuje ku niemu. Wyciągnął rękę i postawił go z powrotem na torze. — Ten wypadek, w którym uczestniczył Derek... To nie on go spowodował, prawda?

Renshaw pokręcił głową.

— Nie, Stuart. Ten chłopak miał zwariowane pomysły. Mieliśmy szczęście, że Derek wyszedł z tego cało. — Znowu uruchomił samochód.

Obok lewego buta kuzyna Rebus zauważył niebieski wóz z dodatkowym pilotem.

— Pościgamy się? — zapytał, przeciskając się przez otwór i sięgając po małe czarne pudełko.

— Czemu nie? — zgodził się Allan i ustawił samochód Rebusa na linii startowej. Podjechał swoim samochodem, odliczył od pięciu w dół i obie wyścigówki wystrzeliły w kierunku pierwszego zakrętu. Wóz Rebusa natychmiast wypadł z toru, więc inspektor podczołgał się na czworakach i ustawił go z powrotem na torze w chwili, kiedy samochód Renshawa go dublował.

— Masz większą wprawę — powiedział, siadając z powrotem. Przez otwarty właz wpadało ciepłe powietrze, jedyne źródło ogrzewania na strychu. Rebus wiedział, że gdyby wstał, nie mógłby się wyprostować. — Od kiedy tu przesiadujesz? — zapytał.

Renshaw przeciągnął ręką już nie po szczecinie, lecz po gęstej brodzie.

— Odkąd to się zdarzyło.

— Gdzie jest Kate?

— Wyszła, pomaga temu posłowi.

— Drzwi wejściowe są otwarte.

— Tak?

— Każdy może tu wejść. — Rebus poczekał, aż samochód kuzyna zrówna się z jego wozem, i ścigali się dalej; w pewnym momencie tory ich samochodów się skrzyżowały.

— Wiesz, o czym sobie myślałem zeszłej nocy? — spytał Renshaw. — To chyba było zeszłej nocy...

— O czym?

— Myślałem o twoim ojcu. Lubiłem go, naprawdę. Pokazywał mi różne sztuczki, pamiętasz?

— Wyciągał ci monety zza ucha?

— I sprawiał, że znikały. Mówił, że nauczył się tego w wojsku.

— Pewnie tak.

— Służył na Dalekim Wschodzie, prawda?

Rebus skinął głową. Ojciec nigdy nie rozwodził się nad swoimi bohaterskimi wyczynami podczas wojny. Przeważnie opowiadał anegdotki, coś, z czego można się było pośmiać. Ale później, u schyłku życia, czasami wymykały mu się szczegóły okropności, jakich był świadkiem.

„To nie byli zawodowi żołnierze, John, tylko poborowi... urzędnicy bankowi, sklepikarze, robotnicy. Wojna ich zmieniła, zmieniła nas wszystkich. Jak mogło być inaczej?".

— Rzecz w tym — ciągnął Renshaw — że myśląc o twoim ojcu, zacząłem myśleć o tobie. Pamiętasz ten dzień, kiedy zabrałeś mnie do parku?

— Wtedy, kiedy graliśmy w piłkę?

Renshaw przytaknął i uśmiechnął się blado.

— Pamiętasz?

— Pewnie nie tak dobrze jak ty.

— No fakt, ja pamiętam doskonale. Graliśmy w piłkę, a potem pojawili się jacyś twoi znajomi i musiałem grać sam, kiedy z nimi gadałeś. — Renshaw przerwał. Tory jazdy samochodów znów się skrzyżowały. — Coś ci się przypomina?

— Nie za bardzo. — Rebus przypuszczał jednak, że faktycznie tak było. Zawsze kiedy wracał do domu na przepustkę, pojawiali się szkolni koledzy.

— A potem ruszyliśmy do domu. A raczej ty i twoi kumple. Ja się wlokłem za wami i niosłem piłkę, którą nam kupiłeś... A ten fragment, ten fragment zepchnąłem w głąb pamięci...

— Jaki fragment? — Rebus skupiał całą uwagę na torze wyścigowym.

— Ten, kiedy mijaliśmy bar. Pamiętasz bar na rogu?

— Hotel Bowhill?

— Właśnie. Kiedy go mijaliśmy, odwróciłeś się, pokazałeś na mnie palcem i kazałeś mi zaczekać na zewnątrz. Twój głos się zmienił, mówiłeś twardo, jakbyś nie chciał, żeby twoi kumple wiedzieli, że ze mną też się kolegujesz...

— Nie mylisz się, Allan?

— Nie, jestem pewny. Bo wy trzej weszliście do środka, a ja siedziałem na krawężniku i czekałem. Ściskałem piłkę, a po chwili ty wyszedłeś, ale tylko po to, żeby mi dać paczkę chipsów. Wróciłeś do środka i wtedy nadeszły jakieś dzieciaki. Jeden z nich wykopał mi z rąk piłkę i uciekli, zaśmiewając się i kiwając piłką. Wtedy zacząłem płakać. Ty nie wychodziłeś, a ja nie mogłem wejść do środka. Więc wstałem i poszedłem do domu sam. Raz zabłądziłem, ale zatrzymałem się i spytałem kogoś o drogę. — Samochody pędziły do miejsca, w którym zamieniały się torami. Dotarły tam jednocześnie, zderzyły się i wypadły z toru, lądując na dachach. Żaden z mężczyzn nawet nie drgnął. Przez chwilę na strychu panowała cisza. — Ty wróciłeś do domu później — podjął Renshaw, przerywając milczenie. — Nikt nic nie mówił, bo i ja nic im nie powiedziałem. Ale wiesz, co mnie wtedy naprawdę ruszyło? Nigdy nie spytałeś, co się stało z piłką, a ja wiedziałem, dlaczego nie pytasz. Dlatego, że o niej zapomniałeś. Dlatego, że to dla ciebie było nieważne. — Przerwał na chwilę. — A ja znów byłem tylko małym dzieciakiem, a nie twoim przyjacielem.

— Jezu, Allan... — Rebus starał się przywołać wspomnienia, ale nic z tego nie wychodziło. Dzień, o którym sądził, że go pamięta, kojarzył mu się tylko ze słońcem i piłką, z niczym więcej. — Przepraszam — powiedział w końcu.

Po policzkach Renshawa spływały łzy.

— Należałem do twojej rodziny, John, a ty mnie potraktowałeś jak kompletne zero.

— Uwierz mi, Allan, ja nie...

— Zjeżdżaj stąd! — ryknął Renshaw, wciągając łzy nosem. — Wynoś się z mojego domu, ale już! — Podniósł się sztywno. Rebus także wstał i obaj stali niezgrabnie, przygarbieni, z pochylonymi głowami.

— Słuchaj, Allan, jeżeli to ci...

Ale Renshaw złapał go za ramię i popychał do włazu.

— Dobrze, już dobrze — mówił Rebus.

Wyrwał się z uścisku kuzyna, który potknął się, nie trafił nogą w podłogę i wypadł przez właz. Rebus chwycił go za ramię, czując, jak ból przeszywa mu palce, kiedy zaciskał chwyt. Renshaw wgramolił się z powrotem na strych.

— Nic ci się nie stało? — spytał Rebus.

— Nie słyszałeś, co mówiłem? — Renshaw wskazał drabinę.

— W porządku, Allan. Ale jeszcze sobie kiedyś pogadamy, co? Właśnie po to przyszedłem... żeby z tobą pogadać, poznać cię bliżej.

— Już raz miałeś okazję poznać mnie bliżej — odparł Renshaw zimno.

Rebus złazit już po drabinie. Spojrzał w górę przez właz, lecz nie dostrzegł kuzyna.

— Schodzisz, Allan?! — zawołał. Bez odpowiedzi.

Nagle znów rozległo się buczenie i czerwony samochód podjął dalszą jazdę. Rebus odwrócił się i zszedł na parter. Nie bardzo wiedział, co robić, czy może bezpiecznie zostawić Allana samego w takim stanie. Przez salon przeszedł do kuchni. W ogrodzie kosiarka do trawy jak stała, tak stała. Na stole leżały jakieś kartki — wydruki komputerowe. Kopie petycji, wzywającej do kontroli posiadania broni palnej i do zwiększenia bezpieczeństwa w szkołach. Na razie bez nazwisk, tylko rzędy pustych kratek na podpisy. Tak samo było po Dunblane. Zaostrzenie ustaw i przepisów. A rezultat? Jeszcze więcej broni palnej na ulicach niż kiedykolwiek. Rebus wiedział, że w Edynburgu można zdobyć pistolet w niecałą godzinę, jeśli się wie, gdzie pytać. W Glasgow zajmowało to tylko dziesięć minut. Broń traktowano jak kasety wideo — można ją było wypożyczać na jeden dzień. Jeżeli wracała nieużywana, dostawało się część pieniędzy z powrotem. A jeśli została użyta, to nie. Prosta transakcja handlowa, dość podobna do tego, czym zajmował się Paw Johnson. Rebus pomyślał, że może by tak podpisać się pod petycją, wiedział jednak, że byłby to tylko pusty gest. Obok leżało mnóstwo wycinków z gazet i kopii artykułów z czasopism — o rezultatach pokazywania przemocy w mediach. Były to oczywiste bzdury — jak bajdurzenie o tym, że po obejrzeniu horroru dwóch nastolatków może zabić dziecko... Rozejrzał się, ciekaw czy Kate nie zostawiła gdzieś numeru kontaktowego. Chciał porozmawiać z nią o Allanie, powiedzieć jej, że ojcu jest bardziej potrzebna niż Jackowi Bellowi. Przez dłuższą chwilę stał u stóp schodów, nasłuchując dźwięków dolatujących ze strychu, po czym poszukał w książce telefonicznej numeru miejscowego radio-taxi.

— Będzie za dziesięć minut — poinformował go głos w słuchawce. Wesoły kobiecy głos. Taki, który niemal przekonał go, że istnieje jeszcze inny świat niż ten...

Siobhan stanęła na środku swego saloniku i rozejrzała się. Podeszła do okna i zaciągnęła żaluzje w zapadającym zmroku. Podniosła z podłogi kubek i talerz — okruchy grzanki świadczyły o tym, co jadła ostatnio w domu. Sprawdziła, czy nie ma wiadomości na automatycznej sekretarce. Był piątek, a zatem Toni Jackson i inne policjantki czekały na nią, nie miała jednak ochoty na dziewczyńską nasiadówkę i pijackie wyszukiwanie barowych talentów. Pół minuty zajęło jej zmycie talerza i kubka i ustawienie ich na suszarce. Szybki rzut oka do lodówki. Jedzenie, które kupiła na kolację z Rebusem, wciąż było nietknięte, choć termin przydatności do spożycia upływał za kilka dni. Zamknęła lodówkę, przeszła do sypialni i poprawiła pościel — trzeba ją będzie uprać w ten weekend. Potem do łazienki, rzut oka na lustro, i z powrotem do salonu, gdzie otworzyła dzisiejszą pocztę. Dwa rachunki i pocztówka od starej przyjaciółki, jeszcze ze szkoły. W tym roku nie udało im się jeszcze zobaczyć, mimo iż mieszkały w tym samym mieście. A teraz jej przyjaciółka miała cztery dni wakacji w Rzymie... pewnie zdążyła już wrócić, sądząc po dacie stempla na kartce. Rzym... Siobhan nigdy tam nie była.

„Zajrzałam do biura podróży i spytałam, co mają od ręki. Bawię się świetnie, marznę, popijam kawę i rozwijam się kulturalnie, jeśli jestem w nastroju. Ściskam, Jackie".

Postawiła kartkę na kominku, próbując sobie przypomnieć, kiedy ostatnio miała prawdziwe wakacje. Tydzień z rodzicami? Ten wypad na weekend do Dublina? Był to wieczór panieński jednej z mundurowych... a teraz ta kobieta spodziewała się pierwszego dziecka. Spojrzała na sufit. Sąsiad z góry tupał po całym mieszkaniu. Nie sądziła, żeby robił to celowo, po prostu poruszał się jak słoń. Wracając do domu, spotkała go na chodniku — poskarżył się jej, że właśnie musiał odebrać samochód z miejskiego parkingu.

— Zostawiłem go raptem na dwadzieścia minut, dwadzieścia minut na pojedynczej żółtej linii... zanim wróciłem, już go zwieźli... sto trzydzieści funtów, da pani wiarę? Omal im nie powiedziałem, że to więcej niż ta kupa złomu jest warta. — Wycelował w nią palec. — Powinna pani coś z tym zrobić.

Dlatego że była gliną. Dlatego że ludzie wierzyli, iż gliniarze pociągają za sznurki, porządkują życie, odwracają bieg spraw.

„Powinna pani coś z tym zrobić".

Miotał się po całym salonie, niczym zamknięte w klatce zwierzę, gotowe rzucić się na pręty. Pracował w jakimś biurze na George Street — jako główny księgowy czy może w ubezpieczeniach. Niższy od Siobhan, nosił okulary o wąskich, prostokątnych szkłach. Miał współlokatora, ale podkreślał z naciskiem, że nie jest ciotą; Siobhan podziękowała mu za tę informację.

Stuk, puk, łup!

Zastanawiała się, czy w tym jego miotaniu się jest jakiś sens. Może otwierał i zamykał szuflady? Albo szukał pilota, który mu się gdzieś zapodział? A może jego celem był po prostu sam ruch? Jeśli tak, w jaki sposób świadczyło to o niej, o tym, że stoi bez ruchu i go podsłuchuje? Na kominku jedna kartka... na suszarce jeden kubek i talerz. Jedno zasłonięte okno, z poprzeczną sztabą przeciwwłamaniową, której nigdy nie opuszczała. W swoim mieszkaniu była bezpieczna. Schowana w kokonie. Niewidzialna.

— Pieprzyć to! — mruknęła, odwróciła się i wybiegła z domu.

Na St Leonard's panował spokój. Miała zamiar wypocić frustrację na siłowni, ale zamiast tego kupiła sobie coś zimnego i gazowanego z automatu i poszła na górę, do śledczego, by sprawdzić, czy nie ma na biurku jakichś wiadomości. Kolejny list od tajemniczego wielbiciela.

PODNIECAJĄ CIĘ CZARNE SKÓRZANE RĘKAWICZKI?

Domyślała się, że chodzi o Rebusa. Zastała też wiadomość, żeby zadzwoniła do Raya Duffa, ale miał jej do powiedzenia tylko tyle, że udało mu się zbadać pierwszy z anonimów.

— I nie mam dobrych wieści.

— To znaczy, że jest czysty?

— Jak przysłowiowy śnieg. — Usłyszał, jak westchnęła. — Przykro mi, że na nic się nie przydałem. Może chociaż postawię ci drinka?

— Czemu nie, ale innym razem.

— Nie ma sprawy. I tak posiedzę tu jeszcze z godzinkę albo i dwie. — Tu, to znaczy w laboratorium medycyny sądowej w Howdenhall.

— Cały czas pracujesz nad Port Edgar?

— Porównuję grupy krwi i sprawdzam, które plamy są czyje.

Siedziała na skraju biurka, ze słuchawką wciśniętą między policzek a ucho, i przerzucała papiery na tacy z korespondencją. Większość z nich dotyczyła spraw sprzed tygodni... nazwisk, które ledwie pamiętała.

— No to wracaj do pracy — powiedziała.

— A ty też wciąż jeszcze w robocie, Siobhan? Słyszę, że jesteś zmęczona.

— Wiesz, jak to jest, Ray. Wyskoczymy na tego drinka innym razem.

— Nie wątpię, że do tej pory jeden głębszy bardzo nam się przyda.

Uśmiechnęła się do słuchawki.

— Trzymaj się, Ray.

— Uważaj na siebie, Shiv...

Odłożyła słuchawkę. No i proszę, znowu ktoś nazwał ją Shiv, usiłując nawiązać z nią bliższe stosunki, w czym skracanie jej imienia miałoby pomóc. Zauważyła jednak, że z Rebusem nikt nigdy tego nie próbował, jego nikt nie nazywał Jock, Johnny, Jo-Jo albo JR. Bo widząc go czy słuchając, wiedzieli, że na nic się to nie zda. To był John Rebus. Detektyw inspektor Rebus. Dla najbliższych przyjaciół John. A jednak ci sami ludzie ochoczo nazywali ją „Shiv". Dlaczego? Dlatego, że była kobietą? Czy może dlatego, że brakowało jej godności Rebusa albo aury kogoś, kto stwarza nieustanne zagrożenie? Czyżby w ten sposób próbowali wkraść się w jej łaski? A może używając jej przezwiska, mieli wrażenie, że jest słabsza, mniej drażliwa i potencjalnie mniej niebezpieczna?

Shiv... W amerykańskim slangu oznacza to nóż albo inne ostre narzędzie. No cóż, teraz czuła się tępa jak nigdy. Ale oto do pokoju wchodzi kolejne przezwisko. Detektyw sierżant George „Hi-Ho" Silvers. Rozgląda się, jakby szukał kogoś konkretnego. Dostrzegłszy ją, w ciągu sekundy uznał, że może mu się przydać.

— Zajęta? — zapytał.

— Czy wyglądam na taką?

— No to co powiesz na krótką przejażdżkę?

— George, naprawdę nie jesteś w moim typie.

Parsknięcie.

— Mamy sztywnego. — Sztywnego, czyli nieboszczyka.

— Gdzie?

— Gdzieś w Gracemount. Na nieużywanych torach kolejowych. Zdaje się, że zleciał z kładki.

— Czyli że to wypadek?

Zupełnie jak z patelnią do frytek Fairstone'a: kolejny wypadek w Gracemount.

Silvers wzruszył ramionami, na ile pozwalała mu na to obcisła marynarka garnituru, w który jeszcze trzy lata temu mieścił się bez problemu.

— Podobno ktoś go ścigał.

— Ścigał?

Kolejne wzruszenie ramion.

— Więcej dowiemy się na miejscu.

Siobhan kiwnęła głową.

— Więc na co czekamy?

Pojechali samochodem Silversa. Po drodze wypytywał ją o South Queensferry, o Rebusa i pożar, ale odpowiadała zdawkowo. W końcu zrozumiał, w czym rzecz, i włączył radio, pogwizdując do wtóru tradycyjnego jazzu — gatunku muzyki, który lubiła najmniej.

— Słuchasz czasami Mogwai, George?

— Nigdy o nich nie słyszałem. A bo co?

— Tak się tylko pytałam...

Koło torów nie było gdzie zaparkować. Silvers podjechał do krawężnika i stanął za wozem patrolowym. Był tam przystanek autobusowy, za którym rozciągało się porośnięte trawą pole. Ruszyli tamtędy pieszo, zbliżając się do niskiego ogrodzenia z siatki, porośniętego ostami i jeżynami. Ogrodzenie przerywały krótkie metalowe schody, prowadzące na most ponad torami, gdzie zebrali się gapie z okolicznych blokowisk. Policjant w mundurze przepytywał wszystkich, czy widzieli coś albo słyszeli.

— A niby jak mamy się dostać tam na dół? — burknął Silvers.

Siobhan wskazała na drugą stronę, gdzie zbudowano prowizoryczne przejście z plastikowych skrzynek na mleko i żużlowych cegieł; przez szczyt siatki przerzucono stary materac. Kiedy tam dotarli, Silvers od razu stwierdził, że to nie dla niego. Nic nie powiedział, po prostu pokręcił głową. Siobhan wgramoliła się więc na górę, zeskoczyła i ślizgała się po stromym zboczu, jak najgłębiej wbijając obcasy w miękką ziemię i czując, jak pokrzywy parzą jej kostki, a dzikie róże czepiają się spodni. Wokół leżącej na torach postaci zgromadziło się kilka osób. Poznała twarze ludzi z komisariatu w Craigmillar oraz patologa, doktora Curta. Gdy ją zobaczył, uśmiechnął się na powitanie.

— Mamy szczęście, że jeszcze nie uruchomili tej linii ponownie — odezwał się. — Przynajmniej biedak jest w jednym kawałku.

Spojrzała na skręcone, pogruchotane zwłoki. Rozchylony

wełniany płaszcz ukazywał tors, okryty luźną koszulą w kratkę. Brązowe sztruksowe spodnie i brązowe mokasyny.

— Zgłosiło się parę osób, które twierdzą, że widziały go, jak krążył po ulicach — mówił do niej któryś z detektywów z Craigmillar.

— W tej okolicy to chyba nic niezwykłego...

— Poza tym, że sprawiał wrażenie, jakby na kogoś polował. Jedną rękę trzymał w kieszeni, jakby miał gnata.

— A miał?

Detektyw pokręcił głową.

— Może wyrzucił go, kiedy uciekał przed pogonią. Zdaje się, że ścigały go jakieś miejscowe szczeniaki.

Siobhan przeniosła wzrok ze zwłok na most i z powrotem.

— I dopadli go?

W odpowiedzi detektyw wzruszył ramionami.

— A wiemy w ogóle, kto to jest?

— W tylnej kieszeni spodni miał kartę z wypożyczalni wideo. Na nazwisko Callis. Imię zaczyna się na A. Ktoś właśnie sprawdza w książce telefonicznej. Jeśli to nic nie da, dostaniemy jego adres w wypożyczalni.

— Callis? — Siobhan zmarszczyła brwi. Próbowała sobie przypomnieć, gdzie słyszała to nazwisko... Nagle rozjaśniło jej się w głowie. — Andy Callis — szepnęła sama do siebie.

Detektyw usłyszał ją.

— Zna go pani?

Pokręciła głową.

— Ale znam kogoś, kto go zna. Jeśli chodzi o tego samego faceta, to mieszka w Alnwickhill. — Sięgała już po komórkę. — Aha, i jeszcze jedno... jeśli to on, jest jednym z nas.

— Glina?

Skinęła głową. Detektyw z Craigmillar ze świstem wciągnął powietrze przez zęby i popatrzył na zgromadzonych na moście gapiów z determinacją.

16

W pokoju nie było nikogo.

Przez blisko godzinę Rebus obserwował sypialnię panny Teri. Ciemno, ciemno, ciemno. Zupełnie jak w jego wspomnieniach. Nie potrafił sobie nawet przypomnieć, z którymi kolegami spotkał się wtedy w parku. A jednak scena ta tkwiła w Allanie Renshawie przez trzydzieści kilka lat. Niezatarta. Zabawne, jak czasami nie sposób zapomnieć o rzeczach, o których nie chce się pamiętać. Te figle, jakie płata nam mózg, kiedy jakiś zapach czy inne doznanie znienacka wskrzesza sprawy z dawien dawna zapomniane. Rebus zastanawiał się, czy Allan nie dlatego się na niego rozzłościł, żeby móc się na nim wyżyć. No bo co dałoby złoszczenie się na Lee Herdmana? Na Herdmanie nie można się było wyładować, a Rebus wręcz się o to prosił, był wymarzonym celem.

Laptop przeszedł w tryb oszczędzania energii i z ciemności ekranu wystrzeliły gwiazdy. Rebus nacisnął klawisz „Enter" i z powrotem znalazł się w sypialni Teri Cotter. Dlaczego na to patrzył? Bo zaspokajało to tkwiącą w nim naturę podglądacza? Z tego samego powodu zawsze podobała mu się obserwacja podejrzanych — miał wgląd w czyjeś sekretne życie. Ciekaw był, co ma z tego Teri. Na pewno nie pieniądze. Interakcja jako taka również nie wchodziła w rachubę, widzowie nie mogli nawiazać z nią kontaktu, ona zaś też nie mogła im nic powiedzieć. Dlaczego więc to robiła? Bo czuła potrzebę wystawiania się na pokaz? Tak jak wtedy, gdy paradowała po Cockburn

Street, narażona na ludzkie spojrzenia, a czasem na ataki? Zarzucała matce, że ją szpieguje, lecz kiedy Zagubieni Chłopcy przypuścili atak, schroniła się właśnie w jej salonie. Nie wiedział, co myśleć o ich szczególnym związku. Kiedy jego córka miała naście lat, mieszkała z matką w Londynie i pozostawała dla niego zagadką. Była żona wydzwaniała do niego, skarżąc się na „postawę" albo „humory" Samanthy, wyładowywała się na nim i ciskała słuchawką.

Słuchawka. Telefon.

Dzwonił jego telefon. Komórkowy. Leżał pod ścianą, podłączony do ładowarki. Podniósł go.

— Halo?

— Dzwoniłam na twój numer domowy, ale jest zajęty. — Głos Siobhan.

Spojrzał na komputer — do jego linii telefonicznej był podłączony laptop.

— Co jest?

— Twój przyjaciel... ten, od którego wracałeś, kiedy na mnie wpadłeś... — Dzwoniła z komórki i sądząc po odgłosach w tle, była na dworze.

— Andy? — wpadł jej w słowo. — Andy Callis?

— Możesz mi go opisać?

Rebus zamarł.

— Co się stało?

— Słuchaj, może to nie on...

— Gdzie jesteś?

— Opisz mi go... dzięki temu może nie będziesz musiał się tu tłuc na darmo.

Zacisnął oczy, wyobraził sobie Andy'ego Callisa w jego salonie, siedzącego z nogami na podnóżku przed telewizorem.

— Lekko po czterdziestce, ciemny szatyn, pięć stóp jedenaście cali wzrostu, niecałe osiemdziesiąt kilogramów...

Przez chwilę milczała.

— Trudno — powiedziała z westchnieniem. — Chyba jednak lepiej tu przyjedź.

Rebus i tak już szukał marynarki. Przypomniał sobie o komputerze i przerwał połączenie z Internetem.

— No więc gdzie jesteś? — zapytał.

— Jak się tu dostaniesz?

— To już mój problem — odparł, rozglądając się za kluczykami do samochodu. — Po prostu podaj mi adres.

Czekała na niego przy krawężniku; patrzyła, jak zaciąga hamulec ręczny i wysiada zza kierownicy.
— Jak ręce? — spytała.
— Nieźle, dopóki nie usiadłem za kółkiem.
— Wziąłeś coś na ból?
Pokręcił głową.
— Obejdę się bez prochów.
Rozglądał się po okolicy. Jakieś dwieście jardów dalej był przystanek autobusowy, na który kazał podjechać taksówkarzowi, kiedy zobaczył Zagubionych Chłopców. Ruszyli w kierunku mostu.
— Kręcił się w tej okolicy przez parę godzin — wyjaśniała Siobhan. — Zgłosiło się kilku ludzi, którzy go widzieli.
— A my z tym coś zrobiliśmy?
— Nie było żadnego wozu pod ręką — odparła cicho.
— Gdyby był, może Andy żyłby nadal — oświadczył Rebus z determinacją.
Siobhan pokiwała głową.
— Jedna z sąsiadek słyszała krzyki. Twierdzi, że jakieś dzieciaki zaczęły go ścigać.
— Widziała kogoś?
Siobhan potrząsnęła głową. Byli już na moście. Gapie zaczynali się rozchodzić. Zwłoki zawinięto w prześcieradło i ułożono na noszach, do których przywiązano długą linę, by móc je wciągnąć po stoku. Furgonetka z kostnicy zatrzymała się w pobliżu prowizorycznego przejścia. Stał przy niej Silvers, paląc papierosa i rozmawiając z kierowcą.
— Sprawdziliśmy wszystkich Callisów w książce telefonicznej — poinformował Rebusa i Siobhan. — Jego tam nie ma.
— Jest w starej książce — wyjaśnił Rebus. — Tak jak ty i ja, George.
— Jesteś pewny, że to ten sam Callis? — spytał Silvers. Z dołu doleciał krzyk i kierowca karawanu pstryknięciem wyrzucił papierosa, by zająć się swoim końcem liny. Silvers palił nadal, nie próbując mu pomóc, dopóki kierowca sam go

o to nie poprosił. Rebus nie wyjmował rąk z kieszeni, paliły go
żywym ogniem.

— Ciągnijcie! — krzyknął ktoś znowu. W niecałą minutę
wciągnięto nosze ponad siatką. Rebus podszedł i odkrył twarz
zmarłego. Patrzył na nią, rejestrując w pamięci, jak spokojnie
Andy Callis wygląda po śmierci.

— To on — powiedział, odsuwając się, by można było
załadować zwłoki do karawanu.

Na szczycie stoku pojawił się doktor Curt; pomógł mu się
wdrapać jeden z detektywów z Craigmillar. Sapał ciężko,
z trudem gramoląc się przez siatkę. Kiedy ktoś podszedł, żeby
mu podać rękę, odburknął, że sam da sobie radę; jego głos był
ochrypły z wysiłku.

— To on — informował Silvers nowo przybyłych. — To
znaczy, według inspektora Rebusa.

— Andy Callis? — spytał ktoś. — Ten od broni palnej?

Rebus skinął głową.

— Są jacyś świadkowie? — pytał detektyw z Craigmillar.

Odpowiedział mu jeden z mundurowych:

— Ludzie słyszeli głosy, ale nikt nic nie widział.

— Samobójstwo? — zapytał ktoś.

— Albo próbował uciekać — wtrąciła się Siobhan; zwróciła
uwagę, że Rebus nie włączał się do rozmowy, chociaż to on
najlepiej znał zmarłego. Może dlatego, że...

Patrzyli, jak furgonetka z kostnicy podskakuje na wybojach,
nim wyjechała na jezdnię. Silvers zapytał Siobhan, czy wraca
do miasta. Spojrzała na Rebusa i pokręciła głową.

— John mnie podrzuci — odparła.

— Jak chcesz. Zresztą i tak wygląda na to, że sprawę przejmą
ci z Craigmillar.

Kiwnęła głową i poczekała, aż Silvers odejdzie. Dopiero
kiedy została sama z Rebusem, zapytała go:

— Wszystko w porządku?

— Cały czas myślę o tym wozie patrolowym, który nie
dojechał.

— I? — spytała. Popatrzył na nią. — Tu chodzi o coś więcej,
prawda?

Po długiej chwili przytaknął ruchem głowy.

— Zechcesz się tym ze mną podzielić? — poprosiła.

Dalej kiwał głową powoli. Ruszył z powrotem, a ona za nim, przez most i pas trawy, do miejsca, gdzie stał saab. Samochód nie był zamknięty. Rebus otworzył drzwi od strony kierowcy, rozmyślił się i przekazał kluczyki Siobhan.

— Ty prowadzisz — powiedział. — Ja się nie nadaję.

— Dokąd jedziemy?

— Przed siebie. Jeśli dopisze nam szczęście, być może trafimy do Nibylandii.

Trwało chwilę, zanim zrozumiała, do czego pije.

— Zagubieni Chłopcy*? — spytała.

Kiwnął głową i przeszedł na drugą stronę wozu.

— Opowiesz mi o tym, jak będę prowadziła?

Opowiedział.

Sprowadzało się to do tego: Andy Callis i jego partner jechali samochodem na patrol. Dostali wezwanie do klubu nocnego na Market Street, na tyłach dworca Waverley. Lokal cieszył się popularnością, ludzie czekali w kolejce przed wejściem. Ktoś wezwał policję, mówiąc, że jakiś facet afiszuje się z bronią. Opis mętny. Nastolatek, w zielonej kurtce z kapturem, z trzema kumplami. Nie stał w kolejce, ale przechodził obok i rozchylał płaszcz, żeby wszyscy mogli zobaczyć, co trzyma za paskiem.

— Zanim Andy tam dojechał, już go nie było — opowiadał Rebus. — Odszedł w kierunku New Street. Więc Andy i jego partner pojechali tam. Połączyli się z centralą i dostali zgodę na wyciągnięcie broni... trzymali ją na kolanach. Mieli na sobie kamizelki kuloodporne... Wsparcie było już w drodze, na wszelki wypadek. Znasz to miejsce, gdzie tory kolejowe przecinają na dole New Street?

— Przy Carlton Road?

Skinął głową.

— Kamienne łuki kolejowe. Ciemno tam jak diabli. Nie ma latarni.

Tym razem to ona kiwnęła głową — faktycznie, było to wyludnione miejsce.

— Jest tam też dużo zakątków i kryjówek — ciągnął Rebus. — Andy'emu zdawało się, że zauważył coś w cieniu. Zatrzymali samochód, wysiedli. Zobaczyli tych czterech...

---

* Nawiązanie do Piotrusia Pana.

pewnie to byli ci sami. Nie podchodząc do nich, zapytali, czy tamci mają jakąś broń. Kazali im położyć wszystko na ziemi. Z tego, co mówił Andy, widział tylko poruszające się cienie... — Oparł głowę o zagłówek fotela i zamknął oczy. — Nie był pewny, czy patrzy na cienie, czy na istoty z krwi i kości. Odczepiał właśnie latarkę od paska, kiedy zdawało mu się, że ujrzał jakiś ruch, wyciągniętą rękę, trzymającą coś. Wycelował pistolet, odbezpieczył...

— I co się stało?

— Coś upadło na ziemię. Pistolet, jak się potem okazało, replika. Ale było za późno...

— Andy strzelił?

Rebus pokiwał głową.

— W nikogo nie celował, mierzył w ziemię. Rykoszet mógł polecieć gdziekolwiek...

— Ale nie poleciał gdziekolwiek.

— Nie. — Zamilkł. — Trzeba było wszcząć śledztwo, jak zawsze, kiedy dochodzi do użycia broni. Partner go poparł, ale Andy wiedział, że tylko na próżno strzępi język. W końcu sam zaczął wątpić w siebie...

— A ten chłopak z bronią?

— Było ich czterech. Żaden nie przyznał się do tego pistoletu. Trzej z nich mieli na sobie kurtki z kapturami, a ten, który dzwonił z kolejki przed klubem, zniknął i nie było komu zidentyfikować właściciela broni.

— Zagubieni Chłopcy?

Przytaknął.

— Tak ich nazywają w okolicy. To ci sami, na których wpadłaś na Cockburn Street. Ich przywódca — nazywa się Rab Fisher — stanął przed sądem za noszenie repliki, ale sprawę umorzono... prawnicy uznali, że nie warto tracić na nią czasu. A tymczasem Andy Callis rozmyślał nad tym na okrągło, starając się oddzielić cienie od prawdy...

— A to jest teren Zagubionych Chłopców? — spytała, wyglądając przez szybę.

Przytaknął ruchem głowy. Przez chwilę siedziała zadumana, po czym spytała:

— Skąd pochodziła ta replika?

— Zaryzykowałbym twierdzenie, że od Pawia Johnsona.

— To dlatego chciałeś z nim pogadać tego dnia, kiedy przywieźli go na St Leonard's?

Znowu pokiwał głową.

— A teraz chcesz zamienić słówko z Zagubionymi?

— Wygląda na to, że na dzisiaj zwinęli już interes. — Odwrócił głowę, by wyjrzeć przez boczną szybę.

— Myślisz, że Callis przyszedł tu celowo?

— Możliwe.

— Żeby stanąć z nimi oko w oko?

— Wywinęli się od odpowiedzialności, Siobhan. Andy nie był tym zachwycony.

Siedziała zadumana.

— Wobec tego czemu nie powiemy tego wszystkiego tym z Craigmillar?

— Dam im znać. — Poczuł, że mu się przygląda. — Słowo.

— To mógł być wypadek. Może uznał, że te tory kolejowe to najlepsza droga ucieczki.

— Może.

— Nikt nic nie widział.

Odwrócił się do niej.

— Wyrzuć to z siebie.

Westchnęła.

— Chodzi mi o to, że ty wciąż próbujesz walczyć za innych ludzi.

— Naprawdę tak robię?

— Owszem.

— No cóż, przykro mi, że cię to denerwuje.

— Wcale mnie nie denerwuje. Czasami jednak... — Przełknęła słowa, które cisnęły jej się na usta.

— Czasami? — zachęcił ją Rebus.

Pokręciła głową, odetchnęła głośno i wyprostowała plecy.

— Bogu dzięki, że już weekend. Masz jakieś plany?

— Myślałem, że może pochodzę po górach... pomacham hantlami na siłowni...

— Byłbyż to sarkazm?

— Byłbyż. — Zauważył coś. — Zwolnij trochę. — Odwrócił się, by wyjrzeć przez tylną szybę. — Cofnij się.

Podjechała do tyłu. Znajdowali się na ulicy z niską zabudową. Na chodniku stał porzucony wózek z hipermarketu, daleko od swego domu. Rebus zaglądał w przesmyk między dwoma blokami. Jedna... nie, dwie postacie. Tylko zarys sylwetek, stojących tak blisko siebie, że stapiały się w jedną. Nagle uświadomił sobie, co się tam dzieje.

— Staromodny szybki numerek na stojaka — wyjaśniła Siobhan. — A powiadają, że sztuka romansowania umarła.

Jedna z twarzy odwróciła się do samochodu i zauważyła pracujący na jałowym biegu silnik. Ochrypły męski głos zawołał:

— Podoba ci się, kolego? Żona ci tak nie daje, co?

— Jedź — polecił Rebus.

Siobhan ruszyła przed siebie.

Wylądowali na St Leonard's, bo Siobhan powiedziała, że zostawiła tam swój wóz, nie wdając się w bliższe szczegóły. Rebus zapewnił ja, że sam da radę wrócić do domu, Arden Street była zaledwie pięć minut jazdy stamtąd. Zanim jednak zaparkował przed swoim mieszkaniem, ręce paliły go żywym ogniem. W łazience posmarował je znowu maścią i łyknął dwie pastylki przeciwbólowe, z nadzieją, że uda mu się złapać kilka godzin snu. Whisky mogła mu w tym pomóc, więc nalał sobie solidną miarkę i usiadł w salonie. Komputer przełączył się z wygaszacza ekranu w tryb uśpienia. Nie chciało mu się go włączać, więc podszedł do stołu. Leżały tam rozmaite materiały na temat SAS, wraz z kopią akt osobowych Herdmana. Usiadł przed nią.

„Podoba ci się, kolego?".

„Żona ci tak nie daje, co?".

„Podoba ci się...?".

Dzień piąty

Poniedziałek

17

Widok zapierał dech w piersiach.

Siobhan siedziała z przodu, obok pilota. Rebus wcisnął się na tył, mając z boku jeszcze jedno wolne miejsce. Hałas powodowany przez śmigła był ogłuszający.

— Mogliśmy wziąć samolot firmowy — tłumaczył Doug Brimson — ale rachunek za paliwo byłby gigantyczny, a poza tym maszyna mogłaby okazać się za duża na tamtejszą SL.

SL — strefa lądowania. Rebus nie słyszał tego określenia, odkąd zwolnił się z wojska.

— Firmowy? — dopytywała się Siobhan.

— Mam taką siedmiomiejscową maszynę. Firmy wynajmują mnie, żebym woził ich pracowników na spotkania... znane też jako „jubelki". Podaję zmrożonego szampana w kryształowych kieliszkach...

— Brzmi nieźle.

— Przepraszam, ale dzisiaj mamy tylko termos z herbatą. — Roześmiał się i odwrócił do Rebusa. — W zeszły weekend byłem w Dublinie, zawiozłem tam jakichś biznesmenów na mecz rugby. Zapłacili mi, żebym został z nimi do powrotu.

— Ma pan fart.

— Kilka tygodni temu to był Amsterdam, wieczorek kawalerski biznesmenów...

Rebus pomyślał o swoim ostatnim weekendzie. Kiedy Siobhan podjechała po niego rano, spytała go, co robił.

— Niewiele — odparł. — A ty?

— Tak samo.

— Ciekawe, chłopaki z Leith mówili, że tam zaglądałaś.

— Ciekawe, że to samo mówili mi o tobie.

— Podoba wam się jak na razie? — zapytał teraz Brimson.

— Jak na razie — odparł Rebus, choć po prawdzie nie przepadał za wysokością. Mimo to z fascynacją przyglądał się Edynburgowi z lotu ptaka, zdumiony, że tak znane punkty orientacyjne jak Zamek czy Calton Hill niezbyt wybijają się z otoczenia. Wulkaniczny masyw Arthur's Seat trudno było pomylić z czym innym, lecz wszystkie budynki odznaczały się tą samą monotonną szarą kolorystyką. Ale wyszukany geometryczny układ uliczek na Nowym Mieście robił wrażenie. Nagle znaleźli się nad zatoką Forth, przelecieli nad South Queensferry oraz obydwoma mostami, kolejowym i drogowym. Rebus rozejrzał się za Akademią Port Edgar; najpierw zobaczył Hopetoun House, a potem samą szkołę, niecałe pół mili. Widział nawet biuro Portakabin. Lecieli teraz na zachód, nad autostradą M8 w kierunku Glasgow.

Siobhan pytała Brimsona, czy często lata dla firm.

— Zależy, jak się ma gospodarka. Szczerze mówiąc, jeśli firma wysyła w delegację trzy czy cztery osoby, to wyczarterowanie samolotu wychodzi taniej niż normalne przeloty klasą biznesową.

— Siobhan mówiła mi, że był pan w wojsku, panie Brimson — włączył się do rozmowy Rebus, wychylając się do przodu tak daleko, jak pozwalały mu na to pasy.

Pilot uśmiechnął się.

— Służyłem w RAF. A pan, inspektorze? Też ze służb?

Rebus skinął głową.

— Trenowałem nawet do SAS — przyznał. — O mały włos, a bym się dostał.

— Mało komu się udaje.

— A niektórym potem odbija.

Brimson znów spojrzał na niego.

— Ma pan na myśli Lee?

— I Roberta Nilesa. Skąd pan go zna?

— Lee mnie z nim poznał. Mówił, że odwiedza Roberta. Spytałem, czy mógłbym się z nim wybrać któregoś dnia.

312

— A później już odwiedzał go pan sam? — Rebus przypomniał sobie wpisy w szpitalnej księdze gości.

— Tak. To interesujący facet. Dobrze nam się gadało. — Brimson spojrzał na Siobhan. — Masz ochotę siąść za sterem, a ja sobie pogadam z twoim kolegą?

— Nie boisz się, że...

— No to może innym razem. Myślę, że ci się spodoba. — Puścił do niej oko i zwrócił się do Rebusa: — Nie sądzi pan, że wojsko podle traktuje swoich byłych ludzi?

— Bo ja wiem? Teraz po przejściu do cywila zapewniają pomoc... Za moich czasów tego nie było.

— Wysoki odsetek rozwodów, załamań nerwowych. Po Falklandach więcej kombatantów odebrało sobie życie niż zginęło w konflikcie. Wielu bezdomnych to byli żołnierze...

— Z drugiej strony SAS to dzisiaj świetny interes — wtrącił Rebus. — Można sprzedać swoją historię wydawnictwu albo załapać się na osobistego ochroniarza. Z tego, co słyszałem, we wszystkich czterech szwadronach SAS mają wolne miejsca. Zbyt wielu odchodzi. Średnia samobójstw też jest poniżej przeciętnej.

— Kilka lat temu jeden facet wyskoczył z samolotu — ciągnął Brimson, jak gdyby w ogóle go nie słuchał. — Może pan o tym słyszał. Odznaczony QGM.

— Queen's Gallantry Medal, przyznawany za odwagę — wyjaśnił Rebus Siobhan.

— Próbował zadźgać byłą żonę, sądząc, że nastaje na jego życie. Wpadł w depresję... Nie mógł tego dłużej wytrzymać i wybrał, przepraszam za określenie, skok ku wolności.

— Zdarza się — skwitował Rebus. Myślał o książce znalezionej w mieszkaniu Herdmana, tej, z której wypadło zdjęcie Teri.

— Jasne, że się zdarza — przytaknął Brimson. — Kapelan SAS, który brał udział w akcji podczas oblężenia ambasady w Iranie, popełnił samobójstwo. Inny facet z SAS zastrzelił swoją dziewczynę z broni, którą przywiózł po wojnie w Zatoce Perskiej.

— I coś podobnego przytrafiło się Lee Herdmanowi? — spytała Siobhan.

— Na to wygląda — odparł Brimson.

— Ale dlaczego wybrał akurat tę szkołę? — zapytał Rebus. — Pan bywał u niego czasami na przyjęciach, prawda, panie Brimson?

— Urządzał niezłe imprezki.

— Na których zawsze było dużo nastolatków.

Brimson znów się do niego odwrócił.

— To było pytanie czy komentarz?

— Widział pan tam kiedyś jakieś narkotyki?

Brimson skoncentrował się na przyrządach pokładowych przed sobą.

— Może trochę trawki — przyznał w końcu.

— I nie było nic mocniejszego?

— Ja nic więcej nie widziałem.

— To dwie różne rzeczy. Czy obiło się panu kiedyś o uszy, że Lee Herdman zajmuje się dealerką?

— Nie.

— A przemytem?

Brimson zerknął na Siobhan.

— Czy nie powinienem wezwać adwokata?

Uśmiechnęła się do niego uspokajająco.

— Moim zdaniem inspektor tylko podtrzymuje rozmowę. — Odwróciła się do Rebusa. — Prawda? — Jej wzrok mówił mu, żeby przyhamował.

— Jasne — odparł. — Tak sobie tylko gadamy. — Próbował nie myśleć o nieprzespanych godzinach, o piekących dłoniach, o śmierci Andy'ego Callisa. Skupił się więc na widoku z okna i zmieniającym się krajobrazie. Wkrótce będą nad Glasgow, a potem polecą nad zatokami Clyde, Bute i Kintyre... — A więc nigdy nie łączył pan Lee Herdmana z narkotykami?

— Nigdy nie widziałem go z czymś mocniejszym od skręta.

— To niezupełnie odpowiedź na moje pytanie. Co by pan powiedział na to, że na łodzi Herdmana znaleziono narkotyki?

— Powiedziałbym, że to nie moja sprawa. Lee był przyjacielem, inspektorze. Niech pan nie oczekuje ode mnie, że dam się wciągnąć w pańską grę...

— Niektórzy moi koledzy sądzą, że przemycał do kraju kokainę i extasy — oświadczył Rebus.

— Nie obchodzi mnie, co sądzą pańscy koledzy — mruknął Brimson i pogrążył się w milczeniu.

— W zeszłym tygodniu widziałam twój samochód na Cock-
burn Street — odezwała się Siobhan, próbując zmienić te-
mat. — Krótko po tym, jak cię odwiedziłam w Turnhouse.
— Pewnie wstąpiłem do banku.
— Było już po godzinach urzędowania.
Brimson zamyślił się.
— Cockburn Street? — Nagle pokiwał głową sam do siebie. — Moi przyjaciele mają tam sklepik. Pewnie do nich
wpadłem.
— Co to za sklep?
Spojrzał na nią.
— Właściwie to nie tyle sklep, co solarium.
— To, które należy do Charlotte Cotter? — spytała. Pilot
wyglądał na zaskoczonego. — Rozmawialiśmy z jej córką, ona
chodzi do tej szkoły.
— Faktycznie. — Brimson kiwnął głową. Pilotował samolot
w słuchawkach z mikrofonem, ale jedną z nich miał zsuniętą
z ucha. Teraz poprawił ją i przysunął mikrofon do ust. — Wieża,
zgłoś się — powiedział. Potem słuchał, jak z wieży kontrolnej
lotniska w Glasgow instruowano go, jaki kurs ma obrać, by
uniknąć kolizji z podchodzącym do lądowania samolotem.
Rebus patrzył na tył jego głowy, myśląc sobie, że Teri nie
mówiła o nim jak o przyjacielu rodziny... ale jak o kimś, kogo
nie lubi...
Cessna gwałtownie położyła się na skrzydło; Rebus starał się
nie ściskać oparcia fotela zbyt mocno. Po chwili przelatywali
nad Greenock, a następnie nad wąskim pasem wody, oddziela-
jącym je od Dunoon. Krajobraz pod nimi był coraz bardziej
dziki — coraz więcej lasów, coraz mniej osad. Przelecieli nad
jeziorem Fyne i znaleźli się nad cieśniną Jura. Wiatr wzmógł
się niemal natychmiast, rzucając samolotem.
— Tutaj jeszcze nie latałem — przyznał Brimson. — W nocy
obejrzałem mapy. Tylko jedna droga, wzdłuż wschodniego
brzegu wyspy. Południowa strona to głównie lasy i całkiem
przyzwoite szczyty.
— A pas startowy? — spytała Siobhan.
— Zaraz zobaczysz. — Znów odwrócił się do Rebusa. —
Czyta pan czasem poezję, inspektorze?
— A wyglądam na takiego?

— Szczerze mówiąc, nie. Ja uwielbiam Yeatsa. Niedawno czytałem w nocy taki jego wiersz: „Wiem, że do kresu zbliżę się przeznaczeń/W chmurach przeszytych na nieboskłonie;/Nie nienawidzę tych, z którymi walczę,/Nie umiem kochać tych, których bronię"*. — Spojrzał na Siobhan. — Czy może być coś bardziej smutnego?

— Myślisz, że Lee też czuł coś podobnego?

Wzruszył ramionami.

— Na pewno coś takiego czuł ten biedak, który wyskoczył z samolotu. — Przerwał. — Wiesz, jak zatytułowany jest ten wiersz? *Lotnik z Irlandii przeczuwa swą śmierć*. — Kolejny rzut oka na przyrządy pokładowe. — No to jesteśmy nad Jurą.

Siobhan wyjrzała na dziki krajobraz. Samolot zatoczył ciasne koło i znowu ujrzała linię brzegową i biegnącą wzdłuż niej drogę. Kiedy maszyna obniżała lot, Brimson najwyraźniej czegoś szukał na drodze... może jakichś markerów.

— Nie widzę tu miejsca do lądowania — powiedziała. Zauważyła jednak jakiegoś mężczyznę, który machał do nich rękami. Brimson uniósł samolot w górę i znowu zatoczył koło.

— Jest jakiś ruch? — zapytał, kiedy ponownie przelatywali nisko nad drogą.

Siobhan pomyślała, że rozmawia z kimś przez mikrofon, pewnie z wieżą kontrolną. Nagle jednak zdała sobie sprawę, że zwracał się do niej. A mówiąc „ruch", miał na myśli szosę.

— Chyba żartujesz! — odparła, odwracając się do Rebusa, by sprawdzić, czy podziela jej niedowierzanie, on jednak wyglądał, jakby sprowadzał samolot na ziemię siłą woli.

Koła uderzyły o asfalt i maszyna podskoczyła, jak gdyby znów próbowała wzbić się w powietrze. Brimson uśmiechał się przez zaciśnięte zęby. Odwrócił się do Siobhan triumfalnie i podturlał się szosą do czekającego na nich mężczyzny, który nadal wymachiwał rękami, kierując mały samolot przez otwartą bramę na ściernisko. Maszyna podskakiwała na koleinach. Brimson wyłączył silniki i zsunął słuchawki z uszu.

Obok pola stał dom; od progu obserwowała ich kobieta, trzymająca dziecko na ręku. Siobhan otworzyła drzwi po swojej

---

* Przekład Artura Międzyrzeckiego.

stronie, rozpięła pasy i wyskoczyła na zewnątrz. Miała wrażenie, że ziemia pod nią wibruje, uświadomiła sobie jednak, że to dygocze jej ciało, wciąż roztrzęsione po locie.

— Nigdy jeszcze nie lądowałem na szosie — mówił do mężczyzny uśmiechnięty Brimson.

— Tu można wylądować tylko na szosie albo na polu — powiedział tamten z ciężkim akcentem. Wysoki i muskularny, miał kręcone ciemne włosy i jasnoróżowe policzki. — Jestem Rory Mollison. — Podał rękę Brimsonowi i został przedstawiony Siobhan. Rebus, który przypalał papierosa, skinął mu głową, ale ręki nie podał. — Więc jednak tu trafiliście — rzekł Mollison, zupełnie jakby przyjechali samochodem.

— Jak widać — odparła Siobhan.

— Pomyślałem, że tu będzie w sam raz — mówił Mollison. — Faceci z SAS przylecieli śmigłowcem. Ich pilot powiedział mi, że ta szosa świetnie się nadaje na pas startowy. Żadnych dziur, sami widzicie.

— Miał rację — potwierdził Brimson.

Mollison był „miejscowym przewodnikiem" ekipy ratunkowej. Kiedy Siobhan poprosiła Brimsona o przysługę — żeby zabrał ich samolotem na Jurę — zapytał ją, czy wie, gdzie tam można wylądować. Rebus podał mu wtedy nazwisko Mollisona...

Siobhan pomachała ręką kobiecie, która bez entuzjazmu odpowiedziała tym samym gestem.

— Moja żona, Mary — poinformował ich Mollison. — I nasza mała, Seona. Wstąpicie na herbatę?

Rebus demonstracyjnie spojrzał na zegarek.

— Lepiej weźmy się od razu do roboty. — Odwrócił się do Brimsona. — Da pan sobie radę sam do naszego powrotu?

— Słucham?

— Zejdzie nam raptem kilka godzin...

— Momencik, ja też idę z wami. Nie sądzę, żeby pani Mollison była zadowolona, że się tu kręcę. Nie możecie mnie zostawić, w końcu kto was tu przywiózł?

Rebus spojrzał na Siobhan i wzruszeniem ramion dał znak, że się zgadza.

— Pewnie chcecie wejść i się przebrać — mówił Mollison. Siobhan podniosła swój plecak i skinęła głową.

— Przebrać się? — powtórzył Rebus.

— Do wspinaczki. — Mollison zmierzył go wzrokiem od stóp do głów. — Nie wziął pan nic na zmianę? Inspektor wzruszył ramionami. Siobhan otworzyła plecak i pokazała buty do wspinaczki wysokogórskiej, kangurkę i manierkę.

— Prawdziwa Mary Poppins — skwitował Rebus.

— Pożyczę wam swój sprzęt — zaofiarował się Mollison, prowadząc trójkę gości do domu.

— A więc nie jest pan zawodowym przewodnikiem? — spytała Siobhan.

Mollison pokręcił głową.

— Nie, ale znam tę wyspę jak własną kieszeń. Przez ostatnie dwadzieścia lat przemierzyłem tu każdy centymetr kwadratowy.

Dopóki się dało, jechali land-roverem Mollisona po błotnistych, używanych do zwożenia drewna szlakach drwali, tak wyboistych, że wypadały plomby z zębów. Mollison albo był bardzo wprawnym kierowcą, albo kompletnie szalony. Miejscami szlak znikał i podskakiwali wściekle po pokrytym mchem poszyciu, a kierowca redukował bieg, gdy trzeba było przejechać przez zwaliska kamieni albo strumienie. W końcu jednak nawet on musiał się poddać. Dalej czekała ich wędrówka piechotą.

Rebus miał na nogach sędziwe buty do wspinaczki, których skóra stwardniała tak, że nie mógł zginać palców stóp. Miał też wodoodporne spodnie, pokryte zaschniętym błotem, a także nieprzemakalną kurtkę. Kiedy zgasł silnik samochodu, do lasu powróciła cisza.

— Widzieliście pierwszy film z serii Rambo? — zapytała szeptem Siobhan.

Rebus nie sądził, by oczekiwała odpowiedzi, zwrócił się więc do Brimsona:

— Dlaczego odszedł pan z RAF?

— Przypuszczam, że po prostu miałem dość. Dość wykonywania rozkazów ludzi, których nie szanowałem.

— A Lee? Czy mówił panu, dlaczego wystąpił z SAS? Brimson wzruszył ramionami. Spoglądał pod nogi, wypatrując korzeni i kałuży.

— Pewnie z tych samych powodów.

— Ale nigdy tego nie wyjaśnił?

— Nie.

— Wobec tego o czym ze sobą rozmawialiście?

Brimson zerknął na niego.

— O wielu rzeczach.

— Łatwo było się z nim dogadać? Nie mieliście nieporozumień?

— Może i posprzeczaliśmy się parę razy na temat polityki... na temat tego, w jakim kierunku zmierza świat. Ale nic nie wskazywało na to, że wyleci z torów. Pomógłbym mu, gdyby tylko coś wspomniał.

Tory... Rebus zadumał się nad tym słowem; znowu zobaczył, jak zbierają Andy'ego Callisa z torów kolejowych. Zastanawiał się, czy jego odwiedziny pomagały Andy'emu, czy raczej przypominały mu w bolesny sposób wszystko to, co stracił? Nagle przypomniał sobie, jak ubiegłej nocy Siobhan chciała mu coś powiedzieć w samochodzie. Pewnie zamierzała zapytać, dlaczego uważa, że ma prawo mieszać się w życie innych ludzi... nie zawsze z najlepszym skutkiem.

— Jak daleko idziemy? — pytał Brimson przewodnika.

— Jakąś godzinkę pod górę i drugie tyle w dół. — Mollison miał przewieszony przez ramię tornister. Popatrzył na swoich podopiecznych, dłużej zatrzymując wzrok na Rebusie. — Właściwie to jakieś półtorej godziny — sprostował.

Wcześniej, w domu przewodnika, Rebus opowiedział część całej tej historii Brimsonowi i spytał go, czy Herdman kiedykolwiek wspominał o tej misji. Pilot pokręcił głową.

— Ale pamiętam to z gazet. Ludzie uważali, że to IRA strąciła ten śmigłowiec.

Teraz, kiedy rozpoczęli wspinaczkę, Mollison mówił:

— Powiedzieli mi wtedy, że właśnie tego szukamy... dowodów ataku rakietowego.

— Więc nie interesowało ich odnalezienie zwłok? — spytała Siobhan. Miała na nogach grube skarpety, w które wsunęła nogawki spodni. Jej buty wyglądały na całkiem nowe, a w każdym razie prawie nieużywane.

— A tak, to też. Ale bardziej obchodziło ich, dlaczego doszło do katastrofy.

— Ilu ich było? — spytał Rebus.

— Pół tuzina.

— I zwrócili się od razu do pana?

— Śmiem twierdzić, że pogadali z kimś z Ratownictwa Górskiego i dowiedzieli się, że lepszego przewodnika niż ja nie znajdą. — Milczał przez chwilę. — Inna sprawa, że nie mam tu dużej konkurencji. — Znów zamilkł. — Kazali mi podpisać zobowiązanie do zachowania tajemnicy państwowej.

Rebus wlepił w niego wzrok.

— Przed czy po?

Mollison podrapał się za uchem.

— Zaraz na początku. Powiedzieli, że to standardowa procedura. — Spojrzał na Rebusa. — Czy to znaczy, że nie powinienem z wami gadać?

— Nie wiem... Czy pańskim zdaniem cokolwiek z tego, co się działo, należy utrzymać w tajemnicy?

Przewodnik zastanowił się nad odpowiedzią, a następnie pokręcił głową.

— No to nie ma sprawy — uspokoił go inspektor. — Widocznie to rzeczywiście tylko procedura. — Mollison ruszył w dalszą drogę, a Rebus starał się dotrzymać mu kroku, chociaż jego buty miały na ten temat inne zdanie. — Czy od tamtej pory był tu ktoś jeszcze? — zapytał.

— Latem wielu ludzi przyjeżdża tu na piesze wycieczki.

— Chodzi mi o wojskowych.

Ręka Mollisona znów powędrowała do ucha.

— Była taka jedna kobieta, zdaje się, że w połowie zeszłego roku... może trochę wcześniej. Próbowała uchodzić za turystkę.

— Ale nie za bardzo jej to wychodziło? — podsunął Rebus i opisał Whiteread.

— Kropka w kropkę taka, jak pan powiedział — przyznał Mollison.

Rebus i Siobhan wymienili znaczące spojrzenia.

— Może i jestem tępy — wtrącił Brimson i przerwał, by zaczerpnąć tchu — ale co to ma wspólnego z tym, co zrobił Lee?

— Być może nic — odparł inspektor. — Ale trochę ruchu nam nie zaszkodzi.

Idąc dalej, cały czas pod górę, milczeli, oszczędzając energię. W końcu wynurzyli się z lasu. Na pochyłym zboczu przed nimi rosło tylko kilka karłowatych drzewek. Trawa, wrzosy i paprocie były połamane przez odłamki popękanych skał. Koniec spaceru — jeśli chcieli dotrzeć dalej, musieli się wspinać. Rebus przekrzywił głowę, wypatrując odległego szczytu.

— Niech pan się nie martwi — pocieszył go Mollison. — Aż tam się nie wybieramy. — Wskazał palcem w górę. — Śmigłowiec roztrzaskał się o skały mniej więcej w połowie drogi na szczyt i spadł tutaj. — Zatoczył łuk ręką. — To była wielka maszyna. Na mój gust miała za dużo wirników.

— Chinook — wyjaśnił Rebus. — Ma dwa wirniki, jeden z przodu, drugi z tyłu. — Spojrzał na Mollisona. — Musiało być mnóstwo odłamków.

— Bo i było. A ciała... no, one były wszędzie. Jedno utkwiło na skalnej półce trzysta stóp wyżej. Ja i jeszcze jeden gość ściągnęliśmy je na dół. Sprowadzili ekipę ratunkową, żeby zabrała wszystkie szczątki. Ale mieli tu na miejscu kogoś, kto je zbadał. Nic nie wykrył.

— To znaczy, że to nie była rakieta?

Przewodnik potwierdził ruchem głowy. Wskazał kciukiem do tyłu, na linię drzew.

— Od groma papierów tu fruwało. Przede wszystkim przetrząsnęli cały las, żeby je pozbierać. Niektóre kartki zawisły na gałęziach. Uwierzysz pan, że wdrapywali się po nie na drzewa?

— Czy ktoś wyjaśnił dlaczego?

Mollison znowu przytaknął.

— Oficjalnie to nie, ale kiedy chłopaki zrobili sobie przerwę na herbatę... ciągle ją parzyli... to słyszałem, co gadają między sobą. Śmigłowiec leciał do Ulsteru, z majorami i pułkownikami na pokładzie. Zdaje się, że wiózł dokumenty, które nie mogły wpaść w ręce terrorystów. Może tłumaczy to, dlaczego nosili broń.

— Broń?

— Ekipa ratunkowa przywiozła ze sobą karabiny. Wtedy uważałem, że to trochę dziwne.

— A nie natknął się pan przypadkiem na któryś z tych dokumentów? — zapytał Rebus.

Mollison przytaknął.

— Ale się im nie przyglądałem. Zwinąłem je w rulon i oddałem im.

— Szkoda — mruknął inspektor z najbardziej wymuszonym uśmiechem, na jaki go było stać.

— Pięknie tu — odezwała się nagle Siobhan, osłaniając oczy przed słońcem.

— Prawda? — podchwycił Mollison, rozciągając twarz w uśmiechu.

— A skoro już mowa o herbacie — wtrącił Brimson — masz jeszcze ten termos?

Siobhan otworzyła plecak i podała mu naczynie. Wszyscy czworo napili się po kolei z plastikowego kubka. Herbata smakowała jak to z termosu — gorąca, ale jakaś nie taka jak trzeba. Rebus obchodził teren u stóp wzniesienia.

— Nic nie wydało się panu dziwne? — spytał Mollisona.

— Dziwne?

— Cała ta misja... ci ludzie i to, czym się zajmowali — wyjaśnił, lecz przewodnik pokręcił głową. — Udało się ich panu choć trochę poznać?

— Spędziliśmy tu tylko dwa dni.

— Więc nie poznał pan Lee Herdmana? — Rebus podał mu fotografię, którą wziął ze sobą.

— To ten, który zastrzelił te dzieciaki w szkole? — Poczekał, aż inspektor przytaknie, i znów spojrzał na zdjęcie. — Pamiętam go, a jakże. Całkiem miły gość... spokojny. Ale raczej nie był graczem zespołowym.

— To znaczy?

— Najbardziej lubił siedzieć w lesie i szukać strzępów i kawałków papierów. Nawet najmniejszych skrawków. Inni się z niego nabijali. Jak nalewali herbatę, musieli go wołać po kilka razy.

— Może wiedział, że nie ma się do czego śpieszyć — wtrącił Brimson, wąchając zawartość kubka.

— Chcesz powiedzieć, że nie potrafię parzyć herbaty? — zapytała Siobhan.

Brimson uniósł ręce, jakby się poddawał.

— Jak długo tu byli? — spytał Rebus Mollisona.

— Dwa dni. Ekipa ratunkowa przyleciała drugiego dnia. Potem przez tydzień wysyłali szczątki maszyny.

— Dużo pan z nimi rozmawiał?

Przewodnik wzruszył ramionami.

— To były fajne chłopaki. Przykładali się do pracy aż miło. Rebus skinął głową i wszedł w las. Niezbyt głęboko, a jednak zdumiał się, jak szybko ogarnęło go poczucie izolacji, odcięcia od wciąż widocznych twarzy i słyszalnych głosów. Jaki tytuł nosił ten album Briana Eno? *Another Green World — Inny zielony świat.* Najpierw obserwował świat z lotu ptaka, a teraz ten... tak samo obcy i wibrujący. Lee Herdman wszedł do tego lasu i niewiele brakowało, by z niego nie wrócił. Jego ostatnia misja przed odejściem z SAS. Czyżby czegoś się tu dowiedział? Znalazł coś?

Nagle przyszła mu do głowy pewna myśl — z SAS tak naprawdę nigdy się nie odchodzi do końca. Pozostaje nieusuwalne znamię, tuż pod powierzchnią codziennych doznań i działań. Człowiek zaczyna sobie uświadamiać, że istnieje inny świat, inna rzeczywistość. Wcześniej doświadczał rzeczy niezwykłych. Jego trening kazał mu postrzegać życie jako jeszcze jedną misję, pełną potencjalnych pułapek i skrytobójców. Rebus był ciekaw, w jakim stopniu jemu samemu udało się uciec od czasów służby w jednostce spadochroniarzy i treningów do SAS.

Czy od tej pory kiedykolwiek pozwolił sobie na skok ku wolności?

I czy Lee Herdman, tak jak ten lotnik z wiersza, przeczuwał swą śmierć?

Przykucnął i przeciągnął dłonią po ziemi. Gałązki i liście, sprężysty mech, poszycie z tutejszych kwiatów i chwastów. Oczyma duszy widział, jak śmigłowiec wbija się w skalną ścianę. Awaria maszyny albo błąd pilota.

Zobaczył, jak niebo eksploduje, gdy zapaliło się paliwo, jak wirniki zwalniają obroty, wyginają się. Śmigłowiec musiał spaść jak kamień, a ludzie wypadali z niego, roztrzaskując się przy upadku. Tępy stuk ciał uderzających o twardą ziemię... taki sam dźwięk towarzyszył zapewne upadkowi Andy'ego Callisa na tory kolejowe. Wybuch wyrzucił zawartość śmigłowca na zewnątrz... papiery przypalone na brzegach albo zamienione w konfetti. Papiery tak tajne, że aż musieli po nie przysłać komandosów z SAS. A najbardziej pracowity był Lee Herdman, zapuszczający się w las coraz to głębiej i głębiej. Rebus przypomniał sobie, co Teri Cotter o nim powiedziała: „Taki już był... bardzo skryty". Pomyślał o zaginionym komputerze, który Herdman kupił do pracy. Gdzie on jest? Kto go ma? Jakie tajemnice skrywa?

— Wszystko w porządku? — spytała Siobhan. Trzymała świeżo napełniony kubek.
Rebus wstał z ziemi.
— Jasne.
— Wołałam cię.
— Nie słyszałem. — Wziął od niej kubek.
— Myślisz o Lee Herdmanie?
— Możliwe. — Siorbnął łyk herbaty.
— Sądzisz, że coś tu znajdziemy?
Wzruszył ramionami.
— Może wystarczy, że sobie obejrzymy to miejsce.
— Twoim zdaniem on coś zabrał, mam rację? — Patrzyła mu prosto w oczy. — Myślisz, że zabrał stąd coś, co wojsko chce teraz odzyskać. — Nie było to już pytanie, lecz stwierdzenie.
Rebus przytaknął powoli.
— A dlaczego nas to właściwie obchodzi?
— Może dlatego, że ich nie lubimy — odparł. — Albo dlatego, że cokolwiek to jest, oni tego nie znaleźli, więc mógł to zrobić kto inny. Może ktoś znalazł to w zeszłym tygodniu...
— A Herdman wpadł w szał, kiedy się zorientował?
Znów wzruszył ramionami i oddał jej pusty kubek.
— Lubisz Brimsona, prawda? — zapytał.
Nie mrugnęła okiem, ale opuściła wzrok.
— Nie ma w tym nic złego — powiedział z uśmiechem.
Ona jednak źle odczytała ton jego głosu i przeszyła go wściekłym spojrzeniem.
— No proszę, mam twoją zgodę?
Tym razem to on podniósł ręce, jakby się poddawał.
— Chodziło mi o to... — Uznał jednak, że cokolwiek powie, i tak nic to nie zmieni, więc nie dokończył. — A swoją drogą, za mocna ta herbata — rzucił, ruszając z powrotem ku skalnej ścianie.
— Ale przynajmniej pomyślałam o tym, żeby ją zabrać — mruknęła, wylewając resztki.

W drodze powrotnej Rebus siedział w milczeniu z tyłu samolotu, chociaż Siobhan zaproponowała, że się z nim zamieni miejscami. Z twarzą przy oknie, jakby był zafascynowany zmieniającym się pejzażem, próbował umożliwić Siobhan pogadanie z pilotem. Brimson pokazał jej przyrządy pokładowe, wyjaśnił, jak się nimi posługiwać, i obiecał, że udzieli jej lekcji pilotażu. Zupełnie jakby zapomnieli o Lee Herdmanie; Rebus musiał przyznać, że może i mają rację. Większość mieszkańców South Queensferry, nawet rodziny ofiar, chciała po prostu żyć dalej. Nie można było cofnąć tego, co się stało, w tej sprawie nic już nie można było naprawić. Kiedyś trzeba sobie odpuścić...

Jeśli się potrafi.

Rebus zamknął oczy, chroniąc je przed nagłym blaskiem słońca, który skąpał jego twarz w cieple i świetle. Uświadomił sobie, że jest wyczerpany, że w każdej chwili może zapaść w sen; zdał sobie także sprawę, że nie ma to najmniejszego znaczenia. Mógł się przespać. Kilka minut później obudził się jednak gwałtownie — śniło mu się, że jest sam w obcym mieście, ubrany tylko w staromodną piżamę w paski. Bosy, bez pieniędzy, szukał kogoś, kto by mu pomógł, zarazem próbując udawać, że wszystko jest w porządku. Zaglądając przez okno kawiarni, zauważył człowieka, który wsunął pod stół pistolet i ukrył go na kolanach. Rebus wiedział, że bez pieniędzy nie może tam wejść. Stał więc na zewnątrz, przyciskając dłonie do szyby i próbując nie robić zamieszania...

Zamrugał, by skupić wzrok, i zorientował się, że znów lecą nad zatoką Forth, zbliżając się do celu. Brimson coś mówił.

— Często myślę o tym, jak ogromne szkody mógłby wyrządzić tu terrorysta, nawet tak małym samolotem jak cessna. Do wyboru miałby stocznię, prom, mosty kolejowy i drogowy... no i pobliskie lotnisko.

— Z nadmiaru szczęścia pewnie przewróciłoby mu się w głowie — przyznała Siobhan.

— Przychodzą mi na myśl takie części miasta, które chętnie zrównałbym z ziemią — zauważył Rebus.

— O, znów jest pan z nami, inspektorze. Mogę jedynie przeprosić, że nasze towarzystwo nie było bardziej zajmujące. — Brimson i Siobhan uśmiechnęli się do siebie, dając mu do zrozumienia, że nie brakowało im go aż tak bardzo.

Wylądowali gładko i Brimson podkołował pod czekający na nich samochód Siobhan. Wysiadając, Rebus uścisnął mu rękę.

— Dzięki, że mnie ze sobą wzięliście — powiedział pilot.
— To ja powinienem panu podziękować. Proszę nam przysłać rachunek za paliwo i pański czas.

Brimson tylko wzruszył ramionami, odwrócił się i uścisnął dłoń Siobhan, przytrzymując ją nieco dłużej niż potrzeba. Pogroził jej palcem wolnej ręki.

— Pamiętaj, będę czekał.

Uśmiechnęła się.

— Obiecałam, Doug, a słowo musi być święte. Tymczasem jednak, jeśli nie posądzisz mnie o zbytnią śmiałość...

— Wal.

— Tak sobie myślę, czy mogłabym zajrzeć do tego samolotu firmowego, żeby przekonać się, jak żyje druga połowa.

Przyglądał jej się przez chwilę, po czym uśmiechnął się.

— Żaden problem. Stoi w hangarze. — Ruszył przodem. — Idzie pan z nami, inspektorze?

— Zaczekam tutaj — odparł Rebus.

Kiedy odeszli, udało mu się przypalić papierosa pod osłoną cessny. Wrócili pięć minut później. Uśmiech Brimsona wyparował, gdy zobaczył niedopałek w dłoni inspektora.

— Absolutny zakaz palenia — powiedział. — Rozumie pan, zagrożenie pożarowe.

Rebus przeprosił go wzruszeniem ramion, zgniótł papierosa palcami i rozdeptał go obcasem. Ruszył za Siobhan, a tymczasem Brimson wsiadł do land-rovera, by podjechać i otworzyć im bramę.

— Miły facet — odezwał się Rebus.

— Tak — przyznała. — Bardzo miły.

— Naprawdę tak uważasz?

Spojrzała na niego.

— A ty nie?

Wzruszył ramionami.

— Odnoszę wrażenie, że to kolekcjoner.

— Czego?

Zastanowił się przez chwilę.

— Ciekawych okazów... ludzi takich jak Herdman i Niles.

— Nie zapominaj, że zna także Cotterów. — Jej irytacja nie ustępowała, jeszcze nie.

— Słuchaj, ja nie twierdzę...

— Próbujesz mi powiedzieć, że powinnam trzymać się od niego z daleka, o to chodzi?

Nie odpowiedział.

— O to ci chodzi? — powtórzyła.

— Po prostu nie chcę, żeby wszystkie te wspaniałości firmowego samolotu zawróciły ci w głowie. — Przerwał. — A swoją drogą, jaki on jest?

Przeszywała go wściekłym wzrokiem, ale w końcu ustąpiła.

— Nieduży. Skórzane fotele. Podczas lotu serwują szampana i gorące dania.

— Tylko nic sobie nie wyobrażaj.

Skrzywiła się i zapytała go, dokąd chce jechać. Powiedział, że na komisariat Craigmillar. Urzędował tam detektyw nazwiskiem Blake. Był w stopniu posterunkowego, nie minął jeszcze rok, odkąd zrzucił mundur. Rebusowi wcale to nie przeszkadzało — skoro chłopak był nowy, będzie się chciał wykazać. Dlatego też powiedział mu, co wie o Andym Callisie i Zagubionych Chłopcach. Blake słuchał go z wyrazem skupienia na twarzy, od czasu do czasu przerywając, by zadać pytanie, i notował wszystko skrzętnie na papierze w linie w notesie formatu A4. Siobhan siedziała z nimi w pokoju, ze splecionymi rękami, głównie wpatrując się w ścianę przed sobą. Rebus odniósł wrażenie, że rozmyśla o lotach samolotem...

Pod koniec rozmowy zapytał, czy jest jakiś postęp w śledztwie. Blake pokręcił głową.

— Wciąż nie mamy świadków. Po południu doktor Curt przeprowadzi sekcję zwłok. — Zerknął na zegarek. — Powinienem się tam zbierać. Jeśli ma pan ochotę...

Rebus jednak odmówił ruchem głowy. Nie chciał patrzeć, jak kroją jego przyjaciela.

— Czy aresztujecie Raba Fishera?

Blake przytaknął.

— Proszę się nie martwić, już ja sobie z nim pogadam.

— Niech pan nie liczy specjalnie na jego współpracę — ostrzegł Rebus.

— Pogadam z nim. — Ton młodego człowieka świadczył, że inspektor nieco się zagalopował.

— Nikt nie lubi, jak się go poucza w sprawach zawodowych — rzekł Rebus z uśmiechem.

— Przynajmniej dopóki nie spieprzy sprawy. — Blake wstał, a Rebus poszedł w jego ślady. Podali sobie ręce.

— Miły facet — powiedział Rebus do Siobhan, kiedy wracali do samochodu.

— Zbyt pewny siebie — odparła. — Uważa, że niczego nie spieprzy... nigdy.

— No to dostanie od życia bolesną nauczkę.

— Mam nadzieję. Bardzo na to liczę.

18

Plan zakładał, że pojadą do mieszkania Siobhan, żeby mogła mu przyrządzić obiecaną kolację. Podczas jazdy milczeli. Dopiero kiedy czerwone światła zatrzymały ich u wylotu Leith Street na York Place, Rebus odwrócił się do niej.

— A może najpierw wpadniemy na drinka? — zaproponował.

— I oczywiście to ja mam potem prowadzić?

— Możesz wrócić do domu taksówką i odebrać samochód rano...

Patrzyła na czerwone światło, podejmując decyzję. Kiedy zmieniło się na zielone, włączyła migacz i skręciła w przecznicę, w kierunku Queen Street.

— Zakładam, że tradycyjnie zaszczycimy naszą obecnością Ox — powiedział Rebus.

— A czy jakikolwiek inny lokal odpowiadałby surowym wymaganiom jaśnie pana?

— Coś ci powiem... wypijemy tam tylko jednego, a potem sama wybierzesz bar.

— Stoi.

Tak więc wypili po jednym w zadymionej frontowej sali baru Oxford, pośród głośnych rozmów klientów, wracających po pracy do domu w porze, gdy późne popołudnie przechodziło w wieczór. Na kanale Discovery leciał film o starożytnym Egipcie, Siobhan jednak obserwowała stałych bywalców — takiej rozrywki nie mogła zapewnić żadna stacja telewizyjna. Zauważyła, że Harry, srogi barman, wciąż się uśmiecha.

— Co on taki wesolutki jak szczygiełek? — spytała.

— Moim zdaniem nasz młody Harry się zakochał. — Rebus starał się jak najdłużej sączyć swoje piwo, bo Siobhan nawet nie napomknęła, czy wpadną gdzieś na następnego drinka. Ona zamówiła dla siebie połówkę cydru, który już prawie zniknął. — Może jeszcze połówkę? — zapytał, wskazując na jej szklankę.

— Mówiłeś, że wpadniemy tu tylko na jednego.

— Tylko dla towarzystwa. — Uniósł wysoko swój kufel, pokazując, ile mu jeszcze zostało. Ona jednak pokręciła głową.

— Już ja wiem, co kombinujesz — oświadczyła.

Przybrał minę skrzywdzonego niewiniątka, wiedząc, że ona nie da się na to nabrać ani przez chwilę. Kilku następnych stałych bywalców przeciskało się przez ciżbę. W drugiej sali siedziały przy stoliku jakieś trzy panie, ale jedyną kobietą w pomieszczeniu od frontu była Siobhan. Zdegustowana ściskiem i coraz większym hałasem, podniosła szklankę do ust i dopiła cydr.

— No to w drogę — zarządziła.

— Dokąd? — Demonstracyjnie zmarszczył brwi. Ona jednak pokręciła tylko głową na znak, że nic mu nie powie. — Zostawiłem marynarkę na wieszaku — marudził. Tak naprawdę zdjął ją po to, by zyskać psychologiczną przewagę, żeby pokazać, jak swobodnie się tu czuje.

— Więc weź ją — poleciła.

Zrobił, co kazała, i pośpiesznie dopił piwo, zanim wyszedł za nią na zewnątrz.

— Nie ma jak świeże powietrze — powiedziała, oddychając głęboko. Samochód czekał na North Castle Street, ale minęli go i poszli w kierunku George Street. Dokładnie na wprost nich na tle atramentowego nieba odcinał się oświetlony Zamek. Kiedy skręcali w lewo, Rebus poczuł, jak mu sztywnieją nogi — efekt wspinaczki na Jurze.

— Zdrowo się dzisiaj nachodzę, żeby się napić — zauważył.

— Założę się, że w całym tym roku nie przeszedłeś pieszo tyle co tam — docięła mu z uśmiechem.

— W ciągu ostatnich dziesięciu lat — sprostował.

Siobhan zatrzymała się przy jakichś schodkach i zeszła na dół. Bar, który wybrała, mieścił się poniżej poziomu chodnika, dokładnie pod sklepem. Szykowny wystrój, przytłumione światło i cicha muzyka.

— Jesteś tu pierwszy raz? — spytała.

— A jak myślisz? — Ruszył do baru, lecz pociągnęła go za rękaw i wskazała wolną wnękę.

— Tutaj podają do stolika — wyjaśniła, kiedy siadali. Kelnerka już stała przed nimi.

Siobhan zamówiła dżin z tonikiem, a Rebus whisky słodową Laphroaig. Gdy ją dostał, podniósł szklankę i z dezaprobatą przyjrzał się jej mizernej zawartości. Siobhan zamieszała swojego drinka i rozgniotła plasterek limonki o kostki lodu.

— Nie zamykać rachunku? — zapytała kelnerka.

— Jeszcze nie — odparła Siobhan. A kiedy kelnerka odeszła, spytała: — Czy zbliżyliśmy się do wyjaśnienia powodów, dla których Herdman zastrzelił tych chłopców?

Rebus wzruszył ramionami.

— Myślę, że dowiemy się dopiero wtedy, kiedy dotrzemy do finału.

— A zanim to nastąpi, wszystko, co zdobyliśmy...

— Teoretycznie może się przydać — powiedział Rebus, wiedząc, że ona nie zakończyłaby tego zdania w ten sposób. Podniósł szklankę do ust, lecz była już pusta. Kelnerka przepadła bez śladu. Za barem ktoś z personelu mieszał jakiś koktajl.

— W piątek wieczorem, tam na torach — mówiła Siobhan — Silvers coś mi powiedział. — Przerwała. — Podobno sprawa Herdmana została przekazana do DMC.

— To ma sens — mruknął Rebus. Tyle że gdyby Claverhouse i Ormiston przejęli ten cały cyrk, dla niego ani dla Siobhan nie byłoby tam miejsca. — DMC... zdaje się, że była taka kapela. A może mylę ją z wytwórnią płytową Eltona Johna?

Siobhan pokiwała głową.

— Run-DMC. To chyba byli raperzy.

— Raczej traperzy.

— Nie no, jasne, takim Rolling Stonesom nie sięgają do pięt.

— Nie czepiajcie się Stonesów, sierżant Clarke. Bez nich nie byłoby tego rzęchu, którego słuchacie.

— Z pewnością miałbyś wiele do powiedzenia na ten temat. — Znów zajęła się mieszaniem swojego drinka.

Rebus wciąż nie mógł wypatrzyć kelnerki.

— Idę po dolewkę — oświadczył, wychodząc zza stołu.
Żałował, że Siobhan wspomniała o piątkowym wieczorze. Przez
cały weekend nie przestawał myśleć o Andym Callisie. O tym,
jak inna kolejność zdarzeń — niewielkie zmiany w czasie
i przestrzeni — mogłaby go uratować. Prawdopodobnie mogłaby uratować także Lee Herdmana... i powstrzymać Roberta
Nilesa przed zamordowaniem żony.
A jego przed poparzeniem dłoni.
Wszystko sprowadzało się do najdrobniejszych nieprzewidzianych wypadków, przy których wszelkie majstrowanie zmieniało przyszłość nie do poznania. Słyszał coś o jakichś nauko-
wych dysputach, dotyczących motyli, machających skrzydłami
w dżungli. Może gdyby sam zatrzepotał rękami, zostałby w końcu obsłużony. Barman nalewał jakąś wściekle różową miksturę
do kieliszka; odwrócił się od Rebusa, by komuś ją podać.
Dwustronny bar dzielił salę na dwie części. Rebus próbował
przebić wzrokiem mrok. Po drugiej stronie sali nie było zbyt
wielu amatorów hazardu. Odbity w lustrze obraz oddzielonych
przepierzeniami stolików i gąbczastych krzeseł, ten sam wystrój
i klientela. Rebus zdawał sobie sprawę, że odstaje od towarzystwa o jakieś trzydzieści lat. Jakiś młody człowiek rozparł się na
całej ławie, z rękami założonymi za głową i skrzyżowanymi
nogami; zbyt pewny siebie, zrelaksowany, chciał, żeby zwracali
na niego uwagę...
Żeby zwracali na niego uwagę wszyscy z wyjątkiem Rebusa.
Barman był już gotów przyjąć zamówienie od inspektora, on
jednak pokręcił głową, ruszył na koniec baru i przeszedł krótkim
korytarzem, prowadzącym na drugą stronę sali. I dalej, aż stanął
przed Pawiem Johnsonem.
— Pan Rebus... — Johnson opuścił ręce. Zerknął na prawo
i lewo, jak gdyby spodziewał się, że inspektor przybył z posił-
kami. — Sam wielki detektyw we własnej osobie. Szuka pan
mojej skromnej osoby?
— Niespecjalnie. — Rebus usiadł naprzeciwko Johnsona.
W tym oświetleniu hawajska koszula Pawia, jaką wybrał na ten
wieczór, nie biła aż tak bardzo po oczach. Zjawiła się nowa
kelnerka i Rebus zamówił podwójną whisky. — Na rachunek
mojego przyjaciela — dorzucił, wskazując głową mężczyznę
po drugiej stronie stołu.

Paw wielkodusznie wzruszył ramionami i zamówił dla siebie następny kieliszek merlota.

— A zatem spotykamy się przez czysty przypadek? — zapytał.

— Gdzie twój kundel? — odpowiedział pytaniem Rebus, rozglądając się dookoła.

— Mikrus nie nabrał jeszcze stylu stosownego do przybytku tej klasy.

— Przywiązałeś go na zewnątrz?

Johnson błysnął zębami w uśmiechu.

— Od czasu do czasu spuszczam go ze smyczy.

— Za takie rzeczy właścicielowi grozi grzywna.

— On gryzie tylko na rozkaz Pawia. — Johnson dopił resztkę wina, bo podano nowe drinki. Kelnerka postawiła między nimi miseczkę z ryżowymi chrupkami. — No to zdrówko! — rzucił Paw, unosząc kieliszek merlota.

Rebus puścił to mimo uszu.

— Tak się składa, że akurat o tobie myślałem — powiedział.

— Nie wątpię, że same dobre rzeczy.

— Zdziwisz się, ale nie. — Inspektor pochylił się nad stołem i ściszył głos. — Gdybyś potrafił czytać w moich myślach, zesrałbyś się ze strachu. — Teraz już Johnson słuchał go uważnie. — Wiesz, kto zginął w ubiegły piątek? Andy Callis. Pamiętasz go chyba, co?

— Nie za bardzo.

— Był tym gliniarzem od broni palnej, który zatrzymał twojego przyjaciela Raba Fishera.

— Rab nie jest moim przyjacielem, tylko dalekim znajomym.

— Wystarczająco znajomym, żebyś mu sprzedał tę broń.

— Replikę, pozwoli pan sobie przypomnieć. — Johnson grzebał w misce ze słonymi przekąskami; nabierał je pełną garścią i wrzucał do gardła sztuka po sztuce tak, że okruchy pryskały mu z ust, kiedy mówił. — To nie zasługuje na komentarz i z góry odrzucam wszelkie implikacje, że jest przeciwnie.

— Tyle że Fisher straszył tą bronią ludzi, przez co sam o mało nie zginął.

— To nie zasługuje na komentarz — powtórzył Johnson.

— Potem przez niego mój przyjaciel stał się kłębkiem nerwów, a teraz ten przyjaciel nie żyje. Ty sprzedałeś komuś broń, a ktoś inny przez to zginął.

— Replikę, w owym czasie i miejscu najzupełniej legalną. — Johnson sięgnął po następną garść krakersów.

Rebus wyciągnął rękę, przewracając miseczkę i rozsypując jej zawartość. Złapał młodego człowieka za nadgarstek i ścisnął mocno.

— Jesteś tak samo legalny jak wszyscy inni skurwiele, z którymi miałem do czynienia.

Johnson próbował oswobodzić rękę.

— Za to pan jest czysty jak łza, tak mam to rozumieć? Wszyscy wiedzą, na co cię stać, Rebus!

— A niby na co mnie stać?

— Na wszystko, bylebyś tylko mnie dorwał! Wiem, że próbowałeś mnie wrobić, rozpowiadając, że przerabiam atrapy na broń ostrą.

— Kto tak twierdzi? — spytał Rebus, puszczając jego rękę.

— Wszyscy! — Po policzkach Johnsona spływały strużki śliny, zmieszane z okruszkami krakersów. — Chryste, w tym mieście trzeba być głuchym, żeby o tym nie słyszeć.

Miał rację — Rebus wypuścił balon próbny. Chciał dorwać Pawia Johnsona. Szukał na niego czegoś — jakiegokolwiek haka — żeby odpłacić mu za to, że Callis zwolnił się ze służby. I mimo że wszyscy kręcili głowami i szeptali słowa takie jak „repliki", „trofea" czy „atrapy", Rebus rozpytywał dalej.

I jakimś cudem Johnson się o tym dowiedział.

— Od kiedy wiesz? — spytał go teraz Rebus.

— O czym?

— Od kiedy?

Johnson jednak uniósł tylko kieliszek i świdrował Rebusa paciorkowatymi oczami, czekając, aż ten spróbuje wytrącić mu kieliszek z ręki. Inspektor podniósł swoją szklankę i wysuszył ją jednym palącym haustem.

— Powinieneś o czymś wiedzieć — powiedział, powoli kiwając głową. — Potrafię chować urazę do końca życia, przekonasz się.

— Mimo że nic nie zrobiłem?

— O, na pewno masz coś na sumieniu, możesz mi wierzyć. — Rebus wstał. — Tyle że jeszcze nie wiem co. — Puścił do niego oko i odwrócił się. Usłyszał odgłos odsuwanego stołu, obejrzał się i zobaczył, jak Johnson zrywa się z miejsca z zaciśniętymi pięściami.

— Załatwmy to tu i teraz! — wrzasnął Paw.

Rebus schował ręce do kieszeni.

— Wolałbym poczekać na rozprawę przed sądem, jeśli nie masz nic przeciwko temu — odparł.

— Nie ma mowy! Mam tego powyżej uszu!

— Dobrze — zgodził się Rebus.

Zobaczył, że z drugiej strony sali nadchodzi Siobhan, spoglądając na niego z niedowierzaniem. Prawdopodobnie myślała, że poszedł do toalety. Jej wzrok mówił wszystko: „Nie mogę cię spuścić z oczu nawet na cholerne pięć minut...".

— Jakieś problemy? — Pytanie padło nie z ust Siobhan, lecz kogoś w rodzaju odźwiernego, faceta o byczym karku, w ciasno opiętym czarnym garniturze z czarnym polo pod marynarką. Na głowie miał zestaw słuchawkowy z mikrofonem. Jego wygolona czaszka błyszczała w skąpym świetle.

— To tylko drobna sprzeczka — zapewnił go Rebus. — A zresztą może panu uda się ją rozstrzygnąć... jak nazywała się dawna wytwórnia płytowa Eltona Johna?

Zapędził odźwiernego w kozi róg. Barman podniósł rękę. Inspektor kiwnął na niego głową.

— DJM — poinformował barman.

Rebus pstryknął palcami.

— O właśnie! Niech pan dopisze drinka dla siebie, cokolwiek, na co ma pan ochotę... — Skierował się na drugą stronę sali i wskazał kciukiem za siebie, na Pawia Johnsona. — Do rachunku tamtego skurwiela.

— Nigdy jakoś nie opowiadasz o swojej służbie w wojsku — powiedziała Siobhan, wychodząc z kuchni z dwoma talerzami. Rebus wcześniej już dostał tacę, nóż i widelec. Przyprawy stały na podłodze u jego stóp. Podziękował skinieniem głowy, biorąc od niej talerz — kotlet wieprzowy z rusztu z pieczonymi ziemniakami i kolbą kukurydzy.

— Wygląda wspaniale — pochwalił, unosząc kieliszek wina. — Zdrowie szefa kuchni.

— Ziemniaki upiekłam w mikrofalówce, a kukurydzę miałam w zamrażalniku.

Rebus przytknął palec do ust.

— Nigdy nie zdradzaj swoich tajemnic.

— Lekcja, którą wziąłeś sobie do serca. — Nadziała kawałek
wieprzowiny na widelec i podmuchała. — Czy mam powtórzyć
pytanie?

— Rzecz w tym, Siobhan, że to nie było pytanie.

Po chwili namysłu przyznała mu rację.

— Mniejsza o to.

— Chcesz, żebym ci odpowiedział? — Kiedy kiwnęła głową,
upił łyk czerwonego wina. Powiedziała mu, że to chilijskie. Po
trzy funty za butelkę. — Mogę najpierw zjeść?

— A nie potrafisz opowiadać w trakcie?

— Mama uczyła mnie, żeby nie mówić z pełnymi ustami.

— Zawsze słuchałeś rodziców?

— Zawsze.

— A ich słowo było dla ciebie święte? — Patrzyła, jak kiwa
głową, przeżuwając skórkę ziemniaka. — Więc jak to jest, że
jemy i rozmawiamy jednocześnie?

Rebus popił jedzenie winem.

— Zgoda, poddaję się. A odpowiadając na pytanie, którego
nie zadałaś, tak.

Spodziewała się dalszego ciągu, lecz on znów skupił się na
jedzeniu.

— Co tak?

— Tak, to prawda, że nie opowiadam o swojej służbie
w wojsku.

Odetchnęła głośno.

— Łatwiej by mi się gadało z klientami naszej kostnicy. —
Zamilkła i na sekundę zacisnęła mocno powieki. — Przepraszam, nie powinnam tego mówić.

— Nie ma sprawy. — Ale zaczął przeżuwać wolniej. Dwaj
ostatni „klienci"... członek rodziny i były kolega z pracy, leżący
w sąsiednich metalowych szufladach w zamrażalniku kostnicy.
Wolał o nich nie myśleć. — Rzecz w tym, że od lat próbuję
zapomnieć o tamtych czasach — wyjaśnił.

— Dlaczego?

— Z wielu powodów. Przede wszystkim nigdy nie powinienem był się podpisywać na tamtej kropkowanej linii. A tak to obudziłem się w Ulsterze i celowałem z karabinu do dzieciaków uzbrojonych w koktajle Mołotowa. Na koniec starałem się o przyjęcie do SAS, w trakcie czego zafundowali mi pranie mózgu. — Wzruszył ramionami. — I to by w zasadzie było wszystko.

— Wobec tego dlaczego wstąpiłeś do policji?

Podniósł kieliszek do ust.

— A gdzie indziej by mnie przyjęli? — Odsunął tacę i nachylił się, by dolać sobie wina. Podsunął butelkę Siobhan, lecz odmówiła. — Teraz już wiesz, dlaczego nigdy nie postawili mnie na czele komisji poborowej.

Spojrzała na jego talerz. Większa część kotleta była nietknięta.

— Przeszedłeś u mnie na wegetarianizm?

Poklepał się po brzuchu.

— Pyszne, ale nie jestem głodny.

Zastanowiła się przez chwilę.

— Chodzi o mięso, tak? Od krojenia bolą cię ręce.

— Nie, po prostu jestem pełny. — Widział jednak, że ona wie, iż miała rację. Wróciła do jedzenia, on zaś zajął się winem.

— Myślę, że jesteś bardzo podobny do Lee Herdmana — odezwała się w końcu.

— Domyślam się, że to raczej wątpliwy komplement.

— Ludzie sądzili, że go znają, ale w ogóle go nie znali. Ukrywał przed nimi tyle rzeczy.

— I to mam być ja, tak?

Skinęła głową, wytrzymując jego spojrzenie.

— Po co poszedłeś wtedy do Martina Fairstone'a? Mam wrażenie, że nie chodziło o mnie.

— „Masz wrażenie"? — Zajrzał do kieliszka, szukając tam swego odbicia, czerwonego i falującego. — Wiedziałem, że to on podbił ci oko.

— Co dało ci pretekst, żeby z nim pogadać... ale o co naprawdę chodziło?

— Fairstone był kumplem Johnsona. Potrzebowałem jakiejś amunicji na Pawia. — Zamilkł, uświadomiwszy sobie, że „amunicja" nie była w tym wypadku najszczęśliwszym słowem.

— I co, zdobyłeś ją?

Pokręcił głową.

— Oni się poprztykali. Fairstone nie widział Pawia od tygodni.

— O co im poszło?

— Konkretnie nie tłumaczył. Odniosłem wrażenie, że mogło chodzić o kobietę.

— Czy Paw ma przyjaciółkę?

— Na każdy dzień roku inną.

— Więc może chodziło o dziewczynę Fairstone'a?

Pokiwał głową.

— O tę blondynkę z Boatmana. Przypomnij mi, jak ona ma na imię?

— Rachel.

— I nie widzimy żadnego racjonalnego powodu, dla którego zjawiła się w piątek w South Queensferry?

Siobhan pokręciła głową.

— Ale Paw też wpadł do miasteczka tej nocy, kiedy odbywało się czuwanie.

— Przypadek?

— A cóż by innego? — odparł Rebus cierpko. Wstał z podłogi, podnosząc butelkę. — Lepiej mi z tym pomóż. — Podszedł, by dolać jej trochę wina, a resztę wlał do swojego kieliszka. Nie usiadł z powrotem, lecz stanął przy oknie. — Naprawdę uważasz, że jestem jak Lee Herdman?

— Uważam, że żadnemu z was nie udało się całkowicie uwolnić od przeszłości.

Spojrzał na nią. Uniosła brew, zapraszając go do powrotu na miejsce, lecz on tylko się uśmiechnął, odwrócił i znowu zapatrzył się w noc.

— Może przypominasz też trochę Douga Brimsona — dodała. — Pamiętasz, co o nim powiedziałeś?

— Co?

— Że kolekcjonuje ludzi.

— I niby ja robię to samo?

— To by tłumaczyło twoje zainteresowanie Andym Callisem... i to, dlaczego wkurzasz się, widząc Kate z Jackiem Bellem.

Odwrócił się do niej powoli i założył ręce na piersi.

— Czy to oznacza, że ty też jesteś kolejnym z moich okazów?

— Nie wiem. A ty jak sądzisz?

— Sądzę, że jesteś na to za twarda.

— Mam nadzieję, że naprawdę w to wierzysz — odparła i uśmiechnęła się blado.

Dzwoniąc po taksówkę, powiedział, że kurs będzie na Arden Street, ale zrobił to tylko na użytek Siobhan. Taksówkarzowi oświadczył, że nastąpiła zmiana planów i najpierw zatrzymają się na chwilę przed komisariatem w Leith, a potem pojadą do South Queensferry. Na koniec kursu poprosił o rachunek, licząc na to, że może uda mu się go wrzucić w koszty śledztwa. Musiał się z tym jednak śpieszyć — jakoś nie wyobrażał sobie Claverhouse'a, akceptującego rachunek za taksówkę na dwadzieścia funtów.

Przeszedł ciemnym przesmykiem i otworzył drzwi wejściowe. Nie było już policjanta na warcie, nikt nie sprawdzał przychodzących i wychodzących z domu, w którym mieszkał Herdman. Wszedł po schodach, nasłuchując odgłosów dochodzących z dwóch pozostałych mieszkań. Zdawało mu się, że słyszy grający telewizor. Z pewnością czuł zapach, pozostały po kolacji. Burczenie w brzuchu przypomniało mu, że powinien jednak zjeść tamten kotlet, nie dbając o ból. Wyciągnął klucz do mieszkania Herdmana, ten sam, który wziął z komisariatu w Leith. Był to błyszczący, fabrycznie nowy duplikat oryginału, i musiał nim trochę pomanipulować, zanim zapadki zaskoczyły i udało mu się otworzyć zamek. Gdy wszedł do środka, przymknął za sobą drzwi i zapalił światło w korytarzu. W mieszkaniu było zimno. Nie odcięto jeszcze elektryczności, ktoś jednak pomyślał o tym, by wyłączyć centralne ogrzewanie. Wdowa po Herdmanie, pytana, czy przyjedzie na północ, by opróżnić mieszkanie, odmówiła. „A co takiego miał ten drań, co mogłoby mi się przydać?".

Dobre pytanie; Rebus przyjechał tu właśnie po to, żeby się nad nim zastanowić. Lee Herdman z pewnością coś miał. Coś, na czym zależało innym. Przyjrzał się drzwiom od wewnątrz. Rygle na górze i na dole, a oprócz zamka yale jeszcze dwie zasuwy. Zasuwy miały powstrzymać włamywaczy, ale rygle miały służyć wtedy, kiedy Herdman był w domu. Czego tak się obawiał? Rebus założył ręce i cofnął się o kilka kroków. Odpowiedź na to pytanie nasuwała się sama. Herdman, dealer narkotyków, bał się nalotu. W trakcie swojej kariery Rebus poznał wielu dealerów. Przeważnie mieszkali w lokalach komunalnych w dzielnicach o wysokiej zabudowie i mieli obite stalą drzwi, stawiające dużo większy opór niż te u Herdmana. Rebus miał wrażenie, że zastosowane przez Herdmana środki bezpieczeństwa miały na celu zapewnienie mu nieco czasu, nic więcej. Czasu potrzebnego być może na to, by spuścić dowody rzeczowe w sedesie, lecz Rebus w to nie wierzył. Nic nie wskazywało, by w tym mieszkaniu kiedykolwiek mieściła się wytwórnia narkotyków. Poza tym Herdman miał tyle innych kryjówek — hangar, no i same łodzie. Nie musiał magazynować towaru u siebie. A więc co? Rebus odwrócił się, wszedł do saloniku, odszukał kontakt i zapalił światło.

A więc co?

Próbował postawić się na miejscu Lee Herdmana i nagle uświadomił sobie, że nie ma takiej potrzeby. Czyż Siobhan nie dała mu tego do zrozumienia? „Myślę, że jesteś bardzo podobny do Lee Herdmana". Zamknął oczy i wyobraził sobie, że pokój, w którym się właśnie znajdował, należy do niego. To było jego terytorium. Tutaj on był panem. Powiedzmy jednak, że ktoś chciałby się tu dostać... jacyś nieproszeni goście. Usłyszałby ich. Być może próbowaliby sforsować zamki, ale rygle by ich powstrzymały. Musieliby więc wyważyć drzwi. A to by mu dało czas... czas na chwycenie za broń, gdziekolwiek by ją chował. Maca 10 trzymał w hangarze, na wypadek, gdyby ktoś tam po niego przyszedł. Ale brocock był tutaj, w szafie, w otoczeniu fotografii innych egzemplarzy. Kapliczka broni Herdmana. Pistolet dałby mu przewagę, bo nie spodziewał się uzbrojonych gości. Mogli mieć do niego jakieś pytania, mogli go chcieć zabrać ze sobą, jednak brocock by ich powstrzymał.

Rebus wiedział, kogo spodziewał się Herdman — może nie konkretnie Whiteread i Simmsa, ale na pewno ludzi ich pokroju. Ludzi, którzy mogli chcieć go zabrać na przesłuchanie... przesłuchanie w sprawie akcji na Jurze, katastrofy śmigłowca, papierów sfruwających z drzew. Herdman zabrał coś z miejsca wypadku... czyżby któryś z dzieciaków mu to ukradł? Może podczas jednej z tych imprez? Ale zastrzeleni chłopcy go nie znali, nie bywali u niego. Tylko James Bell, jedyny, który przeżył. Rebus usiadł w fotelu Herdmana i oparł dłonie na poręczach. Zastrzelił tamtych dwóch, żeby wystraszyć Jamesa? Żeby James się przyznał? Nie, nie, nie, bo w takim wypadku po co sam strzelałby sobie w głowę? James Bell... ta jego rezerwa, ten pozorny spokój... to przeglądanie czasopism poświęconych broni palnej, by sprawdzić, z jakiego modelu go raniono. Z niego także był ciekawy okaz.

Rebus ostrożnie otarł czoło dłonią w rękawiczce. Miał wrażenie, że odpowiedź jest blisko, tak blisko, że niemal czuł jej smak. Wstał, przeszedł do kuchni i otworzył lodówkę. Była w niej nienapoczęta paczka sera, kilka plastrów bekonu i pojemnik jajek. Jedzenie zmarłego, pomyślał, nie mogę tego ruszyć. Poszedł więc do sypialni. Tutaj nie musiał zapalać światła — dostatecznie dużo wpadało przez otwarte drzwi.

Kim był Lee Herdman? Człowiekiem, który porzucił karierę i rodzinę, by wyjechać na północ. Który założył jednoosobową firmę, nocował w jednoosobowej sypialni. Który osiedlił się na wybrzeżu, by w razie potrzeby łódź zapewniła mu możliwość ucieczki. Żadnych bliskich związków. Wyglądało na to, że jego jedynym przyjacielem w zbliżonym wieku był Brimson. Garnął się jednak do nastolatków, bo wiedział, że niczego przed nim nie ukryją; bo wiedział, że poradziłby sobie z nimi; bo byli pod jego wrażeniem. Ale nie do wszystkich — tylko do tych, którzy też chadzali własnymi drogami, byli ulepieni z tej samej gliny... Rebusa uderzył fakt, że Brimson też prowadził jednoosobową firmę i także miał niewiele związków, albo i wcale. Spędzał wiele czasu w całkowitym oderwaniu od świata. I też był eks-wojskowym.

Nagle rozległo się pukanie. Rebus zamarł w bezruchu, próbując je zlokalizować. Dochodziło z dołu? Nie, od frontowych drzwi. Ktoś pukał do mieszkania. Rebus poczłapał do korytarza i wyjrzał przez wizjer. Rozpoznał twarz i otworzył drzwi.

— Jak się masz, James? — powitał gościa. — Miło widzieć, że już wstałeś z łóżka.

Chłopak dopiero po chwili zlokalizował inspektora. Powoli kiwnął głową na powitanie, spoglądając ponad jego ramieniem na korytarz.

— Zobaczyłem światło i byłem ciekaw, kto tu jest.

Rebus szerzej uchylił drzwi.

— Wejdziesz?

— A można...?

— Nikogo więcej tu nie ma.

— Pomyślałem... no, że może pan tu robi rewizję czy coś w tym rodzaju.

— Nic podobnego. — Inspektor zaprosił go do środka ruchem głowy; James wszedł. Prawą ręką podtrzymywał lewą, zawieszoną na temblaku. Miał zarzucony na ramiona długi płaszcz z czarnej wełny w stylu Crombiego*, rozchylony, by prezentować szkarłatną podszewkę. — Co cię tu sprowadza?

— Przechodziłem tędy...

— To kawał drogi od twojego domu.

James spojrzał na niego.

— Był pan u mnie w domu... więc może pan rozumie.

Rebus skinął głową, zamykając drzwi.

— Chciałeś zwiększyć dystans od mamy?

— Tak. — James rozglądał się po korytarzu, jak gdyby widział go po raz pierwszy. — I od ojca.

— Wciąż zajęty, co?

— Bóg raczy wiedzieć.

— Zdaje się, że nie miałem okazji cię zapytać... — zaczął Rebus.

— O co?

— Ile razy tu byłeś?

James wzruszył prawym ramieniem.

— Niewiele. — Przeszedł za inspektorem do saloniku.

— Nie odpowiedziałeś mi na pytanie, co tu robisz.

— Zdawało mi się, że odpowiedziałem.

— Dosyć lakonicznie.

— South Queensferry jest chyba równie dobrym miejscem na spacer jak każde inne.

— Ale przecież nie przyszedłeś tu z Barnton na piechotę.

Chłopak pokręcił głową.

— Złapałem autobus i przesiadałem się z jednego do dru-

---

* Założona w 1805 r. w Szkocji fabryka Crombiego produkowała ekskluzywne wełniane płaszcze; wzorowane na nich podróbki od lat sześćdziesiątych XX w. zyskały popularność wśród skinheadów.

giego, tak dla zabawy. Któryś z nich przywiózł mnie tutaj. Kiedy zobaczyłem światło...

— Byłeś ciekaw, kto tu jest? A kogo spodziewałeś się zastać?

— Pewnie policję. Któż inny mógłby tu być? — Bacznie lustrował pokój. — Właściwie to jest jedna rzecz...

— Tak?

— Moja książka. Lee pożyczył ją ode mnie i pomyślałem sobie, że może ją odbiorę, zanim ktoś tu... zanim usuną stąd wszystkie rzeczy.

— Pomyślałeś prawidłowo.

Ręka Jamesa powędrowała do rannego barku.

— Swędzi jak jasna cholera, uwierzy pan?

— Uwierzę.

Chłopak roześmiał się nagle.

— Ma pan nade mną przewagę... nie wiem, jak pan się nazywa.

— Rebus. Detektyw inspektor.

James pokiwał głową.

— Ojciec wspominał o panu.

— I niewątpliwie stawiał mnie w pochlebnym świetle. — Patrząc chłopakowi w oczy, nie mógł oprzeć się wrażeniu, że z głębi nich spogląda jego ojciec.

— Niestety, on ma to do siebie, że gdziekolwiek spojrzy, widzi tylko niekompetencję... nie wyłączając rodziny.

Inspektor przysiadł na oparciu kanapy i ruchem głowy wskazał chłopakowi krzesło, lecz James Bell najwidoczniej wolał stać.

— I co, znalazłeś tę broń? — spytał. James był wyraźnie zaskoczony. — Kiedy cię odwiedziłem, przeglądałeś magazyn o broni palnej i szukałeś brococka — wyjaśnił Rebus.

— A, tak. — James pokiwał głową sam do siebie. — Widziałem zdjęcia w gazetach. Ojciec zbiera wszystkie artykuły, ma nadzieję, że wystrzeli z tą swoją kampanią.

— Mówisz to tak, jakbyś tego nie pochwalał.

Wzrok chłopaka stwardniał.

— Może dlatego, że... — Urwał.

— Że co?

— Dlatego, że jestem dla niego przydatny nie z powodu tego, kim jestem, ale z powodu tego, co się stało. — Jego ręka znów powędrowała do barku.

343

— Nie wolno ufać politykom — mruknął Rebus ze współczuciem.

— Lee kiedyś powiedział mi coś takiego: „Jeżeli zdelegalizuje się broń palną, to jedynie ludzie wyjęci spod prawa będą mieli do niej dostęp". — James uśmiechnął się na wspomnienie tej chwili.

— Wygląda na to, że on sam był na bakier z prawem. Posiadał przynajmniej dwie sztuki broni palnej bez zezwolenia. Czy kiedykolwiek mówił ci, do czego potrzebna mu ta broń?

— Myślałem, że po prostu się nią interesuje... zważywszy na jego przeszłość i tak dalej.

— Nigdy nie miałeś wrażenia, że spodziewa się kłopotów?

— Jakich kłopotów?

— Nie wiem — przyznał Rebus.

— Sugeruje pan, że miał wrogów?

— Nie zastanawiałeś się nigdy, po co mu było tyle zamków i rygli na drzwiach?

James podszedł i spojrzał w głąb korytarza.

— To też kładłem na karb jego przeszłości. Na przykład jak szedł do baru, to zawsze siadał w samym rogu, twarzą do drzwi.

Rebus nie mógł powstrzymać uśmiechu, wiedząc, że sam zachowuje się dokładnie tak samo.

— Żeby móc widzieć, kto wchodzi?

— Tak mi powiedział.

— Z tego, co mówisz, wynika, że byliście ze sobą bardzo zżyci.

— Tak bardzo, że w końcu do mnie strzelił. — Oczy Jamesa powędrowały do rannego barku.

— James, czy nigdy mu nic nie ukradłeś?

Chłopak zmarszczył brwi.

— Po co miałbym mu coś kraść?

Rebus wzruszył ramionami.

— Więc jak?

— Nigdy.

— A czy Lee wspominał ci, że coś mu zginęło? Był rozdrażniony?

Młody człowiek pokręcił głową.

— Nie bardzo rozumiem, do czego pan zmierza.

— Ciekaw jestem, jak daleko sięgała ta jego paranoja.

— Nie mówiłem, że miał paranoję.

— Te zamki w drzwiach, to siadanie w samym rogu...

— Może to zwyczajna ostrożność, nie sądzi pan?

— Może — przyznał Rebus, a po chwili dorzucił: — Lubiłeś go, prawda?

— Pewnie bardziej niż on mnie.

Rebus przypomniał sobie ostatnie spotkanie z Jamesem Bellem i późniejsze słowa Siobhan.

— A Teri Cotter? — zapytał.

— Co z nią? — James cofnął się o kilka kroków w głąb pokoju, ale nadal był niespokojny.

— Uważamy, że być może ona i Herdman stanowili parę.

— I co z tego?

— Wiedziałeś o tym?

James spróbował wzruszyć ramionami i skrzywił się z bólu.

— Na chwilę zapomniałeś o ranie, co? — powiedział Rebus. — O ile pamiętam, masz w pokoju komputer. Odwiedzałeś czasami stronę Teri?

— Nie wiedziałem, że taką ma.

Inspektor powoli pokiwał głową.

— Więc Derek Renshaw ci o niej nie wspominał?

— Derek?

Rebus wciąż kiwał głową.

— Zdaje się, że Derek należał do jej fanów. Często przesiadywałeś w świetlicy w tym samym czasie co on i Tony Jarvies... myślałem, że może mówili coś na ten temat.

James w zamyśleniu kręcił głową.

— Nie przypominam sobie.

— No to nie masz się czym martwić. — Rebus podniósł się z kanapy. — A ta twoja książka... może pomogę ci jej szukać?

— Książka?

— Ta, po którą przyszedłeś.

James roześmiał się.

— A tak, jasne. Dziękuję za pomoc. — Rozejrzał się po zagraconym pokoju i podszedł do biurka. — Chwileczkę — powiedział. — Jest. — Podniósł jakąś książkę w miękkiej oprawie i pokazał ją Rebusowi.

— O czym to jest?

— O żołnierzu, któremu odbiła szajba.

— I próbował zabić żonę, a potem wyskoczył z samolotu?

— Zna pan tę historię?

Inspektor przytaknął. James przerzucił strony książki i klepnął się nią w udo.

— Zdaje się, że mam to, po co przyszedłem.

— Nie chcesz wziąć jeszcze czegoś? — Rebus podniósł płytę kompaktową. — Szczerze mówiąc, prawdopodobnie wszystko to trafi do kosza.

— Dlaczego?

— Żona nie jest zainteresowana.

— Co za marnotrawstwo... — bąknął chłopak. Inspektor podał mu płytę, lecz James pokręcił głową. — Nie mogę. To by nie było w porządku.

Rebus kiwnął głową, przypominając sobie swój opór przed skorzystaniem z zawartości lodówki.

— No to zostawię pana samego, inspektorze.

James wsadził książkę pod pachę i podał Rebusowi prawą rękę. Płaszcz zsunął mu się z pleców i spadł na podłogę. Inspektor podszedł, podniósł go i narzucił chłopakowi na ramiona.

— Dziękuję panu — powiedział James. — Sam trafię do wyjścia.

— Trzymaj się. Powodzenia.

Rebus siedział w salonie, podpierając brodę dłonią w rękawiczce i nasłuchując odgłosu otwieranych i zamykanych drzwi. James był bardzo daleko od domu... przyciągało go światło w mieszkaniu zmarłego. Rebus wciąż był ciekaw, kogo też chłopak spodziewał się tu zastać... Stłumiony odgłos kroków na schodach. Podszedł do biurka i przejrzał pozostałe książki. Same militaria, wiedział jednak, którą książkę wziął młody człowiek.

Tę samą, którą podniosła Siobhan, gdy byli tu po raz pierwszy.

Tę, z której wypadła fotografia Teri Cotter...

Dzień szósty
Wtorek

19

We wtorek rano Rebus wyszedł z mieszkania, dotarł na koniec Marchmont Road i ruszył przez Błonia — trawiasty teren, prowadzący aż do uniwersytetu. Mijali go studenci — niektórzy jechali na skrzypiących rowerach, inni sennie wlekli się na zajęcia piechotą. Dzień był pochmurny, zaciągnięte niebo miało kolor szarych dachówek. Rebus kierował się do mostu Jerzego IV. Zdążył się już zorientować w obyczajach panujących w Bibliotece Narodowej. Strażnik wpuszczał do środka bez problemu, potem jednak trzeba było wejść po schodach na górę i przekonać dyżurnego bibliotekarza, że sytuacja jest rozpaczliwa i że żadna inna biblioteka nie wchodzi w rachubę. Rebus okazał swoją kartę, wytłumaczył, czego mu potrzeba, i skierowano go do sali mikrofilmów. Obecnie w ten sposób przechowywano stare gazety — na mikrofilmach. Kiedy lata temu, pracując nad pewną sprawą, ślęczał w czytelni, woźny wyładowywał z wózka na biurko oprawione roczniki prasy. Teraz wystarczało tylko włączyć projektor i przewijać szpulkę taśmy.

Rebusowi nie przychodziły do głowy żadne konkretne daty. Postanowił cofnąć się o cały miesiąc przed katastrofą na Jurze i przesuwać na ekranie dzień za dniem, by sprawdzić, co się wówczas działo. Zanim dotarł do dnia wypadku, miał już o tym całkiem niezłe pojęcie. Relacja z katastrofy zajęła całą pierwszą stronę „Scotsmana", opublikowano nawet zdjęcia dwóch ofiar — generała brygady Stuarta Phillipsa oraz majora Kevina Sparka. Następnego dnia, ponieważ Phillips był Szkotem, gazeta zamieściła długi nekrolog, z którego Rebus dowiedział się aż nadto o wychowaniu i zawodowych dokonaniach tego człowieka. Sprawdził swoje zapiski, przewinął film do końca i zastąpił go rolką z dwóch tygodni poprzedzających katastrofę. Przewinął ją do daty w swoim notesie — do zawieszenia broni przez IRA w Irlandii Północnej i roli, jaką w toczących się negocjacjach odgrywał brygadier Stuart Phillips. Omawiano warunki wstępne; po obu stronach działały podejrzliwe bojówki; planowano ugłaskanie grup odłamowych... Rebus stukał długopisem w zęby, dopóki nie zobaczył, że jego sąsiad z niezadowoleniem marszczy brwi. Powiedział bezgłośnie „przepraszam" i przebiegł wzrokiem inne wiadomości w gazecie — polityczne spotkania na szczycie, wojny za granicą, sprawozdania z meczów piłkarskich... Twarz Chrystusa odkryta w owocu granatu; kot, który się zgubił, ale odnalazł drogę do właścicieli, mimo że zdążyli się przeprowadzić do innego domu...

Fotografia kota przypomniała mu Boecjusza. Wrócił do bibliotekarki i zapytał, gdzie przechowywane są encyklopedie. Sprawdził hasło „Boecjusz". Rzymski filozof, tłumacz, polityk... oskarżony o zdradę, czekając na egzekucję, napisał rozprawę *De consolatione philosophiae* (*O pocieszeniu, jakie daje filozofia*), w której dowodził, że wszystko podlega zmianom i nic nie jest pewne... nic poza hartem ducha. Rebus był ciekaw, czy ta książka pomogłaby mu zrozumieć los Dereka Renshawa i jego wpływ na najbliższych mu ludzi. Jakoś w to wątpił. W jego wszechświecie winni zbyt często unikali kary, a ofiary pozostawały niezauważone. Dobrym ludziom stale przytrafiały się złe rzeczy i *vice versa*. Czyżby Bóg zaplanował to sobie właśnie w ten sposób? Jeśli tak, to stary skurczybyk miał chore poczucie humoru. Łatwiej było powiedzieć, że nie wynikało to z żadnego planu, że po prostu zrządzenie losu zawiodło Lee Herdmana do tej świetlicy.

Ale Rebus podejrzewał, że to też nie odpowiadało prawdzie...

Postanowił przejść się na most Jerzego IV na kawę i papierosa. Z samego rana zadzwonił do Siobhan, by jej powiedzieć, że będzie zajęty na mieście i że się nie spotkają. Nie wyglądało na to, żeby się tym przejęła, nawet nie była ciekawa dlaczego. Zdawało się, że się od niego oddala, czego zresztą nie miał jej za złe. Zawsze przyciągał kłopoty jak magnes i trzymanie z nim mogło tylko pogrzebać jej szanse na zrobienie kariery. Mimo to podejrzewał, że chodzi o coś więcej. Może faktycznie uważała go za kolekcjonera, człowieka, który za bardzo zbliża się do niektórych ludzi, o których dbał, albo którymi się interesował... czasami aż za bardzo. Pomyślał o stronie internetowej panny Teri, o iluzji, że obserwator jest z nią połączony. Jednostronna znajomość — oni mogli ją oglądać, lecz ona ich nie widziała. Czyżby też była kolejnym „okazem"?

Siedząc w kawiarni Elephant House i popijając wielką kawę z mlekiem, wyciągnął komórkę. Zanim wszedł, wypalił na chodniku papierosa — dziś nigdy nie wiadomo, czy w lokalu będzie wolno zapalić, czy nie. Naciskając klawisze kciukiem, wybrał numer komórki Bobby'ego Hogana.

— Brygada półgłówków przejęła już sprawę, Bobby? — zapytał.

— Jeszcze nie całkiem. — Hogan wiedział, kogo Rebus ma na myśli: Claverhouse'a i Ormistona.

— Ale gdzieś tam się plączą?

— Próbują się zakolegować z twoją przyjaciółką.

Dopiero po chwili Rebus zorientował się, o kim mowa.

— Z Whiteread? — domyślił się.

— Jakżeby inaczej?

— Nic tak nie uciesza Claverhouse'a, jak stare historyjki na mój temat.

— Może dlatego tak szczerzy zęby.

— Myślisz, że już całkiem jestem *persona non grata*?

— Nikt nic o tobie nie mówił. A swoją drogą, gdzie się podziewasz? Czy ja dobrze słyszę, że w tle syczy ekspres do kawy?

— Przerwa śniadaniowa, kierowniku, to wszystko. Grzebię się w szczegółach służby Herdmana w SAS.

— Wiesz, że ja padłem za pierwszym podejściem?

— Nie przejmuj się, Bobby. Nie wyobrażałem sobie, że SAS przekaże nam jego akta bez znacznie większej wojny, niż jesteśmy w stanie wywołać.

— Więc jakim cudem udało ci się dotrzeć do jego kartoteki?

— Powiedzmy, że bocznym wejściem.

— Mógłbyś mnie oświecić?

— Dopiero jak znajdę coś, co nam się przyda.

— John... parametry śledztwa się zmieniają.

— A mówiąc ludzkim językiem, Bobby?

— Powód, dla którego to zrobił, już nie ma znaczenia.

— Bo o wiele bardziej interesujący jest wątek narkotyków? — domyślił się Rebus. — Wycofujesz mnie, Bobby?

— Wiesz, John, że to nie w moim stylu. Chcę tylko powiedzieć, że sprawy mogą mi się wymknąć z rąk.

— A Claverhouse nie stoi na czele mojego fanklubu?

— Nie jest nawet członkiem korespondentem.

Rebus zamyślił się. Hogan wypełnił ciszę:

— W zasadzie sprawy tak się mają, że mógłbym przyłączyć
się do ciebie na tę kawę...

— Zdegradowali cię?

— Z sędziego głównego na technicznego.

Rebus uśmiechnął się, kiedy to sobie wyobraził — Claverhouse jako sędzia główny, Ormiston i Whiteread jako liniowi...

— Jeszcze jakieś wieści? — zapytał.

— Łódź Herdmana, ta, na której znaleźli prochy... Wychodzi
na to, że kupując ją, zapłacił całość w gotówce, a konkretnie
dolarami. Międzynarodową walutą nielegalnych transakcji.
W ciągu ostatniego roku wyskakiwał do Rotterdamu więcej niż
kilka razy i przeważnie się z tym nie afiszował.

— Nieźle to wygląda, co?

— Claverhouse zastanawia się, czy nie chodziło też o por-
nografię.

— Facet jest bystry jak woda w sraczu.

— Kto wie, czy nie ma racji? W takich miejscach jak
Rotterdam pornoli nie brakuje. W każdym razie z naszego
przyjaciela Herdmana był niezły ptaszek.

Rebus zmrużył oczy.

— A konkretnie?

— Zabraliśmy z jego mieszkania komputer, pamiętasz? —
Rebus pamiętał, komputer zniknął, zanim po raz pierwszy udali
się do mieszkania Herdmana. — Mądralom z Howdenhall udało
się namierzyć strony internetowe, które odwiedzał. Większość
z nich była adresowana do tych, co lubią filować.

— Znaczy się do podglądaczy?

— Dokładnie tak. Pan Herdman lubił sobie popatrzeć. A co
powiesz na to: niektóre z tych stron są zarejestrowane w Holandii. Herdman co miesiąc opłacał abonament kartą kredytową.

Rebus wyjrzał przez okno. Zaczęła padać lekka mżawka. Przechodnie zwiesili głowy i przyśpieszyli kroku.

— Słyszałeś kiedyś, żeby handlarz pornoli płacił za oglądanie tego towaru, Bobby?

— W życiu.

— To ślepy trop, wierz mi... — Rebus zamilkł i jeszcze bardziej zmrużył oczy. — Zaglądałeś na te strony?

— Przeglądanie materiału dowodowego to mój obowiązek, John.

— Opisz mi je.

— Szukasz tanich wrażeń?

— Wtedy sięgam po Franka Zappę. Bądź tak miły, Bobby...

— Dziewczyna siedzi na łóżku, w pończochach, podwiązkach i tak dalej. A ty wystukujesz na klawiaturze, co chcesz, żeby dla ciebie zrobiła.

— Czy wiemy, co Herdman kazał im robić?

— Niestety nie. Najwyraźniej mądralom tylko tyle udało się uzyskać.

— Masz wykaz tych stron, Bobby? — Usłyszał cichy chichot z drugiej strony linii. — Zaryzykuję daleki strzał, ale czy nie było tam czasem strony pod tytułem „panna Teri" albo „Wstęp do ciemności"?

Po drugiej stronie zapadła cisza, po czym padło pytanie:

— Skąd wiedziałeś?

— W poprzednim życiu byłem telepatą.

— Ja nie żartuję, John. Skąd wiedziałeś?

— No widzisz? Byłem pewien, że o to zapytasz. — Rebus postanowił nie dręczyć go dłużej. — Panna Teri to Teri Cotter. Chodzi do szkoły Port Edgar.

— A na boku dorabia sobie pornolami?

— Jej strona nie jest pornograficzna, Bobby... — Rebus zamilkł, lecz było już za późno.

— Widziałeś ją?

— Ma kamerę internetową w pokoju — przyznał Rebus. — Chyba jest włączona przez dwadzieścia cztery godziny na dobę. — Skrzywił się, ponownie uświadamiając sobie, że znów powiedział za dużo.

— Jak długo ją obserwowałeś, skoro jesteś taki pewny?

— Nie jestem przekonany, czy to ma cokolwiek wspólnego z...

Hogan puścił jego słowa mimo uszu.

— Muszę z tym pójść do Claverhouse'a.

— Nieprawda, wcale nie musisz.

— John, jeśli Herdman miał obsesję na punkcie tej dziewczyny...

— Jeżeli chcesz ją przesłuchać, to tylko w mojej obecności.

— Nie sądzę, żebyś...

— Ja ci to nadałem, Bobby! — Rebus rozejrzał się, zdając sobie sprawę, że podniósł głos. Siedział przy wspólnej ladzie pod oknem. Zobaczył, jak dwie młode kobiety — urzędniczki na przerwie śniadaniowej — odwracają wzrok. Od jak dawna podsłuchiwały? Ściszył głos. — Muszę przy tym być. Obiecaj mi to, Bobby.

— Obiecuję, choć sam nie wiem dlaczego — powiedział Hogan już nie tak twardym tonem. — Co nie znaczy, że Claverhouse będzie równie skłonny pójść ci na rękę.

— Jesteś pewien, że musisz z tym do niego pójść?

— Co masz na myśli?

— Moglibyśmy z nią pogadać tylko we dwóch, Bobby...

— Ja nie pracuję w ten sposób, John. — Znów ta sztywność w głosie.

— Jasne, że nie, Bobby. — Rebus wpadł na pewien pomysł. — Czy jest tam Siobhan?

— Myślałem, że jest z tobą?

— Nieważne. Dasz mi znać, kiedy odbędzie się przesłuchanie?

— Tak. — Zabrzmiało to jak westchnienie.

— Dzięki, Bobby, masz u mnie dług. — Rebus przerwał połączenie i wyszedł, nie dopijając kawy. Na zewnątrz zapalił następnego papierosa. Dwie urzędniczki siedziały z nachylonymi do siebie głowami, zasłaniając usta dłońmi, na wypadek gdyby potrafił czytać z ruchu warg. Starały się nie patrzeć mu w oczy. Dmuchnął dymem na szybę i wrócił do biblioteki.

Siobhan przyjechała na St Leonard's z samego rana, pogimnastykowała się na siłowni, a następnie poszła do wydziału śledczego. Była tam wielka pakamera, w której przechowywano akta starych spraw, kiedy jednak sprawdziła grzbiety brązowych kartonowych pudeł na dokumenty, przekonała się, że brakuje jednej teczki. Na jej miejsce wetknięto kartkę papieru. Martin Fairstone. Usunięto na rozkaz. Podpis Gill Templer. To się trzymało kupy. Śmierć Fairstone'a nie nastąpiła wskutek wypadku. Wszczęto śledztwo w sprawie morderstwa, powiązane z dochodzeniem wewnętrznym. Templer usunęła akta, by można je było przekazać tym, którym będą potrzebne. Siobhan zamknęła drzwi pakamery i przekręciła klucz, po czym wyszła na korytarz i przysunęła ucho do drzwi Gill Templer. Słyszała jedynie daleki dźwięk dzwoniącego telefonu. Rozejrzała się po korytarzu. W wydziale śledczym siedziało parę osób — posterunkowy Davie Hynds i „Hi-Ho" Silvers. Hynds był jeszcze za świeży, żeby kwestionować jakiekolwiek jej posunięcia, gdyby jednak Silvers ją zauważył...

Odetchnęła głęboko, zastukała i odczekała chwilę, po czym przekręciła klamkę i pchnęła drzwi.

Nie były zamknięte na klucz. Przymknęła je za sobą i na palcach podeszła do biurka szefowej. Nic na nim nie leżało, szufladki zaś były za małe. Spojrzała na zieloną szafkę na akta, z czterema dużymi szufladami.

Raz kozie śmierć — powiedziała sobie w duchu, otwierając górną szufladę. W środku nic nie było. W pozostałych trzech znalazła mnóstwo papierów, ale nie te, których szukała. Odetchnęła głęboko i jeszcze raz rozejrzała się po gabinecie. Kogo chciała oszukać? Tutaj nie było żadnych kryjówek. Pomieszczenie urządzono pod kątem maksymalnej funkcjonalności. Swego czasu Templer hodowała kilka roślin na parapecie, ale i one znikły — albo padły z braku podlewania, albo zostały usunięte w trakcie porządków. Poprzednik Templer miał biurko zastawione oprawionymi w ramki zdjęciami członków swej licznej rodziny, teraz jednak nic nawet nie świadczyło o tym, że ten pokój zajmuje kobieta. Pewna, że niczego nie przegapiła, Siobhan otworzyła drzwi i stanęła oko w oko z mężczyzną z marsem na czole.

— A otóż i osoba, z którą chciałem się widzieć — powiedział.

— Ja właśnie... — Siobhan zerknęła w głąb pokoju, jak gdyby szukała tam wiarygodnego zakończenia zdania, które zaczęła.

— Starsza inspektor Templer jest na spotkaniu — wyjaśnił mężczyzna.

— Tyle to i ja się domyśliłam — odparła Siobhan, której wróciła pewność głosu. Zamknęła drzwi.

— A przy okazji — mówił mężczyzna — nazywam się...

— Mullen — wpadła mu w słowo i wyprostowała się, dzięki czemu ustępowała mu wzrostem zaledwie o kilka cali.

— Oczywiście. — Mullen zdobył się na cień uśmiechu. — Była pani kierowcą inspektora Rebusa, kiedy go przygwoździłem.

— A teraz chce pan ze mną porozmawiać na temat Martina Fairstone'a — domyśliła się.

— Otóż to. — Zamilkł. — Oczywiście o ile zechce mi pani poświęcić kilka minut.

Wzruszyła ramionami i uśmiechnęła się, jakby chcąc powiedzieć, że będzie to dla niej sama przyjemność.

— Wobec tego pozwoli pani ze mną — rzekł Mullen.

Mijając otwarte drzwi wydziału śledczego, Siobhan zajrzała do środka i zobaczyła, że Hynds i Silvers stoją obok siebie, z podniesionymi w górę krawatami i przekrzywionymi na bok głowami, jak gdyby dyndali na szubienicy.

Zdążyła im jeszcze pokazać wyciągnięty środkowy palec, zanim zniknęła im z oczu.

Ruszyła w ślad za oficerem ze Skarg, który zszedł po schodach i tuż przed poczekalnią otworzył drzwi do sali przesłuchań numer jeden.

— Zakładam, że miała pani jakiś ważny powód, żeby przebywać w gabinecie starszej inspektor Templer — powiedział, zrzucając marynarkę od garnituru i wieszając ją na oparciu jednego z dwóch krzeseł w pokoju.

Siobhan usiadła i patrzyła, jak siada naprzeciwko niej, po drugiej stronie wyszczerbionego i poplamionego długopisem biurka. Mullen schylił się i podniósł z podłogi kartonowe pudełko.

— Owszem, miałam — odparła, patrząc, jak otwiera pudło. Na samym wierzchu zobaczyła fotografię Martina Fairstone'a, zrobioną zaraz po jego aresztowaniu. Mullen wyciągnął zdjęcie i podsunął jej pod nos. Nie mogła nie zauważyć, że miał nienagannie wypielęgnowane paznokcie.

— Czy uważa pani, że ten człowiek zasłużył sobie na śmierć?
— Nie mam zdania na ten temat — odrzekła.
— Ta rozmowa pozostanie między nami, rozumiemy się? — Opuścił nieco zdjęcie, tak że ukazała się nad nim górna połowa jego twarzy. — Bez nagrywania, bez udziału osób trzecich... wszystko odbędzie się dyskretnie i nieformalnie.
— Czy właśnie dlatego zdjął pan marynarkę, żeby wyglądało to nieformalnie?
Postanowił nie odpowiadać.
— Pytam panią jeszcze raz, sierżant Clarke, czy ten człowiek zasłużył na swój los?
— Jeśli pyta mnie pan o to, czy życzyłam mu śmierci, odpowiedź brzmi „nie". Miałam do czynienia z mętami o wiele gorszymi niż Martin Fairstone.
— Jak więc by go pani zaklasyfikowała... jako drobne utrapienie?
— W ogóle nie chce mi się go klasyfikować.
— Wie pani, że zginął straszliwą śmiercią. Obudził się pośród płomieni, w duszącym dymie, próbując uwolnić się od krzesła... Nie chciałbym odejść z tego świata w ten sposób.
— Wyobrażam sobie.
Ich spojrzenia się skrzyżowały; Siobhan wiedziała, że lada chwila Mullen wstanie i zacznie przechadzać się po pokoju, próbując ją zdenerwować. Uprzedziła go i podniosła się z krzesła, które zaszurało po podłodze. Ze splecionymi rękami podeszła do najdalszej ściany, tak że jej rozmówca musiał się odwrócić, by móc na nią patrzeć.
— Wygląda na to, że kariera stoi przed panią otworem, sierżant Clarke — oświadczył Mullen. — Za pięć lat stopień inspektora, a starszego inspektora jeszcze przed czterdziestką... ma pani dziesięć lat na dogonienie Gill Templer. — Zamilkł dla zwiększenia efektu. — Wszystko to panią czeka, jeśli tylko uda się pani omijać kłopoty.
— W moim przekonaniu mam całkiem niezły system nawigacyjny.
— A ja w pani interesie mam nadzieję, że tak jest faktycznie. Z drugiej strony, inspektor Rebus... Nie sądzi pani, że kompas, którego on używa, nieuchronnie prowadzi do nieszczęścia?
— Nie mam zdania na ten temat.

— Więc czas, żeby je sobie pani wyrobiła. Mając w perspektywie taką karierę, powinna pani staranniej dobierać sobie przyjaciół.

Siobhan przeszła na drugą stronę pokoju i zawróciła przy drzwiach.

— Ludzi, którzy życzyli Fairstone'owi śmierci, raczej nie brakuje.

— Mamy nadzieję, że większość z nich ujawnimy w trakcie dochodzenia — odparł, wzruszając ramionami. — Tymczasem jednak...

— Tymczasem chce pan się dobrać inspektorowi Rebusowi do skóry?

Przyjrzał jej się bacznie.

— Dlaczego pani nie siada?

— Czyżbym pana denerwowała? — Nachyliła się nad nim, opierając kłykciami o skraj biurka.

— A więc to właśnie próbuje pani osiągnąć? Tak się zastanawiałem...

Zmierzyła go wzrokiem i po chwili wahania usiadła.

— Proszę mi powiedzieć, co pani sobie pomyślała, kiedy dowiedziała się pani, że owej nocy inspektor Rebus był w domu Martina Fairstone'a?

Zbyła go wzruszeniem ramion.

— Jedna z teorii — ciągnął monotonnie — zakłada, że ktoś próbował nastraszyć Fairstone'a. Tylko że sprawy poszły nie całkiem po jego myśli. Możliwe, że inspektor Rebus próbował tam wrócić, żeby uratować tego człowieka... — Zawiesił głos. — Dzwoniła do nas lekarka... niejaka Irene Lesser, psycholog. Ostatnio miała do czynienia z inspektorem Rebusem w związku z inną sprawą. Zastanawiała się, czy nie złożyć na niego skargi, chodziło o naruszenie tajemnicy lekarskiej. Pod koniec rozmowy wyraziła opinię, że John Rebus jest „nawiedzony". — Mullen pochylił się. — Czy pani zdaniem on jest nawiedzony?

— Bywa, że nadmiernie przejmuje się jakąś sprawą, którą prowadzi — przyznała Siobhan. — Nie wiem jednak, czy właśnie o to chodzi.

— Według mnie doktor Lesser miała na myśli to, że on nie potrafi żyć teraźniejszością... że dusi w sobie złość, coś, co go gryzie od lat.

— Nie rozumiem, jak się ma do tego Martin Fairstone.

— Nie rozumie pani? — Mullen uśmiechnął się ponuro. — Czy uważa pani inspektora Rebusa za przyjaciela... za kogoś, z kim chętnie spędza pani czas po pracy?

— Tak.

— Często się widujecie?

— Czasami.

— Czy jest takim przyjacielem, do którego zwróciłaby się pani ze swoimi problemami?

— Niewykluczone.

— Ale Martin Fairstone nie stanowił problemu?

— Nie.

— W każdym razie nie dla pani. — Mullen nie przerywał ciszy, jaka między nimi zapadła; w końcu odchylił się na krześle. — Czy kiedykolwiek czuła pani potrzebę ochraniania Rebusa, sierżant Clarke?

— Nie.

— Ale woziła go pani samochodem, zanim zagoiły mu się dłonie?

— To zupełnie co innego.

— A przede wszystkim, czy podał pani wiarygodne wyjaśnienie, jak doszło do tego, że się poparzył?

— Wsadził ręce do zbyt gorącej wody.

— Podkreśliłem słowo „wiarygodne".

— Ja w to wierzę.

— Nie sądzi pani, że kiedy zobaczył, że ma pani podbite oko, dodał dwa do dwóch i zapolował na Fairstone'a?

— Siedzieli razem w barze... nie słyszałam, żeby ktokolwiek twierdził, że się kłócili.

— Przy świadkach zapewne nie. Kiedy jednak inspektor Rebus omotał Fairstone'a do tego stopnia, że ten zaprosił go do domu, to korzystając z tego, że byli sam na sam...

Siobhan kręciła głową.

— Nic takiego się nie zdarzyło.

— Jakże bym chciał podzielać pani pewność w tej sprawie, sierżant Clarke.

— Zamieniłby ją pan na pańską arogancję i zadowolenie z siebie?

Mullen wyglądał, jakby się nad tym zastanawiał. Nagle uśmiechnął się i schował fotografię z powrotem do pudełka.

— Na dzisiaj to chyba wszystko — oznajmił, lecz Siobhan nie zbierała się do wyjścia. — No chyba że ma pani do mnie coś jeszcze? — dorzucił z błyskiem w oku.

— Owszem, mam. — Ruchem głowy wskazała kartonowe pudełko. — To właśnie jest powód, dla którego poszłam do gabinetu starszej inspektor Templer.

Mullen także spojrzał na karton.

— O? — bąknął z zainteresowaniem.

— Nie ma to nic wspólnego z Fairstone'em. Chodzi o dochodzenie w sprawie Port Edgar. — Uznała, że mówiąc mu to, nic nie traci. — W South Queensferry widziano dziewczynę Fairstone'a. — Ukradkiem przełknęła ślinę, zanim zdobyła się na niewinne kłamstewko. — Inspektor Hogan chce ją przesłuchać, ale nie pamiętam jej adresu.

— Który jest tutaj? — Mullen poklepał pudełko, zastanowił się przez chwilę i znów je otworzył. — Nie widzę w tym nic złego — oświadczył, popychając pudełko w jej stronę.

Blondynka nazywała się Rachel Fox i pracowała w supermarkecie na końcu Leith Walk. Siobhan pojechała tam, mijając paskudne bary, sklepy z towarami z drugiej ręki i salony tatuażu. Miała wrażenie, że Leith wciąż jest na skraju odrodzenia. Kiedy przebudowywano magazyny na „apartamenty w stylu poddaszy" albo otwierano multipleks, albo cumował tam wycofany z użytku jacht królowej, udostępniony do zwiedzania turystom, zawsze mówiono o „odmłodzeniu" portu. Ale w jej przekonaniu nic się tam nie zmieniało — to samo stare Leith, ci sami starzy mieszkańcy. Nigdy się tam nie bała, nawet stukając w środku nocy do drzwi burdeli czy melin narkomanów. Było to jednak miejsce bezduszne, gdzie uśmiech na twarzy od razu zdradzał obcego. Na parkingu przed supermarketem nie było wolnych miejsc, więc objechała go dokoła i w końcu zauważyła jakąś kobietę, upychającą zakupy z żywnością w bagażniku. Podjechała więc i czekała, nie gasząc silnika. Kobieta darła się na zapłakanego pięciolatka. Z jego nosa spływały na górną wargę dwie jasnozielone strużki śluzu. Zgarbiony, czkał przy każdym szlochu. Miał na sobie bufiastą srebrną kurtkę Le Coq Sportif, o dwa numery za dużą, w której wyglądał, jakby nie miał dłoni.

Kiedy zaczął wycierać nos rękawem, jego matka zaczęła go szarpać. Obserwując ich, Siobhan uświadomiła sobie, że ściska klamkę drzwi. Nie wysiadła jednak z samochodu, wiedząc, że jej interwencja nie wyszłaby chłopcu na dobre, a kobieta też nie zrozumiałaby nagle błędów w swoim postępowaniu tylko dlatego, że jakaś obca baba ją ochrzaniła. W końcu bagażnik został zatrzaśnięty, a chłopiec wepchnięty do samochodu. Przechodząc na drugą stronę wozu, kobieta spojrzała na Siobhan i wzruszyła ramionami, jakby dzieliła się z nią ciężarem swych obowiązków. Jej gest zdawał się mówić: „Sama wiesz, jak to jest". Parkując, Siobhan łypnęła na nią ze złością, świadoma, że to tylko pusty gest, po czym chwyciła wózek sklepowy i weszła z nim do supermarketu.

Co ona tu właściwie robi? Czy przyjechała z powodu Martina Fairstone'a, anonimów, czy może dlatego, że Rachel Fox pojawiła się w Boatmanie? A może ze wszystkich tych trzech powodów. Fox była kasjerką, więc Siobhan omiotła wzrokiem szereg stanowisk kasowych i wypatrzyła ją niemal natychmiast. Dziewczyna miała na sobie taki sam niebieski mundurek jak pozostałe kasjerki i upięte wysoko włosy; z jej uszu zwisały kolczyki w kształcie kół. Z bezmyślną miną przesuwała kolejne towary przed czytnikiem kodów kreskowych. Tablica nad jej głową informowała: „Kasa do 9 sztuk". Siobhan zagłębiła się w pierwszą alejkę; nie mogła znaleźć niczego, co by jej się przydało. Wolała nie czekać w kolejkach po mięso albo rybę. Miałaby pecha, gdyby Fox zrobiła sobie akurat przerwę albo wyszła wcześniej. Do wózka trafiły dwa batony czekoladowe, ręcznik kuchenny i puszka szkockiej zupy z głowy baraniej z kaszą jęczmienną i jarzynami. Cztery sztuki. Na początku następnej alejki sprawdziła, czy Fox nadal siedzi w kasie. Siedziała, a w kolejce do niej stały trzy osoby. Siobhan dodała jeszcze do swych zakupów przecier pomidorowy w tubie. Minęła ją ze świstem jakaś kobieta na elektrycznym wózku inwalidzkim, której zasapany mąż próbował dotrzymać kroku. Żona bez przerwy komenderowała na cały głos:

— Pasta do zębów! Tylko pamiętaj, w dozowniku, a nie w tubie! Nie zapomniałeś o ogórku?!

Mężczyzna skrzywił się nagle i Siobhan nie miała wątpliwości, że faktycznie zapomniał o ogórku i będzie się musiał wrócić. Pozostali klienci sklepu poruszali się jak na zwolnionym filmie, jak gdyby chcieli przedłużyć zakupy poza niezbędny do tego czas. Na koniec prawdopodobnie wpadną jeszcze do sklepowej kawiarni na herbatę i kawałek ciasta; ciasto będą przeżuwać powoli, herbatę popijać małymi łyczkami. A potem do domu, na popołudniowe programy kulinarne.

Paczka makaronu. Sześć sztuk.

Przed kasą ekspresową czekał już tylko jeden klient. Siobhan ustawiła się za nim. Przywitał się z Fox, która rzuciła „cześć", ucinając dalszą konwersację.

— Piękny dzień — zagaił mężczyzna. Sprawiał wrażenie, jakby w jego ustach, z których wysuwał się wilgotny język, brakowało sztucznej szczęki. Fox kiwnęła tylko głową, starając się jak najszybciej podliczyć jego zakupy. Kiedy Siobhan spojrzała na przesuwającą się taśmę, uderzyły ją dwie rzeczy. Po pierwsze, facet miał dwanaście artykułów. A po drugie, że podobnie jak on, powinna kupić jajka.

— Osiem osiemdziesiąt — powiedziała Fox. Mężczyzna powoli wyciągnął rękę z kieszeni i zaczął odliczać drobne. Zmarszczył brwi i przeliczył ponownie. Kasjerka wzięła od niego pieniądze.

— Brakuje pięćdziesięciu pensów — poinformowała go.

— Hę?

— Dał pan pięćdziesiąt pensów za mało. Musi pan z czegoś zrezygnować.

— Proszę — wtrąciła się Siobhan, dorzucając następną monetę do kolekcji. Mężczyzna spojrzał na nią, rozdziawił usta w bezzębnym uśmiechu i skłonił głowę. Potem wziął torbę i poczłapał do wyjścia.

Rachel Fox zajęła się nową klientką.

— Pewnie pani sobie myśli: „Co za biedak" — powiedziała, nie podnosząc głowy. — Ale on co tydzień wywija taki numer.

— No to dałam się nabrać — odparła Siobhan. — Ale było warto, żeby nie czekać, aż znowu zacznie liczyć w ślimaczym tempie.

Fox zerknęła na nią, spojrzała na taśmę i znów podniosła wzrok.

— Ja panią skądś znam.

— Wysyłałaś mi jakieś listy, Rachel?

Ręka kasjerki zamarła na paczce makaronu.

— Skąd pani wie, jak mam na imię?

— Choćby stąd, że masz je na plakietce.

Ale Fox już wiedziała. Miała mocno umalowane oczy. Zmrużyła je, podnosząc wzrok na klientkę.

— Ty jesteś tą gliną, która chciała wsadzić Marty'ego.

— Zeznawałam na jego procesie — przyznała Siobhan.

— Tak, pamiętam cię... a potem załatwiłaś ze swoim kumplem, żeby go usmażył.

— Nie wierz we wszystko, co piszą w brukowcach, Rachel.

— A co, może go nie napastowałaś?

— Nie.

— Opowiadał mi o tobie... mówił, że się na niego zawzięłaś.

— Zapewniam cię, że nic podobnego.

— Tak? To jak to się stało, że on nie żyje?

Ostatni z sześciu zakupów Siobhan przeszedł przez czytnik, więc wyciągnęła dziesięciofuntowy banknot. Kasjerka przy sąsiednim stanowisku przerwała pracę i przysłuchiwała się tej wymianie zdań, podobnie jak jej klient.

— Czy możemy chwilę porozmawiać, Rachel? — Siobhan rozejrzała się. — Gdzieś na osobności?

Oczy kasjerki zaszły łzami. Jej widok przypomniał Siobhan chłopczyka na parkingu. W pewnym sensie nigdy nie dorastamy... — pomyślała. Emocjonalnie nie dorastamy nigdy...

— Rachel... — ponagliła ją.

Ale Fox otworzyła tylko kasę, by wydać jej resztę. Powoli pokręciła głową.

— Ja nie mam wam nic do powiedzenia.

— A te listy, które do mnie przychodzą, Rachel? Możesz mi o nich opowiedzieć?

— Nie wiem, o czym pani mówi.

Szum silnika poinformował Siobhan, że kobieta w wózku inwalidzkim jest tuż za nią. Nie wątpiła, że w koszu jej męża znajduje się dokładnie dziewięć artykułów. Odwróciła się i zobaczyła, że kobieta ściska oburącz koszyk, w którym również było dziewięć towarów. Niepełnosprawna mierzyła ją nieprzyjaznym wzrokiem, chcąc, żeby sobie wreszcie poszła.

— Widziałam cię w Boatmanie — zwróciła się Siobhan do Rachel Fox. — Co tam robiłaś?

— Gdzie?

— W Boatmanie... w South Queensferry.

Kasjerka podała jej resztę i paragon, po czym głośno pociągnęła nosem.

— Tam pracuje Rod.

— To twój... przyjaciel, tak?

— To mój brat — oświadczyła Rachel Fox. Kiedy podniosła wzrok na Siobhan, wodę w jej oczach zastąpił ogień. — Czy w związku z tym jego też będziesz chciała zabić? Co?

— Lepiej przejdźmy do innej kasy — odezwała się kobieta na wózku do męża. Wycofywała już wózek, kiedy Siobhan porwała torbę z zakupami i ruszyła do wyjścia, ścigana po drodze krzykiem Rachel Fox:

— Ty krwawa suko! Co on ci takiego zrobił? Zamordowałaś go! Zamordowałaś!

Siobhan rzuciła zakupy na przednie siedzenie i usiadła za kierownicą.

— Ty stara zdziro! — Rachel Fox szła w kierunku jej wozu. — Nie potrafiłabyś się załapać na chłopa, żebyś nie wiem co robiła!

Siobhan przekręciła kluczyk w stacyjce i wycofała samochód w chwili, gdy Fox wymierzyła kopniaka w reflektor od strony kierowcy. Była w tenisówkach i jej stopa ześliznęła się po szkle. Siobhan miała głowę wykręconą do tyłu, żeby nikogo przypadkiem nie najechać. Gdy odwróciła się z powrotem, kasjerka szarpała się ze sznurem wózków sklepowych. Siobhan ruszyła pełnym gazem, słysząc za sobą klekot wózków, które o włos minęły jej samochód. W lusterku wstecznym ujrzała, jak ich sznur blokuje drogę za nią, a pierwszy z nich uderza w zaparkowanego volkswagena garbusa.

Zobaczyła też Rachel Fox, która z pianą na ustach wygrażała jej pięściami, a potem wyciągnęła palec w kierunku odjeżdżającego samochodu i przejechała nim w poprzek szyi. Na koniec powoli pokiwała głową, by Siobhan zrozumiała, że nie żartuje.

— Tu cię mam, Rachel — mruknęła Siobhan, wyjeżdżając z parkingu.

20

Bobby Hogan musiał przywołać na pomoc całą swą zdolność perswazji i chciał, żeby Rebus dobrze to sobie zapamiętał. Jego spojrzenie mówiło wszystko: „Po pierwsze, mam u ciebie dług, a po drugie, nie waż się tego spieprzyć...".

Siedzieli w jednym z gabinetów w „Wielkim Domu" — komendzie głównej policji okręgu Lothian i Borders na Fettes Avenue. Mieściła się tu siedziba DMC, wydziału do zwalczania narkotyków i ciężkich przestępstw, więc Rebusa ledwie tu tolerowano. Nie wiedział, jak właściwie udało się Hoganowi przekonać Claverhouse'a, by go dopuścił do tego przesłuchania, a jednak siedział tu wraz z nimi. Pociągający nosem i zaciskający powieki po każdym mrugnięciu okiem Ormiston też był obecny. Teri Cotter przybyła w towarzystwie ojca, poza tym w pokoju siedziała także umundurowana policjantka.

— Czy na pewno chcesz, żeby twój ojciec był przy tym? — zapytał Claverhouse obojętnym tonem.

Teri spojrzała na niego. Miała na sobie kompletny strój gothów, włącznie z sięgającymi do kolan botkami z mnóstwem błyszczących sprzączek.

— Kiedy tak pana słucham, mam wrażenie, że powinienem chyba wezwać mojego adwokata — rzekł Cotter.

Claverhouse wzruszył ramionami.

— Pytałem, bo nie chciałbym, żeby Teri czuła się skrępowana pana obecnością... — Zawiesił głos, nie spuszczając wzroku z dziewczyny.

— Skrępowana? — powtórzył Cotter i spojrzał na córkę, dzięki czemu nie zauważył gestu Claverhouse'a, który pomachał palcami, jakby pisał na klawiaturze. Teri jednak dostrzegła ten ruch i zrozumiała, co oznacza.

— Tato, może rzeczywiście zaczekaj na mnie za drzwiami — powiedziała.

— Nie jestem pewien, czy...

— Tato. — Położyła rękę na jego dłoni. — Wszystko w porządku. Wyjaśnię ci to później... naprawdę. — Spojrzała mu głęboko w oczy.

— Bo ja wiem... — Cotter rozejrzał się po sali.

— Wszystko będzie dobrze, proszę pana — zapewnił go Claverhouse, opierając się na krześle i krzyżując nogi. — Nie ma powodu do niepokoju, potrzebujemy tylko nieco dodatkowych informacji, których Teri pewnie może nam udzielić. — Ruchem głowy wskazał Ormistona. — Sierżant zaprowadzi pana do kantyny, proszę się czegoś napić, a tymczasem my tu skończymy, zanim się pan obejrzy...

Wyraźnie niezadowolony Ormiston strzelał oczami w kierunku Rebusa i Hogana, jakby pytając swego partnera, dlaczego któryś z nich nie mógłby go zastąpić. Cotter znów bacznie przyjrzał się córce.

— Nie podoba mi się, że cię zostawiam samą. — Ale w jego głosie brzmiało poczucie porażki; Rebus zastanawiał się, czy Cotter kiedykolwiek przeciwstawił się żonie bądź córce. Ten człowiek najlepiej się czuł w towarzystwie liczb i wahań kursów akcji — rzeczy, które w swoim przekonaniu potrafił przewidywać i kontrolować. Być może wypadek samochodowy i śmierć syna pozbawiły go wiary w siebie, sprawiając, że w obliczu nieprzewidzianych sytuacji czuł się słaby i bezsilny. Wstał, Ormiston dołączył do niego przy drzwiach i obaj wyszli. Rebusowi przyszedł nagle na myśl Allan Renshaw i to, co z nim zrobiła utrata syna...

Claverhouse obdarzył Teri promiennym uśmiechem, ona zaś objęła się ramionami obronnym gestem.

— Wiesz, w jakiej sprawie się spotykamy, Teri?

— Tak?

Claverhouse znów wykonał ruch, jakby pisał na klawiaturze.

— Ale wiesz, co to znaczy, prawda?

— Lepiej niech pan mi powie.

— To znaczy, że masz swoją stronę w Internecie, panno Teri. To znaczy, że ludzie mogą obserwować twoją sypialnię w dzień i w nocy. Zdaje się, że obecny tu inspektor Rebus zalicza się do twoich fanów. — Claverhouse wskazał Rebusa ruchem głowy. — Lee Herdman też do nich należał. — Przerwał, wpatrując się uważnie w jej twarz. — Nie wyglądasz na zaskoczoną.

Wzruszyła ramionami.

— Pan Herdman był zapalonym podglądaczem. — Claverhouse zerknął na Rebusa, jakby się zastanawiał, czy i jego można zaliczyć do tej kategorii. — Odwiedzał wiele stron, za które przeważnie płacił kartą kredytową...

— I co z tego?

— Nic, poza tym, że ty to robisz za darmo.

— Moja strona nie jest taka jak tamte! — fuknęła.

— A jaka?

Wyglądało na to, że dziewczyna zamierzała coś powiedzieć, lecz ugryzła się w język.

— Lubisz, jak cię podglądają? — zapytał Claverhouse domyślnie. — A Herdman lubił podglądać. Zdaje się, że pasowaliście do siebie jak ulał.

— Przeleciał mnie parę razy, jeśli to pan miał na myśli — odparła lodowatym tonem.

— Ja bym to ubrał w inne słowa.

— Teri — wtrącił się Rebus. — Nie możemy namierzyć komputera, który kupił Lee... Czy dlatego, że stoi w twojej sypialni?

— Być może.

— Kupił go i skonfigurował dla ciebie?

— Co pan powie?

— Pokazał ci, jak się zakłada strony internetowe i jak podłączyć kamerę?

— Po co mnie pan pyta, skoro i tak pan już wie? — W jej głos wkradła się nutka rozdrażnienia.

— A co na to twoi rodzice?

Spojrzała na niego.

— Mam własne pieniądze.

— Myśleli, że sama go sobie kupiłaś? Nie wiedzieli o tobie i Lee?

Spojrzenie, jakim go obrzuciła, świadczyło o głupocie jego pytań.

— On cię lubił obserwować — oświadczył Claverhouse. — Chciał wiedzieć, gdzie jesteś i co robisz. To dlatego założyłaś tę stronę?

Pokręciła głową.

— „Wstęp do ciemności" jest dla wszystkich, który chcą na to patrzeć.

— Czyj to był pomysł, jego czy twój? — zapytał Hogan.

Wybuchnęła przenikliwym śmiechem.

— Uważacie mnie za jakiegoś Czerwonego Kapturka, co? A Lee za wielkiego złego wilka? — Odetchnęła głęboko. — Lee dał mi ten komputer i powiedział, że dzięki kamerze będziemy w kontakcie. Ale „Wstęp do ciemności" to był mój pomysł. Wyłącznie mój. — Wskazała palcem na siebie, dotykając kawałka gołego ciała między piersiami. Jej top z czarnej koronki był głęboko wycięty. Palce Teri powędrowały do wiszącego na złotym łańcuszku brylantu i machinalnie zaczęła się nim bawić.

— To też od niego dostałaś? — spytał Rebus.

Spojrzała na łańcuszek, kiwnęła głową i z powrotem splotła ręce na piersi.

— Teri — powiedział Rebus spokojnie. — Czy wiesz, kto jeszcze zaglądał na twoją stronę?

Pokręciła głową.

— Cała frajda polega na anonimowości.

— Trudno powiedzieć, żebyś ty akurat była anonimowa. Jest tam wiele informacji, dzięki którym ludzie wiedzą, kim jesteś.

Zastanowiła się nad tym i wzruszyła ramionami.

— Czy wiedział o tym ktoś z twojej szkoły? — pytał dalej Rebus.

Kolejne wzruszenie ramion.

— Powiem ci, kto na pewno wiedział... Derek Renshaw.

Otworzyła szeroko oczy, a jej usta ułożyły się w literę „O".

— I najprawdopodobniej poinformował o tym swojego najlepszego kumpla, Anthony'ego Jarviesa — ciągnął Rebus.

Claverhouse wyprostował się na krześle i uniósł dłoń.

— Chwileczkę... — Spojrzał na Hogana, który zbył go

wzruszeniem ramion, i wrócił spojrzeniem do Rebusa. — Pierwszy raz o tym słyszę.

— Derek dodał stronę Teri w swoim komputerze do „Ulubionych" — wyjaśnił Rebus.

— A ten drugi chłopak też o tym wiedział? Ten, którego zastrzelił Herdman?

Rebus wzruszył ramionami.

— Moim zdaniem to bardzo prawdopodobne.

Claverhouse zerwał się na nogi, pocierając szczękę.

— Teri, czy Herdman był o ciebie zazdrosny? — zapytał.

— Nie wiem.

— Wiedział o twojej stronie... Zakładam, że mu powiedziałaś? — Stał tuż nad nią.

— Tak — odparła.

— Jak on do tego podchodził? Do tego, że każdy, dosłownie każdy mógł cię podglądać nocą w sypialni.

Jej głos opadł do szeptu:

— Myśli pan, że dlatego ich zastrzelił?

Claverhouse nachylił się nad nią, przysuwając twarz do jej twarzy.

— A jak ty sądzisz, Teri? Myślisz, że to możliwe?

Nie czekając na odpowiedź, okręcił się na pięcie i splótł dłonie. Rebus wiedział, jakim torem podążają jego myśli — myślał właśnie, że oto on, detektyw inspektor Charlie Claverhouse we własnej osobie, rozwikłał tajemnicę już pierwszego dnia po przejęciu sprawy. I zastanawiał się, jak szybko będzie mógł obwieścić swój triumf przełożonym. Podszedł do drzwi, otworzył je na oścież i rozejrzał się po korytarzu, wyraźnie rozczarowany, że nikogo tam nie ma. Rebus skorzystał z okazji i przeniósł się ze swojego krzesła na miejsce Claverhouse'a. Teri siedziała ze wzrokiem wbitym w podołek i znów przesuwała palcem po łańcuszku.

— Teri — odezwał się cicho, by przykuć jej uwagę. Spojrzała na niego; jej umalowane i podkreślone ołówkiem oczy były podkrążone. — Wszystko w porządku? — Patrzył, jak dziewczyna przytakuje. — Na pewno? Może ci coś podać?

— Nie trzeba.

Kiwnął głową, jakby próbował przekonać samego siebie. Hogan też zmienił miejsce — stanął w progu obok Claverhouse'a i uspokajająco położył mu dłoń na ramieniu. Rebus nie słyszał, o czym rozmawiają, ale wcale go to nie interesowało.

— Nie mogę uwierzyć, że ten skurwysyn mnie podglądał.

— Kto? Lee?

— Derek Renshaw — warknęła. — Tak naprawdę to on zabił mojego brata! — Mówiła coraz głośniej, więc Rebus jeszcze bardziej zniżył głos, kiedy się znów odezwał:

— O ile mi wiadomo, jechał samochodem z twoim bratem, ale z tego wcale nie wynika, że był winny. — Przed oczami stanął mu nieproszony obraz kuzyna: mały chłopiec siedzący na krawężniku, porzucony, z nowo kupioną piłką w rękach, którą ściska jak ostatnią deskę ratunku, podczas gdy oszalały świat kręci się wokół niego. — Naprawdę uważasz, że Lee mógłby wejść do szkoły i zastrzelić dwie osoby tylko dlatego, że był o ciebie zazdrosny?

Po chwili namysłu pokręciła głową.

— Ja też nie — rzekł Rebus. Spojrzała na niego. — Po pierwsze — ciągnął — skąd mógłby wiedzieć? Zdaje się, że nie znał żadnej z ofiar. Więc jak mógłby ich wytropić? — Patrzył, jak dziewczyna przetrawia to, co powiedział. — Nie sądzisz, że strzelanie do nich byłoby lekką przesadą? I to w miejscu publicznym... musiałby oszaleć z zazdrości. Postradać rozum.

— Wobec tego... jak to się stało? — spytała.

Rebus spojrzał na drzwi. Ormiston wrócił z bufetu i Claverhouse właśnie go ściskał; prawdopodobnie podniósłby tego znacznie cięższego od siebie mężczyznę, gdyby tylko miał dość siły. Rebus usłyszał jego syk: „Mamy go", a Hogan szepnął coś ostrożnie.

— Wciąż jeszcze nie jestem pewien — rzekł Rebus, odpowiadając na pytanie Teri. — Ale to całkiem dobry motyw, zobacz, jak uszczęśliwiłaś nim inspektora Claverhouse'a.

— Nie lubi go pan, prawda? — Na jej twarzy zaigrał uśmiech.

— Nie martw się, to obustronna niechęć.

— Kiedy kliknął pan na „Wejście do ciemności"... — znowu opuściła wzrok — czy robiłam coś szczególnego?

Pokręcił głową.

— Pokój był pusty. — Nie chciał, żeby wiedziała, iż obserwował ją podczas snu. — Mogę cię o coś zapytać? — Ponownie zerknął na drzwi, upewniając się, że nikt ich nie słyszy. — Doug Brimson twierdzi, że jest przyjacielem rodziny, ale mam wrażenie, że on nie jest na szczycie twojej listy przebojów?

Jej twarz się wydłużyła.

— Matka ma z nim romans — wyznała tonem, który nie zachęcał do rozwijania tematu.

— Jesteś pewna? — spytał. Skinęła głową, unikając patrzenia mu w oczy. — Czy twój ojciec wie o tym?

Podniosła wzrok, przerażona.

— On nie musi wiedzieć, prawda?

Zastanowił się.

— Powiedzmy, że nie — uznał w końcu. — A jak ty się dowiedziałaś?

— Kobieca intuicja — odparła bez cienia ironii. Rebus odchylił się na krześle i pogrążył w zadumie. Myślał o Teri, Lee Herdmanie i „Wejściu do ciemności", zastanawiając się, czy aby nie chodziło w tym wszystkim o odegranie się na matce.

— Teri, jesteś pewna, że nie masz możliwości sprawdzenia, kto cię obserwuje przez Internet? Żaden z chłopaków w szkole nigdy nic nie wspominał?

Pokręciła głową.

— Ludzie wpisują mi się do księgi gości, ale nigdy nie dostałam nic od kogoś, kogo znam.

— Czy niektóre z tych wpisów są... jak by to powiedzieć?... porąbane?

— Takie lubię najbardziej. — Przekrzywiła lekko głowę, próbując przybrać pozę panny Teri, ale za późno, Rebus zobaczył ją już jako zwyczajną Teri Cotter i taka miała dla niego pozostać. Przeciągnął się, prostując szyję i plecy.

— Wiesz, kogo wczoraj spotkałem? — rzucił lekkim tonem.

— Kogo?

— Jamesa Bella.

— I co? — Przyglądała się błyszczącym czarnym paznokciom.

— I tak sobie pomyślałem... pamiętasz to swoje zdjęcie? Zwinęłaś je tego dnia, kiedy byliśmy w barze na Cockburn Street.

— Ono należy do mnie.

— Nie twierdzę, że nie. Przypominam też sobie, że kiedy je zwinęłaś, opowiadałaś mi o tym, jak to James bywał na imprezach u Lee.

— Czy on się tego wypiera?

— Wręcz przeciwnie, wygląda na to, że byli w bardzo dobrej komitywie, nie sądzisz?

Trzej detektywi — Claverhouse, Hogan i Ormiston — wracali do pokoju. Ormiston klepał Claverhouse'a po plecach, a wraz z tym jego ego.

— James lubił Lee, bez dwóch zdań — mówiła Teri.

— Czy to było obustronne uczucie?

Zmrużyła oczy.

— James Bell... on mógł wystawić Renshawa i Jarviesa, prawda?

— To by nie wyjaśniało, dlaczego Lee postrzelił także jego. Rzecz w tym... — Rebus wiedział, że to kwestia sekund, zanim pozbawią go prawa do zadawania pytań. — A twoje zdjęcie... mówiłaś, że zrobiono je na Cockburn Street. Ciekaw jestem, kto je zrobił?

Dziewczyna sprawiała wrażenie, jakby próbowała czytać między wierszami. Claverhouse stał przed nimi, pstrykając palcami na znak, żeby Rebus zwolnił mu krzesło. Wstając z miejsca, Rebus nie spuszczał oczu z Teri.

— James Bell? To on je zrobił? — zapytał.

Pokiwała głową, nie znajdując powodu, żeby mu tego nie zdradzić.

— Przyszedł do ciebie na Cockburn Street?

— Robił zdjęcia nam wszystkim... do jakiejś pracy szkolnej.

— O co chodzi? — wtrącił się Claverhouse, opadając na krzesło z szerokim uśmiechem na twarzy.

— Ten pan mnie pytał o Jamesa Bella — odparła beznamiętnie Teri.

— Tak? No i co z nim?

— Nic — odparła, puszczając oko do wycofującego się Rebusa.

Claverhouse skrzywił się i odwrócił na krześle, lecz Rebus uśmiechnął się tylko i wzruszył ramionami. Kiedy Claverhouse z powrotem odwrócił się do dziewczyny, Rebus pokazał jej, że ma u niego dług. Wiedział, co Claverhouse zrobiłby z taką informacją — James Bell pożycza Lee Herdmanowi książkę, zapominając, że w środku jest zdjęcie Teri, którego być może używał jako zakładki... Herdman znajduje je i wpada we wściekłość z zazdrości... To mu dało powód do zranienia Jamesa — przewinienie nie było aż tak duże, by miał go zabijać, a zresztą James był przyjacielem...

W tym stanie rzeczy Claverhouse zamknąłby sprawę jeszcze dzisiaj. I popędził do gabinetu zastępcy komendanta po swoją złotą gwiazdę. Przenośne biuro Portakabin w Akademii Port Edgar zostałoby zwolnione, funkcjonariusze powróciliby do swoich normalnych obowiązków.

A Rebus w dalszym ciągu byłby zawieszony.

Wszystko to razem nie miało jednak sensu. Teraz Rebus był tego pewien. Wiedział też, że przez cały czas miał przed oczami coś, co mogłoby pomóc w rozwiązaniu tej sprawy. Nagle spojrzał na Teri Cotter, która znów bawiła się swoim łańcuszkiem, i zrozumiał, w czym rzecz. W Rotterdamie handlowano nie tylko pornografią i narkotykami...

Złapał Siobhan, kiedy jechała samochodem.

— Gdzie jesteś? — zapytał.

— Na autostradzie A dziewięćdziesiąt, w drodze do South Queensferry. A ty?

— Stoję na czerwonym świetle na Queensferry Road.

— Prowadzisz i rozmawiasz przez telefon? Widać ręce ci się goją.

— Pomalutku. Co porabiałaś?

— Widziałam się z dziewczyną Fairstone'a.

— Miło było?

— Powiedzmy. A ty?

— Siedziałem na przesłuchaniu Teri Cotter. Claverhouse uważa, że znalazł motyw.

— Ach tak?

— Herdman był zazdrosny, bo dwaj chłopcy logowali się na stronie Teri.

— A James Bell po prostu się napatoczył?

— Jestem pewien, że Claverhouse widzi to w ten sposób.

— I co teraz?

— Zwijamy interes.

— A Whiteread i Simms?

— Masz rację. Im się to nie spodoba. — Patrzył, jak światło na skrzyżowaniu zmienia się na zielone.

— Bo odejdą z pustymi rękami?

— Właśnie. — Milczał przez chwilę, trzymając telefon między uchem a ramieniem, kiedy zmieniał biegi. Potem zapytał: — No więc, co takiego czeka na ciebie w Queensferry?

— Barman z Boatmana, on jest bratem Fox.

— Fox?

— Dziewczyny Fairstone'a.

— To wyjaśnia, dlaczego była w barze...

— Tak.

— Rozmawiałaś z nią?

— Wymieniłyśmy uprzejmości.

— Czy mówiła coś o Pawiu Johnsonie, na przykład, czy poprztykali się z Fairstonem z jej powodu?

— Zapomniałam zapytać.

— Zapomniałaś...?

— Zrobiło się nerwowo. Pomyślałam, że lepiej zapytam jej brata.

— Myślisz, że coś by wiedział, gdyby kręciła na boku z Pawiem?

— Nie wiem, dopóki go nie zapytam.

— To może się spotkamy? Miałem w planie wpaść na przystań.

— Chcesz tam pojechać najpierw?

— A potem będziemy mogli zakończyć dzień przy drinku, na którego solidnie sobie zapracowaliśmy.

— Więc do zobaczenia na przystani.

Rozłączyła się i zjechała z dwupasmówki ostatnim zjazdem przed mostem Forth Road, a potem ruszyła w dół wzgórza do South Queensferry i dalej w lewo, w Shore Road. Jej telefon zabrzęczał ponownie.

— Zmiana planów? — rzuciła do mikrofonu.

— Najpierw musielibyśmy ustalić jakiś plan... właśnie w tej sprawie dzwonię.

Poznała po głosie Douga Brimsona.

— Przepraszam, myślałam, że dzwoni kto inny. Czym mogę ci służyć?

— Tak się właśnie zastanawiałem, czy nie masz ochoty znowu wzbić się w niebo?

Uśmiechnęła się do siebie.

— Może i mam.

— Świetnie. Co powiesz na jutro?

Namyślała się przez chwilę.

— Prawdopodobnie mogłabym się urwać na godzinkę.

— Późnym popołudniem? Tuż przed zachodem słońca?

— Zgoda.

— Ale tym razem przejmiesz stery?

— Chyba dam się namówić.

— Świetnie. Co powiesz na szesnastą?

— Powiem, że to czwarta po południu.

Roześmiał się.

— Do zobaczenia, Siobhan.

— Do widzenia, Doug.

Odłożyła telefon na fotel pasażera i przez przednią szybę spojrzała na niebo. Wyobraziła sobie, jak siedzi w samolocie... i jak w trakcie lotu dostaje ataku paniki... Nie sądziła jednak, żeby tak się stało. Poza tym będzie tam z nią Doug Brimson. Nie ma się czym przejmować.

Zaparkowała przed barem samoobsługowym na przystani, weszła do środka i wyszła z batonikiem Mars. Wyrzucała właśnie opakowanie do kosza na śmieci, kiedy nadjechał saab Rebusa. Minął ją i zatrzymał się po drugiej stronie parkingu, pięćdziesiąt jardów bliżej hangaru Herdmana. Zanim wysiadł i zamknął drzwi wozu, dołączyła do niego.

— Co my tu właściwie robimy? — zapytała, przełykając ostatni kęs mordoklejki.

— Poza tym, że rujnujemy sobie zęby? Chcę po raz ostatni rzucić okiem na ten hangar.

— Dlaczego?

— Dlatego.

Drzwi hangaru były zamknięte, ale nie na klucz. Rebus otworzył je. Simms kucał na pokładzie pontonu. Podniósł wzrok na wchodzących. Inspektor ruchem głowy wskazał łom w jego ręku.

— Rozbijacie ten interes w drobiazgi?

— Nigdy nie wiadomo, co się znajdzie — odrzekł Simms. —

Było nie było, nasze osiągnięcia w tej dziedzinie są nieco większe niż wasze.

Słysząc głosy, Whiteread wyszła z biura. W ręku trzymała plik papierów.

— Cóż za gorączkowy pośpiech — mruknął Rebus, ruszając w jej stronę. — Claverhouse szykuje się do zamknięcia sprawy, a to nie za bardzo jest wam na rękę, co?

Whiteread zdobyła się na blady, zimny uśmieszek. Inspektor zastanawiał się, czego potrzeba, żeby naprawdę się zdenerwowała, i uznał, że chyba wie czego.

— Zakładam, że to pan napuścił na nas tego dziennikarza — powiedziała. — Chciał się dowiedzieć czegoś o katastrofie śmigłowca na Jurze. Co nasunęło mi myśl...

— Zamieniam się w słuch — wtrącił.

— Odbyłam dziś rano interesującą rozmowę z niejakim Douglasem Brimsonem — wycedziła. — Zdaje się, że wybraliście się we trójkę na wycieczkę. — Przesunęła wzrok na Siobhan.

— Tak? — bąknął Rebus.

Zatrzymał się, lecz Whiteread szła dalej, dopóki nie stanęła z nim twarzą w twarz.

— Zabrał was na Jurę. Potem poszliście na miejsce katastrofy. — Wpatrywała się w niego, szukając na jego twarzy oznak słabości. Rebus strzelił oczami w kierunku Siobhan. Sukinsyn nie musiał im tego mówić! Na jej policzkach wykwitły rumieńce.

— Czyżby? — Rebusowi nie przyszła do głowy żadna inna odpowiedź.

Whiteread stanęła na palcach i ich twarze znalazły się na jednym poziomie.

— Rzecz w tym, inspektorze, w jaki sposób pan się o tym dowiedział?

— O czym?

— Mógłby się pan o tym dowiedzieć wyłącznie wtedy, gdyby miał pan dostęp do tajnych akt.

— Co pani powie? — Patrzył, jak Simms schodzi z łodzi, wciąż z łomem w ręku. Wzruszył ramionami. — No cóż, skoro akta, o których pani mówi, są tajne, to chyba nie mogłem ich widzieć, prawda?

— Chyba że dopuścił się pan włamania... — Whiteread odwróciła się do Siobhan. — Nie mówiąc już o kopiowaniu. — Przechyliła głowę, udając, że przygląda się młodszej kobiecie. — Opalała się pani, sierżant Clarke? Pani twarz po prostu płonie. — Siobhan nie poruszyła się, nie odezwała. — Zapomniała pani języka?

Simms uśmiechał się drwiąco pod nosem, napawając się zakłopotaniem detektywów.

— Chodzą słuchy, że boisz się ciemności — powiedział Rebus, patrząc na niego.

— Hę? — Simms zmarszczył brwi.

— To by wyjaśniało, dlaczego zostawiasz otwarte drzwi. — Inspektor puścił do niego oko i odwrócił się do Whiteread. — Nic to pani nie da. Chyba że chce pani, żeby wszyscy związani ze śledztwem poznali prawdziwy powód, dla którego tu jesteście.

— Z tego, co słyszałam, jest pan zawieszony w obowiązkach. Wkrótce zostanie panu postawiony zarzut popełnienia morderstwa. — Jej oczy były ciemnymi punkcikami światła. — W dodatku lekarka z Carbrae twierdzi, że przeglądał pan akta bez jej zezwolenia. — Przerwała. — Zdaje się, że siedzisz w gównie po same uszy, Rebus. Nie mogę pojąć, po co ci jeszcze więcej problemów niż te, które już masz. A tymczasem zjawiasz się tutaj i próbujesz wszczynać ze mną wojnę. Może spróbuję jakoś do ciebie dotrzeć. — Nachyliła się tak, że jej usta znalazły się o cal od jego ucha. — Tobie już nawet święty Boże nie pomoże — powiedziała spokojnie. Cofnęła się powoli, gotowa odparować jego odpowiedź. Rebus uniósł jedną dłoń w rękawiczce. Nie wiedziała, jak rozumieć ten gest. Zmarszczyła brwi. Aż nagle zobaczyła, co trzyma między kciukiem a środkowym palcem. Widziała, jak to coś błyszczy i mieni się w świetle.

Brylant.

— Co u licha? — mruknął Simms.

Rebus zamknął brylant w dłoni.

— Zgubione, znalezione — powiedział, odwrócił się i ruszył do wyjścia.

Siobhan zrównała się z nim i odczekała, aż znajdą się za drzwiami, po czym spytała:

— Co to właściwie było?

— Wyprawa na ryby.

— Ale co to wszystko znaczy? Skąd się wziął ten brylant?

Rebus uśmiechnął się.

— Mój przyjaciel jest jubilerem, ma sklep przy Queensferry Street.

— I...?

— Poprosiłem go, żeby mi pożyczył ten brylant. — Rebus chował klejnot z powrotem do kieszeni. — Tyle że oni o tym nie wiedzą.

— Mam nadzieję, że zamierzasz mi to wyjaśnić.

Powoli pokiwał głową.

— Jak tylko się przekonam, co się złapało na moją przynętę.

— John... — powiedziała ni to ostrzegawczo, ni błagalnie.

— To co, jedziemy na tego drinka? — zapytał.

Nie odpowiedziała; w drodze do samochodów próbowała przejrzeć jego grę. Wciąż próbowała, gdy otworzył swój wóz i usiadł za kierownicą. Zapalił silnik, wrzucił bieg i dopiero wtedy opuścił szybę.

— Spotkamy się na miejscu — oświadczył, ruszając.

Siobhan stała, czekając na wyjaśnienia, lecz tylko pomachał jej ręką. Klnąc w duchu, poszła do swego samochodu.

21

Rebus siedział przy stoliku pod oknem w Boatmanie i czytał SMS-a od Steve'a Holly'ego.

Masz coś dla mnie? Czy podgrzewać patelnię?

Bił się z myślami, czy odpowiadać, czy nie, w końcu jednak zaczął naciskać klawisze:

jura wypadek herdman cos tam wzial co chce armia spytaj whiteread jeszcze raz

Nie był pewien, czy Holly zrozumie, bo nie nauczył się wstawiać do SMS-ów znaków interpunkcyjnych i wielkich liter. Powinno to jednak skłonić reportera do roboty, a gdyby w rezultacie doszło do konfrontacji z Whiteread i Simmsem, to tym lepiej. Niech sobie myślą, że świat dobiera im się do dupy. Podniósł kufel małego piwa i wzniósł toast sam do siebie, akurat w chwili gdy przybyła Siobhan. Zastanawiał się, czy przekazać jej, co Teri mówiła o Brimsonie i swojej matce. Problem w tym, że gdyby jej powiedział, prawdopodobnie by się zdradziła. Podczas następnego spotkania Brimson zorientowałby się po jej minie, po tym, jak by z nim rozmawiała, po unikaniu jego wzroku. Nie chciał do tego dopuścić, nie widział w tym żadnych korzyści, nie na tym etapie.

Siobhan zrzuciła torbę z ramienia na stół i spojrzała w stronę baru, gdzie jakaś kobieta nalewała piwo.

— Nic się nie martw — uspokoił ją Rebus. —Już się dowiedziałem. McAllister zaczyna zmianę za kilka minut.

— Wobec tego akurat starczy nam czasu, żebyś mnie oświecił. — Zdjęła płaszcz. Rebus wstał.

— Pozwól, że najpierw przyniosę ci coś do picia. Co chcesz?

— Sok z limonki z wodą sodową.

— Nic mocniejszego?

Z dezaprobatą spojrzała na jego prawie pusty kufel.

— Ktoś musi prowadzić.

— Nie martw się, ja poprzestaję na tym jednym. — Poszedł do baru i wrócił z dwiema szklankami, sokiem z limonki dla niej i colą dla siebie. — Widzisz? Jak chcę, potrafię być i cnotliwy, i zadowolony.

— Lepsze to niż pijany za kierownicą. — Wyjęła słomkę ze swojej szklanki i wrzuciła ją do popielniczki, po czym oparła się na krześle i położyła ręce na udach. — Nie wiem jak ty, ale ja jestem gotowa.

W tym momencie zaskrzypiały otwierane drzwi.

— O wilku mowa — powiedział inspektor na widok wchodzącego Roda McAllistera.

Barman wyczuł, że na niego patrzą. Gdy na nich spojrzał, Rebus skinął na niego ręką. McAllister rozpinał właśnie podrapaną skórzaną kurtkę. Zdjął z szyi czarny szalik i wsadził go do kieszeni.

— Zaraz zaczynam pracę — oświadczył, kiedy Rebus poklepał puste krzesło.

— To zajmie tylko chwilkę — zaznaczył inspektor z uśmiechem. — Susie nie będzie miała nic przeciwko temu. — Ruchem głowy wskazał barmankę.

McAllister zawahał się, lecz w końcu usiadł, przycisnął łokcie do chudych nóg i podparł brodę. Rebus przyjął tę samą pozycję.

— Chodzi wam o Lee? — domyślił się barman.

— Ściśle rzecz biorąc, nie — odparł Rebus i zerknął na Siobhan.

— Może do tego wrócimy — wtrąciła się. — Chwilowo jednak bardziej nas interesuje twoja siostra.

Przeniósł wzrok z niej na inspektora i z powrotem.

— Która?

— Rachel Fox. Ciekawe, że macie różne nazwiska.

— Nie mamy. — Barman nadal spoglądał to na jedno z nich, to na drugie, nie wiedząc, do kogo powinien się zwracać. Siobhan pstryknęła palcami, więc skupił się na niej, mrużąc oczy. — Zmieniła nazwisko jakiś czas temu, kiedy próbowała zostać modelką. Co ona ma z wami wspólnego?

380

— Nie wiesz?

Wzruszył ramionami.

— Marty Fairstone — podsunęła Siobhan. — Nie mów, że nigdy was sobie nie przedstawiła.

— Tak, znałem Marty'ego. Byłem zdołowany, jak się dowiedziałem.

— A facet nazwiskiem Johnson? — spytał Rebus. — Ma ksywkę Paw... był kumplem Marty'ego...

— No i?

— Spotkałeś go kiedyś?

McAllister wyglądał, jakby się zastanawiał.

— Nie jestem pewien — odparł w końcu.

— Paw i Rachel — powiedziała Siobhan, przechylając głowę, by zwrócić jego uwagę. — Uważamy, że kręcili ze sobą.

— Naprawdę? — Barman uniósł brew. — To dla mnie coś nowego.

— Nigdy o nim nie wspominała?

— Nigdy.

— Widziano ich tutaj razem.

— Ostatnio dużo ludzi się tu pałęta. Na przykład wy. — Odchylił się na krześle, prostując kręgosłup, i zerknął na zegar nad barem. — Nie chcę trafić na czarną listę Susie...

— Chodzą słuchy, że Fairstone i Johnson się poprztykali, prawdopodobnie z powodu Rachel.

— Tak?

— Jeśli nasze pytania są dla pana krępujące, panie McAllister, proszę powiedzieć — rzekł Rebus.

Siobhan patrzyła na koszulkę barmana, widoczną teraz, kiedy się wyprostował. Było na niej zdjęcie okładki płyty — płyty, którą dobrze znała.

— Jesteś fanem Mogwai, co, Rod?

— Wszystkiego, co głośne. — Barman spojrzał na swą koszulkę.

— To okładka albumu *Rock Action*, prawda?

— Prawda.

McAllister wstał i odwrócił się w stronę baru. Siobhan spojrzała Rebusowi prosto w oczy i kiwnęła głową.

— Rod, kiedy się poznaliśmy... pamiętasz, że dałam ci wtedy swoją wizytówkę?

McAllister skinął głową, odchodząc od stolika, lecz Siobhan również wstała i szła za nim, podnosząc głos.

— Był na niej adres St Leonard's, prawda, Rod? A kiedy zobaczyłeś moje nazwisko, wiedziałeś, kim jestem, co? Bo Marty wspominał ci o mnie... a może dowiedziałeś się od Rachel. Pamiętasz taki album Mogwai, ten sprzed *Rock Action*?

McAllister podniósł klapę w ladzie, by wejść za bar, i opuścił ją za sobą. Barmanka gapiła się na niego. Siobhan także podniosła klapę.

— Hej, wstęp tylko dla personelu! — zaprotestowała Susie.

Siobhan nie słuchała jej, nawet nie zdawała sobie sprawy, że Rebus także wstał i podchodził do baru. Chwyciła McAllistera za rękaw kurtki. Próbował się uwolnić, lecz odwróciła go twarzą do siebie.

— Pamiętasz jego tytuł, Rod? *Come On, Die Young*. CODY, Rod. Te same litery, co w twoim drugim liście.

— Odpierdol się ode mnie! — ryknął.

— Nie wiem, co tu się dzieje — wtrąciła Susie — ale załatwiajcie swoje sprawy na zewnątrz.

— Wysyłanie takich gróźb to poważne przestępstwo, Rod.

— Puść mnie, stara kurwo! — Wyszarpnął rękę i zamachnął się, trafiając ją z boku w szczękę. Upadła za bar, tłukąc butelki. Rebus wyciągnął rękę ponad ladą, złapał McAllistera za włosy i szarpnął jego głowę w dół, aż zderzyła się z zalaną alkoholem tacą. Barman wywijał rękami i darł się na cały głos, lecz Rebus ani myślał go puścić.

— Masz kajdanki? — zapytał Siobhan.

Podniosła się chwiejnie zza baru, rozdeptując szkło, podbiegła do torebki i wytrząsnęła jej zawartość na stół. Po chwili znalazła kajdanki. McAllister kopnął ją dwa razy w goleń kowbojskimi butami, ale zatrzasnęła mu kajdanki jak najciaśniej, wiedząc, że wytrzymają. Odsunęła się od niego. Kręciło jej się w głowie — nie wiedziała, czy to rezultat wstrząsu mózgu, przypływu adrenaliny, czy oparów alkoholu z rozbitych butelek.

— Wezwij radiowóz — syknął Rebus, nadal nie puszczając swego więźnia. — Noc w celi na pewno skurwysynowi nie zaszkodzi.

— Zaraz, nie możecie mi tego zrobić! — zaprotestowała Susie. — Kogo dam na jego zmianę?

— A to już nie nasze zmartwienie, złotko — odparł Rebus i uśmiechnął się do niej ze skruchą.

Zawieźli McAllistera na St Leonard's i wsadzili go do ostatniej pustej celi. Rebus zapytał Siobhan, czy wniesie oficjalną skargę. Wzruszyła ramionami.

— Nie sądzę, żeby nadal wysyłał mi listy. — W miejscu, w które ją trafił, miała otarty policzek, wyglądało jednak na to, że obejdzie się bez siniaka.

Na parkingu poszli każde w swoją stronę.

— No i co z tym brylantem? — spytała na pożegnanie, ale on tylko pomachał jej ręką, odjeżdżając.

Pojechał na Arden Street, nie zwracając uwagi na dzwoniący telefon — wiedział, że to Siobhan, żeby znowu zadać mu to samo pytanie. Nie znalazł wolnego miejsca do zaparkowania, a zresztą i tak uznał, że jest zbyt nakręcony, żeby siedzieć spokojnie w domu. Pojechał więc dalej, na południe, aż znalazł się w Gracemount, na tym samym przystanku autobusowym, na którym spotkał się z Zagubionymi Chłopcami; wydawało mu się, że od tej pory minęły wieki. Czy naprawdę było to zaledwie w środę wieczorem? Pod wiatą na przystanku nie było nikogo. Mimo to zaparkował przy krawężniku, opuścił nieco szybę i zapalił papierosa. Nie wiedział, co zrobi z Rabem Fisherem, jeśli go znajdzie, wiedział tylko, że chce uzyskać kilka odpowiedzi w związku ze śmiercią Andy'ego Callisa. Epizod w barze zaostrzył mu apetyt. Spojrzał na swoje dłonie. Wciąż jeszcze piekły go od kontaktu z McAllisterem, ale nie było to niemiłe uczucie.

Nadjeżdżały autobusy, żaden jednak się nie zatrzymał — nikt nie wsiadał ani nie wysiadał. Rebus zapuścił silnik i zagłębił się w gmatwaninę blokowisk, objeżdżając wszystkie uliczki; czasem lądował w ślepym zaułku i musiał się cofać na wstecznym. W zapadających ciemnościach jacyś chłopcy grali w piłkę na skrawku parku. Inni pędzili na rolkach do podziemnego przejścia. To było ich terytorium, ich pora dnia. Mógł ich zapytać o Zagubionych Chłopców, wiedział jednak, że te dzieciaki już za młodu uczą się obowiązujących tu zasad. Nie wsypaliby miejscowego gangu, skoro ich największym życiowym marzeniem było dostać się kiedyś w jego szeregi. Zaparkował przed niskim blokiem mieszkalnym i zapalił następnego papierosa. Wkrótce będzie musiał znaleźć jakiś sklep, żeby uzupełnić zapasy, albo zajrzeć do pubu, gdzie któryś z klientów z pewnością odstąpi mu tanio paczkę fajek, nie zadając zbędnych pytań. Sprawdził, czy w radiu nadają coś znośnego, trafił jednak tylko na rap i muzykę taneczną. W odtwarzaczu była wprawdzie kaseta — *Jinx* Rory'ego Gallaghera — ale nie miał na to akurat nastroju. Przypomniał sobie, że jeden z kawałków nosił tytuł *Diabeł mi to podszepnął*. W dzisiejszych czasach było to kiepskie usprawiedliwienie, zbyt wiele pokus zajęło miejsce Belzebuba. Nie istniało już coś takiego jak niewyjaśniona zbrodnia, nie teraz, gdy naukowcy i psychologowie w kółko gadali o genach i maltretowaniu, uszkodzeniach mózgu i presji otoczenia. Zawsze był jakiś powód... i zawsze, przynajmniej z pozoru, była jakaś wymówka.

Dlaczego więc Andy Callis zginął?

I dlaczego Lee Herdman wszedł do tej świetlicy?

Rebus w ciszy wypalił papierosa, wyciągnął brylant, przyjrzał mu się i z powrotem schował go do kieszeni, słysząc na zewnątrz jakieś dźwięki — to jeden dzieciak woził drugiego w wózku z supermarketu. Obaj wlepili w niego wzrok, jakby w tej okolicy był jakimś dziwadłem, co może i było zgodne z prawdą. Dwie minuty później wrócili. Inspektor całkiem opuścił szybę.

— Co pan uważa? — Ten, który pchał wózek, miał dziewięć, może dziesięć lat, wygoloną głowę i wydatne kości policzkowe.

— Miałem się spotkać z Rabem Fisherem. — Rebus udał, że spogląda na zegarek. — Sukinsyn się nie pojawił.

Chłopcy byli czujni, lecz nie tak czujni, jak będą za rok czy dwa.

— Widzielim go wcześniej — powiedział ten w wózku.

Inspektor darował sobie wykład z gramatyki.

— Wiszę mu trochę kasy — odezwał się. — Myślałem, że tu będzie. — Rozejrzał się demonstracyjnie, jakby Fisher mógł się nagle zmaterializować.

— My mu ją możemy zanieść — zaproponował ten, który pchał wózek.

— Czy ja wyglądam, jakbym się zamienił z głupim na głowę? — zapytał Rebus z uśmiechem.

— Jak pan chcesz. — Dzieciak wzruszył ramionami.
— Pan spróbuje dwie ulice dalej. — Pasażer wózka wskazał przed siebie i w prawo. — Pościgamy się.
Rebus zapalił silnik. Nie miał zamiaru się ścigać. Nawet bez wózka, grzechoczącego u jego boku, i tak wystarczająco rzucał się w oczy.

— Założę się, że możecie mi załatwić jakieś fajki — powiedział, wyjmując z kieszeni pięciofuntowy banknot. — Jak najtańsze, a reszta dla was.

Banknot zniknął z jego dłoni.
— Na co panu te rękawiczki?
— Nie zostawia się odcisków palców. — Rebus puścił do nich oko i dodał gazu.

Dwie ulice dalej nic się jednak nie działo. Dojechał do skrzyżowania, rozejrzał się na prawo i lewo i zobaczył inny samochód, zaparkowany przy krawężniku. Pochylały się nad nim zbite w grupkę postacie. Rebus zatrzymał się pod znakiem nakazującym ustąpić pierwszeństwa przejazdu, myśląc, że tamci włamują się do samochodu. Nagle jednak uświadomił sobie, że po prostu rozmawiają z kierowcą. Było ich czterech. W samochodzie widział tylko jedną głowę. Wyglądali na Zagubionych Chłopców; tym, który mówił, był Rab Fisher. Silnik samochodu nawet na jałowym biegu wydawał niski pomruk. Albo był podrasowany, albo brakowało mu tłumika. Rebus podejrzewał to pierwsze. Samochód był przerobiony — na tylnej szybie wielkie światła hamowania, na bagażniku spoiler. Kierowca miał na głowie czapkę baseballową. Rebus marzył, żeby facet w samochodzie okazał się ich ofiarą, żeby chcieli go okraść albo mu grozili... cokolwiek, co dałoby mu pretekst do wkroczenia do akcji. Ale to nie był ten scenariusz. Doleciał go śmiech, wyglądało na to, że opowiadają sobie dowcipy.

Jeden z członków gangu spojrzał w jego kierunku i Rebus uświadomił sobie, że zbyt długo stoi na pustym skrzyżowaniu. Skręcił w przecznicę i zaparkował tyłem do tamtego samochodu, pięćdziesiąt jardów dalej. Udawał, że przygląda się blokom mieszkalnym... ot, obcy, który przyjechał po kumpla. Dla efektu niecierpliwie dwa razy nacisnął na klakson; Zagubieni Chłopcy poświęcili mu chwilę uwagi i zapomnieli o nim. Przyłożył telefon do ucha, jakby dzwonił po przyjaciela...

I patrzył w lusterko wsteczne.

Widział, jak Rab Fisher gestykuluje, żeby ubarwić swoją opowieść — najwyraźniej chciał zrobić na kierowcy wrażenie. Słyszał muzykę, łomot basów — kierowca nastawił radio na jedną ze stacji, z których Rebus zrezygnował. Zastanawiał się, jak długo może tak jeszcze udawać. A jeśli ci dwaj od sklepowego wózka naprawdę przyniosą mu papierosy?

Ale Fisher właśnie się prostował, odsuwał od samochodu, którego drzwi otworzyły się i kierowca wysiadł.

Rebus poznał go od razu — Zły Bob. Bob w swoim samochodzie, odstawiający wielkiego twardziela; jego ramiona falowały, kiedy przechodził na tył wozu i otwierał bagażnik. W środku miał coś, co chciał im pokazać — gang stłoczył się koło niego ciasnym półkolem, zasłaniając Rebusowi widok.

Zły Bob... przydupas Pawia. Teraz jednak nie odgrywał przydupasa, bo chociaż nie był najjaśniejszą lampką na choince, to jednak wisiał na niej o wiele wyżej niż taki pętak jak Fisher.

Nie odgrywał...

Rebus przypomniał sobie coś z przesłuchania na St Leonard's, kiedy zgarnięto wszystkich drobnych łajdaczków. Bob mamrotał wtedy, że nigdy nie widział pantomimy, i wydawał się rozczarowany. Bob, wielki dzieciak, który nigdy nie dorósł. Właśnie dlatego Paw trzymał go przy sobie, traktując niemal jak udomowione zwierzę, zwierzę, które odstawia dla niego sztuczki.

Rebusowi stanęła przed oczami inna twarz, inna scena. Matka Jamesa Bella, *O czym szumią wierzby...*

„Nigdy się nie jest za starym... — Grozi mu palcem. — Nigdy...".

Po raz ostatni, z rezygnacją, wyjrzał przez boczną szybę i odjechał na pełnym gazie, jakby wkurzony tym, że kumpel się nie zjawił. Na następnym skrzyżowaniu skręcił, zwolnił i zjechał na bok, po czym zadzwonił z komórki. Zapisał szybko numer, który mu podano, i zadzwonił ponownie. Potem objechał okolicę — wózek sklepowy i jego pieniądze zniknęły bez śladu, ale niczego innego się nie spodziewał. W końcu stanął na rogu następnej podporządkowanej ulicy, sto jardów przed samochodem Boba. Czekał. Zobaczył, jak klapa bagażnika zamyka się, Zagubieni Chłopcy wracają na chodnik, a Bob wsiada do samochodu. Zamiast normalnego klaksonu miał trąbkę, z której doleciały dźwięki *Dixie*, kiedy zwolnił hamulec ręczny i ruszył z piskiem opon, w obłokach dymu. Mijając Rebusa, znowu zatrąbił przeraźliwie; miał na liczniku osiemdziesiątkę. Inspektor pojechał za nim.

Czuł się spokojny, pewny tego, co robi. Uznał, że czas na ostatniego papierosa w paczce. I może nawet na kilka minut Rory'ego Gallaghera. Przypomniał sobie, jak w latach siedemdziesiątych był na jego koncercie w Usher Hall — sala pełna była koszul w szkocką kratę i spłowiałych dżinsów. Rory grał *Grzesznika, Ruszam w drogę...* Rebus miał właśnie przed sobą jednego grzesznika i liczył, że zwabi w pułapkę dwóch innych.

W końcu dostał to, na co liczył. Ryzykując kilkakrotnie przejazd przez skrzyżowanie na żółtym świetle, Bob musiał się wreszcie zatrzymać na czerwonym. Rebus podjechał od tyłu, wyminął go i zatrzymał się przed nim, blokując mu drogę. Otworzył drzwi i wysiadł w chwili, gdy zabrzmiał ostrzegawczy sygnał *Dixie*. Rozjuszony Bob wyskoczył z samochodu, gotów do bitki. Rebus uniósł ręce, jakby się poddawał.

— Witaj, Bo-bo — odezwał się. — Pamiętasz mnie?

Bob pamiętał go doskonale.

— Mam na imię Bob — powiedział z naciskiem.

— Racja. — Światło zmieniło się na zielone i Rebus machnął ręką na czekających z tyłu kierowców, żeby ich ominęli.

— O co panu chodzi? — pytał Bob. Inspektor przyglądał się jego autu okiem ewentualnego kupca. — Nic żem nie zrobił.

Rebus podszedł do bagażnika i postukał w klapę kostkami dłoni.

— Pozwolisz, że sobie obejrzę zawartość?

Bobowi opadła szczęka.

— A masz pan nakaz rewizji?

— Myślisz, że ktoś taki jak ja zawraca sobie głowę duperelami? — Twarz Boba zasłaniała baseballówka. Rebus przykucnął, żeby mu się przyjrzeć. — Przemyśl to sobie. — Przerwał. — Na razie jednak... — Wyprostował się. — Na razie chcę tylko, żebyśmy się gdzieś razem wybrali.

— Ja żem nic nie zrobił — powtórzył młody człowiek.

— Bez obawy... tak się składa, że wszystkie cele na St Leonard's są zajęte.

— Więc gdzie jedziemy?

— Ja stawiam. — Inspektor ruchem głowy wskazał swojego saaba. — Zaparkuję przy krawężniku, a ty podjedziesz z tyłu i zaczekasz na mnie. Rozumiesz? Tylko żebym cię nie widział z komórką w ręku!

— Ja nie...

— Rozumiem — przerwał mu Rebus. — Ale niedługo coś cię czeka... coś, co ci się bardzo spodoba, obiecuję. — Podniósł palec i wrócił do swego samochodu. Zły Bob posłusznie zaparkował za nim. Rebus usiadł w fotelu pasażera i powiedział mu, że może jechać.

— Ale dokąd?

— Do Ropucha — wyjaśnił inspektor, wskazując palcem przed siebie.

22

Spóźnili się na pierwszą połowę przedstawienia, ale bilety na drugi akt czekały na nich w kasie teatru Traverse. Publiczność składała się z całych rodzin, autokaru emerytów i szkolnej wycieczki; dzieciaki nosiły identyczne bladoniebieskie mundurki. Rebus i Bob usiedli w ostatnim rzędzie.

— To nie pantomima, ale prawie tak samo dobre — powiedział Rebus. Właśnie gaszono światła przed drugim aktem sztuki. Inspektor w dzieciństwie czytał *O czym szumią wierzby*, ale nie mógł sobie przypomnieć treści. Bobowi to nie przeszkadzało. Jego nieufność rozwiała się, zaledwie reflektory oświetliły dekoracje i aktorzy wyszli na scenę. Drugi akt zaczynał się od pobytu Ropucha w więzieniu.

— Obrotowa scena, ani chybi — szepnął Rebus, lecz Bob go nie słuchał. Klaskał i krzyczał razem z dzieciakami, a w scenie finałowej — gdy Ropuch i jego sprzymierzeńcy wypędzali łasice z domu — zerwał się na nogi i rycząc, zagrzewał ich do boju. Popatrzył na siedzącego inspektora i na jego twarzy rozlał się szeroki uśmiech.

— Tak jak mówiłem — rzekł Rebus, gdy w teatrze zapaliły się światła i dzieci zaczęły opuszczać salę. — Nie była to pantomima, ale masz już pojęcie, na czym rzecz polega.

— I to wszystko z powodu tego, co powiedziałem tamtego dnia? — Teraz, kiedy sztuka się skończyła, nieufność Boba powracała.

Inspektor wzruszył ramionami.

— Może nie uważam cię za prawdziwą łasicę.

Gdy znaleźli się we foyer, Bob zatrzymał się i rozejrzał, jak gdyby nie miał ochoty wychodzić.

— Zawsze możesz tu wrócić — uspokoił go Rebus. — Niekoniecznie z jakiejś specjalnej okazji.

Bob powoli skinął głową i pozwolił się wyprowadzić na ruchliwą ulicę. W ręku trzymał już kluczyki do samochodu, lecz Rebus zatarł dłonie w rękawiczkach.

— Może by tak skoczyć na frytki? — zaproponował. — Żeby miło zakończyć wieczór...

— Ja stawiam — powiedział szybko Bob. — Tyś się wystawił na bilety.

— No, skoro tak, to dorzucam do zamówienia rybę.

W budzie z frytkami było pusto, ludzie siedzieli jeszcze w pubach. Wrócili z ciepłymi zawiniątkami do samochodu, wsiedli i zabrali się do jedzenia, a szyby parowały. Nagle Bob zachichotał z otwartymi ustami.

— Ropuch to kawał dupka, no nie?

— Właściwie to przypominał mi twojego kumpla Pawia — odparł Rebus. Zdjął rękawiczki, żeby ich nie zatłuścić; wiedział, że w ciemności Bob nie zauważy jego dłoni. Kupili też sok w puszkach. Bob siorbał swój, nie odzywając się. Wobec tego Rebus ponowił próbę: — Widziałem cię wcześniej z Rabem Fisherem. Co o nim myślisz?

Bob żuł w zamyśleniu.

— Rab jest w porządku.

Inspektor kiwnął głową.

— Paw też tak sądzi, co?

— A skąd ja mam wiedzieć?

— Mam rozumieć, że nic ci nie mówił?

Bob skupił się na jedzeniu, a Rebus zorientował się, że znalazł słaby punkt, którego szukał.

— No tak, jasne — ciągnął. — Rab coraz bardziej zyskuje w oczach Pawia. Po mojemu gówniarz ma fart. Pamiętasz, jak go wtedy zgarnęliśmy za atrapę broni? Sprawę umorzono i wyszło na to, że nas przechytrzył. — Rebus potrząsnął głową, uważając, by nie dać się zdekoncentrować myślami o Andym Callisie. — Ale tak nie było, on po prostu miał fart. Tyle że jak masz taki fart, ludzie zaczynają cię podziwiać... Uważają, że jesteś lepszy niż inni. — Zamilkł, by Bob mógł przetrawić jego słowa. — Ale powiem ci jedno, Bob, nie ma znaczenia, czy broń jest prawdziwa, czy nie. Atrapy wyglądają zbyt dobrze, nie potrafimy stwierdzić, że nie są prawdziwe. A to znaczy, że prędzej czy później jakiś dzieciak zostanie zabity. I jego krew będzie na twoich rękach.

Bob, który zlizywał keczup z palców, znieruchomiał nagle. Rebus zaczerpnął powietrza i westchnął, opierając się o zagłówek.

— Jeśli sprawy dalej się będą miały tak jak teraz — dorzucił lekkim tonem — to Raba i Pawia będzie łączyć coraz więcej...

— Rab jest w porządku — powtórzył Bob, lecz tym razem jego słowa zabrzmiały dziwnie głucho.

— Jasne, jest czysty jak złoto — przyznał Rebus. — Kupuje wszystko, co macie do sprzedania?

Widząc spojrzenie Boba, wycofał się.

— Dobra, w porządku, to nie moja sprawa. Udawajmy, że nie masz żadnej broni, zawiniętej w koc w bagażniku.

Twarz chłopaka stężała.

— Ja nie żartuję, synu. — Rebus położył nacisk na słowie „synu", zastanawiając się, czy Bob w ogóle znał swojego ojca. — Niby dlaczego miałbyś się przede mną otworzyć? — Wziął następną frytkę i wsunął ją do ust. Uśmiechnął się błogo. — Czy jest coś lepszego niż ryba z frytkami na kolację?

— Chrupiące frytki.

— Takie jak w domu?

Bob przytaknął.

— Paw robi najlepsze frytki, jakie jadłem, chrupiące na brzegach.

— On często gotuje, no nie?

— Ostatnim razem musieliśmy wyjść, zanim skończył...

Rebus patrzył prosto przed siebie, kiedy młody człowiek pakował do ust następną porcję frytek. Podniósł puszkę soku i trzymał ją tylko po to, żeby się czymś zająć. Serce waliło mu jak młot, miał wrażenie, że wciska mu się do tchawicy. Odchrząknął.

— Aha, wtedy, w kuchni Marty'ego? — rzucił, starając się zachować spokój. Bob kiwnął głową, wydłubując z rogów kartonu tłuste okruszki. — A ja myślałem, że poprztykali się z powodu Rachel.

— Tak, ale kiedy Paw dostał ten telefon... — Bob przestał żuć, a w jego oczach pojawiło się przerażenie, gdy uświadomił sobie nagle, że to nie jest kolejna pogawędka z kumplem.

— Jaki telefon? — zapytał Rebus; w jego głos wkradł się chłód.

Bob kręcił głową. Inspektor otworzył swoje drzwi, wyrwał kluczyki ze stacyjki. Wysiadł, rozrzucając frytki po jezdni, obszedł samochód, otworzył bagażnik...

Bob stanął koło niego.

— Nie możesz! Mówiłeś...! Do kurwy nędzy, przecież mówiłeś...!

Rebus odsuwa zapasowe koło, pod którym leży pistolet, niczym nieowinięty. Walther PPK.

— To replika — wydukał Bob. Rebus zważył pistolet w dłoni, przyjrzał mu się uważnie.

— Wcale nie — syknął. — Wiesz o tym równie dobrze jak ja, a to oznacza, że powędrujesz za kratki, Bob. Następnym razem wybierzesz się do teatru za pięć lat. Mam nadzieję, że wtedy też ci się spodoba. — Trzymając broń w jednej ręce, oparł drugą na ramieniu chłopaka. — Co to był za telefon? — ponowił pytanie.

— Nie wiem. — Bob pociągał nosem i dygotał. — Jakiś facet zadzwonił z baru... a potem wsiedliśmy do wozu.

— Facet dzwonił z baru i co mówił?

Bob kręci głową gwałtownie.

— Paw mi nie powiedział.

— Nie?

Głowa chłopaka kręci się z boku na bok, jego oczy zachodzą łzami. Rebus przygryzł dolną wargę, rozejrzał się. Nikt nie zwracał na nich uwagi; po Lothian Road jechały taksówki i autobusy, nieco dalej w progu klubu nocnego stał wykidajło. Rebus jednak tego nie widział, jego myśli wirowały wokół jednego.

Czyżby tamtej nocy któryś z klientów baru zobaczył go, jak rozmawiał z Fairstone'em, i uznał, że coś za bardzo się kolegują... że może to zainteresować Pawia Johnsona? Pawia, który niegdyś uważał Fairstone'a za przyjaciela. A potem poróżniła ich Rachel Fox. I... i co dalej? Paw obawiał się, że Martin Fairstone zacznie sypać? Bo Fairstone wiedział coś, co mogłoby zainteresować Rebusa.

Pytanie tylko co?

— Bob — powiedział balsamicznym, kojącym tonem. — Nie ma problemu. Nic się nie martw. Nie masz się czym przejmować. Ja tylko chcę wiedzieć, czego Paw chciał od Marty'ego.

Kolejne potrząśnięcie głową, już nie tak gwałtowne, zabarwione rezygnacją.

— On mnie zabije — oświadczył chłopak spokojnie. — Zrobi to. — Przeszywał inspektora oskarżycielskim spojrzeniem.

— Wobec tego musisz skorzystać z mojej pomocy, Bob. Potrzebujesz mnie jako przyjaciela. Bo jeśli się zaprzyjaźnimy, to Paw trafi do więzienia, a nie ty. Ty będziesz czysty jak łza.

Młody człowiek milczał, przetrawiając jego słowa. Rebus wyobraził sobie, jak nawet z gruntu przyzwoici obrońcy wymaglowaliby go w sądzie. Podaliby w wątpliwość jego zdolności umysłowe i inteligencję, dowodząc, że nie nadaje się na wiarygodnego świadka.

Ale nie dysponował niczym oprócz Boba.

Drogę powrotną do samochodu Rebusa przejechali w milczeniu. Bob zaparkował swój wóz w przecznicy i wsiadł do auta inspektora.

— Najlepiej, jak dziś się przekimasz u mnie — powiedział Rebus. — Dzięki temu obaj będziemy wiedzieli, że jesteś bezpieczny. — „Bezpieczny", cóż za miły eufemizm. — Pogadamy sobie jutro, zgoda? — „Pogadamy", następny eufemizm.

Bob w milczeniu skinął głową. Rebus zaparkował u góry Arden Street i poprowadził go chodnikiem w dół ulicy, do wejścia do domu. Otworzył drzwi i stwierdził, że wysiadły światła na klatce schodowej. Zbyt późno uświadomił sobie, co to może oznaczać... czyjeś ręce chwyciły go za klapy marynarki i pchnęły na ścianę. Kolano próbowało walnąć go w krocze, lecz Rebus przewidział ten ruch i wykręcił dolną część ciała tak, że kopniak trafił w udo. Wyrżnął napastnika czołem w twarz, uderzając w kość policzkową. Jedna ręka sięgała mu do gardła, szukając aorty. Gdyby ją znalazła, szybko straciłby świadomość. Zacisnął pięści i zaczął okładać tamtego po nerkach, ale skórzana kurtka napastnika osłabiała ciosy.

— Ktoś z nim jest! — syknął kobiecy głos.

— Co? — Napastnikiem był mężczyzna, Anglik.

— Ktoś z nim jest!

Ucisk na gardło Rebusa zelżał, napastnik wycofał się. Nagle światło latarki omiotło uchylone drzwi wejściowe, w których stał Bob z rozdziawionymi ustami.

— Cholera! — zaklął Simms.

Whiteread przesunęła latarkę i oświetliła twarz Rebusa.

— Przepraszamy za to... Gavin czasami jest nadgorliwy.

— Przeprosiny przyjęte — rzekł Rebus, starając się oddychać normalnie, a potem znienacka wyprowadził cios. Simms był jednak bardzo szybki — zrobił unik i uniósł pięści.

— Chłopcy, chłopcy... — zbeształa ich Whiteread. — Nie jesteśmy na boisku.

— Bob, idziemy! — polecił inspektor i ruszył po schodach na górę.

— Musimy porozmawiać — oświadczyła Whiteread spokojnie, jak gdyby nic się przed chwilą nie wydarzyło. Bob akurat ją mijał, idąc za Rebusem. — Naprawdę musimy pogadać! — krzyknęła, zadzierając głowę i patrząc na inspektora, który dotarł już na pierwszy podest.

— Świetnie — odparł w końcu. — Ale najpierw naprawcie światło.

Otworzył drzwi mieszkania, ruchem ręki zaprosił Boba do środka i pokazał mu, gdzie jest kuchnia, łazienka oraz pokój gościnny z pojedynczym łóżkiem, przygotowanym dla jakże rzadkich gości. Dotknął kaloryfera. Był zimny. Przykucnął i podkręcił termostat.

— Wkrótce się tu nagrzeje.

— Co to było, tam na dole? — W głosie Boba brzmiała ciekawość, ale nie wydawał się przejęty. Życie nauczyło go, żeby nie wtykać nosa w nie swoje sprawy.

— Nic takiego, czym musiałbyś się martwić. — Kiedy inspektor się podniósł, krew uderzyła mu do uszu. Zachwiał się. — Najlepiej poczekaj tutaj, a ja sobie z nimi pogadam. Dać ci książkę albo coś?

— Książkę?

— Do czytania.

— Ja tam niespecjalnie przepadam za czytaniem. — Bob

przysiadł na skraju łóżka. Rebus usłyszał dźwięk zamykanych drzwi, co oznaczało, że Whiteread i Simms byli w korytarzu.

— Poczekaj tutaj, dobrze? — powiedział chłopakowi. Bob kiwnął głową, lustrując wzrokiem pokój, jakby trafił do celi więziennej. Za karę, a nie żeby się schronić.

— Nie ma telewizora? — zapytał.

Nie odpowiadając, Rebus wyszedł z pokoju. Ruchem głowy pokazał Whiteread i Simmsowi, żeby przeszli z nim do bawialni. Na stole leżały kserokopie akt Herdmana, lecz nie miał nic przeciwko temu, żeby je zobaczyli. Nalał sobie szklaneczkę whisky słodowej, ale im nie zaproponował. Wychylił ją duszkiem przy oknie, skąd mógł obserwować ich odbicie w szybie.

— Skąd wziąłeś ten brylant? — zapytała Whiteread, trzymając ręce przed sobą.

— Właśnie o to w tym wszystkim chodzi, co? — Rebus uśmiechnął się pod nosem. — To dlatego Herdman tak się barykadował w mieszkaniu... wiedział, że prędzej czy później po niego przyjdziecie.

— Znalazłeś brylant na Jurze? — zgadywał Simms. Całą swą postawą prezentował niezmącony spokój.

Inspektor pokręcił głową.

— Domyśliłem się tego, po prostu. Wiedziałem, że jeśli go wam pokażę, zaczniecie wyciągać pochopne wnioski. Co właśnie zrobiliście. — Uniósł pustą szklankę w kierunku Simmsa. — Wasze zdrówko.

Whiteread zmrużyła oczy.

— Niczego nie potwierdziliśmy.

— Zjawiliście się tu w te pędy... dla mnie to wystarczające potwierdzenie. Poza tym w ubiegłym roku byliście na Jurze, ale jakoś nie udało wam się uchodzić za turystów. — Nalał sobie następną szklaneczkę i upił łyk. To mu powinno starczyć na jakiś czas. — Wojskowe szychy lecą wynegocjować zakończenie działań wojennych w Irlandii Północnej... można się spodziewać, że wiozą ze sobą jakiś załącznik. Żeby opłacić bojówkarzy. Ci faceci są chciwi, nie zamierzali zostać bez grosza. Więc rząd postanowił spłacić ich brylantami. Tyle że cały ten tajny towar zleciał razem ze śmigłowcem, więc wysłano oddział komandosów SAS, żeby go odzyskali. Uzbrojonych po zęby, na wypadek gdyby terroryści też postanowili tam szukać. — Zamilkł na chwilę. — I jak mi idzie?

Whiteread stała bez ruchu. Simms usadowił się na oparciu kanapy, wziął stary dodatek do niedzielnego wydania gazety i zwinął go w rurkę. Rebus wycelował w niego palec.

— Chcesz mi zmiażdżyć tchawicę, Simms? Pamiętaj, że za drzwiami jest świadek.

— To tylko moje pobożne życzenia — odparł Simms lodowatym tonem; jego oczy pałały.

Rebus zwrócił się z powrotem do Whiteread, która stała przy stole, z ręką na aktach osobowych Herdmana.

— Potrafisz powstrzymać zapędy tej twojej małpy?

— Karmiłeś nas opowiastką o brylantach — odparła, nie dopuszczając do tego, żeby odwrócił jej uwagę od zasadniczej kwestii.

— Nigdy nie wierzyłem, że Herdman był przemytnikiem narkotyków — podjął Rebus. — To wy podrzuciliście ten towar na jego łódź? — Patrzył, jak Whiteread powoli kręci głową. — No, w każdym razie ktoś to zrobił. — Milczał przez chwilę, po czym upił następny łyk whisky. — Ale wszystkie te jego rejsy po Morzu Północnym... Rotterdam to dobre miejsce na handel brylantami. Ja to widzę w ten sposób: Herdman znalazł brylanty, ale nie był gotów się do tego przyznać. Albo podprowadził je już wtedy, albo je ukrył i wrócił po nie później, jakiś czas po swej nagłej decyzji o odejściu z wojska. Tymczasem wojsko zastanawia się, gdzie się podział towar, aż tu nagle Herdman się zdradza. Ma pieniądze, zakłada własny interes... ale niczego nie możecie mu udowodnić. — Przerwał, by znowu pociągnąć whisky. — Przypuszczam, że sporo jeszcze zostało. A może wszystko wydał? — Pomyślał o łodziach. Herdman kupił je za gotówkę, płacąc dolarami, walutą handlarzy diamentami. I o brylancie na szyi Teri Cotter, który okazał się katalizatorem, jakiego szukał. Dał Whiteread dostatecznie dużo czasu na odpowiedź, lecz ona milczała. — W takim razie wasze zadanie tutaj polega na ograniczaniu szkód, dopilnowaniu, żeby nikt nie znalazł nic takiego, co doprowadziłoby do ujawnienia całej sprawy. Każdy rząd zarzeka się, że nie negocjuje z terrorystami. Może i nie, ale raz spróbowaliśmy ich przekupić... wspaniała gratka dla prasy, co? — Spojrzał na Whiteread ponad krawędzią szklanki. — I to by było na tyle, prawda?

— A brylant? — dopytywała się.

— Pożyczyłem od przyjaciela.

Milczała przez blisko minutę. Rebus uzbroił się w cierpliwość, myśląc, że gdyby nie sprowadził do siebie Boba, to... no cóż, sprawy mogłyby przybrać dla niego znacznie gorszy obrót. Wciąż jeszcze czuł palce Simmsa na swojej szyi i ucisk w gardle, kiedy przełykał whisky.

— Czy Steve Holly odezwał się do was ponownie? — zapytał w panującej ciszy. — Widzicie, jeśli cokolwiek mi się stanie, cała ta historia trafi do niego.

— Sądzisz, że to cię uratuje?

— Zamknij się, Gavin! — warknęła Whiteread. Powoli splotła ręce na piersi. — I co zamierzasz zrobić? — spytała Rebusa.

Wzruszył ramionami.

— To nie moja broszka. Nie mam powodu nic robić, zakładając, że uda ci się utrzymać swoją tresowaną małpę na łańcuchu.

Simms zerwał się na nogi i sięgnął do kieszeni. Whiteread okręciła się na pięcie i odtrąciła jego rękę. Jej ruch był tak błyskawiczny, że Rebus nie zauważyłby go, gdyby akurat mrugnął.

— Chcę tylko jednego — powiedział spokojnie. — Do rana macie się stąd wynieść, bo inaczej zacznę się zastanawiać, czyby jednak nie pogadać z zaprzyjaźnionym przedstawicielem czwartej władzy.

— Skąd mamy wiedzieć, czy można ci ufać?

Znów wzruszył ramionami.

— Nie sądzę, żeby któreś z nas chciało to dostać na piśmie. — Odstawił szklankę. — No, jeśli to już wszystko, chciałbym się zająć moim gościem.

Whiteread spojrzała na drzwi.

— Kto to jest?

— Nie martw się, on nie z tych gadatliwych.

Powoli skinęła głową i ruszyła do wyjścia.

— Jeszcze jedno, Whiteread... — rzuci. Zatrzymała się i odwróciła do niego. — Jak myślisz, dlaczego Herdman to zrobił?

— Z chciwości.

— Chodzi mi o to, po co poszedł do tej szkoły?

Błysnęła oczami.

— A co mnie to obchodzi? — Co rzekłszy, wyszła z pokoju.

Simms wciąż gapił się na Rebusa, który impertynencko odprawił go machnięciem ręki i z powrotem odwrócił się do okna. Simms wyciągnął z kieszeni kurtki pistolet samopowtarzalny i wycelował w tył głowy inspektora. Zagwizdał cicho przez zęby i schował broń.

— Pewnego dnia... — odezwał się ledwie słyszalnym szeptem — nie będziesz wiedział kiedy ani gdzie, ale moja twarz będzie ostatnią rzeczą, jaką zobaczysz.

— Piękna perspektywa. — Rebus odetchnął, ale nie pofatygował się, żeby odwrócić się do Simmsa. — Spędzę ostatnie chwile na ziemi, gapiąc się na skończonego dupka.

Słuchał oddalających się korytarzem kroków i dźwięku zatrzaskiwanych drzwi. Ruszył do wyjścia, by upewnić się, że naprawdę sobie poszli. Bob stał w progu kuchni.

— Zaparzyłem sobie herbatę. Tak przy okazji, nie ma pan mleka.

— Służba ma wychodne. Spróbuj się przekimać. Przed nami długi dzień.

Bob kiwnął głową, wrócił do swego pokoju i zamknął za sobą drzwi. Rebus nalał sobie trzecią szklaneczkę, absolutnie ostatnią. Opadł ciężko na fotel i spojrzał na zwiniętą gazetę na kanapie. Zaczynała się niemal niedostrzegalnie rozwijać. Pomyślał o Lee Herdmanie: skuszony brylantami, zakopał je i wyszedł z lasu, wzruszając ramionami. Potem może jednak poczuł się winny... winny i przerażony. A to dlatego, że podejrzenia wobec niego nie znikły. Prawdopodobnie był przesłuchiwany, kto wie, czy nie przez samą Whiteread. Mijały lata, ale wojsko nigdy nie zapomina. Armia nie zamierzała dopuścić do tego, by jakaś niedokończona sprawa wyskoczyła nagle jak diabeł z pudełka i zamieniła się w strzelającą na oślep armatę. Pod presją tego strachu Herdman ograniczał swoje kontakty towarzyskie do minimum... dzieciaki były w porządku, nie mogły być jego prześladowcami w przebraniu... Doug Brimson najwyraźniej też był w porządku... Te wszystkie zamki i rygle, żeby odseparować się od świata. Nic dziwnego, że pękł.

Ale pęknąć w ten sposób? Rebus wciąż tego nie rozumiał, nie wierzył, że chodziło o zwykłą zazdrość.

James Bell, fotografujący Teri Cotter na Cockburn Street...

Derek Renshaw i Anthony Jarvies, logujący się na jej stronie internetowej...

Teri Cotter, ciekawa, jak to jest po śmierci, kochanka byłego żołnierza...

Renshaw i Jarvies, bliscy przyjaciele — jakże różni od Teri, jakże różni od Jamesa Bella. Słuchający jazzu, a nie metalu; paradujący w szkole w bojowych mundurach; uprawiający sporty. Nie jak Teri Cotter.

I zupełnie nie jak James Bell.

A skoro już o tym mowa, co takiego łączyło Herdmana i Douga Brimsona oprócz służby w wojsku? No, po pierwsze, obaj znali Teri Cotter. Teri chodziła z Herdmanem, jej matka nosiła się z Brimsonem. Rebus wyobraził to sobie jako dziwaczny taniec, taki z wymianą partnerów. Ukrył twarz w dłoniach, odcinając się od światła i wdychając zapach skórzanych rękawiczek, zmieszany z oparami whisky, kiedy tancerze wirowali mu w głowie.

Gdy zamrugał i znów otworzył oczy, wszystko widział jak przez mgłę. Najpierw skupił wzrok na tapecie na ścianie, oczyma duszy widział jednak plamy krwi, krwi w świetlicy.

Dwa strzały śmiertelne, jeden powodujący ranę.

Nie — trzy śmiertelne strzały...

— Nie. — Uświadomił sobie, że powiedział to na głos. Dwa śmiertelne strzały i jeden, który zranił. A potem jeszcze jeden strzał śmiertelny.

Krew opryskująca ściany i podłogę.

Wszędzie krew.

Krew, która ma do opowiedzenia swoją historię...

Nie myśląc o tym, co robi, nalał sobie czwartą szklaneczkę i podniósł ją do ust, zanim się opamiętał. Przelał ostrożnie whisky z powrotem do butelki i zakręcił nakrętkę. Zdobył się nawet na to, by odstawić butelkę na gzyms nad kominkiem.

Krew, która ma do opowiedzenia swoją historię.

Sięgnął po telefon. Nie sądził wprawdzie, by o tej porze ktoś jeszcze pracował w laboratorium medycyny sądowej, lecz mimo wszystko zadzwonił. Nigdy nie wiadomo — niektórzy kryminolodzy mieli swoje małe obsesje, zagadki do rozwiązania. Siedzieli czasem do późna nie dlatego, że wymagało tego dobro śledztwa, nawet nie z poczucia ambicji zawodowej czy obowiązku, lecz z własnych, prywatnych powodów.

Podobnie jak Rebus, nie potrafili sobie odpuścić. On sam nie wiedział już, czy to dobrze, czy źle; tak po prostu było. Telefon dzwonił, lecz nikt nie odbierał.

— Leniwe dranie — mruknął pod nosem. Nagle zauważył głowę Boba, wyglądającego zza drzwi.

— Przepraszam — powiedział młody człowiek i wczłapał do pokoju. Był już bez płaszcza; obszerny podkoszulek odsłaniał sflaczałe, bezwłose ramiona. — Nie mogę zasnąć.

— No to siadaj. — Rebus ruchem głowy wskazał mu kanapę. Bob usiadł, lecz widać było, że czuje się nieswojo. — Telewizor jest tam, jeśli chcesz oglądać.

Chłopak kiwnął głową, lecz jego oczy błądziły po pokoju. Zobaczył półki z książkami i podszedł, by się im przyjrzeć.

— Może bym...

— Nie ma sprawy, weź, na co masz ochotę.

— To przedstawienie, na którym byliśmy... Mówił pan, że jest oparte na jakiejś książce.

Tym razem to Rebus kiwnął głową.

— Tak, ale jej nie mam. — Jeszcze przez piętnaście sekund słuchał buczenia telefonu, po czym zrezygnował.

— Przepraszam, jeśli panu przeszkadzam — rzekł Bob. Nie dotknął jeszcze żadnej książki, najwyraźniej traktował je jak jakieś rzadkie okazy, które można podziwiać, lecz nie dotykać.

— Nie przeszkadzasz. — Rebus wstał. — Zaczekaj tu chwilkę.

Przeszedł do korytarza i otworzył drzwi szafy. Na najwyższej półce stały kartonowe pudła. Zdjął jedno z nich. Stare rzeczy jego córki... lalki, farbki do malowania, pocztówki i kamyki, zbierane podczas spacerów nad morzem. Pomyślał o Allanie Renshawie. Pomyślał o więzach, które powinny ich połączyć, lecz okazały się zbyt luźne. O Allanie, z jego pudłami fotografii i strychem pełnym wspomnień. Odstawił karton na miejsce i zdjął następny. Stare lektury córki — seria dla dorastających panienek, miękkie wydania z pobazgranymi albo podartymi okładkami, a także kilka ulubionych książek w twardej oprawie.

Tak, była tu — w zielonej obwolucie, z wizerunkiem pana Ropucha na żółtym grzbiecie. Ktoś dorysował dymek, jak z komiksu, a w nim słowa: „gówienko na miękko". Nie potrafił rozpoznać, czy to pismo jego córki, czy nie. Znów pomyślał o swoim kuzynie Allanie, który próbował dopasować nazwiska do twarzy dawno zmarłych ludzi na fotografiach.

Odstawił pudło na miejsce, zamknął szafę i wrócił z książką do saloniku.

— Proszę, masz — powiedział do Boba, podając mu książkę. — Teraz sam możesz sprawdzić, co przegapiliśmy, spóźniając się na pierwszy akt.

Bob był wyraźnie zadowolony, lecz wziął książkę ostrożnie, jakby nie bardzo wiedział, jak się z nią obchodzić. Po chwili wycofał się do swego pokoju. Rebus stanął przy oknie, wpatrując się w noc i zastanawiając się, czy on też czegoś nie przegapił... nie w teatrze, ale na samym początku tego śledztwa.

Dzień siódmy
Środa

23

Kiedy się obudził, słońce stało już wysoko. Spojrzał na zegarek, po czym zerwał się z łóżka i ubrał. Nastawił czajnik i obmył twarz, zanim przeleciał ją byle jak elektryczną maszynką do golenia. Stanął pod drzwiami pokoju Boba i nastawił uszu. Cisza. Zapukał, odczekał chwilę, po czym wzruszył ramionami i wrócił do salonu. Zadzwonił do laboratorium, ale nikt nie odbierał.

— Leniwe skurczysyny. — A skoro już o tym mowa... Tym razem mocniej zapukał do drzwi Boba, po czym uchylił je lekko. — Czas stawić czoło światu.

Zasłony były rozsunięte, łóżko puste. Klnąc pod nosem, wszedł do środka, lecz w pokoju nie było się gdzie ukryć. Egzemplarz *O czym szumią wierzby* leżał na poduszce. Rebus dotknął materaca — zdawało mu się, że jest jeszcze ciepły. Wróciwszy do korytarza stwierdził, że drzwi wyjściowe są uchylone.

— Powinienem zamknąć nas od środka na klucz — burknął i zatrzasnął drzwi.

Wskoczy w kurtkę i buty i znów wybierze się na polowanie. Bez wątpienia Bob najpierw udał się po swój samochód. Potem zaś, jeśli miał za grosz rozsądku, pojechał na południe. Nie sądził, by chłopak miał przy sobie paszport. Żałował, że nie pomyślał o tym, by zdjąć mu z samochodu tablice rejestracyjne. I tak go namierzą, ale to potrwa...

— Zaraz, poczekaj no — powiedział sam do siebie. Wrócił

do sypialni i podniósł książkę. Bob zagiął róg kartki jako zakładkę. Po co miałby to robić, gdyby nie... Rebus otworzył drzwi wejściowe i wyszedł na podest. Ktoś człapał po schodach na górę.

— Nie obudziłem pana, co nie? — rzekł Bob. Pokazał Rebusowi torbę z zakupami. — Mleko i herbata w torebkach plus cztery rogaliki i paczka kiełbasek.

— Dobry pomysł — pochwalił go Rebus, mając nadzieję, że głos nie zdradził jego niepokoju.

Po śniadaniu pojechali samochodem inspektora na St Leonard's. Inspektor próbował to bagatelizować, ale nie ukrywał faktu, że większą część dnia spędzą w sali przesłuchań, z taśmami obracającymi się w dwukasetowym magnetofonie i jeszcze jedną w kamerze wideo.

— Chcesz puszkę soku czy czegoś innego, zanim zaczniemy? — spytał. Bob wziął ze sobą poranne wydanie brukowca i rozłożył je na biurku; poruszał ustami w trakcie czytania. Pokręcił głową. — To ja za sekundkę wracam — powiedział Rebus. Wychodząc, zamknął za sobą drzwi na klucz.

Wszedł po schodach do wydziału śledczego. Siobhan siedziała za biurkiem.

— Bardzo dziś będziesz zajęta? — zapytał.

— Po południu mam pierwszą lekcję pilotażu — odparła, podnosząc wzrok znad komputera.

— Dzięki uprzejmości Douga Brimsona? — Obserwował jej twarz, kiedy kiwała głową. — Jak się czujesz?

— Żadnych widocznych obrażeń.

— Czy McAllister został już zwolniony?

Spojrzała na zegar nad drzwiami.

— Lepiej sama się tym zajmę.

— Czyli że nie wniesiesz oskarżenia?

— Uważasz, że powinnam?

Pokręcił głową.

— Zanim pozwolisz mu stąd wyfrunąć, myślę, że powinnaś zapytać go o parę rzeczy.

Rozparła się na krześle i podniosła na niego wzrok.

— Na przykład jakich?

— Mam na dole Złego Boba. Mówi, że pożar to robota Pawia Johnsona. Podłożył ogień pod patelnią do frytek i wyszedł.

Jej oczy rozszerzyły się lekko.

— Czy wyjaśnił dlaczego?

— Według mnie uznał, że Fairstone zaczął sypać. I tak już się nie kochali, a tu nagle ktoś dzwoni do niego z informacją, że właśnie ucinam sobie z Fairstone'em przyjacielską pogawędkę przy kieliszku.

— I zamordował go tylko dlatego?

Wzruszył ramionami.

— Widocznie miał powody do obaw.

— Ale nie wiesz na pewno?

— Jeszcze nie. Możliwe, że chciał go tylko nastraszyć.

— Uważasz, że ten cały Bob jest naszym brakującym ogniwem?

— Myślę, że uda się go przekonać.

— A gdzie w tym twoim łańcuchu pokarmowym mieści się Rod McAllister?

— Nie dowiemy się tego, dopóki nie wypróbujesz na nim swoich wspaniałych talentów detektywistycznych.

Siobhan zaczęła przesuwać myszką po podkładce, zapisując to, nad czym pracowała.

— Zobaczę, co da się zrobić. Idziesz ze mną?

Pokręcił głową.

— Muszę wracać do sali przesłuchań.

— A czy ta twoja rozmowa z przydupasem Johnsona... jest formalna?

— Formalnie nieformalna, można by rzec.

— Więc powinien być przy tym ktoś jeszcze. — Spojrzała na niego. — Choć raz w życiu zrób coś zgodnie z przepisami.

Miała rację, i dobrze o tym wiedział.

— Mógłbym zaczekać, aż skończysz z barmanem — zasugerował.

— Miło, że mi to proponujesz. — Rozejrzała się. Posterunkowy Davie Hynds rozmawiał przez telefon i notował coś, słuchając rozmówcy. — Davie będzie dla ciebie w sam raz — poradziła Rebusowi. — Jest bardziej elastyczny niż George Silvers.

Spojrzał na Hyndsa, który skończył rozmowę i jedną ręką odkładał słuchawkę, a drugą wciąż coś notował. Posterunkowy wyczuł, że ktoś mu się przygląda, podniósł wzrok i pytająco uniósł brew. Rebus pokiwał na niego palcem, przywołując go do siebie. Nie znał Hyndsa zbyt dobrze, rzadko z nim pracował! Ufał jednak osądowi Siobhan.

— Davie — powiedział, obejmując go przyjacielsko za ramię. — Przejdziesz się ze mną, dobrze? Muszę cię wprowadzić w szczegóły dotyczące faceta, którego zaraz będziemy przesłuchiwali. — Zamilkł na chwilę. — I lepiej weź ze sobą ten swój notes.

Jednakże dwadzieścia minut później, kiedy Bob wciąż jeszcze naświetlał im ogólne tło sprawy, ktoś zapukał do drzwi. Rebus otworzył i zobaczył umundurowaną policjantkę.

— O co chodzi? — zapytał.

— Telefon do pana. — Wskazała palcem w kierunku poczekalni.

— Jestem teraz zajęty.

— Dzwoni inspektor Hogan. Mówi, że to pilne i że mam pana ściągnąć, żeby nie wiem co, chyba że właśnie wszczepiają panu potrójne bypassy.

Uśmiechnął się mimowolnie.

— Tak się dokładnie wyraził?

— Słowo w słowo — przytaknęła.

Odwrócił się i powiedział posterunkowemu, że zaraz wraca. Hynds wyłączył aparaturę nagrywającą.

— Przynieść ci coś, Bob? — spytał Rebus.

— Tak se myślę, że może powinien mi pan sprowadzić adwokata, inspektorze.

Rebus wlepił w niego wzrok.

— Tego, który jest także adwokatem Pawia?

Bob przemyślał to sobie.

— To może jeszcze nie teraz — zadecydował.

— Jeszcze nie teraz — zgodził się Rebus, wychodząc z sali przesłuchań. Powiedział policjantce, że trafi sam, i przez otwarte drzwi wszedł do sali łączności.

— Halo?

— Chryste, John, gdzieś ty się zaszył? — W głosie Bobby'ego Hogana wyczuwało się irytację. Rebus patrzył na szereg ekranów przed sobą. Ukazywały St Leonard's od wewnątrz i z zewnątrz; obrazy zmieniały się co jakieś trzydzieści sekund, pokazując ujęcia z innych kamer.

— Czym mogę służyć, Bobby?

— Laboratorium odezwało się nareszcie w sprawie strzelaniny.

— Ach tak? — Rebus skrzywił się. Miał zamiar zadzwonić do nich ponownie.

— Właśnie tam jadę. Przypomniałem sobie nagle, że i tak będę musiał przejeżdżać koło St Leonard's.

— Oni coś znaleźli, Bobby, mam rację?

— Mówią, że mają niezłą łamigłówkę — przyznał Hogan i zamilkł na chwilę. — Wiedziałeś o tym, prawda?

— Wiedziałem, że coś znajdą. Coś, co ma związek z miejscem zbrodni, zgadza się? — Rebus wpatrzył się w jeden z ekranów, na którym widać było, jak starsza inspektor Gill Templer wchodzi do budynku. Niosła neseser, a na ramieniu miała wypchaną torbę.

— Zgadza się. Znaleźli kilka... anomalii.

— To dobre określenie: anomalie. Ukrywa najróżniejsze grzeszki.

— Tak sobie pomyślałem, że może miałbyś ochotę pojechać ze mną.

— A co na to Claverhouse?

Na linii zapadła cisza.

— Claverhouse o niczym nie wie — odezwał się Hogan spokojnie. — Dzwonili bezpośrednio do mnie.

— Dlaczego mu nie powiedziałeś, Bobby?

Kolejna cisza.

— Nie wiem.

— Byłbyż to szkodliwy wpływ pewnego kolegi po fachu?

— Kto wie?

Rebus uśmiechnął się.

— Podjedź po mnie, jak będziesz gotowy, Bobby. W zależności od tego, co nam powiedzą ci z laboratorium, może sam będę miał do nich kilka pytań.

Otworzył drzwi sali przesłuchań i ruchem ręki wywołał Hyndsa na korytarz.

409

— Zaraz wracamy — wyjaśnił Bobowi, zamknął drzwi i stanął twarzą w twarz z Hyndsem, splatając ręce na piersi. — Muszę jechać do Howdenhall — powiedział. — Rozkaz z góry.

— Mam go wsadzić do celi, zanim pan...

Inspektor pokręcił głową.

— Chcę, żebyś kontynuował przesłuchanie. Pewnie niedługo wrócę. Gdybyś miał jakieś trudności, dzwoń do mnie na komórkę.

— Ale...

— Davie... — Rebus położył dłoń na ramieniu posterunkowego. — Świetnie ci idzie. Dasz sobie radę beze mnie.

— Ale musi być obecny inny funkcjonariusz — zaprotestował Hynds.

Inspektor zmierzył go wzrokiem.

— Czy ty aby nie wyszedłeś ze szkoły Siobhan, Davie? — Wydął wargi, zastanawiał się przez chwilę, po czym skinął głową. — Masz rację. Spytaj starszą inspektor Templer, czy nie zgodziłaby się mnie zastąpić.

Brwi Hyndsa wystrzeliły w górę, stykając się z grzywką.

— Szefowa nie...

— Owszem, tak. Powiedz jej, że chodzi o Fairstone'a. Możesz mi wierzyć, przyjdzie z wielką ochotą.

— Trzeba ją będzie najpierw wprowadzić w sprawę.

Ręka Rebusa, która do tej pory spoczywała na ramieniu Hyndsa, teraz go poklepała.

— Ty to zrobisz.

— Ależ inspektorze...

Rebus powoli pokręcił głową.

— Masz wreszcie szansę pokazać, na co cię stać, Davie. Wszystko, czego się nauczyłeś, obserwując Siobhan. — Cofnął dłoń i zacisnął ją w pięść. — Czas, żebyś zaczął z tego korzystać.

Kiwając głową na znak zgody, Hynds wyprostował się.

— Dobry chłopak — pochwalił go Rebus. Już miał się odwrócić, lecz zatrzymał się w pół ruchu. — Aha, Davie...

— Tak?

— Powiedz starszej inspektor Templer, że ma odstawiać mamuśkę.

— Mamuśkę?

Rebus przytaknął.

— Dokładnie tak jej powiedz — rzekł i ruszył do wyjścia.

— Zapomnij o modelu XJK. Wszystko, co zjechało z taśmy u Porsche, zostawi jaga na starcie.

— Moim zdaniem jednak jaguar prezentuje się o wiele lepiej — upierał się Hogan. Ray Duff oderwał się od swej pracy i podniósł na niego wzrok. — Jest bardziej klasyczny.

— Chciałeś powiedzieć: staromodny? — Duff sortował wielki plik fotografii z miejsca zbrodni i umieszczał je na każdym wolnym kawałku ściany. Pomieszczenie, w którym się znajdowali, wyglądało jak nieużywana pracownia szkolna z ustawionymi centralnie czterema stołami laboratoryjnymi. Zdjęcia ukazywały świetlicę w szkole Port Edgar pod każdym możliwym kątem, a zwłaszcza krew na ścianach i podłodze oraz pozycję zwłok.

— Możesz mnie nazwać tradycjonalistą — rzekł Hogan, splatając ręce na piersi w nadziei, że zakończy to kolejną dyskusję z Rayem Duffem.

— No to słucham, pięć najlepszych samochodów produkowanych w Wielkiej Brytanii?

— Nie jestem aż takim znawcą, Ray.

— A ja tam lubię swojego saaba — wtrącił Rebus, puszczając oko do naburmuszonego Hogana.

Duff wydał jakiś gardłowy odgłos.

— Nie prowokuj mnie, żebym się zabrał za Szwedów...

— Dobra, to może skupmy się wreszcie na sprawie Port Edgar? — Rebus myślał o Dougu Brimsonie, kolejnym amatorze jaguarów.

Duff rozglądał się, szukając swojego laptopa. Wetknął kabel komputera do gniazdka na jednym ze stołów i włączając go, gestem ręki przywołał obu detektywów.

— Zanim odpali, co słychać u Siobhan? — zapytał.

— Wszystko w porządku — zapewnił go Rebus. — Ten jej mały kłopot...

— Tak?

— Jest już rozwiązany.

— Jaki kłopot? — zapytał Hogan.

Rebus udał, że nie słyszy.

— Po południu ma lekcję pilotażu.

— Naprawdę? — Duff uniósł brew. — To droga przyjemność.

— Myślę, że ma to za darmo, dzięki uprzejmości faceta, który jest właścicielem lądowiska i jaguara.

— Brimsona? — domyślił się Hogan.

Rebus przytaknął.

— W porównaniu z tym moja propozycja przejażdżki MG może się schować — mruknął Duff zrzędliwie.

— Nawet nie próbuj rywalizować z tym facetem. On ma jeden z tych firmowych odrzutowców.

Duff gwizdnął.

— To musi być nieźle dziany. Taka zabawka może cię odchudzić o ładne kilka melonów.

— Tak, jasne — prychnął Rebus lekceważąco.

— Mówię serio — rzekł Duff. — I to jeśli kupujesz z drugiej ręki.

— Masz na myśli miliony funtów? — wtrącił Bobby Hogan.

Duff potwierdził skinieniem głowy. — Interes musi się nieźle kręcić, co?

Tak, myślał Rebus, kręci się tak nieźle, że Brimsona stać było na to, żeby zrobić sobie wolny dzień i zabrać ich samolotem na Jurę...

— No już — mówił Duff, kierując ich uwagę na komputer. — Ten laptop ma wszystko, czego mi trzeba. — Z podziwem przesunął palcem po skraju ekranu. — Możemy uruchomić program symulacyjny... pokaże nam on, jak powinno wyglądać miejsce zbrodni w wypadku strzału z dowolnej odległości, pod dowolnym kątem, w głowę czy w korpus. — Nacisnął kilka klawiszy i Rebus usłyszał szum startującego napędu CD. Na ekranie pojawiła się grafika, szkielet stojący bokiem do ściany. — Widzicie? — ciągnął Duff. — Obiekt stoi dwadzieścia centymetrów od ściany, a kulę wystrzelono z odległości dwóch metrów... wlot, wylot i... bum! — Patrzyli na kreskę, która weszła do czaszki i pojawiła się z tyłu w postaci drobniutkich cętek. Duff przesunął palcem po touch-padzie i podświetlił zaznaczony fragment ściany, który następnie zobaczyli na ekranie w powiększeniu.

412

— Daje nam to całkiem dobry obraz — powiedział z uśmiechem.

— Ray — odezwał się cicho Hogan. — Powinieneś chyba wiedzieć, że inspektor Rebus stracił w tym pokoju kogoś z rodziny.

Uśmiech zamarł Duffowi na ustach.

— Nie chciałem sobie żartować z...

— Wróćmy może do sprawy — rzekł Rebus chłodno. Nie miał pretensji do Duffa, bo i o co? O niczym nie wiedział. Ale chciał jak najszybciej mieć to z głowy.

Duff schował ręce do kieszeni białego fartucha laboratoryjnego i odwrócił się do fotografii.

— Teraz musimy przyjrzeć się zdjęciom — powiedział, patrząc na Rebusa.

— Nie ma problemu — odparł Rebus i skinął głową. — Uwińmy się z tym, co?

Kiedy Duff przystąpił do wyjaśnień, w jego głosie nie było śladu niedawnego ożywienia:

— Pierwsza ofiara stała najbliżej drzwi. Był to Anthony Jarvies. Herdman wchodzi i na początek wybiera najbliższy cel... to ma ręce i nogi. Ślady wskazują, że dzieliły ich niecałe dwa metry. Strzał nie padł pod kątem... Herdman i jego ofiara byli mniej więcej tego samego wzrostu, więc kula przeszła przez czaszkę poziomo. Ślady krwi potwierdzają nasze przypuszczenia. Potem Herdman się odwraca. Druga ofiara stoi trochę dalej, mniej więcej w odległości trzech metrów. Możliwe, że Herdman nieco zmniejszył ten dystans przed oddaniem strzału, ale niewiele. Tym razem kula przeszyła czaszkę z góry na dół, co świadczy o tym, że być może Derek Renshaw się schylił i próbował uciekać. — Popatrzył na swoich słuchaczy. — Nadążacie za mną? — Rebus i Hogan przytaknęli i wszyscy trzej przesunęli się wzdłuż ściany. — Plamy krwi na podłodze dają się wytłumaczyć, nie ma tu nic niezwykłego. — Duff zamilkł.

— Aż do tej pory? — podsunął Rebus.

Naukowiec kiwnął głową.

— Mamy bardzo dużo danych na temat wszelkiego rodzaju broni palnej... jakie szkody wyrządzają w ciele człowieka i we wszystkim, z czym wejdą w kontakt...

— A James Bell stanowi zagadkę?

Duff ponownie kiwnął głową.

— Tak, to bardzo zagadkowe.

Hogan przeniósł wzrok z Duffa na Rebusa i z powrotem.

— A konkretnie?

— W swoich zeznaniach Bell twierdzi, że został postrzelony w ruchu. Z grubsza chodzi o to, że padał na podłogę. Najwyraźniej uważa, że to tłumaczy, dlaczego nie zginął. Poza tym powiedział, że Herdman strzelał do niego z odległości mniej więcej trzech metrów. — Znów podszedł do komputera, przywołał na ekran trójwymiarowy obraz świetlicy i wskazał miejsca, gdzie stali zabójca i uczeń. — W tym wypadku ofiara także była wzrostu Herdmana. Jednak kąt strzału biegnie z dołu do góry. — Duff zamilkł, by jego słuchacze mieli czas przetrawić tę informację. — Zupełnie jak gdyby strzał oddał ktoś, kto kucał. — Zgiął kolana i udał, że celuje z pistoletu, po czym podszedł do innego stołu. Włączył stojący tam rzutnik i podświetlił serię klisz rentgenowskich, ukazujących drogę, jaką przebyła kula po rozerwaniu ramienia Jamesa Bella. — Wlot z przodu, wylot z tyłu. Trajektorię lotu widać bardzo wyraźnie. — Pokazał ją ruchem palca.

— Czyli że Herdman przykucnął — skwitował Bobby Hogan, wzruszając ramionami.

— Mam wrażenie, że Ray się dopiero rozgrzewa — powiedział spokojnie Rebus, myśląc, że chyba jednak nie będzie miał do niego zbyt wielu pytań.

Duff odwzajemnił spojrzenie Rebusa i wrócił do fotografii.

— Nie ma plam krwi — oświadczył, zataczając krąg wokół wybranego fragmentu ściany. Potem uniósł dłoń. — Chociaż właściwie to niezupełnie prawda. Są ślady krwi, ale tak rozproszone, że trudno je dostrzec.

— I co to oznacza? — spytał Hogan, nie próbując ukryć niecierpliwości.

— Oznacza to, że w chwili strzału James Bell nie stał tam, gdzie twierdził. Był wysunięty bardziej na środek pokoju, a zatem stał bliżej Herdmana.

— A mimo to strzał padł pod kątem, od dołu? — podkreślił Rebus.

Duff kiwnął głową, wysunął szufladę i wyciągnął z niej

torbę z przezroczystej folii, z krawędziami wzmocnionymi brązowym papierem. Torbę na dowody rzeczowe. Zawierała złożoną białą koszulę, poplamioną krwią i z wyraźnie widoczną dziurą po kuli na rękawie.

— Koszula Jamesa Bella — oznajmił Duff. — I oto mamy tutaj coś jeszcze...

— Ślady prochu — wtrącił spokojnie Rebus.

Hogan odwrócił się do niego.

— Skąd ty to wszystko wiesz? — syknął.

Rebus wzruszył ramionami.

— Nie prowadzę życia towarzyskiego, Bobby. Nie mam do roboty nic lepszego, niż siedzieć i rozmyślać o tym wszystkim.

Hogan przeszył go wściekłym wzrokiem, dając mu do zrozumienia, że jego odpowiedź jest dalece niezadowalająca.

— Inspektor Rebus trafił w dziesiątkę — potwierdził Duff, z powrotem skupiając na sobie ich uwagę. — Na zwłokach pierwszych dwóch ofiar nie powinno być śladów prochu. Obaj chłopcy zostali zastrzeleni z pewnej odległości. Ślady prochu zostają tylko wtedy, kiedy lufa znajduje się blisko skóry czy, powiedzmy, ubrania ofiary...

— Czy na ciele Herdmana wykryto ślady prochu? — spytał Rebus.

Duff skinął głową.

— Pasujące do oddania strzału we własną skroń.

Rebus nieśpiesznie przeszedł wzdłuż rozwieszonych zdjęć. W gruncie rzeczy nic mu nie mówiły, i właśnie na tym to wszystko polegało. Trzeba było zajrzeć pod ich powierzchnię, by dostrzec przebłysk prawdy.

Hogan drapał się po karku.

— Nic z tego nie rozumiem — powiedział.

— To faktycznie łamigłówka — przyznał Duff. — Zeznania świadka nijak nie pasują do dowodów.

— Zależy, z której strony na to spojrzeć, Ray. Prawda?

Duff spojrzał Rebusowi prosto w oczy i skinął głową.

— Wszystko da się jakoś wyjaśnić.

— Nie ma pośpiechu. — Hogan trzasnął rękami w blat stołu. — I tak nie mam dziś nic lepszego do roboty.

— Musisz spojrzeć na to z innej strony, Bobby — rzekł Rebus. — Jamesowi Bellowi ktoś przystawił pistolet do ciała...

— Ktoś o wzroście ogrodowego karła? — prychnął Hogan lekceważąco.

Rebus pokręcił głową.

— Rzecz w tym, że Herdman nie mógł tego zrobić.

Hogan rozszerzył oczy.

— Poczekaj chwilkę...

— Powiedz, Ray, mam rację?

— To oczywisty wniosek. — Duff pocierał od dołu szczękę.

— Nie mógł tego zrobić? — powtórzył Hogan. — Chcecie powiedzieć, że był tam ktoś jeszcze? Wspólnik Herdmana?

Rebus pokręcił głową.

— Twierdzę, że jest możliwe, a nawet bardzo prawdopodobne, iż Lee Herdman zabił w tym pomieszczeniu tylko jedną osobę.

Hogan zmrużył oczy.

— Niby kogo?

Rebus odwrócił się do Raya Duffa, który oświadczył:

— Siebie.

Powiedział to takim tonem, jakby to było najprostsze wyjaśnienie pod słońcem.

24

Rebus siedział z Hoganem w jego wozie; silnik pracował na jałowym biegu. Przez kilka minut milczeli. Rebus palił papierosa i wydmuchiwał dym przez otwarte okno po swojej stronie, a Hogan bębnił palcami w kierownicę.

— Jak to rozegramy? — zapytał w końcu Hogan.

Tym razem Rebus miał gotową odpowiedź.

— Znasz moją ulubioną technikę, Bobby — odparł.

— Słoń w składzie porcelany?

Rebus powoli pokiwał głową, dopalił papierosa i pstryknął niedopałek na jezdnię.

— W przeszłości służyła mi całkiem nieźle.

— Tym razem jest inaczej, John. Jack Bell to poseł do parlamentu.

— Jack Bell to pajac.

— Nie wolno go nie doceniać.

Rebus odwrócił się twarzą do kolegi.

— Zaczynasz się wahać, Bobby?

— Zastanawiam się tylko, czy nie powinniśmy...

— Chronić własnych tyłków?

— W przeciwieństwie do ciebie, John, ja nie gustuję w składach porcelany.

Rebus wyglądał przez szybę.

— Ja i tak tam pójdę, Bobby. Wiesz o tym. Tylko od ciebie zależy, czy pójdziesz ze mną, czy nie. Zawsze możesz zadzwonić do Claverhouse'a i Ormistona i powiedzieć im, o jaką stawkę gramy. Ale muszę to usłyszeć na własne uszy. — Znowu odwrócił się do Hogana i spojrzał na niego; jego oczy błyszczały. — Na pewno nie dasz się skusić?

Bobby Hogan przesunął językiem po wargach — najpierw zgodnie z ruchem wskazówek zegara, a potem w drugą stronę. Zacisnął palce na kierownicy.

— Pieprzyć to — powiedział. — W końcu co znaczy trochę potłuczonego fajansu między przyjaciółmi?

Drzwi domu w Barnton otworzyła im Kate Renshaw.

— Cześć, Kate — powitał ją Rebus z kamienną twarzą. — Jak twój ojciec?

— W porządku.

— Nie sądzisz, że powinnaś poświęcać mu teraz trochę więcej czasu?

Otworzyła szerzej drzwi, by wpuścić ich do środka; Hogan uprzedził telefonicznie o ich przyjeździe.

— Tutaj przynajmniej robię coś pożytecznego — odparła Kate.

— Wspierając karierę specjalisty od zarywania dziwek na ulicy?

Jej oczy zionęły ogniem, lecz Rebus się tym nie przejmował. Przez szklane drzwi po prawej widział jadalnię — stół zarzucony był papierami z kampanii Jacka Bella. Poseł schodził właśnie po schodach, zacierając ręce, jakby je mył.

— Panowie oficerowie — powiedział, nie siląc się na uprzejmość. — Mam nadzieję, że to nie potrwa długo.

— Liczymy dokładnie na to samo — odparował Hogan.

Rebus rozejrzał się.

— Czy pani Bell jest w domu?

— Wyszła z wizytą. Macie panowie do niej coś konkretnego?

— Chciałem jej tylko powiedzieć, że widziałem wczoraj *O czym szumią wierzby*. Kapitalne przedstawienie.

Poseł ze zdziwieniem uniósł brew.

— Przekażę jej to.

— Uprzedził pan syna o naszej wizycie? — spytał Hogan.

Bell skinął głową.

— Ogląda telewizję. — Machnął ręką w kierunku salonu.

Nie czekając na zaproszenie, Hogan podszedł do drzwi i otworzył je. James Bell leżał wyciągnięty na kremowej skórzanej kanapie, bez butów, z głową opartą na zdrowej ręce.

— James — odezwał się jego ojciec. — Przyjechała policja.

— Właśnie widzę. — Chłopak opuścił nogi na dywan.

— Witaj znowu, James — rzekł Hogan. — Znasz chyba inspektora Rebusa...

James kiwnął głową.

— Możemy usiąść? — Hogan skierował to pytanie bardziej do syna niż do ojca. Inna sprawa, że nie czekał na pozwolenie. Rozsiadł się wygodnie w fotelu, Rebus zaś zadowolił się miejscem stojącym przy kominku. Jack Bell usiadł obok syna i położył mu dłoń na kolanie; chłopak odtrącił jego rękę, schylił się, wziął z podłogi szklankę wody, podniósł ją do ust i upił łyk.

— Wciąż jeszcze nie dowiedziałem się, o co właściwie chodzi — powiedział Jack Bell z niecierpliwością w głosie; zajęty człowiek, który nie ma czasu na głupstwa.

Rozległ się sygnał komórki Rebusa; inspektor wybąkał przeprosiny, wyjmując telefon z kieszeni. Spojrzał na wyświetlacz i sprawdził, kto dzwoni. Przeprosił raz jeszcze i wyszedł z pokoju.

— Gill? — rzucił do słuchawki. — Jak ci idzie z Bobem?

— Skoro już pytasz, jest kopalnią dobrych wieści.

Rebus zajrzał do jadalni. Kate zniknęła bez śladu.

— On nie wiedział, że patelnia miała wywołać pożar — zastrzegł.

— Zgoda.

— Więc co jeszcze powiedział?

— Zdaje się, że postanowił zeznawać przeciwko Rabowi Fisherowi, nie zdając sobie sprawy, że przy okazji obciąża swojego kumpla, Pawia.

Rebus zmrużył oczy.

— Jak to?

— Z jakiego powodu Fisher chodził wzdłuż kolejek ludzi, czekających przed klubami, i pokazywał, że nosi broń...?

— No?

— On próbował sprzedawać narkotyki.

— Narkotyki?

— Pracował dla twojego przyjaciela, Johnsona.

— Paw sprzedawał swego czasu hasz, ale nie aż tyle, żeby potrzebował pomagiera.

— Bob nie powiedział tego wprost, ale moim zdaniem chyba chodzi o crack.

— Jezu... a skąd brał ten towar?

— Myślałam, że to oczywiste. — Zaśmiała się krótko. — Od twojego starego przyjaciela, tego od łodzi.

— Bardzo wątpię — oświadczył Rebus.

— Przypomnij mi, czy na jego łodzi znaleziono kokainę, czy mi się tylko zdawało?

— Mimo wszystko...

— No to brał ją od kogo innego. — Odetchnęła głęboko. — Tak czy inaczej, nie sądzisz, że to dobry początek?

— Widać w tym kobiecą rękę.

— On po prostu potrzebuje kogoś, kto by mu pomatkował, John. Dzięki za wskazówkę.

— Czy to znaczy, że wyszedłem na prostą?

— To znaczy, że muszę tu ściągnąć Mullena, żeby posłuchał tego, co mamy.

— Ale nie uważasz już, że zabiłem Martina Fairstone'a?

— Powiedzmy, że się waham.

— Dzięki za poparcie, szefowo. Daj znać, jak będziesz miała coś nowego, dobrze?

— Spróbuję. A ty co kombinujesz? Znowu mam zacząć się martwić?

— Kto wie...? Obserwuj niebo nad Barnton, kiedy zaczną się fajerwerki. — Przerwał rozmowę, upewnił się, że telefon jest wyłączony, i wrócił do pokoju.

— Zapewniam pana, że postaramy się uwinąć jak najszybciej — mówił Hogan. Spojrzał na wchodzącego Rebusa. — Teraz oddam głos mojemu koledze.

Rebus udał, że namyśla się przed sformułowaniem pierwszego pytania, po czym spojrzał na Jamesa Bella twardym wzrokiem.

— Dlaczego to zrobiłeś, James?

— Co?

Jack Bell przesunął się na kanapie.

— Zdaje się, że muszę zaprotestować przeciwko zwracaniu się do mojego syna takim tonem...

— Przepraszam, panie pośle. Czasami za bardzo mnie ponosi, kiedy ktoś próbuje mnie okłamywać. Zresztą nie tylko mnie, ale wszystkich... prowadzących dochodzenie, swoich rodziców, media... wszystkich. — Chłopak patrzył na niego równie ostrym wzrokiem. Rebus założył ręce na piersi. — Widzisz, James, zaczynamy składać do kupy to, co naprawdę wydarzyło się w świetlicy, i mam dla ciebie nowiny. Kiedy ktoś strzela z pistoletu, na jego skórze zostają ślady prochu. I nie schodzą całymi tygodniami, choćbyś się kąpał i szorował dziesiątki razy. No i na mankietach koszuli. Pamiętasz, my wciąż mamy koszulę, którą miałeś wtedy na sobie.

— Co pan tu wygaduje, do ciężkiej cholery! — warknął Jack Bell z nabiegłą krwią twarzą. — Uważacie, że pozwolę wam oskarżać pod moim dachem osiemnastoletniego chłopca o... To tak się dziś pracuje w policji?

— Tato...

— Wam chodzi o mnie, prawda? Próbujecie dobrać się do mnie poprzez mojego syna. Tylko dlatego, że popełniliście straszliwą pomyłkę, która nieomal kosztowała mnie utratę pracy i żony...

— Tato... — James podniósł nieco głos.

— A teraz, kiedy wydarzyła się ta straszliwa tragedia, potraficie tylko...

— Panie pośle, nam naprawdę nie chodzi o żadną wendetę — zaczął Hogan, a Rebus nie mógł się powstrzymać, by nie dorzucić:

— Nawet mimo tego, że funkcjonariusz z Leith, który pana aresztował, przysięga, że złapał pana na gorącym uczynku.

— John... — wtrącił Hogan ostrzegawczym tonem.

— Widzi pan? — Głos Jacka Bella dygotał z wściekłości. — Widzi pan, tak to jest i zawsze tak będzie! Dlatego, że wasza arogancja nie pozwala wam...

James zerwał się na nogi.

— ZAMKNIESZ TY SIĘ WRESZCIE, DO KURWY NĘDZY?! CHOĆ RAZ W SWOIM PIERDOLONYM ŻYCIU WEŹ SIĘ, KURWA, ZAMKNIJ!

Zapadła cisza, choć zdawało się, że słowa zawisły w powietrzu i odbijają się echem w pokoju. James Bell usiadł z powrotem.

— Może jednak pozwólmy powiedzieć Jamesowi, co ma do powiedzenia — rzekł Hogan spokojnie. Słowa te skierował do posła, który siedział oszołomiony, wpatrzony w syna, jakiego do tej pory nie znał, syna, który nagle odkrył przed nim swoje prawdziwe oblicze.

— Nie masz prawa odzywać się do mnie w ten sposób — zaprotestował ledwie dosłyszalnie, nie spuszczając oczu z Jamesa.

— Właśnie to zrobiłem — odparł jego syn, po czym przeniósł wzrok na Rebusa. — Załatwmy to wreszcie.

Inspektor zwilżył wargi.

— James, w tej chwili możemy prawdopodobnie udowodnić tylko tyle, że zostałeś postrzelony z bezpośredniej odległości... w przeciwieństwie do tego, co próbowałeś nam wmawiać do tej pory... oraz że kąt, pod jakim padł strzał, sugeruje, że to ty sam do siebie strzeliłeś. Przyznałeś się jednak, że wiedziałeś przynajmniej o jednej sztuce broni Lee Herdmana, i dlatego uważam, że wziąłeś jego brococka, by zabić Anthony'ego Jarviesa i Dereka Renshawa.

— I jeden, i drugi to były obrzydliwe koniobije.

— I to był dostateczny powód?

— James, nie chcę, żebyś mówił cokolwiek tym ludziom — ostrzegł go ojciec.

Syn nie zwrócił uwagi na jego słowa.

— Musieli umrzeć.

Poseł otworzył usta, lecz nic nie powiedział. James skupił uwagę na szklance wody, obracając nią bez przerwy.

— Dlaczego musieli umrzeć? — zapytał spokojnie Rebus.

Chłopak wzruszył ramionami.

— Mówiłem już.

— Nie lubiłeś ich? — podsunął Rebus. — I tylko o to chodziło?

— Wielu moich rodaków zabijało z bardziej błahych powodów. Nie ogląda pan wiadomości? Ameryka, Niemcy, Jemen... Czasami wystarczającym powodem jest to, że ktoś nie lubi poniedziałków.

— Pomóż mi zrozumieć, James. Wiem, że mieliście różne upodobania muzyczne...

— Nie tylko muzyczne, wszystkie!

422

— Inne spojrzenie na życie? — podsunął Hogan.

— A może przy okazji chciałeś też zrobić wrażenie na Teri Cotter? — dodał Rebus.

James przeszył go wzrokiem.

— Jej do tego nie mieszajcie.

— To nie takie proste, James. Przecież to ona powiedziała ci o swojej obsesji na temat śmierci, prawda? — James milczał. — Myślę, że świata poza nią nie widziałeś.

— A co pan może o tym wiedzieć? — prychnął chłopak.

— No cóż, po pierwsze, wybrałeś się na Cockburn Street, żeby zrobić jej zdjęcia.

— Robię mnóstwo zdjęć.

— Ale jej fotografię trzymałeś w książce, którą pożyczyłeś Lee. Nie podobało ci się, że ona z nim sypia, prawda? Ani to, że Jarvies i Renshaw znaleźli jej stronę w Internecie i podglądają ją w sypialni. — Rebus przerwał. — I jak mi idzie?

— Dużo pan wie, inspektorze.

Rebus pokręcił głową.

— Jest jednak wiele rzeczy, których nie wiem. I mam nadzieję, że może ty pomożesz mi wypełnić te luki.

— Nic mu nie musisz mówić, James — zaskrzeczał jego ojciec. — Jesteś nieletni... pod ochroną prawa. Przeżyłeś głęboki szok. Żaden sąd w tym kraju nie... — Kątem oka zerknął na detektywów. — Czy aby nie powinien być przy tym jego adwokat?

— Nie chcę adwokata! — warknął James.

— Ależ to konieczne. — W głosie ojca brzmiało osłupienie.

Syn parsknął drwiąco.

— Tu już nie chodzi o ciebie, tato, nie rozumiesz? Tu chodzi o mnie. To przeze mnie znowu trafisz na pierwsze strony gazet, tyle że z nie tych powodów co trzeba. A przy okazji, gdybyś nie zauważył... ja już nie jestem nieletni, skończyłem osiemnaście lat. Jestem dostatecznie dorosły, by móc głosować, by robić wiele rzeczy. — Przerwał, najwyraźniej czekając na ripostę, która nie padła, więc w końcu znów zwrócił się do Rebusa: — Czego chce pan się dowiedzieć?

— Mam rację w sprawie Teri?

— Wiedziałem, że ona sypia z Lee.

— Kiedy dawałeś mu tę książkę... specjalnie wsadziłeś tam jej zdjęcie?

— Chyba tak.

— Z nadzieją, że co zrobi, kiedy je zobaczy? — Rebus patrzył, jak chłopak wzrusza ramionami. — Że jeśli dowie się, że ty też ją lubiłeś, to wystarczy? — Przerwał. — Ale dlaczego dałeś mu akurat tę książkę?

James spojrzał na niego.

— Bo Lee chciał ją przeczytać. Słyszał o tej historii, o tym, jak facet popełnił samobójstwo, wyskakując z samolotu. On nie... — Umilkł, nie mogąc znaleźć odpowiednich słów. Odetchnął głęboko. — Musi pan zrozumieć, że to był głęboko nieszczęśliwy człowiek.

— Nieszczęśliwy? W jakim sensie?

James znalazł słowo, którego szukał.

— Zaszczuty — powiedział. — Zawsze odnosiłem takie wrażenie. Był zaszczuty.

Na chwilę w pokoju zapadła cisza; w końcu przerwał ją Rebus:

— Zabrałeś ten pistolet z mieszkania Lee?

— Zgadza się.

— On o tym nie wiedział?

Potrząśnięcie głową.

— Wiedziałeś, że ma brococka? — spytał Bobby Hogan, ledwo panując nad swoim głosem.

James skinął głową.

— A jak to się stało, że przyjechał do szkoły? — spytał Rebus.

— Zostawiłem mu wiadomość. Nie sądziłem, że znajdzie ją tak szybko.

— Jaki miałeś wtedy plan, James?

— Chciałem po prostu wejść do świetlicy... zwykle był tam jeden z nich albo obaj... i zabić ich.

— Z zimną krwią?

— Owszem.

— Dwóch chłopaków, którzy nie zrobili ci nic złego?

— O dwóch mniej na świecie. — Nastolatek wzruszył ramionami. — Co to znaczy przy tajfunach i huraganach, trzęsieniach ziemi i plagach głodu...

— Więc zrobiłeś to dlatego, że było to bez znaczenia?

James zamyślił się.

424

— Może.

Rebus opuścił wzrok na dywan, starając się powstrzymać narastającą w nim furię. Moja rodzina... moja krew...

— Wszystko rozegrało się tak szybko — podjął James. — Sam byłem zdumiony swoim spokojem. Pif-paf i dwa trupy... Kiedy zastrzeliłem drugiego, Lee właśnie przechodził przez próg. Stanął jak wryty, obaj znieruchomieliśmy. Żaden z nas nie wiedział, co robić. — Uśmiechnął się na wspomnienie tej chwili. — A potem on wyciągnął rękę po broń, więc mu ją oddałem. — Uśmiech wyparował. — W życiu bym się nie spodziewał, że ten durny skurwysyn palnie sobie w łeb.

— Jak sądzisz, dlaczego to zrobił?

James powoli pokręcił głową.

— Od tamtej pory usiłuję to zrozumieć... A pan wie? — W jego pytaniu zabrzmiała błagalna nuta; jakże mu zależało na odpowiedzi! Rebus miał kilka teorii — dlatego, że broń należała do niego i czuł się winny... dlatego, że ten incydent ściągnąłby tłumy różnych zawodowców, którzy próbowaliby węszyć, także tych z wojska... dlatego, że była to forma ucieczki...

Dlatego, że dłużej już nie chciał czuć się zaszczuty.

— Podniosłeś jego pistolet i sam postrzeliłeś się w ramię — powiedział Rebus spokojnie. — A potem włożyłeś mu go z powrotem do ręki?

— Tak. W drugiej ręce trzymał wiadomość, którą mu zostawiłem. Ją także zabrałem.

— A odciski palców?

— Zrobiłem tak, jak to robią na filmach... wytarłem pistolet koszulą.

— Ale kiedy tam wchodziłeś... musiałeś być przygotowany na to, że wszyscy się dowiedzą, że to ty ich zabiłeś. Skąd ta zmiana planów?

Chłopak wzruszył ramionami.

— Może stąd, że trafiła mi się nieoczekiwana okazja. Czy my tak naprawdę wiemy, dlaczego robimy to, co robimy... pod wpływem chwili? — Odwrócił się do ojca. — Czasami instynkty biorą górę. Te mroczne myśli, które nam chodzą po głowie...

W tym momencie ojciec rzucił się na niego i chwycił go za gardło. Obaj przeturlali się przez kanapę i runęli na podłogę.

— Ty gnoju! — ryczał Jack Bell. — Masz pojęcie, coś ty

najlepszego zrobił?! Jestem zrujnowany! Puściłeś mnie z torbami! Pójdę z pierdolonymi torbami!

Rebus i Hogan rozdzielili ich; ojciec wciąż warczał i klął, syn zaś, dla kontrastu, był niemal pogodny — obserwował miotającego się w gniewie ojca, jakby chciał zachować to wspomnienie w pamięci na długie lata. Nagle otworzyły się drzwi i w progu stanęła Kate. Rebus miał ochotę zmusić Jamesa, by padł jej do stóp i błagał o przebaczenie. Dziewczyna patrzyła na rozgrywającą się przed nią scenę, próbując coś z tego zrozumieć.

— Jack? — powiedziała cicho.

Jack Bell spojrzał na nią, jakby widział ją po raz pierwszy w życiu. Rebus wciąż trzymał go od tyłu w niedźwiedzim uścisku.

— Wyjdź stąd, Kate — poprosił. — Po prostu wracaj do domu.

— Nic nie rozumiem.

James Bell, nie próbując się uwolnić z uścisku Hogana, zerknął na drzwi, a potem na ojca i Rebusa. Na jego twarzy powoli rozlał się szeroki uśmiech.

— Powiecie jej sami czy ja mam to zrobić...?

25

— Nie mogę w to uwierzyć — oświadczyła Siobhan, zresztą nie po raz pierwszy. Rozmawiała telefonicznie z Rebusem prawie przez całą drogę z St Leonard's na lądowisko.

— Mnie samemu też trudno się z tym oswoić.

Jechała szosą A8, prowadzącą z miasta na zachód. Spojrzała w lusterko wsteczne, wrzuciła kierunkowskaz i skręciła, by wyprzedzić taksówkę. Jakiś biznesmen jechał na jej tylnym siedzeniu i w drodze na lotnisko czytał gazetę. Miała wrażenie, że musi zjechać na twarde pobocze, wyskoczyć z samochodu i zacząć wrzeszczeć, żeby uwolnić to coś, co czuła. Czy było to podniecenie spowodowane osiągnięciem celu? A raczej dwóch celów — w sprawie Herdmana oraz zamordowania Fairstone'a. Czy może frustracja z powodu tego, że odbyło się to bez jej udziału?

— Czy jest możliwe, że Herdmana też on zastrzelił? — spytała.

— Kto? Młody panicz Bell? — Słyszała, jak Rebus odwraca się od telefonu, by przekazać jej pytanie Bobby'emu Hoganowi.

— Zostawia mu wiadomość, wiedząc, że Herdman pojedzie za nim — mówiła Siobhan, a myśli przelatywały jej przez głowę z szybkością błyskawicy. — Zabija wszystkich trzech, po czym strzela do siebie.

— To tylko teoria — zatrzeszczał bez przekonania głos Rebusa. — Co to za hałas?

— Moja komórka. Przypomina mi, że muszę naładować

baterię. — Zjechała w odnogę drogi prowadzącej na lądowisko; w lusterku wstecznym wciąż widziała za sobą taksówkę. — Mogę to odwołać, wiesz. — Miała na myśli lekcję pilotażu.
— Po co? Tu się nic nie dzieje.
— Jedziecie do Queensferry?
— Jesteśmy już na miejscu. Bobby właśnie przejeżdża przez bramę szkoły. — Znów odwrócił się od telefonu i powiedział coś do Hogana. Odniosła wrażenie, że mówił, iż chce być przy tym, jak Hogan będzie tłumaczył wszystko Claverhouse'owi i Ormistonowi. Usłyszała słowa: „zwłaszcza że przemyt narkotyków to był jeden wielki niewypał".
— Kto podłożył narkotyki na jego łodzi? — spytała.
— Nie zrozumiałem cię, Siobhan.
Powtórzyła pytanie.
— Myślisz, że zrobiła to Whiteread, żeby nie zamykać śledztwa?
— Nie jestem pewien, czy nawet ona poważyłaby się na taki numer. Teraz wyławiamy płotki. Radiowozy szukają już Raba Fishera i Pawia Johnsona. Bobby za chwilę przekaże nowiny Claverhouse'owi.
— Chciałabym to zobaczyć.
— Dołącz do nas później. Przeniesiemy się do pubu.
— Ale nie do Boatmana?
— Pomyślałem, że może byśmy zajrzeli do sąsiedniego lokalu... tak dla odmiany.
— Zejdzie mi tam z godzinkę, nie więcej.
— Nie śpiesz się. Nie sądzę, żebyśmy gdzieś znikli. Możesz przyprowadzić Brimsona, jeśli masz ochotę.
— Powiedzieć mu o Jamesie Bellu?
— Jak sobie chcesz... gazety i tak będą o tym trąbić jeszcze przed końcem meczu.
— To znaczy Steve Holly?
— Zdaje się, że jestem winien temu sukinsynowi choć tyle. Ale za to pozbawię Claverhouse'a przyjemności przekazania tych informacji do mediów. — Przerwał. — Udało ci się nastraszyć Roda McAllistera?
— On uparcie nie przyznaje się do napisania tych listów.
— Wystarczy, że ty wiesz, że to on je napisał... i że on zdaje sobie z tego sprawę. Jak samopoczucie przed lekcją latania?

— Dam sobie radę.

— Może powinienem postawić w stan gotowości kontrolę lotów?

Usłyszała, jak Hogan coś mówi w tle, a potem chichot Rebusa.

— Co on powiedział? — spytała.

— Bobby uważa, że lepiej zaalarmować straż przybrzeżną.

— Skreślam go z listy zaproszeń na kolację.

Słyszała, jak Rebus przekazuje jej słowa Hoganowi. Potem powiedział:

— No dobrze, Siobhan, jesteśmy już na parkingu. Musimy zanieść wieści Claverhouse'owi.

— Jest szansa na to, że cię nie poniesie?

— Nic się nie martw, będę chłodny, spokojny i opanowany.

— Serio?

— Jak tylko unurzam mu nos w gównie.

Uśmiechnęła się i przerwała połączenie. Uznała, że właściwie może wyłączyć telefon. Przecież nie będzie nigdzie dzwoniła na wysokości pięciu tysięcy stóp... Rzuciła okiem na zegar na tablicy rozdzielczej i stwierdziła, że przyjedzie za wcześnie. Nie sądziła jednak, by Doug Brimson miał coś przeciwko temu. Próbowała oczyścić myśli ze wszystkiego, co właśnie usłyszała.

Lee Herdman nie zabił tych chłopców.

John Rebus nie puścił z dymem domu Martina Fairstone'a.

Nie czuła się dobrze ze świadomością, że podejrzewała Rebusa, ale sam sobie był winien... zawsze taki tajemniczy. Podobnie jak Herdman, z tymi swoimi sekretami i skrywanymi lękami. Media będą musiały przełknąć gorzką pigułkę, więc skierują swój gniew przeciwko komuś, kto będzie pod ręką, czyli Jackowi Bellowi.

To się nazywa szczęśliwe zakończenie...!

Kiedy dotarła do bramy lądowiska, wyjeżdżał stamtąd jakiś samochód. Od strony pasażera wysiadł Brimson i uśmiechnął się ostrożnie, zdejmując kłódkę i otwierając bramę. Poczekał, aż samochód wyjedzie; gdy wóz mijał Siobhan na pełnym gazie, za kierownicą dostrzegła jakąś ponurą twarz. Brimson skinął na nią ręką, żeby wjechała na teren lądowiska. Podjechała więc do przodu i zaczekała na niego; z powrotem zamknął bramę, otworzył drzwi i wsiadł.

— Nie spodziewałem się ciebie tak szybko — powiedział. Siobhan zdjęła stopę ze sprzęgła.

— Przepraszam — odparła spokojnie. — Kim był twój gość? Brimson skrzywił się.

— Jakiś facet zainteresowany lekcjami pilotażu.

— Nie wyglądał na takiego.

— Chodzi ci o jego koszulę? — Pilot roześmiał się. — Fakt, ciutkę krzykliwa.

— Ciutkę.

Zajechali pod biuro i Siobhan zaciągnęła hamulec ręczny. Brimson wysiadł. Ona została za kierownicą, obserwując go. Przeszedł na drugą stronę wozu i otworzył jej drzwi, jak gdyby na to czekała. Unikał jej wzroku.

— Mam trochę roboty papierkowej — mówił. — Zrzeczenie się odpowiedzialności, takie tam bzdety. — Poszedł do otwartych drzwi.

— Czy ten twój klient jakoś się nazywa? — spytała, ruszając za nim.

— Jackson... Jobson... coś w tym rodzaju.

Wszedł do biura, opadł na krzesło i jego ręce zajęły się dokumentami. Siobhan nie usiadła.

— Na pewno jest w papierach — podpowiedziała.

— Co?

— Skoro przyjechał tu w sprawie nauki, to chyba spisałeś jego dane?

— A, tak... mam go gdzieś tutaj. — Zaczął przekładać papiery. — Czas, żebym zatrudnił sekretarkę — rzucił z wymuszonym uśmiechem.

— On się nazywa Paw Johnson — oznajmiła Siobhan spokojnie.

— Tak?

— I wcale nie przyjechał tu w sprawie lekcji latania. Chciał, żebyś go wywiózł z kraju?

— A więc go znasz?

— Wiem, że jest poszukiwany przez policję za spowodowanie śmierci Martina Fairstone'a, drobnego przestępcy. A teraz wpadł w panikę, bo nie może znaleźć swojego zaufanego przybocznego i pewnie wie, że to my go mamy.

— Pierwsze słyszę.

430

— Ale znasz Johnsona... i wiesz, kim on jest.

— Nie, mówiłem ci... on chciał nauczyć się latać. — Dłonie Brimsona jeszcze bardziej pracowicie zaczęły przerzucać papiery.

— Zdradzę ci tajemnicę — rzekła Siobhan. — Zamknęliśmy sprawę szkoły Port Edgar. Lee Herdman nie zabił tych chłopców, zastrzelił ich syn posła.

— Co takiego? — Brimson najwyraźniej nie przyjmował tego do wiadomości.

— Zabił ich James Bell, a później strzelił do siebie, po tym jak Lee popełnił samobójstwo.

— Naprawdę?

— Doug, szukasz czegoś konkretnego czy próbujesz wykopać w biurku tunel, żeby nim uciec?

Podniósł na nią wzrok i uśmiechnął się szeroko.

— Mówiłam ci — podjęła — że Lee Herdman nie zabił tych dzieciaków.

— Mówiłaś.

— Wobec tego ostatnią zagadką, jaka pozostała do rozwiązania, jest kwestia narkotyków znalezionych na jego łodzi. Zakładam, że wiedziałeś o jego jachcie, zacumowanym przy nabrzeżu?

Nie mógł dłużej wytrzymać jej wzroku.

— Dlaczego miałbym coś o nim wiedzieć?

— A dlaczego nie?

— Siobhan, posłuchaj... — Brimson demonstracyjnie spojrzał na zegarek. — Zostawmy te papiery. Szkoda byłoby stracić naszą lekcję...

Puściła to mimo uszu.

— Jacht wydawał się dobrym pomysłem, bo Lee pływał na kontynent, ale teraz już wiemy, że sprzedawał brylanty.

— I jednocześnie kupował narkotyki?

Pokręciła głową.

— Wiedziałeś o jego jachcie i o tym, że pływa na kontynent. — Zbliżyła się do biurka o krok. — To te firmowe loty, prawda, Doug? Te twoje wyprawy na kontynent, te loty z biznesmenami na spotkania i jubelki... to w ten sposób sprowadzasz narkotyki.

— No i wszystko szlag trafił — powiedział, zbyt spokojnie.

Rozparł się na krześle i obiema rękami zaczął przygładzać włosy, wpatrując się w sufit. — A mówiłem temu durnemu sukinsynowi, żeby nigdy tu nie przyjeżdżał.

— Mówisz o Pawiu?

Powoli pokiwał głową.

— Dlaczego podrzuciłeś te narkotyki? — spytała.

— A dlaczego nie? — Wybuchnął śmiechem. — Lee nie żył. Pomyślałem, że to skieruje uwagę na niego.

— A tobie przestanie się palić grunt pod nogami? — Postanowiła jednak usiąść. — Tylko że tobie nic nie groziło.

— Charlotte uważała inaczej. Węszyliście, zaglądaliście w każdy kąt, gadaliście z Teri, ze mną...

— Charlotte Cotter jest w to zamieszana?

Popatrzył na nią jak na głupią.

— W tym interesie obraca się gotówką... trzeba ją potem wyprać.

— Poprzez sieć solariów? — Kiwnęła głową na znak, że już rozumie. Brimson i matka Teri... wspólnicy w interesach.

— Wiesz, Lee też nie był kryształowo czysty — mówił Brimson. — Przede wszystkim to on mnie poznał z Pawiem Johnsonem.

— Lee znał Pawia Johnsona? To od niego kupił broń?

— To była jedyna rzecz, o której ci chciałem powiedzieć, tylko nie wiedziałem jak...

— Co?

— Johnson miał te atrapy pistoletów i potrzebował kogoś, kto by wstawiał z powrotem iglice i tak dalej.

— I robił to dla niego Lee Herdman? — Przypomniała sobie dobrze wyposażony warsztat w hangarze na przystani. Tak, prosta robota, jeśli się ma narzędzia i fach w ręku. Herdman miał jedno i drugie.

Brimson milczał przez chwilę.

— Może się jednak przelecimy? Szkoda tracić okazję.

— Nie wzięłam paszportu. — Sięgnęła po jego telefon. — Muszę zadzwonić, Doug.

— Mamy czysty korytarz powietrzny... załatwiłem to z wieżą kontrolną. Tyle ci chciałem pokazać...

Siobhan wstała i podniosła słuchawkę.

— Może następnym razem.

Oboje wiedzieli, że nie będzie następnego razu. Brimson opierał dłonie na blacie biurka. Siobhan trzymała słuchawkę przy uchu i wybierała numer.

— Przykro mi, Doug — powiedziała.

— Mnie też, Siobhan. Możesz mi wierzyć, przykro mi jak cholera.

Odepchnął się od biurka i rzucił na drugą stronę, roztrącając papiery. Upuściła słuchawkę i odsunęła się o krok, wpadła na stojące za nią krzesło, przewróciła się i runęła na ziemię, wyciągając ręce, by zamortyzować upadek.

Doug Brimson zwalił się na nią i przydusił ją całym ciężarem, kompletnie pozbawiając tchu.

— Trzeba lecieć, Siobhan — warknął, łapiąc ją za nadgarstki. — Samolot czeka...

26

— I jak, Bobby, zadowolony? — zapytał Rebus.

— Wprost nie posiadam się ze szczęścia — odparł Bobby Hogan.

Wchodzili właśnie do baru na nabrzeżu South Queensferry. Nie mogli sobie wymarzyć lepszej pory na przyjazd do szkoły. Udało im się przerwać naradę Claverhouse'a z zastępcą komendanta Colinem Carswellem; Hogan najpierw odetchnął głęboko, następnie oświadczył, że wszystko, co mówił Claverhouse, to brednie, po czym wyjaśnił dlaczego.

Pod koniec spotkania Claverhouse wyszedł bez słowa, zostawiając na placu boju Ormistona, by pogratulował Hoganowi i powiedział mu, że cała zasługa spada na niego.

— Co wcale nie znaczy, że ci ją przypiszą, Bobby — rzekł Rebus. Poklepał jednak sierżanta po ramieniu na znak, że docenia jego gest. Zaprosił go nawet na drinka, lecz Ormiston potrząsnął głową.

— Zdaje się, że przez was będę musiał dziś robić za pocieszyciela — wyjaśnił.

Tak więc Rebus i Hogan poszli do baru sami. Kiedy czekali na obsłużenie przez barmana, z Hogana nieco uszło powietrze. Zazwyczaj po zakończeniu sprawy cała ekipa zbierała się w mordowni, a piwo lało się strumieniami. Czasami trafiała się butelka bąbelków od kierownictwa. A dla tradycjonalistów whisky. Tym razem było inaczej, byli tylko we dwóch, pierwotna ekipa się rozproszyła...

— Co dla ciebie? — zapytał Hogan z udawanym animuszem.

— Może laphroaig, Bobby.

— Skąpo tu polewają. — Hogan fachowym okiem przyjrzał się stojakom z butelkami. — Lepiej od razu wziąć podwójną.

— A przedtem ustalić, kto prowadzi.

Hogan skrzywił się.

— Mówiłeś, zdaje się, że Siobhan do nas dołączy.

— To okrutne, Bobby. — Rebus zamilkł na chwilę. — Okrutne, ale sprawiedliwe.

Podszedł do nich barman. Hogan zamówił whisky dla kolegi i duże jasne dla siebie.

— I dwa cygara — dodał, odwracając się do Rebusa i przyglądając mu się uważnie. Oparł ramię na barze. — Po takim zakończeniu, John, zawsze sobie myślę, że chciałbym się wycofać, dopóki jeszcze wygrywam.

— Chryste, Bobby, jesteś w szczytowej formie.

Hogan parsknął śmiechem.

— Pięć lat temu może i bym się z tobą zgodził. — Wyciągnął z kieszeni zwitek banknotów i oddzielił dziesiątkę. — Ale teraz mam już chyba dość.

— A co takiego się zmieniło?

Hogan wzruszył ramionami.

— Jeżeli chłopak może sobie, ot tak, zastrzelić dwóch kolegów z klasy, właściwie bez powodu, to bo ja wiem... jakieś to dla mnie bez sensu... To już nie jest ten sam świat, jaki znałem, John.

— Stąd wniosek, że teraz jesteśmy jeszcze bardziej potrzebni.

Hogan znów parsknął śmiechem.

— Naprawdę tak uważasz? Sądzisz, że ktokolwiek cię chce, tak?

— Nie powiedziałem, że ktoś nas chce, tylko że potrzebuje.

— Potrzebuje? Ciekawe kto? Taki Carswell, bo dzięki nam zbiera laury? Czy taki Claverhouse, żebyśmy go chronili przed dawaniem dupy?

— Na początek dobre i to — odparł Rebus z uśmiechem. Jego szklanka stała już przed nim, więc dolał odrobinę wody, tylko tyle, by złagodzić ostrość trunku. Dostali też dwa cienkie cygara i Hogan zabrał się do rozwijania swojego.

— Tak naprawdę to nadal nie wiadomo, nie sądzisz?

— Czego nie wiadomo?

— Dlaczego Herdman to zrobił... dlaczego ze sobą skończył.

— Myślisz, że kiedykolwiek się dowiemy? Miałem wrażenie, że ściągnąłeś mnie do tej sprawy, bo bałeś się tych wszystkich młodziaków dookoła. Chciałeś mieć pod ręką jeszcze jednego dinozaura.

— Nie jesteś dinozaurem, John. — Hogan uniósł kufel i stuknął się z Rebusem. — No to nasze zdrowie.

— Nie zapominajmy o Jacku Bellu. Gdyby nie on, James mógłby wpaść na pomysł, że może trzymać gębę na kłódkę, i się z tego wywinąć.

— Co racja, to racja — przyznał Hogan z szerokim uśmiechem. — Nie ma to jak rodzinka, co, John? — Pokręcił głową.

— Za rodzinę — przytaknął Rebus, podnosząc szklankę do ust.

Kiedy zadzwonił jego telefon, Bobby powiedział mu, żeby nie odbierał. Rebus jednak spojrzał na wyświetlacz, sprawdzając, czy aby nie dzwoni Siobhan. To nie była ona. Ruchem ręki pokazał Hoganowi, że wychodzi na zewnątrz, gdzie było ciszej. Przed barem był ogródek piwny — ot, kilka stolików na kawałku asfaltu — ale z powodu zimnego wiatru nikt z niego nie korzystał. Rebus podniósł telefon do ucha.

— Gill?

— Chciałeś, żeby cię informować na bieżąco.

— Nasz młody Bob wciąż śpiewa?

— Chciałabym, żeby wreszcie przestał. — Gill Templer westchnęła. — Poznaliśmy już jego dzieciństwo, wiemy, jak dokuczano mu w szkole, jak moczył się w nocy... Tak przeskakuje w czasie, że nigdy nie wiem, czy coś wydarzyło się w zeszłym tygodniu, czy dziesięć lat temu. Mówi, że chce pożyczyć *O czym szumią wierzby*...

Rebus uśmiechnął się.

— Mam to w mieszkaniu. Przyniosę mu. — Z oddali dobiegł go warkot silnika małego samolotu. Spojrzał w górę, osłaniając oczy wolną ręką. Samolot leciał nad mostem Forth Road, z tej odległości jednak nie mógł poznać, czy to ten sam, którym wybrali się na Jurę. W każdym razie był tej samej wielkości i leniwie przesuwał się po niebie.

— Wiesz coś na temat solariów? — pytała Gill Templer.

— Dlaczego pytasz?

— Bo ciągle do nich wracamy. Mają jakiś związek z Johnsonem i narkotykami...

Rebus wciąż obserwował samolot. Nagle dźwięk silników się zmienił i maszyna zanurkowała. Potem wyrównała lot i pomachała skrzydłami. Jeżeli pilotowała ją Siobhan, to zaczęła naukę z grubej rury.

— Matka Teri Cotter ma ich kilka — powiedział do mikrofonu. — To z grubsza wszystko, co wiem na ten temat.

— Czy mogą robić za przykrywkę?

— Nie sądzę, bo i skąd brałaby... — Nagle zamilkł. Samochód Brimsona, zaparkowany na Cockburn Street, gdzie matka Teri miała jeden ze swoich salonów... Teri, która przyznała, że jej matka ma romans z Brimsonem...

Doug Brimson, przyjaciel Lee Herdmana. Brimson i jego samoloty. Skąd, u licha, wziął na nie forsę? Miliony, powiedział Ray Duff. Wtedy poruszyło to w Rebusie jakąś strunę, lecz jego uwagę zaprzątał James Bell. Miliony... takie pieniądze trudno zarobić legalnie, ale nielegalnie to całkiem proste...

Przypomniał sobie, co powiedział Brimson, kiedy wracając z Jury, przelatywali nad zatokami Forth i Rosyth: „Często myślę o tym, jak ogromne szkody mógłby wyrządzić tu terrorysta... nawet takim małym samolotem jak cessna... stocznię... prom... mosty kolejowy i drogowy... lotnisko". Opuścił rękę i zmrużył oczy przed światłem.

— Chryste Panie — wyszeptał.

— John? Jesteś tam?

Rozłączył się, zanim Gill skończyła wypowiadać te słowa.

Popędził z powrotem do baru i wyciągnął Hogana na zewnątrz.

— Musimy się dostać na lądowisko!

— Po co?

— Nie ma czasu!

Bobby otworzył wóz, a Rebus wskoczył za kierownicę.

— Ja prowadzę!

Hogan nie zamierzał się sprzeczać. Rebus z piskiem opon wyjechał z parkingu, po czym zahamował gwałtownie i wyjrzał przez boczną szybę.

— Jezu, nie...

Wygramolił się z samochodu i stanął na środku szosy, patrząc w niebo. Samolot właśnie wychodził z lotu nurkowego.

— Co jest grane?! — ryknął siedzący w aucie Hogan.

Rebus wskoczył za kierownicę i ruszył. Jechał w ślad za samolotem, który przeleciał nad mostem kolejowym, zatoczył ostry łuk, zbliżając się do wybrzeża Fife, i poleciał z powrotem w kierunku mostów.

— Ten samolot ma kłopoty — powiedział Bobby.

Rebus znowu zahamował i spojrzał w górę.

— To Brimson — syknął. — Ma ze sobą Siobhan.

— Wygląda, jakby miał uderzyć w most!

Obaj wyskoczyli z samochodu. Nie byli jedyni. Inni kierowcy też się zatrzymywali, by obserwować lot samolotu. Piesi pokazywali maszynę palcami i rozprawiali z ożywieniem. Ryk silnika wzmógł się, drażnił uszy.

— Jezu! — jęknął Hogan, gdy samolot przeleciał pod mostem kolejowym, zaledwie kilka stóp nad powierzchnią wody. Potem wzbił się stromo, niemal pionowo, wyrównał lot i zanurkował ponownie. Tym razem przeleciał pod samym środkiem mostu drogowego. — Myślisz, że się przed nią popisuje, czy raczej próbuje ją wystraszyć na śmierć? — spytał.

Rebus pokręcił głową. Pomyślał o Lee Herdmanie, który też próbował straszyć początkujących narciarzy wodnych... sprawdzał ich.

— To Brimson podrzucił narkotyki. Sprowadza je do kraju swoim samolotem, Bobby, i mam wrażenie, że Siobhan też o tym wie.

— Więc co on teraz robi, do cholery?

— Może próbuje napędzić jej stracha. Mam nadzieję, że tylko o to mu chodzi... — Pomyślał o Lee Herdmanie, przystawiającym sobie pistolet do skroni, i o byłym komandosie z SAS, który zabił się, skacząc z samolotu...

— Sądzisz, że mają spadochrony? — pytał Hogan. — Czy ona może wyskoczyć?

Rebus nie odpowiedział. Z całej siły zaciskał szczęki.

Samolot zataczał teraz pętlę, lecz wciąż był o wiele za blisko mostu. Zahaczył skrzydłem o jedną z lin, na których zawieszony był most, i opadł korkociągiem w dół.

Rebus odruchowo zrobił krok w przód.

— Nie! — ryknął; jego krzyk trwał, dopóki samolot nie wpadł do wody.

— Kurwa w dupę mać! — zaklął Hogan.

Rebus utkwił wzrok w jednym miejscu... z samolotu został tylko rozbity wrak, jego części w kłębach dymu znikały pod powierzchnią.

— Musimy się tam dostać! — zawołał.

— Jak?

— Nie wiem... łodzią! Port Edgar... tam mają łodzie!

Wrócili do samochodu, zakręcili z piskiem opon i pojechali na przystań, gdzie wyła już syrena alarmowa, a żeglarze wypływali na miejsce wypadku. Samochód zahamował i pobiegli na molo; mijając hangar Herdmana, Rebus kątem oka dostrzegł jakiś ruch, kolorowy błysk. Wyrzucił to z głowy, myśląc tylko o tym, by jak najszybciej dotrzeć na brzeg. Obaj z Hoganem pokazali swoje legitymacje człowiekowi, który właśnie zrzucał cumę motorówki.

— Musi nas pan tam zawieźć.

Mężczyzna był pod sześćdziesiątkę, łysy i siwobrody. Zmierzył ich wzrokiem od stóp do głów.

— Nie macie kamizelek ratunkowych — zaoponował.

— Nie potrzebujemy. Niech nas pan tam zawiezie. — Rebus urwał. — Proszę.

Mężczyzna spojrzał na niego ponownie i kiwnął głową na znak, że się zgadza. Rebus i Hogan wdrapali się na pokład i przytrzymali, gdy motorówka wystrzeliła z portu jak z procy. Inne łódki zebrały się już wokół plamy ropy; od South Queensferry nadpływała łódź ratunkowa. Rebus lustrował wzrokiem powierzchnię wody, wiedząc, że nic to nie da.

— Może to nie byli oni — powiedział Hogan. — A może z nim nie poleciała.

Rebus kiwnął głową, z nadzieją, że jego przyjaciel się zamknie. Ostatnie szczątki samolotu oddalały się od siebie, rozpraszane przez fale.

— Potrzebni nam nurkowie, Bobby. Ludzie żaby czy jak ich się tam nazywa.

— Inni się tym zajmą, John. To ich robota, nie nasza. — Rebus uświadomił sobie, że Hogan kurczowo ściska go za ramię. — Chryste, ależ się wyrwałem z tą strażą przybrzeżną...

439

— To nie twoja wina, Bobby.

Hogan zamyślił się.

— Nic tu już nie wskóramy, co?

Rebus musiał się przyznać do porażki — nic już nie mogli zrobić. Poprosili właściciela motorówki, żeby odwiózł ich z powrotem, co też uczynił.

— Straszny wypadek! — wrzasnął, przekrzykując ryk zaburtowego silnika.

— Tak, straszny — przytaknął Hogan. Rebus gapił się tępo na wzburzoną powierzchnię wody. — To co, nadal jedziemy na lądowisko? — spytał Bobby, kiedy stanęli na brzegu.

Rebus kiwnął głową i ruszył w kierunku passata. Nagle jednak przystanął przed hangarem Herdmana, odwrócił głowę i spojrzał na sąsiadującą z nim dużo mniejszą szopę, przed którą stał samochód — stare bmw serii 7, w odcieniu matowej czerni. Nie znał tego wozu. Skąd padł ten kolorowy błysk? Popatrzył na szopę. Jej drzwi były zamknięte. Czy kiedy przyjechali, były otwarte? Skąd pochodził ten kolorowy błysk? Rebus podszedł do drzwi i pchnął je — odskoczyły z powrotem. Ktoś stał za nimi i blokował je od środka. Rebus cofnął się, wymierzył w drzwi potężnego kopniaka i wyrżnął w nie barkiem. Otworzyły się gwałtownie, a stojący za nimi facet padł na ziemię jak długi.

Czerwona koszulka z krótkimi rękawami, na niej palmy.

Twarz odwracająca się do Rebusa.

— Jasny gwint! — syknął Bobby Hogan, gapiąc się na rozłożony koc, na którym, jak na wystawie, leżała cała kolekcja rozmaitej broni. Dwie szafki stały otworem, opróżnione ze swych tajemnic. Pistolety, rewolwery, broń maszynowa...

— Wybierasz się na wojnę, Pawiu? — spytał Rebus. A kiedy Johnson zaczął się gramolić, próbując dopaść najbliższego pistoletu, zrobił krok do przodu, cofnął nogę i z rozmachu kopnął go w sam środek twarzy, z powrotem posyłając na podłogę.

Johnson padł nieprzytomny, z rozrzuconymi rękami i nogami. Hogan kręcił głową.

— Jak mogliśmy to przegapić, do cholery? — mówił sam do siebie.

— Pewnie dlatego, że mieliśmy to pod samym nosem, Bobby, podobnie jak wszystko w tej cholernej sprawie.

— Ale co to znaczy?

— Proponuję, żebyś zapytał naszego przyjaciela — odrzekł Rebus. — Jak tylko się ocknie. — Odwrócił się i ruszył do wyjścia.

— Dokąd się wybierasz?

— Na lądowisko. Ty zostań z nim, wezwij ludzi, niech go przymkną.

— John... czy to ma sens?

Rebus zatrzymał się. Wiedział, co Hogan miał na myśli — czy jest sens jechać na lądowisko? Ruszył jednak dalej; nie wiedział, co innego mógłby zrobić. Wystukał numer komórki Siobhan, ale nagrany na taśmie głos poinformował go, że abonent jest niedostępny i żeby spróbował później. Zadzwonił ponownie, z tym samym skutkiem. Cisnął małe srebrne pudełko na ziemię i z całej siły rozgniótł je obcasem.

Kiedy dotarł do zamkniętej na kłódkę bramy, zapadał zmierzch.

Wysiadł z samochodu i spróbował zadzwonić przez bramofon, lecz nikt nie odpowiadał. Za siatką widział samochód Siobhan, zaparkowany przed budynkiem. Drzwi biura były otwarte na oścież, jak gdyby ktoś opuścił je w pośpiechu. A może walczył z kimś... i nie miał głowy do zamykania ich za sobą.

Pchnął bramę, naparł na nią ramieniem. Łańcuch zagrzechotał, lecz nie zamierzał ustąpić. Rebus cofnął się i kopnął w siatkę. Kopał raz za razem, próbował ją wyważyć, okładał pięściami. Przycisnął do niej głowę, zaciskając powieki.

— Siobhan... — Jego głos załamał się.

Potrzebował przecinaka do metalu. Wóz patrolowy mógłby go przywieźć, gdyby miał jak się dodzwonić.

Brimson... teraz już wiedział. Wiedział, że to Brimson przemycał narkotyki, że to on podrzucił je na łódź zmarłego przyjaciela. Nie wiedział tylko dlaczego, ale się dowie. Siobhan jakimś sposobem odkryła prawdę i w rezultacie zginęła. Być może szarpała się z Brimsonem, co tłumaczyłoby chaotyczny lot cessny. Otworzył szeroko oczy i zamrugał, próbując powstrzymać łzy.

Spojrzał przez drucianą siatkę.

Zamrugał ponownie, próbując skupić wzrok.

Ktoś tam stał... W progu stała jakaś postać, jedną ręką trzymając się za głowę, a drugą za brzuch. Zamrugał raz jeszcze, upewniając się, że wzrok go nie myli.

— Siobhan! — ryknął. Podniosła rękę i pomachała do niego. Przytrzymał się siatki i wstał, znowu wykrzykując jej imię, lecz ona zniknęła w budynku.

Głos odmówił mu posłuszeństwa. Czyżby miał omamy wzrokowe? Nie — znów wyszła z budynku, wsiadła do swego wozu i przejechała niewielki dystans dzielący ją od bramy. Gdy podjechała bliżej, upewnił się, że to naprawdę ona. I że jest cała.

Zatrzymała samochód i wysiadła.

— Brimson — mówiła. — To on był od narkotyków... w zmowie z Johnsonem i matką Teri... — Miała ze sobą klucze Brimsona i teraz szukała tego od kłódki.

— Wiemy — rzekł Rebus, lecz ona go nie słuchała.

— Musiałam uciekać... zwalił mnie z nóg. Odzyskałam przytomność, dopiero jak zadzwonił telefon. — Zerwała kłódkę razem z łańcuchem, otworzyła bramę.

I została oderwana od ziemi przez Rebusa, który podniósł ją i zamknął w niedźwiedzim uścisku.

— Auuu! — jęknęła, więc nieco poluzował chwyt. — Jestem trochę posiniaczona — wyjaśniła, patrząc mu prosto w oczy.

Rebus nie mógł się powstrzymać, przycisnął usta do jej ust. Pocałunek trwał w nieskończoność; on miał zaciśnięte powieki, jej oczy były szeroko otwarte. W końcu wyrwała mu się, cofnęła o krok i próbowała złapać oddech.

— Może i jestem nie bardzo przytomna, ale co się właściwie dzieje?

27

Tym razem to Rebus odwiedził Siobhan w szpitalu. Przyjęli ją z powodu wstrząśnienia mózgu i miała tam zostać na noc.

— To śmieszne — protestowała. — Nic mi nie jest, naprawdę.

— Zostaniesz tutaj, młoda damo.

— Co ty powiesz? Tak samo jak ty, co?

Jak gdyby dla podkreślenia jej słów, popychając pusty wózek, minęła ich ta sama pielęgniarka, która zmieniała Rebusowi opatrunek.

Przysunął sobie krzesło i usiadł.

— Więc nic mi nie przyniosłeś? — spytała.

Wzruszył ramionami.

— Trochę mi się śpieszyło, wiesz, jak to jest.

— Jak wygląda sytuacja z Pawiem?

— Zamknął się jak małż w skorupie. Ale guzik mu z tego przyjdzie. Gill Templer widzi to w ten sposób, że Herdman nie chciał, żeby cała ta broń walała się po jego hangarze, więc Paw wynajął sąsiedni. Tam właśnie Herdman pracował nad tymi spluwami, przywracał im sprawność, i tam też je przechowywali. Ale kiedy palnął sobie w łeb, zrobiło się gorąco, no i Paw nijak nie mógł ich przenieść...

— Więc spanikował?

— Niewykluczone, a może, przewidując dalszy rozwój wydarzeń, chciał się uzbroić na wszelki wypadek.

Zamknęła oczy.

— Bogu dzięki, że do tego nie doszło.

Przez kilka minut milczeli. W końcu Siobhan spytała:

— A Brimson?

— Co z nim?

— Dlaczego postanowił skończyć w ten sposób...

— Myślę, że dusił to w sobie do ostatniej chwili.

Otworzyła oczy.

— Albo poszedł po rozum do głowy i nie mógł się zdobyć na to, żeby mnie pociągnąć za sobą.

Wzruszył ramionami.

— Tak czy siak... powiększył tylko wojskowe statystyki samobójstw, żeby armia miała nad czym pracować.

— Pewnie spróbują przedstawić to jako wypadek.

— Kto wie, czy tak nie było? Niewykluczone, że miał zamiar wykonać pętlę i rozbić się o tory na moście, siejąc spustoszenie.

— Wolę swoją wersję.

— Więc się jej trzymaj.

— A co z Jamesem Bellem?

— W jakim sensie?

— Myślisz, że zrozumiemy kiedyś, jak mógł to zrobić?

Znów wzruszył ramionami.

— Wiem tylko tyle, że gazety pożywają sobie na jego ojcu.

— I to ci wystarcza?

— Myślę, że jakoś to przeżyję.

— James i Lee Herdman... nie mogę tego pojąć.

Rebus zamyślił się na chwilę.

— Może James uznał, że znalazł sobie bohatera, kogoś kompletnie innego niż jego ojciec, kogoś, za czyj szacunek dałby się posiekać.

— Albo byłby gotów zabić? — dorzuciła Siobhan.

Uśmiechnął się, wstał i poklepał ją po ramieniu.

— Idziesz już?

Wzruszył ramionami.

— Robota czeka. Na komisariacie ubyła nam jedna funkcjonariuszka.

— A nie mogłaby poczekać do jutra?

— Sprawiedliwość nie śpi nigdy, Siobhan. Co nie znaczy, że ty też nie powinnaś. Dać ci coś, zanim wyjdę?

444